Maya Tiwari

Das große AYURWEDA Handbuch

Die Geheimnisse des Heilens
Das umfassende Praxisbuch über die Wirkungsweisen und Anwendungsbereiche von Ayurweda

Grundlagen ayurwedischer Philosophie, Verjüngungstherapien (Abhyanga, Snehana, Svedana), Reinigungstherapie (Pancha Karma), Heildiäten und vieles mehr

WINDPFERD

Titel der Originalausgabe *Ayurweda: Secrets of Healing*

Published in 1995 by Lotus Press, P.O. Box 325, Twin Lakes, WI 53181
Übertragen aus dem Amerikanischen von Ute Weber

Hinweis des Verlages

Die Informationen in diesem Buch sind für Interessierte und zur Weiterbildung gedacht. Sie sind nicht zur Diagnose, zur Erteilung ärztlicher Verordnungen oder zur Behandlung bestimmt. Auf keinen Fall sollten die in diesem Buch enthaltenen Informationen als Ersatz für die Untersuchung und Beratung durch einen Arzt betrachtet werden.
Autor und Verlag übernehmen keinerlei Haftung für Schäden irgendeiner Art, die direkt oder indirekt aus der Anwendung oder Verwertung der Angaben in diesem Buch entstehen.

1. Auflage 1996

Umschlaggestaltung: Wolfgang Jünemann
Zeichnungen: Design by Maya Tiwari, Ausführung Marnie Mikell
Lektorat: Uwe Hiltmann, Niedernhausen/Ts.
Layout: *panta rhei!* - Media Service, Uwe Hiltmann, Niedernhausen/Ts.
Gesamtherstellung: Schneelöwe, 87648 Aitrang
Gedruckt auf Enviro-Naturpaier: chlorfrei, säurefrei, aufhellerfrei
ISBN 3-89385-162-3

Printed in Germany

Danksagungen

Mein Dank gilt den Mitarbeitern von Lotus Press, insbesondere Santosh Krinsky, meinem Verleger; Lenny Blank für seine Unterstützung und für die Einleitung; Susan Tinkle für ihre gewissenhafte letzte Bearbeitung; Beverley Viljakainen, meiner geschätzten Kollegin, für die Zeilenbearbeitung und die hervorragenden Verbesserungsvorschläge sowie Jancis Salerno für das Buchdesign und den Umschlag.

Meine tiefempfundene Anerkennung möchte ich auch Dr. Deepak Chopra für seine freundliche Rezension aussprechen; Dirk Benedict, meinem Bruder im Geiste, für sein seelenvolles Vorwort; Dr. med. Dr. med. h. c. Gladys Taylor McGarey, Dr. phil. Margaret Paul und Niro Markof Asistent für ihre großzügigen Kommentare.

Ich danke den Mitarbeitern des New York Open Center für ihre freundliche Unterstützung; meinen Organisatoren und Schülern Ketul, Gandharva, Aparna, Taj, Stephen, Pat, Gary, Leena, Ann und Linda, deren stoische Haltung die Verbreitung meiner Arbeit im ganzen Land aufrechterhält.

Schließlich gilt mein Dank auch Leslie Hawkins, Roxanne Clement und Jeff Hollifield dafür, daß sie mich beim Eingeben des Manuskripts unterstützt haben; Marnie Mikell für die abschließende Illustration der Linienzeichnungen und Franzi Talley für die endgültige Umschlaggestaltung.

Widmung

Für meinen geliebten Lehrer ***Swami Dayananda Saraswati***

Derjenige, der Glück und Wissen gibt
Und jenseits von Dualität und Extremen ist,
Grenzenlos wie der Weltraum, ist er ohnegleichen,
Rein und zeitlos, ist er jenseits von Samsara,
Frei von der Fessel Mayas.
Ich grüße meinen Lehrer, der die Wahrheit ist.

An die Kräfte der Göttin in meinem Leben

Stella Adler und Helena Monbo,
Zwei wichtige Lehrerinnen meines frühen Lebens ...
Kalayi und Jeerah, meine beiden schönen Mütter ...

Dank sei Euch für Eure nährende Weisheit
Und ewige Liebe.

Inhaltsverzeichnis

Abschnitt IV: Pancha Karma – Ayurwedische Reinigungstherapien

Abschnitt V: Die heilende Ernährung und die heilenden Aktivitäten des Ayurweda

Abschnitt VI: Anhang und Glossare

Vorwort

Oberflächlich betrachtet haben die Autorin dieses Buches, eine Nachfahrin indischer Hindus, die nach Britisch-Guyana (jetzt Guyana) verschlagen wurden, und der Verfasser dieser Einführung, der in Helena, Montana, geboren wurde, und dessen Eltern aus der Schweiz und Deutschland stammten, wenig oder überhaupt nichts Gemeinsames. Die eine aus den fruchtbaren Reisfeldern und Redwood-Wäldern der salzigen Küsten Südamerikas; der andere aus dem gebirgigen Ranchgebiet am Osthang der Rocky Mountains Nordamerikas. Die eine eine *Brahmacarini*, die im kühlen Wasser des Ganges gestanden hat, die durch den Himalaya gewandert ist und ihr Leben in Shiva gemäß dem Wissen der Veden lebt; der andere ein Schauspieler und Schriftsteller, der im Missouri gefischt hat, die Crazy Mountains hinaufgeklettert ist, und der durch sein privates und öffentliches Leben gestolpert ist, wobei er zu seiner Führung über nichts weiter verfügte als über eine neugierige Seele und grenzenlosen Hunger nach der Wahrheit. Unter der Oberfläche all dieser biographischen Details jedoch, all dieser „Unterschiede" (aufgrund derer man uns alle gelehrt hat, unserer Einzigartigkeit zu huldigen und zu den voreiligen Schlußfolgerungen zu gelangen, die uns unglücklich machen, uns ernüchtern und uns trennen); unterhalb und jenseits davon liegt unsere „wahre Natur", das heißt, die kosmische Wahrheit von Maya Tiwari und Dirk Benedict – und desgleichen diejenige von uns allen. Denn egal, wie einzigartig, wie unterschiedlich unsere Lebenserfahrung ist, wir sind alle Brüder und Schwestern, in demselben Universum geboren, mit demselben kosmischen Traum.

Ich weiß, daß das wahr ist, weil ein kleines Ding namens Krebs es mir so gesagt hat, und genau dort, in dem Erleben dieser spirituellen Krankheit, habe ich mein universelles Wesen gefunden und konnte einen Blick auf jenen Teil meines Selbst werfen, der in allen von uns ist. Die talentierte Autorin und vorurteilsfreie Schöpferin des Buches, das Sie in Ihren Händen halten, hat ebenfalls ihre spirituelle Krankheit erlebt.

Ich hatte immer die Vermutung, daß der Krebs meine spirituelle Rettung wäre. Mit der Zeit (und erhöhtem Wohlbefinden) gewann ich das Vertrauen, das es mir ermöglichte, dieser und der tieferen Vermutung Ausdruck zu geben, daß physische Krankheit, die das Leben so vieler von uns verkürzt, der wir Namen geben wie Krebs, Herzkrankheit oder Diabetes, und die wir unheilbar nennen, nichts dergleichen ist. Diese physische Degeneration ist vielmehr ein Symptom unseres Gedächtnisverlustes, des Verlustes der Erinnerung an unser wahres Selbst, an all das, was früher, vor unzähligen Generationen, geschehen ist, und an all das, was noch geschehen wird. Denn all das, was ist, gewesen ist oder sein wird, ist in den unzählbaren Seiten des Kosmos niedergeschrieben; ich weiß, daß das wahr ist, denn ich habe meinen karzinogenen Blick in diesen Kosmos geworfen. Dieses kosmische Gedächtnis, das Maya im vorliegenden Buch zur Entfaltung bringt, enthüllt uns unser heiliges, spirituelles Wesen und erlaubt es uns, mit dem, was wir Leben nennen, fortzufahren; es enthüllt uns unseren „zeitlosen Geist und alterslosen Körper", es macht uns ganz und harmonisch ... und eins.

Auch Maya Tiwari hat, wie sie in diesem Buch berichtet, ihre „dunkle Reise" durch das Tal des Krebses gemacht. Es ist in diesem Zusammenhang nicht wichtig, daß wir beide unsere dunklen Reisen „überlebt" haben, nur das, was mit uns auf dem Weg geschehen ist, ist entscheidend: das Aufgeben falscher Überzeugungen und Wahrnehmungen, das Akzeptieren unserer wahren, das heißt unserer *göttlichen* Natur, sowie das Akzeptieren der Verantwortung für unsere Krankheit und für unsere Verjüngung. Der Krebs war das Hindernis in unserem Leben, der „himmlische Berg", den wir erklommen und durch den wir uns mit unserem wahren Selbst verbunden haben.

Die persönliche Verantwortung für solche himmlischen Hindernisse zu leugnen und um chirurgische, chemische, von Menschen herbeigeführte Rettung zu bitten, ja sie zu *verlangen*, bedeutet, daß wir unsere göttliche Natur leugnen und die der Krankheit zugrundeliegende Absicht vollkommen verfehlen. Was wir „unheilbar" nennen, ist in Wirklichkeit eine verpaßte Gelegenheit: eine verpaßte Gelegenheit für das „Wachstum", das unsere physische Verjüngung und unsere spirituelle Rettung ist.

Dieses Buch ist, wie die Person, die es geschrieben hat, wie ein Ozean. Wir brauchen nichts anderes zu tun, als am Ufer unseres Seins zu stehen, und die spirituelle, das heißt die ***essentielle*** Belohnung ist unvermeidlich. Stellen Sie sich an den Strand eines beliebigen Meeres und blicken Sie in die Ferne, oder denken Sie in Ruhe über die Seiten dieses Buches nach; Sie werden durch beide Erfahrungen sanft zu Ihrem göttlichen Selbst hingestoßen werden. Die Wiedergewinnung Ihres ewigen Gedächtnisses obliegt Ihnen, aber es wird Ihnen nie wieder an den Werkzeugen mangeln, mit denen Sie diese Reise beginnen können.

Es gibt ein universales Kollektives, das uns alle durch die spirituelle Nabelschnur, die unser wahres Selbst ist, verbindet. Dieses Buch enthält die Lehren, die es uns allen ermöglichen, es zu verwirklichen – in *diesem* Leben.

Wenn einige von Ihnen befürchtet haben, daß die uralte Tradition des Ayurweda und ihre Geheimnisse des Heilens Gefahr liefen verlorenzugehen, dann finden Sie hier das Werk, das uns alle einen kollektiven Freudenseufzer ausstoßen läßt. Denn auf diesen Seiten, in den schriftlichen Aufzeichnungen dieses Buches sind die wesentlichen Heilungstechniken, Lehren und uralten Weisheiten der Schriften des Ayurweda, die über Tausende von Jahren hinweg von Weisem zu Weisem, von Meister zu Meister überliefert wurden, festgehalten.

Vollständige Heilung für Ihre Seele. Unzählige Therapien und Rezepte, durch die Sie Ihre Vitalität und Lebensfreude wiedergewinnen, und Ihre Desillusionierung und Angst vor dem Tod verlieren können.

Lesen Sie dieses Buch auf eigene Gefahr, denn Sie könnten Ihr Selbst darin verlieren ... Ihr falsches Selbst – und wahre Gesundheit und wahres Glück ... und ewiges Leben finden.

Dirk Benedict
Bigfork, Montana
27. Dezember 1994

Einleitung

Aufgrund ihres Wunsches, meine stille Arbeit der letzten siebzehn Jahre anzuerkennen, die zum Ziel hatte, das öffentliche Interesse an Ayurweda im Westen zu fördern, hat mich Bri Maya Tiwari geben, diese Einführung zu schreiben. Ich bin für diese Gelegenheit außerordentlich dankbar.

Einen Großteil meines Lebens habe ich dem Streben nach Bewußtheit gewidmet. Meine Suche nach Verstehen führte mich im Jahre 1978 zu der Entscheidung, in Indien zu leben. An diesem Wendepunkt in meinem Leben entdeckte ich den Ayurweda.

Diese sehr alte Wissenschaft der Heilung gab mir das Bewußtsein dessen, worum es bei Ganzheit und Krankheit wirklich geht – etwas, das mir bis dahin entgangen war. Ich entdeckte, daß das ayurwedische Wissen aus dem Bewußtsein selbst geboren worden war, und das es in Wirklichkeit keine Trennung gab; alles IST eins. Tatsächlich nennt der Ayurweda die *Trennung* als Hauptursache für jeglichen Schmerz und jegliches Leiden in Körper, Geist und Seele, und er stellt die Mittel bereit, um dieses Geheimnis aufzudecken, damit wir alle in Gleichgewicht und Harmonie leben mögen.

Der Ayurweda begann mich zu begeistern und entwickelte sich zu einer wahren Besessenheit. Durch meine enge Freundschaft mit Dr. Vasant Lad in Indien begann ich, diese uralte Kunst zu erlernen. Da ich erkannte, daß es im westlichen Gesundheitswesen ein Bedürfnis nach der Weisheit des Ayurweda gab, ermutigte ich Dr. Lad, in die Vereinigten Staaten zu kommen und organisierte seine Reise dorthin; bei seiner Ankunft im Juni 1979 schien es so, als ob die öffentliche Bewegung des Ayurweda geboren sei. Im Jahre 1983 gründete ich den Verlag Lotus Press, in dem inzwischen acht Bücher über Ayurweda veröffentlicht worden sind. Eines von ihnen ist das faszinierende Werk, für das gerade diese Einleitung geschrieben wird.

Obwohl der Ayurweda bis in die frühen achtziger Jahre hinein im Westen wenig bekannt war und kaum verstanden wurde, ist er jetzt in aller Munde. Ich möchte auch Dr. Deepak Chopra meinen Dank aussprechen, der ganz wesentlich zur öffentlichen Akzeptanz des Ayurweda in der westlichen Kultur beigetragen hat. Obwohl ich bisher nicht das Vergnügen hatte, Dr. Chopra persönlich kennenzulernen, habe ich das Glück gehabt, Bri Maya Tiwari, die neben Dr. Chopra auf dem Pfad des Ayurweda wandelt, zu begegnen und sie näher kennenzulernen.

Der Anlaß, der zur ersten Begegnung mit Bri Maya Tiwari führte, war der, daß sie mit großem Wohlwollen die Einführung zu einer Veröffentlichung von Lotus Press schrieb. Ihre Präsenz konnte ich sofort spüren, selbst am Telefon, und seitdem hat sich unsere Freundschaft beständig vertieft. In ihr haben Sie eine mutige Frau vor sich, die sich selbst vor mehr als achtzehn Jahren von einer „unheilbaren“ Krankheit geheilt und seitdem beschlossen hat, ihr Leben ihrer eigenen Heilung zu widmen, und andere dabei zu unterstützen, sich selbst zu heilen.

Bri Maya ist sorgfältig dazu ausgebildet worden, die wertvollen mündlichen Lehren des wahrscheinlich ältesten spirituellen Erbes der Menschheit, der Veden, zu bewahren. Sie führt ihr Leben als Nonne und gibt ihr Wissen und ihre Weisheit an andere weiter. Ihr vor kurzem veröffentlichtes Werk *Ayurveda: A Life of Balance* ist das erste Werk, das uns eine spirituelle Grundlage für die Ernährung in der modernen Welt zur Verfügung stellt. Ein Folgeband zu diesem Werk, *Ayurweda – Geheimnisse des Heilens*, bezieht seine Inspiration ebenso aus den zutiefst spirituellen Wurzeln der Veden wie aus Bri Mayas weitreichendem Verstehen und ihrer Lebenserfahrung. Auch Sie werden die Tiefe ihres Wissens, ihre Liebe und ihre Hingabe im Dienste anderer auf den folgenden Seiten erleben.

Lenny Blank
Pagosa Springs, Colorado
4. Februar 1995

Einführung der Autorin

Mein Gruß an Gott Krishna,
dessen Erscheinen ein Segen für das Universum ist,
der grenzenlose Freude ist für die, die sich Ihm hingeben.
Selbst der flüchtige Blick aus Seinem Augenwinkel
bringt das Meer der Täuschung zum Austrocknen.

Advaita Makaranda (1.1)

Das kühle Wasser des Ganges rauscht unaufhörlich über meine Füße. Ich höre Gottes Stimme in dem wütenden Donner. Der herumwirbelnde Sand, der auf den Flügeln des gepeitschten Windes fortgetragen wird, formt sich zu den Gesichtern meiner Vorfahren. Nur wenig weiß ich über den wahren Sinn meiner Reise nach Indien, bis ich wie angewurzelt im grenzenlosen Raum und der unendlichen Zeit stehe. Ich erblicke die Gesichter meines geliebten Volkes, dessen Blut und geistiges Erbe durch mich hindurchfließen. Ich höre, wie die Schreie meiner Vorfahren schließlich verstummen, jetzt, wo der Tribut für die Entfremdung von ihrem Heimatland vor mehr als hundert Jahren entrichtet ist. Als erste Angehörige meines Volkes, die in das heilige Land Indien zurückkehrt, stehe ich hier durch die Gnade meines Lehrers Swami Dayananda Saraswati, um meine Einweihung als Brahmacharini zu empfangen.

Von nun an, da ich in diesem heiligen Fluß stehe und meine Absicht erkläre, in Fülle im Wissen der Veden, in Shiva zu leben, darf ich diesen Augenblick niemals mehr vergessen.

Cidananda rupah
Sivo'ham, Sivo'ham

Meine Natur ist grenzenloses, unendliches, reines Bewußtsein
Ich bin Shiva. Ich bin Shiva.

Sankaracarya
Nirvana Satkam

Meine Reise in diesem Leben begann in den frühen fünfziger Jahren in einem Land, das damals Britisch-Guyana hieß (das heutige Guyana). Dorthin waren meine Großeltern von den Briten aus Indien deportiert worden. Die Inder kamen als vertraglich verpflichtete Plantagenarbeiter nach Britisch-Guyana und waren damit in einer etwas glücklicheren Lage als die Afrikaner, die mit Gewalt als Sklaven hierher gebracht worden waren. Meine Leute kamen als Priester, um die heiligen Schriften der Hindus zu verbreiten und den zahllosen Menschen Trost zu spenden, die ihrer Familie, ihres Dorfes, ihrer Kultur, ihrer Gewohnheiten, und, was am schwerwiegendsten war, ihrer Heimat beraubt waren.

Wie es für die Angehörigen einer zweiten Generation normal ist, wuchs ich auf, ohne meine Großeltern kennengelernt zu haben. Sie starben jung, wie so viele andere, die verwirrt, verrückt oder krank wurden. Meine Eltern trugen die schwere Last, sich ein neues Leben in einem neuen Land aufzubauen und dabei gleichzeitig die Traditionen zu bewahren, die sie in weiter Ferne jenseits des Ozeans zurückgelassen hatten. Die traditionellen *Dharmas*, die sie nie wieder in ihrer Heimat miterleben sollten, wurden zu einer geschätzten und heiligen Erinnerung, die mit entschlossener Ergebenheit gepflegt wurden. Ich hatte das seltene Glück, daß ich von frühester Jugend an einen Lehrer von immenser Bedeutung hatte, meinen Vater, der universell begabt war. Als Jüngster in seiner Familie und mit den seltenen Gaben von Weitsicht, Stärke und Hingabe für sein Volk gesegnet, überquerte er die unsichtbare Brücke zwischen Indien und Guyana, während er die gesamte engere und weitere Familie fest auf seinen Schultern trug. Seine Weisheit und seine selbstlosen Opfer haben sein Volk und insbesondere seine Kinder über multikulturelle Barrieren und archaische Technologie hinweg ins zwanzigste Jahrhundert gebracht. Weil Guyana technologisch fünfzig Jahre hinter dem Rest der Welt zurückblieb, standen wir den natürlichen Praktiken von *Sadhana* (gesunde Aktivitäten, die in Harmonie mit der Natur ausgeübt werden) zehnmal näher als andere. Elf Kinder, von zwei Müttern gesegnet, wuchsen im teuren und kostbaren Schoß der Natur auf.

Das idyllische Feld unserer Kindheitsspiele erstreckte sich von dem schwarzen, salzigen Wasser der Flußläufe bis zu den steifen Khakischuluniformen. Der betörende Duft von *Kamelien* hing schwer in der Luft; Ballen mit indischer Baumwolle wurden auf den Tischen der Händler ausgebreitet; die jungfräulich grünen Reisfelder tanzten in der von *Marsala* durchtränkten Luft; Milch, so weiß, daß sie im Mondlicht blau erschien; Haut so schwarz, daß sie den Himmel reflektierte – das sind die Erinnerungen an mein Land. Es war ein weites und geheimnisvolles Land, in dem sich britischer Lärm, indische Harmonien und afrikanische Rhythmen gegenseitig überlagerten, aber der Geruch meines Volkes fehlte. Die Schwingungen, die mit dem eigentlichen Wesen der Inder verwoben waren, hatten sie in weiter Ferne zurückgelassen. Ich liebte die Alten mit wütender Leidenschaft. Ich kauerte in ihrer Mitte, um ihren Geruch zu schnuppern und einzusaugen, und manchmal wußte ich, daß ich auch ohne das ihnen innenwohnende Gedächtnis nicht würde leben können.

Währenddessen neigte sich die britische Fremdherrschaft ihrem Ende zu. Guyana war eines seiner letzten Adoptivkinder. Mein Vater sah das Schicksal voraus, das einem Land der vierten Welt, das bald in die Unabhängigkeit entlassen werden sollte, unweigerlich bevorstand, und gab seinen älteren Kindern, die den Mut kreativer Flugkörper besaßen, den nötigen Schliff, um sie für die Ausreise nach England, die Vereinigten Staaten und Kanada vorzubereiten. Was mich angeht, so erhielt ich im zarten, unreifen Alter von fünfzehn Jahren ein Abschlußzeugnis der Universität London, das dem College-Abschluß entsprach. Mein Land wurde unabhängig und ein bitterer Rassenkrieg begann. Meine Eltern, die jüngeren Geschwister, die Alten und Bedürftigen, die weniger Glück hatten als wir, die wir ins Ausland geschickt wurden, bevor der schmerzliche Kampf begann, waren im grauenhaften Kreuzfeuer des blutigen Krieges gefangen.

In dem Maße, wie die üblichen Grausamkeiten des Krieges die Natur erniedrigten, wurden fruchtbare Felder und produktive Ländereien brachgelegt, die kristallfarbenen Flüsse und schwarzen Gewässer vergiftet, die Redwood-Bäume brutal gefällt. Guyana, vormals erlesen und reich mit seinen mächtigen Flüssen, seinem ungeheuren Reichtum an Gold- und Mineralvorkommen und den prähistorischen Tier- und Pflanzenarten, die in den Regenwäldern des Hochlandes ihr Zuhause hatten, weinte zwei Jahrzehnte lang still in Scham und Dunkelheit vor sich hin. Wieder einmal zog mein Volk weiter und siedelte sich in einem neuen Land an, dieses Mal in Kanada.

Ohne meinesgleichen und über die Grenzen von Geist und Seele hinaus bedrängt, überließ ich mich im Alter von dreiundzwanzig Jahren dem Krebs. Ich ließ meine Maske fallen und sie zersprang in der Vergessenheit. Das Licht des Göttlichen lugte durch die Risse meines gebrochenen Körpers hindurch. Mein teures falsches Selbst starb zur selben Zeit, wie meine göttliche Natur mich zu Fall brachte. Durch mein fünfjähriges Verweilen mit dem Krebs war ich in der Lage, mein Karma und den Sinn meines Hierseins zu erkennen und mein Leben in einer Weise neu zu strukturieren, die sowohl meine Vergangenheit ehrte als auch meine Gegenwart ermöglichte. Ich war in der Lage, über den Schmerz meines Volkes und die Konflikte meiner frühen dualistischen Wahrnehmungen hinweg mein wirkliches Selbst zu sehen. Ich entdeckte jetzt die Natur und machte mich erneut mit der reichen und ergreifenden Schönheit der einfachen täglichen Sadhanas meiner Kindheitsjahre vertraut.

Durch das Erkennen meiner eigenen spirituellen Verpflichtung, durch zeitlose Sadhanas und die Hilfe eines klugen und bemerkenswerten Menschen, Dr. James Holland, heilte ich in ein neues Wesen hinein. Heute sind zwanzig Jahre vergangen, seit ich der Asche des Krebses entsprang und begann, mich dem Studium der ganzheitlichen Lebensprinzipien zu widmen.

Meine Arbeit mit den Sadhanas der Natur wächst nach wie vor mit dem Wissen, das ich den ayurwedischen Schriften und der Vedanta entnommen habe. Die Sadhanas, die in diesem Buch vorgestellt werden, sind den ayurwedischen Schriften entnommen und unseren Zwecken angepaßt worden. Sie sind unendlich eindringlich in ihrer Fähigkeit zu heilen und unerläßlich für die Erkenntnis der göttlichen Natur des Menschen. Außerdem spiegeln sie meine unzähligen Erfahrungen mit den feurigen Passagen des Lebens und dem Erwachen meines eigenen tiefgreifenden kognitiven Gedächtnisses wider.

Ich bin weder Medizinerin noch Ayurweda-Ärztin. Es ist meine Absicht, die Heilungsgeheimnisse, die mir aus eigener Erfahrung vertraut sind, sowohl in meinem persönlichen Leben als auch mit den Vielen, denen ich durch die dunklen Reise des Krebses hindurchgeholfen habe, zu teilen. Am meisten bete ich dafür, in der Weisheit der Veden leben und die Unschuld, meine wahre Natur, entdecken zu dürfen.

Über den Gebrauch des Sanskrit in diesem Buch

Man nimmt an, daß Sanskrit mehr als eine Sprache ist, da es den kosmischen Klang selbst widerspiegeln soll. Als erste Manifestation, die im Universum in Form von Schwere- und Schwingungsfeldern aufgetaucht ist, nährt, gebiert und erhält der kosmische Klang alle anderen Manifestationen. Ist uns nicht gesagt worden, daß der Höchste die vielgestaltigen Kräfte der Schöpfung durch *Shabda Brahman*, das Wort, geschickt habe? In Form von *Varnas*, der reinen Schwingung und tiefen Stille, manifestiert sich die numinose Energie Gottes und schafft den hörbaren oder unvollkommenen Klang und die sichtbare Form. Daher wird die Verwendung von Sanskrit als das erste Sadhana, das heißt gesunde Übung, angesehen, die uns, wenn wir sie praktizieren, direkt an unsere Verbundenheit, unsere Beziehung zu dem Einen, Ganzen erinnert.

Die zahlreichen Götter des vedischen Pantheons werden als Keim des Universums angesehen. Aus diesen Keimen ist jeder einzelne Buchstabe des Sanskrit-Alphabets entwickelt worden, und jeder von ihnen repräsentiert die verschiedenen Facetten der göttlichen Mutter. Die Verwendung von Sanskrit, das ursprünglich Devanagari genannt wurde und in seiner wörtlichen Bedeutung „das Mittel der Gemeinschaft unter den Göttern" hieß, ist außerdem ein Mittel, um sich auf die kosmische Schwingung des Universums einzustimmen. Es hat sich herausgestellt, daß die umsichtige Intonation eines Wortes, einer Phrase, eines Mantras oder Gebetes in Sanskrit, sogar ohne Kenntnis seiner Bedeutung, dem Leben Klarheit, Reichtum und Eindringlichkeit verleiht. Die Keimsilben oder Kombinationen von Sanskrit-Buchstaben, die die Gesamtsumme aller Gottheiten oder Gottheitssymbole enthalten, sind äußerst wirkungsvolle Mantras, deren kraftvollstes die Silbe *OM* ist. Die richtige Intonation von Sanskrit-Silben und -Wörtern in Form von Mantras reinigt *Ojas*, unsere biologische Essenz, *Tejas*, das subtile Feuer unseres Geistes, und *Akasha*, unser feinstoffliches Schwingungsfeld. Jedes Wort leitet sich aus einer Verbwurzel ab, die eine absolute Bedeutung hat, ohne Mehrdeutigkeit oder kulturelle Konnotationen, und daher eine gleichermaßen absolute Bedeutung vermittelt. Aus dem Wunsch heraus, dieses Sadhana mit Ihnen, meine Leser, zu teilen, habe ich die Verwendung der Sanskritworte und -namen beibehalten, die für die meisten der in diesem Buch erläuterten Therapien und Arzneien üblich sind; gleichzeitig habe ich überall dort, wo es hilfreich erschien, Erklärungen hinzugefügt. Mögen Sie durch diese gesunde Praxis geläutert und erhöht werden.

OM.

Einführung in den Ayurveda

Die vielversprechende Vergangenheit

Die Veden, die aus dem Rigveda, dem Yajurveda, dem Samaveda und dem Atharvaveda bestehen und in denen das uralte Wissen der heiligen Schriften der Hindus aufgezeichnet ist, sind uns über mehrere Jahrtausende hinweg von Generation zu Generation mündlich überliefert worden, bevor sie schließlich schriftlich festgehalten wurden. Erst im Jahre 500 v.Chr. trug der Weise Adi Sankara die jüngste literarische Schicht der Veden, den sogenannten Vedanta, zusammen, der das Wissen enthüllt, daß das Selbst und der Höchste eins sind. Sankara hat dieses Wissen zusammen mit umfangreichen Kommentaren zu diesem Thema auf Palmblättern festgehalten.

Der Rigveda, Eckpfeiler und ältester der Veden, enthält viele Hinweise auf ayurwedische Prinzipien, obwohl der Ayurweda selbst hauptsächlich aus der Atharvaveda, dem jüngsten der Veden entwickelt wurde. Grundlagen des ayurwedischen Wissens, das uns heute zur Verfügung steht, finden sich in den beiden großen Abhandlungen Charaka Samhita und Sushruta Samhita, die beide erstmals um die Jahrtausendwende vor Christi Geburt veröffentlicht wurden.

Die Charaka Samhita,in der es in erster Linie um die innere Körper-/Geistmedizin des Ayurweda geht, und in der zunächst die Krankheitsursache und die Konstitution eines Menschen untersucht werden, ist die Wichtigere von beiden. Die Kenntnis der ayurwedischen Chirurgie und ihrer detaillierten Techniken, die in der Sushruta Samhita enthalten sind, stehen uns heute nicht mehr zur Verfügung. Diese Praktiken wurden gegen Ende von Buddhas Lebenszeit nicht mehr ausgeübt. Zur Zeit des Mittelalters wurden Therapien zur Verjüngung und zur Steigerung der Manneskraft, die als Rasayana bzw. Vajikarna bekannt sind, in das Spektrum ayurwedischer Heilweisen eingeführt. Um 500 v.Chr. wurde der Ayurweda in acht medizinische Disziplinen und zwei wesentliche philosophische Schulen unterteilt, die nach den Weisen Atreya und Dhanvantari benannt sind. Charaka gehörte zur Atreyaschule des Ayurweda, Sushruta zur Dhanvantarischule.

Die Pancha-Karma-Therapie, das Herzstück der ayurwedischen Heilungstherapien, soll sogar noch vor den frühesten Anwendungen des Ayurweda, die man man ca. 8000 Jahre zurückdatiert, entstanden sein. Obwohl es in Indien zu langen Phasen der Unterbrechung gekommen ist, wird Pancha Karma immer noch in vielen Teilen des Landes praktiziert. Diese Therapie ist der zentrale Bestandteil eines einzigartigen Systems alter Heilungstechniken. Sie soll von den Göttern selbst praktiziert worden sein und wurde von ihnen angeblich den frühesten Sehern auf der Erde vermittelt und bleibt das bedeutendste Bindeglied zur unsterblichen Essenz des menschlichen Lebens.

Der Begriff Pancha Karma bezieht sich auf die fünf Haupttechniken, die verwendet werden, um den Körper von seinen überschüssigen Körpersäften, den Doshas, zu reinigen. Obwohl Charaka den Begriff „Pancha Karma" nicht geprägt hat, hat er diese Reinigungspraktiken als zentrale Achse eingeführt, um die herum sich sämtliche ayurwedischen Heilungstherapien drehen. Er hat sie als die eine, unabhängige Hauptdisziplin definiert, die zur Förderung der Gesundheit angewendet werden soll. Charaka sah sie als notwendiges Verfahren vor chirurgischen Eingriffen oder der Anwendung einer der Verjüngungstherapien an. Pancha Karma ist sowohl für Gesunde als auch für Kranke von Nutzen und wird als wirksamste Therapie zur Vorbeugung und Heilung von Krankheiten sowie auch für eine Neubelebung des gesamten menschlichen Organismus angesehen.

Die ayurwedische Massage, die sich zusammen mit Kalari (einer Kampfsportart) entwickelt hat, um das Wohlbefinden der frühen Krieger zu fördern, wird im indischen Bundesstaat Kerala immer noch vielerorten praktiziert und stellt eine Voraussetzung für die Durchführung der Pancha-Karma-Therapie dar. Diese Massage basiert auf der Kenntnis der Marma-Punkte im Körper, denjenigen anatomischen Stellen, an denen sich Muskeln, Nerven, Blutgefäße, Gelenke, Bänder und Knochen befinden. Die Anerkennung der Marma-Punkte geht historisch der Kenntnis der Meridianpunkte, die in der chinesischen Akupunktur zur Anwendung kommen, voraus und ist mit ihnen vergleichbar.

Obwohl es viele Variationen innerhalb der gegenwärtig praktizierten indischen Massagetechniken gibt, und sich diese bis zu einem gewissen Grade von den klassisch-ayurwedischen Anwendungen unterscheiden, sind die angewandten Methoden aufgrund ihrer Wirksamkeit für die Wiedergewinnung und Erhaltung der Gesundheit auch weiterhin gültig.

Das Mandala der Heilungstherapien

Verringerte Doshas können durch
Brhmana wiederhergestellt werden;
Überschüssige Doshas können durch
Die Langhana-Therapien reduziert werden;
Gestörte Doshas können durch
Die Shodana-Therapien eliminiert werden;
Und solange sich die Doshas im Gleichgewicht befinden,
Können sie durch die Shamana-Therapien aufrechterhalten werden.

Sushruta

Pancha Karma ist das Herzstück eines umfangreichen Mandalas von Therapien. Dieses Mandala umfaßt zwei Hauptkategorien, nämlich Shodana und Shamana. Shodana bezieht sich auf die fünf Hauptreinigungs- und -ausscheidungsverfahren, während Shamana die unterstützenden Therapien umfaßt, die als Vorbereitung für das eigentliche Pancha Karma und als posttherapeutische Maßnahmen dienen. Beide Therapiegruppen werden hier zusammen als Mandala der Heilungstechniken bezeichnet, da Shodana und Shamana so aufeinander abgestimmt sind, daß sie einen phantastischen menschlichen Synergismus für kraftvolle Verjüngung und Wiedergeburt bilden.

Die fünf Elemente, die in den Körpern aller lebenden Organismen existieren, sammeln sich zu einem bestimmten Muster und sind unter dem Namen Doshas, das heißt Körpersäfte, bekannt. Die drei Doshas Vata, Pitta und Kapha werden normalerweise mit dem Luft-, Feuer- und Wasserprinzip gleichgesetzt. Weil der menschliche Körper eine empfindliche Homöostase aufrechterhält, ist der Prozeß der Ausscheidung seiner manifestierten Doshas und Krankheiten ein systematischer Akt des Gutzuredens, Mäßigens, Schockierens und Nährens des Körpers. Doshas, die im Übermaß vorhanden sind, werden nie gewaltsam aus dem Organismus entfernt. In der klassischen Anwendung trug ein kompliziertes Netzwerk von Kenntnissen über die jahreszeitlichen Auswirkungen auf die Gewebe, über die genauen Zeiten, in denen einzelne Doshas dominieren, die Gesamtkonstitution der Person, die Mondphasen sowie die Kenntnis entsprechender Zeichen und Symbole von Tieren und Vögeln in der Umgebung dazu bei, die richtige Zeit und die Art der anzuwendenden Pancha-Karma-Behandlung festzulegen. Heute beinhaltet die minimale Beachtung der Pancha-Karma-Praktiken drei unterschiedliche Phasen: Vorbereitung, Hauptbehandlung und Nachbehandlung, wobei letztere dazu dient, die Wirkungen der Therapie zu erhalten. Shodana, die zentrale und wichtigste Therapie im Behandlungsmandala, wird in folgender Reihenfolge verabreicht: Brechtherapie, Verabreichung von Abführmitteln, Einläufe mit Salben (wahlweise, vom Zustand der betreffenden Person abhängig), arzneiliche Einläufe sowie die Einführung von Arzneien in die Nase. Die Zeit für die Anwendungen und ihre Anzahl variiert in Übereinstimmung mit der spezifischen Beschwerde, die behandelt wird.

Bevor diese fünf Karmas oder Aktionen durchgeführt werden, wird ein bestimmter Zeitraum für die notwendigen vorbereitenden Maßnahmen reserviert. Im wesentlichen werden zwei Shamana-Therapien durchgeführt: eine Kombination von Snehana und Abhyanga, die das gründliche Einölen und Massieren des gesamten Körpers beinhaltet, und im Anschluß daran Swedana, das Herbeiführen von Schwitzen durch feuchte Umschläge. Diese Behandlungsmethoden sind eine Wohltat für die Körpergewebe ebenso wie für Geist und Seele und bereiten sie auf die zentrale erste Phase der Ausscheidungstherapien vor.

Während alle Shamana-Therapien unabhängig von Pancha Karma angewendet werden können, darf Pancha Karma nicht ohne die vorbereitende und unterstützende Behandlung der Shamana-Therapien durchgeführt werden! Die Shamana-Therapien sind ihrem Wesen nach verjüngend und stärkend, während die Shodanaprozesse von Pancha Karma reinigend sind und Ausscheidung und Entleerung betonen.

Im Anschluß an die Pancha-Karma-Behandlungen ist eine dritte Phase von Heilpraktiken einzuhalten. Programme, die gesunde Aktivitäten, gesunde Ernährung oder eine bestimmte Diät, ayurwedische Tees oder Arzneien beinhalten, sind individuell auf den zu Behandelnden abgestimmt, um die Ergebnisse der durchgeführten Behandlung aufrechtzuerhalten.
Die Mandala-Gruppe von Therapien, so wie sie traditionellerweise angewendet wird, stellt nicht nur die Gesundheit vollkommen wieder her, sondern – und das ist der wichtigere Aspekt – sie ermöglicht es uns, ein Gefühl von Wiedergeburt zu genießen. Erfolgt die notwendige Einhaltung der Sadhanas nicht nur als posttherapeutisches Mittel, sondern als Bestandteil unserer tagtäglichen Aktivitäten, dann sind wir in der Lage, die potentielle Unsterblichkeit, von der die menschliche Rasse durchdrungen ist, zu berühren und aus ihr zu schöpfen.

Shamana: Unterstützende Therapien

Die Shamana-Therapien, die oft zur Unterstützung der Palette der Pancha-Karma-Therapien angewandt werden, schließen vorbereitende Behandlungen wie Ölmassage und die Anwendung feuchter Umschläge sowie auch Anschlußtherapien ein – nährende Nahrungsmittel, Fasten, gesunde Aktivitäten und arzneiliche Kräuter und Substanzen, um nur einige zu nennen. Egal, ob sie zusammen mit Pancha Karma oder unabhängig davon durchgeführt werden, es sollte darauf geachtet werden, daß sie in vollem Bewußtsein der vorherrschenden jahreszeitlichen Einflüsse und des Zustands der Doshas im Körper durchgeführt werden.

Innerhalb der Shamana-Gruppe gibt es sechs unterschiedliche Therapien, die sich in zwei Kategorien einteilen lassen: Langhana, die den Körper entleert, und Brhmana, die dem Körper Stärke und Substanz verleiht. Die Begriffe Langhana und Brhmana beziehen sich in diesem Zusammenhang nicht nur auf spezifische Gruppen von Behandlungsmethoden, sondern sie sind auch Bezeichnungen für zwei spezifische Anwendungen, die nach Pancha Karma zu erfolgen haben.

Im Zusammenhang ihrer Gruppe decken Langhana und Brhmana je drei Aspekte der sechs Shamana-Therapien ab. So umfaßt die Langhana-Gruppe zum Beispiel Swedana (schweißtreibende Therapie) und Rukshana (entwässernde Therapie), ebenso wie die Langhanaanwendung selbst, was die nach oder unabhängig von Pancha Karma erfolgenden körperentleerenden Maßnahmen wie Fasten und körperliche Ertüchtigung umfaßt; während die Brhmana-Gruppe Snehana (Therapie mit Linderungsmitteln) und Stambhana (Verhaltungstherapie) ebenso wie die Brhmanaanwendungen umfaßt, das heißt Maßnahmen, die den Körper aufbauen und die nach oder unabhängig von Pancha Karma erfolgen, wie etwa der Verzehr von nährenden Nahrungsmitteln, Kräutern und der Gebrauch von Salben.

Langhana-Behandlungen werden hauptsächlich verwandt, um Kapha- und Pitta-Störungen zu lindern und spezifische Leiden wie Bluterkrankungen, Hautkrankheiten, extreme Stagnation der Malas (Abfallprodukte des Körpers) und Fettsucht zu lindern. Die Charakteristika der Arzneien und Verfahren, die in dieser Therapieform verwandt werden sind leicht, heiß, scharf, rauh, beweglich und hart.

Die Langhana-Behandlung ist eher eine Gruppe von Sadhanas als eine Therapie. Die verschiedenen Langhana-Sadhanas, die gegen körperliche Exzesse schützen, sind: Fasten; die Anwendung von Pflanzenheilmitteln, um die Verdauung zu fördern und zu erhalten; die Vorbereitung und Verwendung gesunder Nahrungsmittel wie bei den sattwischen und energetisierenden Diäten; gesunde Körperübungen und Behandlungen, die im Freien und bei hellem Sonnenlicht durchgeführt werden.

Die zweite Behandlungsform innerhalb der Langhana-Therapie, die Rukshana genannt wird, ist ein Prozeß, durch den der Körper entwässert wird. Rukshana wirkt sich günstig auf alle Arzneien und Verfahrensweisen aus, die in der Langhana-Gruppe angewandt werden, mit der einzigen Ausnahme, daß es eine stabilisierende Wirkung auf den Körper hat. Im allgemeinen ist eine Behandlung innerhalb der Langhana-Gruppe ihrem Wesen nach beweglich. Obwohl sie am besten für Störungen in Geweben geeignet ist, die Wasser einlagern und daher eher der Entwässerung als der Entleerung bedürfen, kann die Rukshana-Behandlungsform ebenfalls für übermäßige Pitta- und Kapha-Zustände verwendet werden. Schwere Krankheiten, die an den lebenswichtigen Verbindungsstellen von Gelenken und Muskeln entstehen (den Marma-Punkten), werden normalerweise ebenfalls mit dem Rukshana-Verfahren behandelt.

Die Hauptbehandlungsform, die dritte Form der Langhana-Gruppe, die Swedana genannt wird, beinhaltet zahllose Verfahrensweisen, um mit Hilfe feuchter Umschläge starkes Schwitzen herbeizuführen. Dem Ayurweda zufolge kann dieses Verfahren nur angewandt werden, nachdem der Körper eingeölt (bzw. eingeschmiert) und ausgiebig massiert worden ist. Swedana, ein kräftigendes Verfahren, ist spezifisch für Vata- und Kapha-Störungen bestimmt, kann aber auch bei einigen Pitta-Störungen angewandt werden.

Brhmana, die zweite Hauptgruppe von Shamana-Therapien, gibt dem Körper Stärke und Substanz. Diese Gruppe von Behandlungsmethoden ist spezifisch auf schwere Vata-Störungen ausgerichtet, so zum Beispiel Abmagerung und Alterskrankheiten. Viele Arten von Verletzungen und Süchten lassen sich ebenfalls erfolgreich mit dieser Gruppe von heilenden Aktivitäten behandeln. Störungen, die Brhmana-Maßnahmen erfordern, können das ganze Jahr über behandelt werden, obwohl die aufbauenden Behandlungsformen normalerweise im Sommer durchgeführt werden, wenn der Mensch zur größten Schwäche neigt.

Die Eigenschaften der Arzneien und Verfahren, die in der Brhmana-Therapiegruppe verwandt werden, unterscheiden sich grundsätzlich von denjenigen, die in den Langhana-Behandlungsformen zum Einsatz kommen. Die

Eigenschaften von Brhmana-Behandlungen sind: schwer, fest, kalt, sanft, ölig, klar, langsam und weich.

Brhmana-Behandlungen, die auch eher eine Gruppe von Sadhanas als eine Therapiengruppe darstellen, sind zur Linderung der zahlreichen Vata-Beschwerden ebenso wie zur Wiederherstellung des Gleichgewichts der Tridoshas nach den tiefgreifenden Reinigungsaktionen des Pancha Karma bestimmt. Diese Behandlungen bestehen aus nährenden und stärkenden Nahrungsmitteln, wie der speziellen Diät nach Pancha Karma, ebenso wie aus Pflanzenheilmitteln, um Beschwerden bei chronischen und schwächenden Krankheiten abzumildern. Ayurwedische Massagen mit aromatischen und arzneilichen Ölen, Schlaftherapie, nährenden Tees und Getränken, die mit Substanzen wie Ghee und natürlichem Zuckerrohrsaft hergestellt wurden, werden als Brhmana-Behandlungsformen angesehen.

Anuvasana Vasti, ein arzneilicher Öleinlauf, der entwickelt wurde, um gleichzeitig überschüssiges Vata aus dem Dickdarm zu entfernen und die Gewebe anzureichern, wird sowohl als Pancha-Karma-Maßnahme als auch als Snehana-Behandlung, die zur Brhmana-Gruppe gehört, angesehen. Die Behandlung selbst wird detailliert in dem Abschnitt über die Pancha-Karma-Therapien beschrieben.

Die Hauptbehandlungsform in der Brhmana-Gruppe wird Snehana genannt. Die wörtliche Bedeutung von „Snehana" ist „Liebe". In dieser Liebestherapie wird reichlich Öl verwendet, um den Körper in einen Zustand von Glückseligkeit hineinzumassieren. Snehana ist nicht nur für sich genommen eine lebenswichtige Behandlungsform, sondern auch eine hervorragende Heilung für alle drei Doshas, besonders für Vata. Zu den Snehana-Verfahren gehören die Behandlung des Kopfes mit Öl wie Shirodhara, der Prozeß des Tropfens von Öl auf die Stirn und Masthiskya, die Anwendung einer Paste am Kopf.

Die zweite Behandlungsform innerhalb der Brhmana-Gruppe wird Stambhana genannt, das, was die Zurückhaltung im Körper ermöglicht. Stambhana wirkt sich günstig auf alle Eigenschaften von Arzneien und Verfahren aus, die in der Brhmana-Gruppe verwendet werden, mit einer wesentlichen Ausnahme: es fördert Trockenheit, während eine Brhmana-Behandlung normalerweise fettig ist. Die Stambhana-Behandlungsform ist spezifisch anwendbar auf Beschwerden wie schwere Verbrennungen durch Feuer oder Alkali, Vergiftungen, Durchfall, Erbrechen und viele Pitta-Störungen. Da bei dieser Behandlungsform Substanzen mit trockenen, wasserspeichernden und in den meisten Fällen kühlenden arzneilichen Eigenschaften verwendet werden, wird Stambhana normalerweise als eher für Pitta-Beschwerden geeignete Behandlungsform angesehen.

Wenn das Mandala der Therapien in seiner Gesamtheit durchgeführt wird, dann dauert dieser Prozeß etwa einen Monat. Ein ganz bestimmter klassischer Zeitplan (vergleichen Sie Kapitel sieben) wird empfohlen, wenn alle fünf Aktionen von Pancha Karma erforderlich sind. Je nach dem Wesen der zu behandelnden Beschwerden kann eine geringere Zahl von Therapien durchgeführt werden.

Abschnitt I

Ayurwedische und Kosmische Anatomie

Unser Kosmischer Ursprung

Drei ursprüngliche Kräfte oder Prinzipien wirken zusammen, um die fünf Elemente, denen die gesamte Schöpfung entstammt – Äther, Luft, Feuer, Wasser und Erde – zu schaffen:

- Das Prinzip der Stille, Tamas, füllt das Universum und seine Geschöpfe wieder auf und ist das wichtigste Prinzip der Unterstützung innerhalb des physischen Universums.
- Das Prinzip der sich selbst organisierenden Aktivität, Rajas, gibt dem Universum und dem menschlichen Leben Beweglichkeit und Koordination.
- Das Prinzip der harmonischen und kosmischen Intelligenz, Sattwa, hält die universelle und individuelle Stasis und Bewußtheit aufrecht.

Diese drei kosmischen Prinzipien, Gunas genannt, wirken durch die fünf Elemente, die sie geschaffen haben, und sie interagieren direkt mit der menschlichen Existenz. Auf der physischen Ebene ist Tamas eng mit den physischen Funktionen des Körpers verbunden, die als Körpersäfte, Gewebe und Abfallprodukte zusammengefaßt werden. Tamas soll den größten Einfluß auf den Wasseraspekt des Körpers, das Kapha Dosha, ausüben und gibt dem Körper seine Fähigkeit, zu reflektieren und lange Phasen der Schwangerschaft durchzustehen. Das Tamas-Prinzip pflanzt dem gesamten Leben die natürliche Saat des Instinkts ein und ermöglicht es so zum Beispiel der Vegetation, sich unter dem Schnee zu verkriechen, während die Samen ganz schwach in der Erde pochen – all das sind notwendige Aktionen der Stille, um Vitalität und Wachstum wiederherzustellen. Die subtile Kraft von Tamas, Ojas genannt, ist der schmierende Nektar innerhalb des physischen Organismus, der dem Leben die Fähigkeit verleiht, zu ruhen, zu schlafen, und sich im Schoß seiner Mutter Erde aufzulösen.

Rajas beeinflußt die psychische Ebene der Existenz und arbeitet eng mit den psychologischen Funktionen des Körpers zusammen. Auf der physischen Ebene soll Rajas den größten Einfluß auf den Luftaspekt des Körpers, den *Vata*-Dosha, ausüben. Rajas gibt uns die Kraft, das, was wir äußerlich wahrnehmen, in Gedanken, Konzepte, Visionen und Träume umzuwandeln. Dieses Prinzip, das durch die feinstofflichen Kräfte der lebenserhaltenden Luft, Prana, wirkt, erhält unseren Gleichmut und beeinflußt unsere Fähigkeit, das zu organisieren, was innerhalb dieses Spielfelds der Gravitation in Bewegung umgesetzt wird.

Rajas bewahrt das Gedächtnis an sämtliche biologischen Arten, das von Beginn der Zeit an aufgezeichnet wurde. Wenn sich zum Beispiel das Dickhornschaf an die überhängenden Felsklippen der Anden hängt und der Schwerkraft trotzt, dann drückt es die ihm innewohnende Struktur des Gedächtnisses seiner Gattung aus, das über Milliarden Jahre hinweg nur aufgrund von Rajas erhalten blieb. Das absolute Chaos, das in einem Bienenstock herrscht, nimmt ebenfalls dank Rajas eine harmonische Form an, wenn die Arbeitsbienen gemeinsam hinter ihrer Königin herfliegen. Eine donnernde Elefantenherde stürzt sich mit großem Geplätscher in den Ganges und schwimmt mühelos; die Elefanten hängen in dem tiefen Gewässer mit der Zartheit von Schmetterlingen – und all das geschieht nur, weil Rajas das Gleichgewicht innerhalb der Natur aufrechterhält.

Das dritte Prinzip, Sattwa, das als die kosmische Intelligenz des Universums angesehen wird, durchdringt jede noch so kleine Zelle unseres Wesens. Es wirkt durch unsere existentiellen Bewußtseinszustände, obwohl es bis zu einem gewissen Grad auch den physischen Organismus beeinflußt. Sattwa soll innerhalb des physischen Körpers den größten Einfluß auf den Feueraspekt, das *Pitta Dosha*, ausüben. Das Sattwa-Prinzip, das eng mit dem universellen subtilen Feuer, *Tejas*, verbunden ist, bewahrt das kosmische Gedächtnis der gesamten Schöpfung – das kollektive Gedächtnis des gesamten Universums – von Beginn an. Sattwa bewahrt darüber hinaus das kognitive Gedächtnis eines jeden Menschen – das Gedächtnis jedes Individuums, das dieses Gedächtnis vom Beginn der Zeit an durch jede Wiedergeburt hindurch bis zur heutigen Zeit bewahrt hat – mit anderen Worten, unsere persönliche Weisheit. (Die Erinnerungen, die wir innerhalb des jetzigen Lebens angesammelt haben, werden als erfahrungsorientiertes Gedächtnis bezeichnet.) Dieses Thema wird in Kapitel zwei näher erläutert werden. Ich führe die drei Gedächtnisphasen hier ein, weil sie den Kern meiner Arbeit im Ayurweda darstellen und die Grundlage des vorliegenden Werkes bilden. Durch mein persönliches Erleben und das Studium der Veden habe ich erfahren, wie in mir selbst kognitive Zustände erwacht sind, und ich bin zu der Einsicht gelangt, daß die drei Arten von Gedächtnis – das kosmische, das kognitive und das erfahrungsorientierte – das Epizentrum unserer einzigartigen menschlichen Natur bilden und obwohl diese im Ayurweda nicht ausdrücklich erwähnt werden, ist es notwendig, sie zu verstehen, wenn wir die Erinnerung an unser Selbst inmitten des heiligen Gewebes der Wege der Natur wirksam gebrauchen möchten.

Kapitel eins

Ayurwedische Anatomie

Teil Eins
Die Sprache der Doshas

Die physische, übersinnliche und kosmische Sprache des Körpers wird aus dem zirkadianen Rhythmus (der „biologischen Uhr", die bewirkt, daß biologische Prozesse annähernd in einem 24-Stunden-Rhythmus ablaufen – Anm. d. Übers.) des Universums geschaffen. Er kam vor einigen Milliarden Jahren in Bewegung, als die fünf großen Elemente entstanden: Äther, Luft, Feuer, Wasser und Erde – das erste Material für das Leben – bilden die Grundlage der vedischen Wissenschaften. Im Ayurweda wurzelt die menschliche Erscheinungsform in Körpersäften *(Doshas)*, Geweben *(Dhatus)* und Abfallprodukten *(Malas)*. Auf diese drei Prinzipien stützt sich das gesamte Leben und sie sind mehr als die physische Substanz unserer Anatomie. Die Doshas, Dhatus und Malas sind die Boten für die Kommunikation, die äußere und innere Natur miteinander in Gleichklang bringen.

Wenn die fünf Elemente im Körper aller lebenden Organismen vorkommen, dann sammeln sie sich zu einem bestimmten Muster und werden im Sanskrit als Doshas bezeichnet, was wörtlich übersetzt „das, was schnell aus dem Gleichgewicht kommt" bedeutet. Die Doshas bewirken, daß das menschliche System eine empfindliche Balance bzw. Homöostase aufrechterhält, deren dynamische elementare Zusammensetzung sich immer auf der Kippe zur Störung befindet; wir haben also ausreichend Gründe dafür zu lernen, wie wir die kosmische „Sprache" entziffern können, die in unserem Wesen verborgen ist und die uns durch die Doshas, Dhatus und Malas mitgeteilt wird.

Die Doshas sind ein klassisches Beispiel dafür, wie sich Energie und Materie in dynamischer Harmonie miteinander befinden können. Jegliche aus Energie entstandene Materie bleibt auf komplizierte Weise mit ihrer Kernnatur – Energie – verwoben. Der menschliche Körper demonstriert in hervorragender Weise die greifbare Materie sowie Dhatus und Malas, die eng mit den Doshas interagieren (und eher eine Form von Energie als von Materie sind) solange, bis sie sich als Krankheiten im Organismus manifestieren. In einem Zustand der Balance bzw. des Gleichgewichts werden die Doshas als energetische Kraft angesehen, da sie nicht sichtbar sind, wenn sie sich durch den Körper bewegen und ihn in seinen Funktionen unterstützen. In einem Zustand der Imbalance bzw. des Ungleichgewichts werden die Doshas als Schleim, Galle, Wind und physische Materie sichtbar. Wenn diese frühen Anzeichen einer Störung ignoriert werden, können sich Ungleichgewichte schnell zu Krankheiten auswachsen.

In diesem einzigartigen System zur Erklärung von Gesundheit bilden Luft und Äther – beides ätherische Elemente – eines der drei Doshas, nämlich *Vata*. Die Luft übt hier ihre Bewegungskraft nur aus, wenn Raum zur Verfügung steht. Die Elemente Feuer und Wasser bilden ein zweites Dosha mit dem Namen *Pitta*. Hier schützt das Wasser im Körper die Hitze des Körpers vor dem Durchbrennen. Ein Beispiel für ein Feuer im Körper ist unsere Magensäure, die, wenn sie aus dem Magen austritt, den Organismus mit der Kraft eines wütenden Feuers verbrennen kann. Wasser dient hier als Puffer, um die Feuer des Körpers zu besänftigen. Die Elemente Wasser und Erde bilden zusammen das dritte Dosha namens *Kapha*. Aufgrund ihrer gegenseitigen Dichte gibt das Wasser der Erde ihre Flüssigkeit. Ohne Wasser würde die Erde stagnieren und träge werden. So ermöglicht das Kapha Dosha eine gewisse Beweglichkeit im Körper, ohne ihn seiner festen Unterstützung zu berauben. Diese drei Doshas existieren zusammen in allen lebenden Organismen. Das Ausmaß, in dem jedes Dosha in einer Person vorhanden ist, bestimmt die Konstitution dieser Person, die gewöhnlich als Körpertyp bezeichnet wird.

Im Ayurweda ist das individuelle Dosha der Hauptansatzpunkt für die Diagnose. Obwohl es zahlreiche Krankheitsursachen wie etwa Erbfaktoren, angeborene, äußere und zufällige Faktoren gibt, ist in jedem Fall eine Verschlimmerung der Doshas entweder als Folge oder als Ursache von schlechter Gesundheit vorhanden.

Die physische Natur der Doshas

Im Kosmos insgesamt zeigt sich die äußere Natur von Wasser und Erde in Kapha als Kraft der Kohäsion, der Absorption und der Stabilität. Die äußere Feuernatur von Pitta drückt sich als Kraft der Wandlung und der Dynamik aus. Vatas äußere Natur ist die Luft, die Kraft der Beweglichkeit und des Hochgefühls, ebenso wie des Raums, dem Feld, in dem sich alle Aktivitäten in dynamischer Zurückhaltung abspielen.

Jedes Dosha hat darüber hinaus eine primäre Funktion im Körper. Vata ist die bewegende Kraft, Pitta ist die Kraft der Assimilation und Kapha die Kraft der Stabilität. Zusammengenommen stellen sie ein erstaunliches Beispiel für drei anscheinend gegensätzliche Charaktere dar, die sich als Ergebnis des komplizierten Kräftegleichgewichts eines jeden Doshas im Körper potentiell in Harmonie miteinander befinden. Vata, das dominanteste der drei Doshas, reguliert die körperliche Bewegung, das Nervensystem und die Lebenskraft. Ohne die Beweglichkeit von Vata im Körper würden Pitta und Kapha erlahmen. Pitta reguliert die Aktivität von Enzymen und Hormonen und ist für die Verdauung, die Pigmentbildung, die Körpertemperatur sowie für Hunger, Durst und Sehvermögen zuständig. Außerdem fungiert Pitta als ausgleichende Kraft für Vata und Kapha. Kapha reguliert die Struktur und Stabilität des Körpers. Es schmiert die Gelenke, gibt der Haut ihre Feuchtigkeit, es heilt Wunden und reguliert Vata und Pitta.

Vata, Pitta und Kapha durchdringen den gesamten Körper, aber ihre Hauptbereiche befinden sich jeweils im unteren, mittleren, und oberen Teil des Körpers. Kapha reguliert Kopf, Nacken, Brustkorb, Brust, den oberen Teil des Magens, Fettgewebe und Gelenke. Pitta durchdringt die Brust, den Bereich um den Bauchnabel, Magen, Dünndarm, die Schweiß- und Lymphdrüsen und das Blut. Vata beherrscht den unteren Teil des Körpers, die Beckenregion, Dickdarm, Blase, Harntrakt, Oberschenkel, Beine, Arme, Knochen und das Nervensystem.

Abgesehen von seinem Hauptsitz hat jedes Dosha vier Nebensitze, die sich in verschiedenen Bereichen des Körpers befinden. Zudem verfügt jedes Dosha noch über fünf Sitze, die als seine Wirkungszentren angesehen werden, und die die verschiedenen Zentren des systematischen Ausgreifens beinhalten, aufgrund derer der gesamte Körper überhaupt erst funktionieren kann. Die Doshas interagieren ständig mit den äußeren Elementen, um ihre Energie innerhalb des Körpers wieder aufzufüllen. Jeder der fünf Sitze der drei Doshas trägt eine spezifische Verantwortung für die Erhaltung des Organismus. Da die Doshas auch in den eher feinstofflichen Aspekten des Körpers und des Universums existieren, Ebenen, die die physischen Aspekte aktiv beeinflussen, haben sie energetisch einen weitaus stärkeren Einfluß auf die Erhaltung unserer Gesamtgesundheit, als es ihr rein physiologischer Ausdruck im Körper würde vermuten lassen. Ja, es ist sogar so, daß sie aufgrund der Tatsache, daß sie sich im physischen Körper manifestieren, regelmäßig ausgeschieden werden müssen, um den Verfall des Körpers zu verhindern.

Die physio-psychologische Natur der Doshas

Die fünf Lüfte von Vata

Die fünf Sitze oder Wirkungzentren und Zentren des systematischen Ausgreifens, durch die Vata seinen Einfluß auf den gesamten Organismus erstreckt, werden die fünf Lüfte von Vata genannt, nämlich die Lüfte der Atmung *(prana)*, der Kehle *(udana)*, des Magens *(samana)*, des Dickdarms *(apana)* und des Kreislaufs *(vyana)*.

Die Luft der Atmung: Prana

Prana ist die erste Luft des Universums und des Körpers. Obwohl es sich im Körper zwischen dem Zwerchfell und der Kehle befindet, durchdringt es nur den Bereich zwischen Herz und Brust, reicht aber auch bis in das Gesicht und das Gehirn hinein. Prana unterstützt beim Kauen und Schlucken der Nahrung und nährt alle lebenswichtigen Gewebe des Körpers unmittelbar. Das System wird durch den natürlichen Rhythmus des Einatmens, Ausatmens und das richtige Anhalten des Atems ständig verjüngt. Die Aktivtität des Dickdarms ist auf den Atemrhythmus abgestimmt; er zieht Prana aus der verdauten Nahrung und verbreitet sie in sämtlichen Geweben des Körpers. Wenn der Dickdarm beeinträchtigt ist und seine natürliche Fähigkeit, Prana zu extrahieren und zu verteilen, nicht ausüben kann, dann wird dieses ungenutzte Prana zu Abfall – sogar einer riesigen Menge Abfall.

Prana fördert sämtliche Bewegungen in den Körper hinein und aus ihm heraus. Es bewegt sich in der Herzregion und bringt das Herz zum Schlagen; es befördert Nahrung durch die Speiseröhre in den Magen hinein. Prana erhält das Herz, die Arterien, Venen, Sinnesorgane und unsere Fähigkeit zur Weisheit *(buddhi)*. Wenn Prana nicht richtig funktionieren kann, dann ist unsere Lebenskraft selbst in Gefahr. Krankheiten der Atemwege wie Bronchitis und Asthma sind die Folge. Herzkrankheiten und der Brechimpuls werden ebenfalls mit einem Ungleichgewicht von Prana in Verbindung gebracht. Überschüssiges Vata, das sich im Dickdarm, in den Gelenken und anderen Sitzen von Vata sammelt, kann unter anderem zu Beschwerden wie schmerzenden Gelenken und Knochen, Arthritis und Magenschleimhautentzündung führen. Eine Hauptursache zahlreicher Krankheiten ist die Anhäufung von Vata im Dickdarm, die ebenfalls auf die Beeinträchtigung von Prana zurückzuführen ist.

Prana wird durch die Atmung wiederaufgefüllt. Um durch pranisches Atmen optimale Gesundheit herbeizuführen, haben die Weisen ein ausgeklügeltes System von Atemübungen entwickelt, das unter dem Namen *Pranayama* bekannt ist, worunter man die Praxis der Reinigung und Kontrolle des Atems versteht. Die Übungen zur Atempflege bestehen aus drei Phasen: Ausatmung, Einatmung und Anhalten des Atems. Eine vierte Phase, die Atemstille genannt wird, wird von Meistern des Yoga praktiziert, die die Variationen der drei anderen Phasen bereits gemeistert haben. Die moderne Wissenschaft ist noch nicht in der Lage, zwischen einem Yogi, der die Atemstille praktiziert und jemandem, der physisch tot ist, zu unterscheiden.

Prana – Der stille Zeuge: Auf der kosmischen Ebene wird Prana als erste Luft der Schöpfung angesehen. Der Schöpfer hat diese feinste der Lüfte seit Beginn der Zeit, der Energie und der Materie in das Leben aller Organismen eingehaucht. Prana wird von den Alten als „Seele im Körper" und als kosmischer Atem von Atman, dem essentiellen Selbst, bezeichnet. Auf unserer höchsten Existenzstufe hat Prana die Funktion eines stillen Zeugen für unsere Lebensreise. Deshalb wird ihm nachgesagt, daß es auf dem Thron des Herzens sitze. Den Veden zufolge wird der Herzschlag mit unserem Atem synchronisiert und ist viermal so schnell wie die Dauer eines normalen Atemzugs. Wenn unser Körper den richtigen Atemrhythmus hat, dann verstummt der ewige Gesang des Herzens. In vielen Fällen kommt es zu einem gebrochenen Herzen, wenn die intuitive Sprache, von der unser Körper mittels Prana durchdrungen ist, vergessen wird. Pranayama, die oben erläuterten Atempraktiken, Yoga Asanas und Meditation, jahreszeitliche Reinigungstherapien wie Pancha Karma und vata-fördernde Nahrungsmittel stellen hervorragende Möglichkeiten dar, um Prana neu zu beleben.

Luft der Kehle: Udana

Udana, die zweite Luft von Vata, entspricht bis zu einem gewissen Grad dem sympathischen und parasympathischen Nervensystem. Udana, was „aufsteigende Luft" bedeutet, fließt vom Nabel aufwärts durch die Lunge in die Kehle und Nase hinein. Als Luft der Ausstoßung bekannt, gibt sie uns unseren stimmlichen Ausdruck und die Klarheit der Sinneswahrnehmungen. Sie erhält auch die natürlichen Kräfte des Körpers wie seine Willenskraft und die Fähigkeit zur Anstrengung.

Die wichtigste Aufgabe von Udana besteht darin, die Anzahl der Atemzüge, die wir verbrauchen, im Auge zu behalten,. Der vedischen Überlieferung zufolge soll jedem Menschen in Entsprechung zu seinem oder ihrem Karma zur Zeit der Empfängnis eine bestimmte Anzahl von Atemzügen mitgegeben worden sein. Wenn diese Ration aufgebraucht ist, stirbt der Mensch. Unser normaler Atemrhythmus ist langsam und rhythmisch. Wenn unser Körper richtig funktioniert, dann machen wir etwa sechzehn Atemzüge pro Minute. Den Alten zufolge verkürzen wir daher unser Leben, wenn wir aufgrund von Angst, Besorgnis usw. schneller atmen.

Eine gleichermaßen wichtige Aufgabe ist die Fähigkeit von Udana, das Gedächtnis zu bewahren, und zwar sowohl das erfahrungsorientierte Gedächtnis (die Erinnerungen, die im Laufe des gegenwärtigen Lebens gesammelt wurden), als auch das kognitive Gedächtnis (die kumulativen Erinnerungen, die von Beginn der Schöpfung an durch alle Zeiten hindurch in alle Leben übertragen wurden). Eine Beeinträchtigung von Udana kann zu Gedächtnisverlust, Sprechstörungen, Schwindelgefühl oder Schweregefühl im Kopf, tiefsitzenden Ängsten und der Verkürzung der Lebenszeit führen.

Udana – Hüter des Gedächtnisses: Auf der feinstofflichen Ebene hat der Schöpfer mittels des Atems die ewige Luft von Udana allen lebendigen Geschöpfen eingehaucht, um unsere unterschiedlichen Erfahrungen und Leben zu verfolgen. Udana ist die Zeituhr des Schöpfers in uns. Durch jeden Atemzug, den wir machen, verbrauchen wir Karma. Wenn der Atem lang, kühl und rhythmisch ist, dann können wir unsere Lebenszeit verlängern und dem Sinn unserer Reise besser dienen. Wenn der Atem flach, gehetzt und erschöpft ist, verkürzen wir unser Leben und lassen die Reise unvollendet. Der kosmische Atem, den wir erhalten haben, produziert Klänge. Unsere Stimme erinnert uns an unseren heiligen Ursprung, da sie den Atem durch den Klang des Schöpfers zum Ausdruck bringt. Durch gesunde und freundliche Äußerungen können wir uns unser gemeinsames Privileg als Menschen bewahren. Jeder harmonische Klang, der von Menschen produziert wird, findet seinen Widerhall im unermeßlichen, unveränderlichen Bewußtsein. In gleicher Weise führen alle disharmonischen Geräusche, die wir entweder mit unserer eigenen Stimme oder mit mechanischen Mitteln erzeugen, zu Störungen des erfahrungsorientierten Gedächtnisses und des kognitiven Gedächtnisses, ebenso wie zur Entfremdung von unserer kosmischen Natur.

Die Lektion von Udana besteht in Wachheit und geistiger Gesundheit. Wenn wir in der Lage sind, unsere Klänge zu kontrollieren, dann schützen wir Udana.

Durch diesen Schutz erhalten wir unsere Bewußtheit, die unsere eigentliche Natur ist. Dann sind wir in der Lage, den fernen Flug des Falken zu hören und das ruhige Kriechen des Sandes. Wir sind eher in der Lage, die Zeichen des Universums zu lesen und voller Ehrfurcht dem heiligen Stab zu folgen, der uns als Hilfe auf unsere Reise mitgegeben wurde. In unserer persönlichen harmonischen Resonanz können wir die innere Verbindung zur Schöpfung aufrechterhalten, die genau wie wir durch die Atmung mit der gesamten Schöpfung verbunden wurde.

Obwohl wir als getrennte menschliche Wesen mit verschiedenen Aktivitäten und Funktionen betraut sind, soll unsere kosmische Natur in unterschiedlicher Geschwindigkeit mit dem Universum „phasenkohärent" bleiben. Das läßt sich mit folgendem Vergleich erläutern: Ein niederländischer Physiker hängte eine Reihe von Pendeluhren an derselben Wand auf. Anfangs tickte jede von ihnen in ihrer eigenen Geschwindigkeit, aber nach kurzer Zeit begannen sie, gleichzeitig zu ticken. Ihr unabhängiges Verhalten wurde als Ergebnis der sympathischen Resonanz der kollektiven Klangwellen, die innerhalb der Wand erzeugt wurden, synchronisiert. Der Atem, der die gesamte Schöpfung und all ihre Geschöpfe verbindet, funktioniert in gleicher Weise. Indem wir uns unseres Atems bewußt werden, stimmen wir uns im wesentlichen auf den harmonischen Zusammenhalt des Universums ein und verbinden uns mit ihm.

Aus dieser kosmischen Resonanz heraus haben die vedischen Seher Mantras von unschätzbarem Wert entwickelt, die, wenn sie wiederholte Male gesprochen und intoniert werden, ein Schwingungskraftfeld erzeugen. Innerhalb dieses schützenden Feldes klingen wir mit der gesamten Natur. Dieses kosmische System des Klangs, das zwischen Schöpfer und Schöpfung resoniert, füllt unsere intuitiven Impulse wieder auf.
Udana fordert uns auf, uns in die Klangfülle unseres Ursprungs hineinfallen zu lassen, wo sich die Grenzen zwischen innerer und äußerer Energie und Materie auflösen.

Das Üben von Stille, Pranayama, Yoga, gesunde Beschäftigungen wie das Anpflanzen von Kräutern und Nahrungsmitteln, das Mahlen von Getreide und Gewürzen, die jahreszeitliche Reinigung des inneren Körpers, die tägliche Reinigung von Kopf, Augen, Ohren, Nase, Kehle, ayurwedische Massage und vata-nährende Nahrungsmittel – all das sind Sadhanas, die dazu dienen, Udana in Ihrem Körper im Gleichgewicht zu halten.

Luft des Magens: Samana

Samana, die dritte Luft von Vata, befindet sich zwischen dem Zwerchfell und dem Bauchnabel. Sie unterstützt die Bewegung der Nahrung durch Magen und Dünndarm, schürt das Verdauungsfeuer, indem sie die Produktion und Aktivität der Magensäfte und Verdauungsenzyme anregt, und hilft bei der Assimilation von Nährstoffen aus unserer Nahrung. Samana ist die bewegende Kraft, die diese Nährstoffe zu den verschiedenen Gewebeelementen befördert und die Abfallprodukte in den Dickdarm entlädt.

Wenn die Samana-Luft gestört ist, dann kann sie zur Schleimansammlung im Magen, zu Verstopfung, schlechter Assimilation und Durchfall führen. *Samana – Hüter des Gleichgewichts*: Auf der Ebene des feinstofflichen Körpers steht Samana für unsere innere Flexibilität und unser Unterscheidungsvermögen. Samana lehrt uns, zwischen dem zu unterscheiden, was wertvoll ist und dem, dessen wir uns entledigen sollen, wenn unser Wunsch nach materiellen Dingen wächst. Seine Lektionen gründen sich auf unsere Fähigkeit, Ausgleich zu schaffen, was eine geeignete Aufgabe ist, wenn man seine Position in der Mitte des Körpers in Betracht zieht. Sadhanas wie Yoga, Tai Chi, Pranayama, ayurwedische Massage, ayurwedische Purgiertherapie und vatanährende Nahrungsmittel unterstützen Samana dabei, gesund und ausgeglichen zu bleiben.

Luft des Dickdarms: Apana

Die vierte Luft von Vata, *Apana*, befindet sich im Dickdarm und in den Organen der Beckenregion. Die Hauptfunktion von Apana, das auch als Luft der Ausscheidung bekannt ist, besteht darin, den Körper von Kot, Urin, Gasen, Samen und Menstruationsrückständen zu befreien. Sein nach unten gerichteter Druck erhält den Fötus und schließlich den Fluß seiner Geburt. Apana ist die dominanteste der fünf Lüfte, da sie sich im Hauptsitz von Vata befindet. Apana hält die verzögerte Ernährung von Prana im Organismus aufrecht. Wenn Apana gestört ist, treten Blasenkrankheiten, Krankheiten am Anus, an den Hoden und am Uterus sowie hartnäckige Krankheiten der Harnwege einschließlich Diabetes auf.
Apana – Hüter der Leere: Auf der feinstofflichen Ebene ist Apana unser Geist der Nichtanhaftung an materiellen Besitz. In den Yoga Sutras von Patanjali wird darauf hingewiesen, daß eine moralische Einschränkung – die Nicht-Habgier – notwendig ist, bevor wir wirklichen Zugang zu unserem kognitiven Gedächtnis bekommen können. In Entsprechung zu der nach unten gerichteten Kraft der Ausscheidung lehrt uns Apana, wie wir uns selbst nähren und das loslassen können, was im Übermaß vorhanden ist. Sadhanas wie die jahreszeitliche Reinigung des inneren Körpers, besonders die ayurwedische Einlauftherapie, ayurwedische Massage, Pranayama, warme Bäder, Aromatherapie und vata-nährende Nahrungsmittel tragen dazu bei, Apana zu verjüngen.

Die Luft des Kreislaufs: Vyana

Vyana ist die fünfte und letzte Luft von Vata. Sie befindet sich im Herzen. Sie verteilt die Energie, die aus der Nahrung und dem Atem gewonnen wird, durch den gesamten Organismus einschließlich der Haut. Vyana ist ihrem Wesen nach kreisförmig und wirkt in den Kreislaufkanälen wie z. B. den Blutgefäßen, um nährende Säfte und Blut im gesamten Körper zu transportieren. Vyana befördert auch den Körperschweiß aus den Drüsen in die Haut und ist die Kraft hinter bestimmten Ausdrucksformen des Körpers wie Gähnen und Augenzwinkern.

Wenn eine Fehlfunktion von Vyana vorliegt, dann sind Haut und andere Extremitäten des Körpers trocken; es kommt zu Kreislaufschwäche und Krankheiten wie Fieber und Durchfall.

Vyana – Hüter der Barmherzigkeit: Auf der feinstofflichen Ebene drückt sich Vyana als unsere Aufmerksamkeit gegenüber Nächstenliebe und persönlicher Freiheit aus. Es lehrt uns, uns in der Gemeinschaft zu bewegen und guten Willen und Barmherzigkeit zu fördern; es gibt uns unsere innere Beweglichkeit und unsere einflußreiche Natur, wenn wir aufgefordert sind, uns sanft durch Aktivität auszudrücken. Sadhanas wie Yoga, Pranayama, Abreibung des Körpers, Bäder, Aromatherapie, ayurwedische Massage und vatanährende Nahrungsmittel tragen dazu bei, Vyana zu verjüngen.

Die fünf Nebenlüfte

Zusätzlich zu diesen fünf Lüften hat Vata noch fünf weniger wichtige Nebenlüfte. *Naga* ist die Luft, die den Druck im Unterbauch durch Rülpsen löst. *Kurma* kontrolliert die Bewegung der Augenlider, um die Augen vor Staub, Schmutzpartikeln, Licht usw. zu schützen. *Krekara*, die Luft, die Niesen und Husten verursacht, hindert äußere Substanzen daran, in die Atemwege zu gelangen. *Devadatta* kontrolliert unseren Gähnreflex, der zusätzlichen Sauerstoff für den müden Körper bereitstellt. Schließlich gibt es noch die Luft *Dhanamjaya*, die nach dem Tod im Körper verbleibt und manchmal zu Aufgedunsenheit und Bewegungen des Leichnams führt.

Die fünf Feuer von Pitta

Pitta, das aus den Elementen Feuer und Wasser gebildet wird, soll ebenfalls seinen Sitz an fünf Orten haben. Diese Sitze sind die Wirkungszentren und die Zentren des systematischen Ausgreifens durch die das Pitta-Dosha den gesamten Organismus beeinflußt.

Das Feuer der Verdauung: Pachaka

Pachaka wird im Ayurweda als erstes Feuer des Körpers bezeichnet. Es ist im Dünndarm, Zwölffingerdarm, in der Gallenblase, der Leber und der Bauchspeicheldrüse vorhanden und unterstützt die übrigen vier Feuer, die weiter unten besprochen werden. Die Hauptaktion von Pachaka besteht im Auflösen und Verdauen der Nahrung, die wir verzehren. Darüber hinaus reguliert es die Körpertemperatur. Sobald die Verdauung stattgefunden hat, trennt Pachaka die nährenden Elemente der Nahrung von ihren Abfallprodukten.

Ein Ungleichgewicht in diesem ersten Feuer, Pachaka, führt zu Verstopfung und einer Abneigung gegen Nahrung.

Pachaka – Hüter der Flamme: Auf der subtilen Körperebene stellt Pachaka das Feuer dar, das für die richtige Assimilation auf mentaler Ebene verantwortlich ist. Es lehrt uns die große Kunst der Unterscheidung, indem es uns in die Lage versetzt, einen wachen und mit Unterscheidungsvermögen ausgestatteten Geist zu entwickeln. Meditation ist ein hervorragendes Sadhana, um Pachaka wieder aufzufüllen. Die jahreszeitliche Reinigung des Körpers, fasten, kühlende Bäder, die ayurwedische Purgiertherapie, Aromatherapie und pitta-nährende Nahrungsmittel besänftigen Pachaka.

Das Feuer des Blutes: Ranjaka

Wie sein Name aussagt, kontrolliert *Ranjaka*, das zweite Feuer von Pitta, die Bildung und Erhaltung des Blutes. Ranjaka hat seinen Sitz in Leber, Milz und Magen und gibt dem Blut seine Farbe und beliefert es mit Sauerstoff. Wenn Ranjaka gestört ist, können sich Galleverbindungen im Blut bilden, was in der Folge zu Krankheiten wie Anämie und Gelbsucht führen kann.

Ranjaka – Hüter der Leidenschaft: Auf seiner subtilen Funktionsebene lehrt uns Ranjaka den Geist der Kräftigung und Befriedigung. Wenn wir die Lektionen des zweiten Feuers erlernen, sind wir in der Lage, einen ruhigen, aber lebhaften Geist zu bewahren und die Leidenschaften des Körpers zu zähmen. Ranjaka lehrt uns, zu spielen, anzuregen, zu befriedigen, und schließlich auch dem Universum die Kräftigung, die wir erfahren haben, zurückzugeben. Sadhanas wie aktive Sportarten, jahreszeitliche Reinigung des inneren Körpers, kühlende Aktivitäten, und pitta-nährende Nahrungsmittel beleben dieses Feuer aufs neue.

Das Feuer des Herzens: Sadhaka

Als sanftestes der Feuer ist *Sadhaka*, das dritte Feuer, von zentraler Bedeutung für die Aktivität von Pitta. Zusammen mit Prana reguliert es das Herz. Zusammen mit Udana reguliert es das Gedächtnis sowie das gute Funktionieren des Geistes. Wenn Sadhaka geschädigt ist, können pychische Störungen auftreten wie geistige Verwirrung, extreme emotionale Zustände, das Verlangen nach extremen Nahrungsmitteln, Drogen usw.

Sadhaka – Hüter der Geistesflamme: Auf der subtilen Ebene ist dieses Feuer das wirksamste und effizienteste in Körper, Geist und Seele. Es ist innerhalb unseres höheren Selbst wirksam und unterstützt die Bewahrung und Entfaltung unseres kognitiven Gedächtnisses. Sadhaka lehrt Bescheidenheit und kognitive Wahrheit. Es ermöglicht uns den Übergang vom Zustand der Erfahrungen zu der Fülle unserer eigenen Unsterblichkeit. Sadhanas wie Meditation, Pranayama, Yoga, die Reinigung des inneren und äußeren Körpers, das Studium der heiligen Schriften und Pitta-nährende Nahrungsmittel sind lebenswichtig für die Aufrechterhaltung der hervorragenden Eigenschaften des Sadhaka-Feuers.

Das Feuer der Augen: Alochaka

Alochaka, das vierte Feuer von Pitta, kommt in den Pupillen der Augen vor. Es belebt das Sehvermögen, gibt den Augen ihren Glanz und verteilt Licht und sein Farbspektrum im Körper.

Wenn das vierte Feuer beeinträchtigt ist, kommt es zu Sehstörungen, und die Augen können eine gelbe Farbe annehmen.

Alochoka – Hüter des Sehvermögens: Auf der subtilen Körperebene gibt dieses Feuer kreative Weitsicht, Hoffnung und Wachsamkeit. Es lehrt Rücksichtnahme und Einstellung auf alle Geschöpfe und zeigt uns, wie wir uns selbst von Beginn an akzeptieren können. Sadhanas wie Augenübungen, malen, picknicken, schlendern, am Fluß sitzen, jahreszeitliche Reinigung des inneren Körpers und pitta-nährende Nahrungsmittel tragen dazu bei, das Gleichgewicht von Alochoka aufrechtzuerhalten.

Das Feuer der Haut: Bhrajaka

Das fünfte Feuer, *Bhrajaka*, befindet sich in der Haut und gibt der Haut ihren Glanz und ihr Schimmern. Bhrajaka schützt den Körper vor dem Schaden, den die rauhen Elemente anrichten können und erleichtert die Assimilation von Licht, Wind, Wasser und Öl durch die Haut. Wenn dieses Feuer gestört ist, können Hautkrankheiten wie Schuppenflechte, Ekzem und weiße Flekken auf der Haut auftreten.

Bhrajaka – Hüter der Schönheit: Auf der subtilen Ebene lehrt Bhrajaka Reinlichkeit und inneres Leuchten. Es gibt uns *Rasa*, das heißt innere und äußere Schönheit. Seine Absicht ist es, uns zu lehren, wie wir unser Licht mit anderen teilen und alles in unserer Mitte mit unserem Schimmern, unserer Helligkeit und unserem Überschäumen erfüllen können. Sadhanas wie unseren Wohnraum reinigen und schmücken, tägliche Körperreinigung, (d. h. Abreibung der Haut und Einölen des Körpers), Aromatherapie, innere Reinigung des Körpers und pitta-nährende Nahrungsmittel tragen dazu bei, Brhajaka in gutem Zustand zu halten.

Die fünf Wasser von Kapha

Kapha, das aus den Elementen Wasser und Erde gebildet wird, zeigt sich auch in fünf Sitzen der Doshas, die seine Wirkungszentren und Zentren des systematischen Ausgreifens darstellen, und durch die es den gesamten Organismus beeinflußt.

Das Wasser der Verdauung: Kledaka

Das erste Wasser von Kapha, *Kledaka*, hat seinen Ursprung im Magen. Es ist die Ursache für die Schleimbildung in den Eingeweiden. Als wichtigstes der Wasser unterstützt die feuchte, schaumige Flüssigkeit von Kledaka die Verdauung, es verflüssigt die Nahrung und nährt die übrigen Wasser von Kapha. Wenn dieses erste Wasser beeinträchtigt ist, dann ist der Verdauungsprozeß gestört, es entsteht ein Schweregefühl im Unterbauch und es kann Übelkeit auftreten.

Kledaka – Hüter der Feuchtigkeit: Auf der subtilen Körperebene lehrt uns Kledaka als Hüter der Feuchtigkeit die Kunst der Flüssigkeit. Wir sind aufgefordert, unsere Gefühle zu assimilieren, bevor wir sie verströmen. Dann können wir Öl auf die Trockenheit, Wasser auf den Durst und Beweglichkeit in das Stagnierende gießen. Nur wenn unser eigenes Wesen auf diese Weise gut geschmiert ist, sind wir genügend im Fluß, um anderen zu helfen. Sadhanas wie Yoga, Tai Chi, Spazierengehen, ayurwedische Massage *(Abhyanga)*, ayurwedische Brechtherapie *(Vamana)*, kapha-nährende Nahrungsmittel und das Verteilen von Wasser und Nahrung an die Armen tragen dazu bei, das Gleichgewicht von Kledaka zu erhalten.

Das Wasser des Herzens: Avalambaka

Das zweite Wasser von Kapha, *Avalambaka*, hat seinen Sitz im Brustkorb und im Herzen. Es ist der Strom des Herzens, der dem Herz sein Plasmagewebe gibt und es so gegen Hitze isoliert. Avalambaka versorgt darüber hinaus die Gliedmaßen mit Energie. Wenn dieses Wasser gestört ist, dann hat das Faulheit und Lethargie zur Folge. Krankheiten, die ihren Ursprung im Herzen haben, wie rheumatisches Fieber und Schmerzen im Herzbeutel, können ebenfalls auftreten.

Avalambaka – Hüter der Liebe: Auf der subtilen Existenzebene gibt uns Avalambaka unser beschützendes, umarmendes und mütterliches Wesen. Es lehrt uns, die Natur von Mutter Erde zu unterstützen. Wenn wir unseren nährenden Instinkt in uns selbst entdecken, dann sind wir in der Lage, es allen Geschöpfen zu erlauben, gleichermaßen an der Liebe, dem Licht, dem Wind und dem Regen des Universums teilzuhaben. Sadhanas wie gesundes Kochen, die Familie und die Armen ernähren, fasten, die jahreszeitliche Reinigung des inneren Körpers, Gartenarbeit, und kapha-nährende Nahrungsmittel helfen uns, dieses zweite Wasser von Kapha wiederaufzufüllen.

Das Wasser der Zunge: Bodhaka

Bodhaka, das dritte Wasser von Kapha, ist die Mündung, an der sich die fünf Gewässer unseres Körperflusses vereinigen. Es schickt Wasser in die Zunge und den Gaumen und gibt uns die Geschmacksempfindung. Es registriert jede der sechs Geschmacksrichtungen in der Natur und schickt die entsprechenden Impulse an die empfangenden Gewebe, lange, bevor die Nahrung verdaut wird. Das Bodhaka-Wasser verflüssigt darüber hinaus die Nahrung.

Wenn dieses Wasser gestört ist, werden Verbrechen gegen die natürlichen Instinkte des Körpers begangen, die auf die Beeinträchtigung des Geschmackssinns zurückzuführen sind. Krankheiten wie Übergewicht, Bulimie und Magersucht kommen vor und bilden ihrerseits *Ama*, die übelriechenden, unverdauten Nahrungsreste, die sich in den Geweben festsetzen und Krankheiten fördern. Im allgemeinen zeigt ein dicker weißer Belag auf der Zunge das Vorhandensein von Ama im Körper an.

Bodhaka – Hüter der Achtung: Auf der subtilen Existenzebene im Körper wirkt Bodhaka als Hüter unserer Wahrnehmungen. Es lehrt uns, unsere sensorischen Mechanismen, insbesondere den Geschmackssinn, nicht zu vergewaltigen. Es zeigt uns, wie wir uns selbst schätzen können, indem wir unser Unterscheidungsvermögen schulen und Mäßigung lernen. Wenn wir diese Fähigkeiten erlernt haben, sollen wir das Wissen vom überlegten Gebrauch unserer Sinne mit anderen teilen. Sadhanas wie Fasten, jahreszeitliche Reinigung des Körpers, ayurwedische Brechtherapie, ayurwedische Massage, gesunde körperliche Betätigung und kapha-nährende Nahrungsmittel verfeinern unser Gespür für den Geist von Bodhaka.

Das Wasser des Kopfes: Tarpaka

Tarpaka, das vierte Wasser von Kapha, fließt als Zerebrospinalflüssigkeit durch Gehirn und Rückgrat. Es beruhigt die Sinnesorgane und schmiert und schützt infolgedessen das Nervensystem. Wenn sich dieses Wasser nicht im Gleichgewicht befindet, kommt es zu Störungen der Sinnesorgane. Gedächtnisverlust und die Abstumpfung der sinnlichen Wahrnehmung sind die natürliche Folge.

Tarpaka – Hüter des Friedens: Auf der subtilen Ebene wäscht Tarpaka die Sinne rein und gibt unserem inneren Wesen Ruhe und Befriedigung. Es vermittelt uns die Einsicht, mit Leichtigkeit auf dieser Erde zu leben. Wir sind aufgefordert, nur das zu nutzen, was notwendig ist, um Gesundheit und Gleichgewicht zu erreichen. Es zeigt uns, wie wir dem heiligen Gesang von Wind, Regen und Licht lauschen können, wie wir unsere wesentlichen Gaben und angemessenen Aktivitäten anerkennen können, anstatt nach materiellem Besitz zu verlangen und ihn zu verfolgen.

Die Sadhanas, um Harmonie in Tarpaka zu erhalten, sind Meditation, Pranayama, Yoga, gesunde Körperübungen, tägliche Reinigung von Körper, Kopf, Augen, Ohren, Nase und Kehle, die jahreszeitliche Reinigung des inneren Körpers, das Studium der heiligen Schriften und kapha-nährende Nahrungsmittel.

Das Wasser der Gelenke: Slesaka

Das fünfte Wasser von Kapha, *Slesaka*, hat seinen Sitz in den Gelenken. Es schmiert die Gelenke und gibt ihnen ihre Festigkeit. Das fettige Gel von Slesaka schützt die Gelenke vor Hitze, und die Zirkulation ihrer Synovialflüssigkeit gibt Bewegungen ihre Leichtigkeit und Flexibilität. Wenn dieses Wasser beeinträchtigt ist, können die Gelenke anschwellen und schmerzen, und es können Fehlfunktionen auftreten.

Slesaka – Hüter der Geduld: Slesaka, was „das, was verbindet" bedeutet, war die ursprüngliche Sanskritbezeichnung für Kapha. In Übereinstimmung mit seinen Absichten gibt uns Slesaka die Fähigkeit der Verbundenheit in unserem Leben. Slesaka lehrt uns mütterliche Liebe und gibt uns die Kraft, zu lieben und zu nähren. Wir sollen von ihm lernen, selbst diejenigen in unsere Liebe einzuschließen, die Freundlichkeit nicht zu verdienen scheinen. Slesaka lehrt uns enormen Zusammenhalt und Geduld mit allen Lebensformen. Die Sadhanas, die Slesaka vergrößern und sein Gleichgewicht erhalten, sind mütterliche Aktivitäten, wie sich selbst und andere nähren, Yoga, frühes Aufstehen, gesunde Beschäftigungen, die jahreszeitliche Reinigung des Körpers, fasten und kapha-nährende Nahrungsmittel.

Teil zwei

Dhatus – Körpergewebe

Physiologische Anatomie

Im Ayurweda ist bekannt, daß die physiologischen und psychologischen Funktionen des Körpers auf komplexe Weise und von Natur aus miteinander verwoben sind. Kosmische Energie und universelle Materie sind in unserer Nahrung, unseren Gedanken und Beschäftigungen miteinander verwoben. Der Körper wird durch Prana, den Lebensatem, und *Annam*, die Nahrung der Erde, erhalten. Der Atem (mit Sauerstoff gesättigte Luft) und die Nahrung beeinflussen die Gewebe des Körpers und die Gedanken des Geistes. Beide werden durch die physikalischen Prozesse der Nahrungsaufnahme, Verdauung, Assimilation und Ausscheidung in kosmische Essenzen umgewandelt. So werden Atem und Nahrung zum ewigen Saft für die Zeugung, zu dem Bestandteil, der Liebe und Freude sprießen läßt.

Die göttliche Umwandlung zeigt sich mittels der physiologischen Kette von Ereignissen, durch die sich das Körpergewebe ständig selbst erneuert. Der Ayurweda hat sieben konstituierende Gewebe identifiziert, durch die der Körper lebt und stirbt. Diese Gewebe werden Dhatus genannt. Wie die Doshas, so werden auch die Dhatus aus den fünf Elementen gebildet: Äther, Luft, Feuer, Wasser und Erde. Mit Hilfe des Verdauungsfeuers bilden die Dhatus das biologische Schutzsystem des Körpers. Mit anderen Worten, sie nähren und schützen das innere Immunsystem. Wenn ein Dhatu defekt ist, dann wird jeder nachfolgende Dhatu beeinträchtigt, und so wird eine Kettenreaktion der Beeinträchtigung im gesamten Gewebesystem ausgelöst.

Die konzentrische Bildung der Dhatus geschieht durch die Aufnahme von Nahrungssubstanzen. Wie Charaka es mit unschlagbarer Treffsicherheit ausgedrückt hat, ist die Verwendung natürlicher, gesunder Nahrung wesentlich für die Qualität der Nährstoffe, die für die Erhaltung der Dhatus verantwortlich sind: „Die Verfügbarkeit und der Verzehr von gesunder Nahrung sind unerläßlich, um das gesunde Wachstum eines Menschen zu fördern; in gleicher Weise fördert die Aufnahme ungesunder Nahrungsmittel Krankheiten." Gleichermaßen wichtig ist es, anzuerkennen, daß geistige Unruhe oder eine negative Disposition sogar die gesündesten Nahrungsmittel verunreinigen, sobald diese einmal verzehrt worden sind.

Durch eine außerordentlich raffinierte Kette chemischer Reaktionen, und angesport sowohl durch die Energiemengen der Nahrungsmittel als auch die Energievibrationen der Körpergewebe und Gedanken, wird ein Nährstoff namens *Ahara Rasa* gebildet. Sobald dieser Nährstoff im Verdauungstrakt resorbiert worden ist, wird er durch das Verdauungsfeuer synthetisiert, um das erste der sieben Gewebe – *Rasa Dhatu* – zu bilden. Dieses Gewebe, ein milchiger, klebriger, kalter Nahrungssaft, der ähnliche Eigenschaften wie Kapha hat, ist das Plasmagewebe des Körpers, das seine Existenz aus dem Wasserelement ableitet. Die richtige Umwandlung des primären Nährstoffes, Ahara Rasa, in Plasma (Rasa) hängt von der Qualität der Nahrungsmittel, dem Geisteszustand und der Gesundheit von Prana im Körper ab. Unter günstigen Bedingungen tragen diese Faktoren zur reichlichen Produktion von Rasa bei. Unter ungünstigen Bedingungen tragen diese Faktoren eher zur Produktion von Abfallprodukten in Form von Schleim als zur Produktion von gesundem Plasma bei.

Jeder der sechs nachfolgenden Dhatus wird von dem vorherigen Dhatu ernährt. Sobald Rasa-Gewebe gebildet worden ist, werden die Nährstoffe verfeinert und weitertransportiert, um Blutgewebe – *Rakta Dhatu* – zu bilden. Auch hier wird, wenn die Qualität der Nährstoffe mangelhaft ist, auf Kosten der Bildung von gesundem Blutgewebe die Produktion von Abfallprodukten im Körper in Form von Galle angeregt. Das wichtigste universelle Element, das das Blut beinhaltet, ist das Feuer. Daher ist es nicht überraschend, daß die Nährstoffe, sobald das Hämoglobin im Blut genährt worden ist, weiter verfeinert werden, um den Brennstoff zu liefern, der notwendig ist, um Muskelgewebe – *Mamsa Dhatu* – zu bilden. Das dominante Element des Muskelgewebes ist die Erde, das der Materie ähnlichste Element von den fünf Elementen, aus denen die Dhatus ihre Form ableiten. Das Muskelgewebe des Körpers besitzt ebenfalls die materielle Natur der Erde. Das nächste Gewebe, das von Dhatu genährt wird, ist das Fettgewebe, das *Medas Dhatu* heißt und von dem Element Wasser durchdrungen wird.

Das Knochen- und Knorpelgewebe – *Asti Dhatu* – das von den Elementen Luft und Äther durchdrungen wird, ist das nächste in der Reihe der von Dhatu genährten Gewebe. Die ständig verfeinerten Nährstoffe werden dann zu dem Gewebe befördert, das das rote und weiße Knochenmark im Körper – *Majja Dhatu* – umfaßt. Das dominante Element des Knochenmarkgewebes ist das Feuer, das in der Verbrennungs-, Umwandlungs- und Umbildungsfunktion dieses Gewebes widergespiegelt wird. Der verfeinerte Nährstoff, der übrigbleibt, nachdem all diese Dhatus ernährt worden sind, füllt schließlich das Sperma- und das Eizellengewebe – *Shukra* bzw. *Artava* – wieder auf. Sobald dieser letzte Dhatu einmal gebildet ist, wird er von den subtilen Essenzen der Nährstoffe ernährt, die durch die Synthese aller früheren Dhatus verfeinert worden sind. Das ist die subtile und durchdringende Essenz, die im Körper verbleibt, bevor sie zum Material für die Zeugung wird. Wenn dieser Dhatu zum Beispiel aufgrund der Verunreinigung der Nährstoffe beeinträchtigt ist, dann ist das neue Leben, das durch die Vereinigung von Sperma und Eizelle entsteht, im allgemeinen auf die eine oder andere Art geschädigt.

Der Zustand der Dhatus ist einer der Hauptfaktoren, die während einer Pancha-Karma-Reinigungstherapie zu beachten sind. Bestimmte Jahreszeiten machen die Gewebe empfänglich und erleichtern so die Elimination von Ama, den Abfallprodukten, die sich in den Geweben eingenistet haben. Die Dhatus, die positiven Schwingungen gegenüber aufnahmebereit sind, reagieren sofort auf die verschiedenen Reize, die von Kräutern und anderen Substanzen ausgehen, die in den Brech-, Purgier-, Einlauf-, Schwitz- und Massagetherapien von Pancha Karma verwandt werden. Diese natürlichen arzneilichen Substanzen dienen als Puffer für die inneren Systeme des Körpers und schaffen innerhalb der Gewebe die Bereitschaft, die Anhäufung negativer Kräfte rückgängig zu machen.

Psychologische Anatomie

Kala: Der Körperkristall

Die Umwandlung von Dhatu im Körper ist Vorbild und Beweis für die Dynamik der Erde, die sich in uns abspielt. Bevor die Nährstoffe in einen bestimmten Dhatu eindringen, passieren sie eine prismatische Membran oder einen Körperkristall, der *Kala* heißt. Die Nährstoffe, die bereits durch das Gewebefeuer des Körpers erhitzt worden sind, werden durch den Körperkristall weiter transformiert, der, indem er ein Spektrum von Schwingungen projiziert, das empfangende Gewebe durchdringt, während es genährt wird. In derselben Weise, wie Sie sich in der Brechung von Licht, das einen Kristall durchdringt, sonnen können, wird jeder Dhatu in einem Spektrum von Schwingungen gebadet, das Kala durchdringt. Wenn die körperliche und geistige Nahrung gesund ist, dann ist der Körperkristall klar und strahlend; wenn die Nährstoffe verunreinigt sind, dann können sie den Kristall trüben oder ihn sogar vollkommen blockieren.

Im wesentlichen dringen die universellen Schwingungen von Freude und Heiterkeit durch den Körperkristall in den Organismus ein, während Rasu Dhatu gebildet wird. Das also ist das Geheimnis, das Rasa in sich birgt – die kosmische Freude und Heiterkeit, die uns von der Natur eingeflößt wird, und die *Prinana* genannt wird. Wenn Rasa im Körper wiederaufgefüllt wird, erleben wir, wie sich unsere Stimmung hebt, wenn die Regenbogenessenzen aus dem Kosmos vom Organismus aufgenommen werden. Wenn die Nährstoffe jedoch nicht gesund sind, strahlt Rasu Dhatu Traurigkeit und Trauer anstelle von Freude aus, und diese negativen Gefühle durchdringen schnell den gesamten Organismus.

Wenn Rasa das Blut nährt, dann steigert sich Freude zu exquisiter Heiterkeit. Körper, Geist und Seele drängen nach vorn, um in grenzenloser, überschwenglicher Freude zu schwelgen. Freundlichkeit und der Wunsch, alles und jeden in die Arme zu schließen, durchdringen den Organismus. Das Geheimnis, das im Blutgewebe zu finden ist, ist also Belebung und Leben, genannt *Jivana*. Wenn die Nährstoffe, die von Rasa mitgebracht werden, nicht besonders gesund sind, dann erlebt das Blutgewebe – *Rakta Dhatu* – Wut, Lethargie und Hoffnungslosigkeit, die sich schnell negativ auf Körper und Geist auswirken. Rakta wiederum ernährt das Muskelgewebe, Mamsu Dhatu, das den inneren Körper schützt und abschließt. Das Geheimnis, das durch

Mamsa in den Körper gebracht wird, ist das Urteilsvermögen, die Kraft der Unterscheidung, die den Körper von negativen Einflüssen abschottet und ihn auf seiner heiligen Reise schützt. Wenn Mamsa verunreinigte Nährstoffe erhält, wird es verwirrt und verliert seine Fähigkeit, positive Schwingungen zu empfangen. Als Folge davon fallen Körper und Geist der Verwirrung anheim.

Mamsa wiederum ernährt das Fettgewebe – *Medas Dhatu* – und jede Zelle schwelgt in feierlicher Stimmung. Das Geheimnis von Medas, das sich im Zentrum der zyklischen Kette der Dhatuernährung befindet, liegt in der freigebigen, „schmierenden" Liebe, die *Sneha* genannt wird. Wenn Sneha den gesamten Organismus durchdringt, dann entsteht ein allumfassendes Gefühl der Achtung. Wenn umgekehrt Medas ungesunde Nährstoffe erhält, dann verbreitet es Haß und niedrige Selbstachtung, die wiederum jeden unserer Gedanken, jedes Wort und jede Tat beeinflussen. Medas ernährt seinerseits das Knochen- und Knorpelgewebe – *Asthi Dhatu* – und ruft so unseren Mut und unsere persönliche Weisheit wach.

Das Geheimnis, das Asthi Körper und Geist enthüllt, ist das der furchtlosen Unterstützung, das unserer numinosen Existenz Bedeutung und Sinn gibt. Es hilft uns, uns an die Werte zu erinnern, die der Natur eigen sind, und fest in ihnen zu stehen. Wenn die von Medas mitgebrachten Nährstoffe ungesund sind, dann erlebt Asthi Angst und Unentschlossenheit, die dann jede Zelle unseres Körpers und unseres Geistes durchdringen. Asthi wiederum ernährt das Knochenmarkgewebe – *Majja Dhatu* –, das für das Gefühl der Erfüllung im Körper zuständig ist. Gefühle der Leere und Einsamkeit und jegliche Todesangst werden fortgeschwemmt, wenn Majja ihr leidenschaftliches Geheimnis mitteilt und den Organismus mit rhythmischer Fülle erfüllt. Majjas Geheimnis wird *Purana* genannt.

Majja ernährt dann das Sperma-/Eizellengewebe – *Shukra/Artava* – und bringt Weisheit mit sich. Durch die wertvollen Gaben von Nährstoffen in Form von Schwingungen, die durch die Rasa-, Rakta-, Mamsa-, Medas-, Asthi- und Majja-Gewebe transportiert werden, findet der letzte, heilige Übergang im Körper statt. Die Essenzen der Freude, Belebung, Unterscheidung, Liebe, Weisheit, Unterstützung, Erfüllung und Reife implodieren alle auf einmal und Shukra/Artava enthüllt das letzte Geheimnis, das durch die Dhatus in den Organismus gebracht wird – das Geheimnis des Lebens selbst. Aus der kollektiven Essenz aller Dhatus wird ein Leben schaffender Nektar gebildet, so daß sich, wenn für den Körper die Zeit kommt, seinen Nektar durch den Akt der Zeugung in die Welt zu ergießen, der kosmische Zyklus schließt und sich so vollendet. Wenn die Nährstoffe jedoch verunreinigt sind, ist die Essenz des Lebenssamens selbst bedroht. Je nach Schwere der Beeinträchtigung kann es zu körperlichen Schäden oder dem Verlust des kognitiven Gedächtnisses beim Neugeborenen kommen.

Ojas: Das Leuchten der Gesundheit

Ojas ist die kumulative Essenz, die übrigbleibt, nachdem der Zyklus der Dhatuernährung abgeschlossen ist. Unsere physische, mentale und spirituelle Stärke hängt vollkommen von Ojas ab. Unsere persönliche Aura, die Stärke und das Leuchten, das wir ausstrahlen sollen, wird durch reichliches Vorhandensein von Ojas erzeugt, was unsere beste Garantie gegen geistige und körperliche Krankheit ist. Wenn Ojas gedeiht, dann ist auch die natürliche Immunität des Körpers intakt. Mentale Klarheit und das kognitive Gedächtnis blühen ebenfalls auf. Wenn jedoch auf der anderen Seite der Körper eine ungenügende Menge Rasa enthält, dann werden die Gewebe trocken und ausgezehrt, was zur Entleerung von Ojas führt. Eine natürliche Folge hiervon ist Stumpfheit sowohl des geistigen als auch des physischen Feuers. Verringertes Ojas fördert auch ein Anwachsen von Ama, den Abfallprodukten, die vom Körper gebildet werden.

Die Dhatus, Upadhatus und Malas

Am Ende der Dhatu-Nahrungskette wird eine zweite Gruppe von Geweben erzeugt, die *Upadhatu* genannt werden. Diese Gewebe lösen keine Kettenreaktion mit nachfolgenden Upadhatus aus wie die Dhatus. Außerdem produziert jeder primäre Dhatu, nachdem er ernährt worden ist, seine eigenen Abfallprodukte im Körper, die Malas. Die primären Dhatus sind zusammen mit ihren Upadhatus, Malas und physischen und emotionalen Funktionen in der folgenden Tabelle dargestellt.

Dhatu	*Upadhatu*	*Mala*	*Physische Funktion*	*Emotionale Funktion*
aufgenommene Nahrung	---	Kot, Urin	Produktion von Nährsubstanz	Freude
Rasa (Plasmagewebe)	Muttermilch, Menstruations-sekrete	Schleim	Nahrung	Erheiterung
Rakta (Blutgewebe)	Blutgefäße, Sehnen	Galle	Anregung	Kräftigung
Mamsa (Muskelgewebe)	Muskeln, Haut	Ohrenschmalz, Rotz, Nabel-gallerte etc.	einen Puffer für den Körper bilden	Nährung
Medas (Fettgewebe)	Omentum*	Schweiß	Fettung	Liebe
Asthi (Knochen- und Knorpelgewebe)	Zähne	Körperbe-haarung, Bart, Nägel	Stützung des Körpers	Mut
Majja (Knochenmarks-gewebe)	Kopfhaar	Tränen	Füllung der Knochen	Fülle
Shukra & Artava (Fortpflanzungs-gewebe)	---	---	Zeugung	Leben

* Eine Falte des Bauchfells aus einem anderen Organ, die ein Organ stützt.

Tab. 1: Die primären Dhatus, ihre Upadhatus, Malas, ihre physischen und emotionalen Funktionen

Malas – Abfallprodukte des Körpers

Im Ayurweda führen die Abfallprodukte des Körpers, die als Malas bekannt sind, eine nützliche Funktion aus. Solange sie sich in angemessener Weise im Körper aufhalten, unterstützen Malas die Ernährung des Körpers, indem sie essentielle Elemente in den Dhatus synthetisieren, wenn diese den Körper verlassen. Die Sanskritbezeichnung „Mala" ist aus zwei Wurzeln abgeleitet: *Dharane*, was „erhalten" bedeutet, und *Kitta*, was „das, was weggehen muß" bedeutet.

Malas werden durch die Kräfte von *Agni*, dem Verdauungsfeuer, und *Vayu*, der Luft des Körpers, im Körper festgehalten. Wenn Agni und Vayu richtig funktionieren, dann werden die Dhatus reichlich mit den Essenzen der Nahrungsmittel ernährt. Wenn sie es nicht tun, dann erhöht sich die Produktion von Malas im Körper. Wenn diese überschüssigen Abfälle nicht rechtzeitig ausgeschieden werden, dann beginnen sie, lebende Gewebe anzugreifen und führen so zu Degenerationserscheinungen. In Übereinstimmung mit dem Prinzip des natürlichen Endes können geschädigte Gewebe, die durch überschüssige Abfallprodukte beeinträchtigt worden sind, nicht ins Leben zurückkehren; stattdessen werden sie als Malas aus dem Körper ausgeschieden.

Die drei Hauptmalas sind Urin, Kot und Schweiß. Diese Abfallprodukte setzen sich wie die Doshas und Dhatus aus den fünf Elementen zusammen. Zu den Nebenmalas gehören die fettigen Exkrete der Eingeweide, Ohrenschmalz, Haare (Körper-, Kopf- und Barthaare), Nägel, Tränen und Menstruationsblut.

Das Hauptabfallprodukt des Körpers, der Kot, besteht aus den Nahrungsresten und den Substanzen, die von den Gewebezellen abgesondert werden, damit sie aus dem Körper ausgeschieden und der Erde zurückgegeben werden können, um sie in ihrer Fruchtbarkeit zu unterstützen. Zwei Ausscheidungen pro Tag werden als entscheidend für gute Gesundheit angesehen. Urin, das Abfallwasser des Körpers, sollte fünfmal ausgeschieden werden, wenn die Gesundheit aufrechterhalten bleiben soll. Die reichliche Aufnahme von reinem Wasser ist lebenswichtig, um die Flüssigkeit im Körper wiederaufzufüllen. Schweiß besteht aus den Ausdünstungen, die sich bilden, damit Abfälle aus dem Hautgewebe ausgeschieden werden können.

Der normale Fluß der Malas wird gestört, wenn die Doshas über ihren natürlichen Zustand hinaus erhöht oder erniedrigt sind. Pancha Karma, die fünffache ayurwedische Reinigungstherapie, ist darauf abgestimmt, den Körper bei der Ausscheidung von überschüssigem Dosha und Gewebeabfällen zu unterstützen. Indem diese Therapie die Hauptkräfte der Doshas miteinander ins Gleichgewicht bringt, wird gleichzeitig die Ausscheidung von Abfallprodukten angeregt.

Vata, das Dosha, der am häufigsten an der Manifestation von Krankheiten beteiligt ist, ist für die Zurückhaltung oder Ausscheidung von Kot, Urin, Galle und anderen Körpersekreten verantwortlich. Wenn Abfallprodukte wie Schleim, Galle, überschüssiges Wasser und Gas im Körper bleiben, dann empfiehlt der Ayurweda sehr, die Reinigungstherapien anzuwenden. Um zum Beispiel Vata auszugleichen, werden die Einlauftherapie, die Verwendung von Pflanzenölen und Abkochungen verschrieben und angewandt.

Pitta-Störungen werden im allgemeinen mit der Purgiertherapie behandelt und überschüssiges Kapha durch die Brechtherapie gelindert. Ayurwedische Massage wird häufig verwendet, um alle drei Doshas ins Gleichgewicht zu bringen, sie anzuregen oder zu beruhigen. Diese Reinigungstherapien sind lebenswichtig für die Beseitigung von Blockaden, damit Giftstoffe, Galle, Schleim und andere überschüssige Substanzen aus dem Körper ausgeschieden werden.

Ama – Der Samen der Krankheit

Wenn das Verdauungsfeuer im Körper unzureichend ist, bleiben Nahrungsmittel unverdaut und werden nicht im Verdauungstrakt resorbiert. Als Folge davon entsteht Ama. Ama ist übelriechend und klebrig und verstopft die Eingeweide und andere Körperkanäle, inklusive der Blutgefäße. Ama behindert den Dickdarm in seinen Bemühungen, eine seiner Hauptfunktionen auszuführen, nämlich die vitale Kraft, Prana, aus der verdauten Nahrung zu extrahieren. Ama macht zahlreiche chemische Veränderungen durch und schafft so allmählich Giftstoffe, die in den Blutkreislauf freigesetzt werden. Das überschüssige Dosha und die Giftstoffe bilden ein unheilvolles Team, wenn sie sich mit großer Schnelligkeit in einen geschwächten Teil des Körpers hineinbewegen. Aufgrund seines hohen Giftgehaltes ruft das unheilvolle Ama eine negative Immunreaktion in den Körpergeweben hervor, bis sich schließlich in diesen Organen Krankheiten manifestieren, die in Zusammenhang mit den mutierten Geweben stehen.

Alle inneren Krankheiten beginnen damit, daß Ama im Körper vorhanden ist, und alle äußerlich entstandenen Krankheiten produzieren schließlich Ama. Über die Verstopfung der Körperkanäle hinaus führt Ama zu einer Verminderung unserer Kraft und unseres Energieniveaus. Es reduziert Rasa und führt so Lethargie und Müdigkeit herbei. Gleichermaßen verheerend für das System ist das geistige Ama, das sich durch fehlerhafte Wahrnehmungen und Gemütsstörungen ansammelt. Habgier, Selbstsucht, eine besitzergreifende Haltung, Sturheit, Wut und übertriebene Wünsche werden zu geistigen Schadstoffen und damit zu Ama.

Ein frühes Anzeichen für Ama im Körper ist ein klebriger Belag auf der Zunge. Bei Kapha-Typen ist der Belag im allgemeinen dick, süßlich, und von weißlicher Farbe. Pitta-Typen neigen dazu, einen schleimigen, säuerlichen und gelblichen Belag zu haben, während Vata-Typen einen eher trockenen, bitteren und gräulichen Belag haben. Wenn diese frühen Symptome auftreten, kann Ama sofort durch Fasten und/oder die Pancha Karma-Therapien, die je nach Körpertyp und in der richtigen Jahreszeit durchgeführt werden, gelindert werden.

Agni und die sechs Stufen von Krankheit

Der Ayurweda erkennt eine Hauptursache für alle Krankheiten und sechs spezifische Stufen, in denen sie ablaufen. Die Ursache ist in der Schädigung des Hauptfeuers im Körper, namens Agni, dem Feuer der Verdauung, zu suchen. Charaka sagt uns, daß „ein fehlerhaftes Feuer zum fehlerhaften Funktionieren der Gewebefeuer führt, die dann ihrerseits Ama im Magen-Darmtrakt erzeugen und zu einer schlechten Gewebesynthese führen, die daraufhin die Produktion der Malas und Doshas erhöht, die schädlich für den Körper sind."

Krankheit entsteht als Folge der Stagnation der Doshas im Körper. Sobald ein Dosha (oder mehrere) aus dem Gleichgewicht geraten ist, beginnt es, sich als negative Kraft anzusammeln. In diesem frühen Stadium der Störung drükken sich die Doshas durch den Verlust der normalen Zirkulation aus. Vage Symptome wie die Abneigung gegen Nahrungsmittel, die dieselben Eigenschaften haben wie die beeinträchtigten Doshas, Müdigkeit, ein allgemeiner Mangel an Glanz und an Klarheit sind zu dieser Zeit vorherrschend. Um die Gesundheit des Körpers in diesem Anfangsstadium der Krankheit wiederherzustellen, werden viele sanfte verjüngende Sadhanas praktiziert, unter anderem nährende Nahrungsmittel, kräftigende Mittel aus Kräutern und ayurwedische Massage.

Im zweiten Stadium der Krankheit dehnen sich die Doshas über ihre normale akumulative Sphäre hinaus aus, indem sie anfangen, in das immer bereitstehende Vehikel, das bewegliche Vata, zu reisen. In diesem Stadium sammelt sich das beeinträchtigte Dosha (oder die beeinträchtigten Doshas) jenseits des Ursprungsortes und beginnt, sich durch das Blut in den Körperkanälen auszubreiten, die mit dem gestörten Dosha in Zusammenhang stehen. Zu dieser Zeit sind die Anzeichen für nachlassende Gesundheit auffälliger; so treten zum Beispiel häufig Symptome wie Kopfschmerzen, Verdauungsbeschwerden, Übelkeit, Verstopfung und Durchfall auf. In diesem Stadium können die Doshas immer noch durch die Verwendung der passenden Nahrungsmittel und Kräuter, Massagetherapie und gesunde Beschäftigungen unterstützt werden, obwohl die Pancha-Karma-Therapie jetzt notwendig wird, wenn der Gleichmut des Körpers vollkommen wiederhergestellt werden soll. In diesem Stadium neigen die Doshas dazu, negative Kräfte anzusammeln, hauptsächlich deshalb, weil der oder die Betreffende ihren Körper vernachlässigt haben, aber auch aufgrund von jahreszeitlichen Faktoren.

Im dritten Stadium des Krankheitsprozesses breiten sich die Doshas in wieder anderen Teilen des Körpers aus und bleiben eine Zeitlang inaktiv, bevor die Krankheit zum Ausbruch kommt. Der Ayurweda schlägt Pancha Karma als hauptsächliche Therapie vor, bevor sich die Doshas als voll entwickelte Krankheiten ausdrücken. In vielen Fällen kann sich diese Therapie jedoch auch als nützlich erweisen, wenn die Krankheit bereits ausgebrochen ist, obwohl der Arzt zu diesem Zweck und aufgrund des Zustands des Patienten mit den Umständen und Details der Behandlung bestens vertraut sein sollte. Während dieses Stadiums der Krankheit können Symptome wie Anschwellen des Unterleibs, ein brennendes Gefühl im Körper und Magersucht auftreten.

Im vierten und fünften Stadium können sich die beeinträchtigten Doshas vollkommen neu plazieren, indem sie sich in bestimmten Geweben und Strukturen des Körpers konzentrieren und Bedingungen schaffen, für die bestimmte Merkmale identifiziert und bestimmte Namen gegeben worden sind. Hierzu gehören Diabetes, Herzkrankheiten, Krankheiten, die mit Fieber einhergehen, Arthritis, Bronchitis, Krebs und viele andere. Die Entwicklung von Krankheiten mit klinischen Merkmalen geschieht im fünften Stadium.

Im fünften oder sechsten Stadium kann die Krankheit eine komplizierte Wende nehmen, zum Beispiel dann, wenn ein Abszeß das fünfte Krankheitsstadium durchläuft und zu einem chronischen Geschwür wird. Die meisten chronischen Krankheiten werden von Ayurweda-Ärzten als Leiden des sechsten Stadiums angesehen.

Die dreizehn Zirkulationskanäle

Der Körper enthält zahlreiche Kanäle, durch die die Dhatus, Doshas und Malas zirkulieren. Im Ayurweda als *Srotas* bekannt, bestehen diese sowohl aus groben Kanälen, wie dem Verdauungstrakt, dem Lymphsystem, Arterien und Venen, dem Genital- und Harntrakt sowie den feineren Kanälen, wie den Kapillaren. Die feinstofflichen Kanäle, die *Nadis* genannt werden, entsprechen den Meridianen, mit denen in der Akupunktur gearbeitet wird und die als zentrale Kanäle für den Fluß der Körperenergien erkannt worden sind.

Im Ayurweda wird ein komplexes Diagnosesystem verwendet, um die eigentliche Ursache von Krankheit auszumachen. Die Diagnose aller Krankheiten basiert darauf, welches bzw. welche der einzelnen Doshas gefährdet und welche Kanäle beeinträchtigt sind. Ein Überschuß in einem Dosha kann einen Spill-over-Effekt im Körper hervorrufen. So kann eine Krankheit, die ihren Ursprung in einem geschädigten Dosha hatte, durch die Kanäle an den Sitz eines anderen Doshas gelangen. Dosha-Überschüsse können auch Blockaden in den Kanälen herbeiführen und so deren normalen Fluß behindern.

Männer besitzen dreizehn Gruppen von Kanälen und Frauen fünfzehn. Von den dreizehn gemeinsamen Gruppen von Körperkanälen sind die ersten drei die Kanäle, durch die sich Luft (oder der Atem), Nahrung und Wasser hindurchbewegen; diese werden von Vata, Pitta bzw. Kapha reguliert.

Luftkanäle

Die Luftkanäle des Körpers haben ihren Ursprung im Herzen und im Verdauungstrakt, und sie leiten pranische Kraft und Vitalität durch die Atemwege und das Kreislaufsystem. Diese Kanäle werden durch die Unterdrückung natürlicher körperlicher Bedürfnisse geschädigt, durch den Verzehr von trockenen oder verdorbenen Nahrungsmitteln und durch übermäßige physische Anstrengung. Symptome, die sich durch geschädigte Luftkanäle ausdrücken, sind flache und eingeschränkte Atmung, Angst, Besorgnis und Nervosität.

Nahrungskanäle
Die Nahrungskanäle haben ihren Ursprung im Magen und befördern Nahrung durch das Verdauungssystem. Die Beeinträchtigung dieser Kanäle wird durch wahllose Nahrungsaufnahme oder Nahrungsaufnahme zur falschen Zeit, ungesunde Nahrungsmittel und niedriges Verdauungsfeuer verursacht. Die Symptome belasteter Nahrungskanäle sind Appetitverlust, Magenverstimmung, Erbrechen, Magersucht, Habgier und besitzergreifendes Verhalten.

Wasserkanäle
Die Wasserkanäle haben ihren Ursprung im Gaumen und in der Bauchspeicheldrüse, und sie regulieren die Körperflüssigkeit. Eine Behinderung dieser Kanäle wird durch übermäßigen Hitzeeinfluß, übermäßigen Genuß von Alkohol oder anderen Substanzen sowie durch den Verzehr sehr trockener Nahrungsmittel hervorgerufen. Die Symptome der Beeinträchtigung sind exzessiver Durst, Trockenheit von Lippen, Kehle, Zunge und Gaumen, sowie Selbstsucht und Lustlosigkeit.

Die folgenden sieben Gruppen von Kanälen bedienen jeden der sieben Dhatus im Körper. Wie bei den Dhatus, so reicht auch das Wesen dieser Kanäle vom Gröbsten bis zum Feinsten.

Plasmakanäle
Plasmakanäle haben ihren Ursprung im Herzen und seinen zehn Blutgefäßen. Sie befördern Nahrungssaft, Plasma und Lymphe in den Plasma-Dhatu. Eine Behinderung dieser Passagen wird durch Streß, Kummer und übermäßig kalte und schwere Nahrungsmittel verursacht. Die Symptome der Beeinträchtigung sind Magersucht, Schläfrigkeit, Übelkeit, Ohnmacht und Anämie sowie Impotenz, Streß und Kummer.

Blutkanäle
Blutkanäle haben ihren Ursprung in Leber und Milz, und sie befördern Blut (besonders Hämoglobin) in die Blut-Dhatus. Diese Gruppe von Kanälen bezeichnet man oft als das zirkulatorische System. Eine Beeinträchtigung dieses Systems wird durch heiße und ölige Nahrungsmittel hervorgerufen, durch exzessive Sonneneinstrahlung oder die Auswirkungen von Feuer oder Radioaktivität. Die Symptome dieser Störungen sind Hautkrankheiten und Hautausschläge, Abszesse, übermäßiges Bluten und die Entzündung der Genitalien oder des Anus. Die emotionalen Symptome sind Wut, Stumpfheit und Aggressivität.

Muskelkanäle
Muskelkanäle, die ihren Ursprung in den Bändern, Sehnen und in der Haut haben, versorgen die Muskel-Dhatus mit Nährstoffen. Schädigungen dieser Kanäle sind auf den regelmäßigen Verzehr von schweren, fetten Speisen, übermäßigen Schlaf, Schlaf nach den Mahlzeiten und eine sitzende Lebensweise zurückzuführen. Die Symptome der Schädigung sind im allgemeinen gutartige Tumore, die vom Muskelsystem produziert werden, Mandelentzündung,

ein geschwollenes Zäpfchen, Hämorrhoiden, und Schwellungen der Schilddrüse sowie Wucherungen. Die emotionalen Symptome sind Mangel an geistiger Klarheit, Anhaftung und Nervosität.

Fettkanäle

Fettkanäle, die allgemein als adipöses System bekannt sind, haben ihren Ursprung in den Nieren und dem Fettgewebe des Unterleibs; sie beliefern die Fett-Dhatus mit den Bestandteilen für das Fettgewebe. Eine Beeinträchtigung dieses Systems ist auf Trägheit, Unterdrückung der Verdauungsaktivität und übermäßigen Verzehr von fetten Speisen, Alkohol und anderen suchterzeugenden Substanzen zurückzuführen. Die Symptome der Beeinträchtigung sind im allgemeinen Diabetes, Harnbeschwerden, ein besitzergreifendes Verhalten und Genußsucht.

Knochen- und Knorpelkanäle

Die Knochen- und Knorpelkanäle, die allgemein als Skelettsystem bekannt sind, beginnen im Hüftknochen. Sie beliefern die Knochen- und Gewebe-Dhatus mit Nährstoffen. Eine Beeinträchtigung dieser Kanäle wird im allgemeinen durch übermäßige Aktivität, Reibung der Knochen und übermäßigen Verzehr von Vata-Nahrungsmitteln wie sehr trockenen, kalten oder abgestandenen Nahrungsmitteln verursacht. Einige Symptome der Beeinträchtigung sind trockene, splitternde Nägel und faule Zähne, schmerzende Gelenke, trockene Haare und Haarausfall sowie Gefühle von Mangel und Angst.

Knochenmarkskanäle

Die Knochenmarkskanäle, die allgemein als Nervensystem bezeichnet werden, beliefern die Knochenmark-Dhatus mit Nährstoffen aus Knochenmarks- und Nervengewebe. Im Ayurweda ist das Knochenmark nicht nur das Material, das sich im Inneren der Knochen befindet (weißes und rotes Knochenmark genannt), sondern es befindet sich auch in Gehirn und Rückenmark. Eine Beeinträchtigung der Knochen und Gelenke wird im allgemeinen durch den Verzehr nicht miteinander vereinbarer Speisen, wie etwa der Verwendung von tierischer Nahrung zusammen mit Milch oder den gleichzeitigen Genuß von heißen und kalten Substanzen sowie durch ungesunde Aktivitäten herbeigeführt, die ihrerseits das Knochenmark beeinträchtigen. Die Symptome eines beeinträchtigten Nervensystems sind Schmerzen in den Gelenken, Ohnmacht, Schwindel, Gedächtnisverlust, Blackouts und komplizierte Abszesse.

Die Eizellen- und Spermakanäle

Die Eizellen- und Spermakanäle sind subtiler als die neun vorhergehenden Kanäle. Diese Kanäle, die ihren Ursprung in den Hoden und Eierstöcken haben, werden im allgemeinen als Fortpflanzungssystem bezeichnet. Sie befördern Samen, Eizelle und Ojas-Essenz in die männlichen und weiblichen Fortpflanzungsgewebe. Eine Beeinträchtigung dieser Passagen ist normalerweise das Ergebnis ungesunder Aktivitäten wie übermäßigem oder unterdrücktem Sex, unnatürlicher Sex, Sex zu ungünstigen Zeiten, Drogenabhängigkeit oder Abtreibungen. Die Symptome der Beeinträchtigung sind Impotenz, Unfruchtbarkeit und Probleme in der Schwangerschaft. Die emotionalen Symptome sind sexuelle Indiskretion und Ausschweifungen, Selbstsucht und Aggression.

Die übrigen Gruppen von Kanälen, die Mann und Frau gemeinsam haben, sind die drei Ausscheidungssysteme des Körpers.

Harnkanäle
Die Harnkanäle beginnen in den Nieren und der Blase. Sie scheiden Urin aus dem Körper aus. Eine Beeinträchtigung dieser Passagen wird durch Unterdrückung des Harndrangs herbeigeführt. Die Symptome der Beeinträchtigung sind im allgemeinen übermäßiges, seltenes oder häufiges Urinieren ebenso wie Ängste, Besorgnis und Nervosität.

Ausscheidungskanäle
Die Ausscheidungskanäle, die im allgemeinen als Ausscheidungssystem bezeichnet werden, haben ihren Ursprung im Dickdarm und im Mastdarm. Sie befördern den Kot aus dem Körper heraus. Eine Beeinträchtigung dieser Kanäle wird durch schwaches Verdauungsfeuer, essen, bevor die letzte Mahlzeit verdaut ist, die Unterdrückung des Drangs zur Darmentleerung und den Verzehr von Nahrungsmitteln, die man nicht verträgt, hervorgerufen. Die Symptome der Beeinträchtigung sind im allgemeinen Durchfall, Verstopfung oder übermäßig harte Stühle. Die emotionalen Symptome sind Anhaftung, Stumpfheit und Angst.

Schweißkanäle
Die Schweißkanäle, die im allgemeinen als Talgsystem bekannt sind, haben ihren Ursprung im Fettgewebe und in den Haarfollikeln, und sie dünsten Schweiß aus dem Körper aus. Eine Beeinträchtigung dieser Kanäle wird durch übermäßige Aktivität, Kummer, Angst und Wut verursacht. Die Symptome der Beeinträchtigung sind übermäßiges Schwitzen oder das Ausbleiben von Schweißbildung, rauhe und trockene Haut, Brennen auf der Haut, Kummer, Wut, Aggressivität und Stumpfheit.

Weibliche Kanäle
Im weiblichen Körper gibt es zwei zusätzliche Kanäle: den Menstruationskanal, der Blut, Sekrete und Gewebereste aus der Gebärmutter ausscheidet, und den Muttermilchkanal, der Milch zu den Brüsten der stillenden Mutter befördert. Diese beiden Kanäle sind Bestandteil des Plasmakanals, der die Plasma-Dhatus beliefert.

Wenn die Kanäle blockiert sind, werden die Doshas, die ihnen entsprechen, beeinträchtigt. Die Reinigungstherapien von Pancha Karma stellen die

Ordnung des Systems wieder her, indem sie die Hindernisse beseitigen, so daß die Doshas wieder normal fließen können.

TEIL DREI

DER FEINSTOFFLICHE KÖRPER

DIE VIERZEHN NADIS

Die *Nadis* sind die feinstofflichen Energiekanäle des Körpers, die sehr eng mit den primären Bewußtseinszentren des Körpers, den Chakren, zusammenwirken. Die drei wichtigsten feinstofflichen Kanäle sind die *Sushumna* Nadi, *Ida* Nadi und *Pingala* Nadi. Diese drei Hauptnadis lassen sich in vierzehn weitere Nadis unterteilen, die sich wiederum in viele Tausende von Nadis untergliedern, die sich im ganzen Körper verteilen.

Die Sushumna und die drei anderen Nadis (Ida, Pingala und *Varuni*) sind direkt mit dem parasympathischen Nervensystem verbunden und fungieren als Träger der vitalen Lebenskraft Prana. Sushumna ist der primäre feinstoffliche Kanal der Gruppe. Diese Gruppe von Nadis heißt *Pranavaha* und hängt mit den physiologischen Eigenschaften des Körpers zusammen. Die Akupunkturmeridiane entsprechen den Pranavaha Nadis. Ohne die Prana-Lebensströme, die durch die Pranavaha Nadis übertragen werden, würden das parasympathische und sympathische Nervensystem nicht funktionieren können; ohne Prana, das Vehikel des Geistes, würde es keinen Eindruck von Bewußtsein geben.

Die *Manovaha* Nadis, die Träger der geistigen Energie, stehen in direktem Zusammenhang mit dem sympathischen Nervensystem und haben mit psychologischen Eigenschaften zu tun. Zehn Nadis gehören zur Manovaha-Gruppe und zwei zusätzliche Nadis, Ida und Pingala, gehören sowohl zur Pranavaha-Gruppe als auch zur Manovaha-Gruppe. Obwohl die parasympathische und die sympathische Funktion untrennbar voneinander sind (wobei alle geistigen Aktivitäten durch Prana kontrolliert werden), werden sie des Verständnisses halber separat besprochen.

Sushumna Nadi

Die Sushumna Nadi, die sich innerhalb des Rückenmarks befindet, beginnt am Beckennervengeflecht und endet in der Zerebrospinalachse zwischen den beiden Gehirnhemisphären. Die sieben Chakren sind entlang der Sushumna Nadi vom Scheitelpunkt bis zur Wirbelsäulenbasis aufgereiht. Links neben der Sushumna befindet sich die Ida Nadi und rechts davon die Pingala Nadi. Ida repräsentiert das weibliche Prinzip und spiegelt die Mondenergie wider;

Pingala repräsentiert das männliche Prinzip und spiegelt die Sonnenenergie wider.

Ida Nadi

Die Ida Nadi ist der linke feinstoffliche Hauptkanal des Körpers. Sie verläuft von den linken Genitalien oder Hoden bis zum linken Nasenloch. In allen yogischen Techniken wird die Einatmung zuerst mit dem linken Nasenloch ausgeführt; wenn der Atem in das linke Nasenloch einströmt, wird die Ida Nadi angeregt und Kreativität, Visualisierung, und das Nähren der Gefühle werden gefördert, die Nerven werden beruhigt und der Geist wird still. Das Atmen durch das linke Nasenloch soll darüber hinaus das Leben verlängern. Um Harmonie und Ausgeglichenheit aufrechtzuerhalten, empfehlen die yogischen Wissenschaften den Gebrauch der Atmung durch das linke Nasenloch während des Tages, wenn der Körper durch die Sonnenenergie belebt wird.

Die Gandhari und Hastajihva Nadis

Die *Gandhari* und *Hastajihva* Nadis sind die Begleitnadis von Ida. Gandhari beginnt im unteren Winkel des linken Auges und endet an der Großzehe des linken Fußes. Hastajihva Nadi beginnt im unteren Winkel des rechten Auges und endet ebenfalls an der Großzehe des linken Fußes. Die aufsteigende psychische Energie strömt durch diese Nadis hindurch vom Unterleib bis zu dem Chakra, das sich zwischen den Augenbrauen befindet.

Pingala Nadi

Die Pingala Nadi, der rechte feinstoffliche Hauptkanal des Körpers, verläuft von den rechten Genitalien oder Hoden bis zum rechten Nasenloch und wird durch das Atmen durch das rechte Nasenloch aktiviert. Pingala regt das rationale, praktische Selbst an. Das Atmen durch das rechte Nasenloch fördert Durchhaltevermögen, Kraft und Vitalität. Obwohl beide Atemtechniken ihrem Wesen nach reinigend sind, reinigt Ida den Geist, und Pingala belebt die dynamischen Energien des Körpers. Genauso wie das Atmen durch das linke Nasenloch während des Tages die Aggression der Sonnenenergie ausgleicht, ist das Atmen durch das rechte Nasenloch in der Nacht, wenn die Mondenergie dominiert, angebracht, um Ausgeglichenheit und Kraft im Körper zu aktivieren.

Die Vashasvini und Pusha Nadis

Die *Vashasvini* und *Pusha* Nadis sind die Begleitnadis von Pingala. Vashasvini Nadi verläuft vom linken Ohr zur rechten Großzehe des rechten Fußes, und Pusha Nadi verläuft vom rechten Ohr zur Großzehe des linken Fußes.

Alambusha Nadi
Die *Alambusha* Nadi beginnt am Anus und endet im Mund. Ihre Funktion besteht darin, Prana für die Assimilierung und Ausscheidung von Nahrung und Flüssigkeiten bereitzustellen, ebenso wie für die Assimilierung von Ideen und Gedanken.

Kuhu Nadi
Die Kuhu Nadi beginnt in der Kehle und endet in den Genitalien. Durch tantrische Techniken, die dazu dienen, die Sinne zu beherrschen, kann diese Nadi so geübt werden, daß sie die Implosion und den Aufstieg von Samen- und Vaginalflüssigkeit herbeiführt.

Shankhini Nadi
Die *Shankhini* Nadi, die ihren Ursprung in der Kehle hat und im Anus endet, befindet sich rechts der Sushumna Nadi. Sie wird durch die Elimination von Vata aus Dickdarm und Anus aktiviert.

Saraswati Nadi
Die *Saraswati* Nadi, die nach der Hindugöttin der Weisheit benannt ist, beginnt in der Zunge und endet in den Stimmbändern. Sie ist für die Sprache und die Verbreitung von Wissen verantwortlich. Als Begleitkanal der Sushumna Nadi ist die Saraswati Nadi ihrem Wesen nach lunar und daher dem weiblichen Prinzip zuzuordnen.

Pasyasvini Nadi
Die *Pasyasvini* Nadi befindet sich im rechten Ohrläppchen und ist mit den Schädelnerven verbunden. Der entsprechende Punkt auf dem Ohrläppchen war traditionellerweise mit verschiedenen Edelmetallen durchstochen, um die Energie in den Schädelnerven anzuregen und so Streß und bestimmte Arten von Suchtverhalten zu reduzieren.

Varuni Nadi
Die *Varuni* Nadi, eine der vier Pranavaha Nadis, die oben erwähnt wurden, hilft bei der Reinigung von Abfallprodukten des Körpers. Dieser Kanal verläuft parallel zur Alambusha Nadi und auch ihr gegenüber; zusammen aktivieren sie die Ausscheidung von Abfallprodukten. Die Varuni Nadi hat ihren Ursprung zwischen Kehle und linkem Ohr und endet am Anus. Sie arbeitet mit Apana Vayu zusammen, das in den großen Hohlräumen der Eingeweide zirkuliert. Wenn diese Nadi gestört ist, kommt es zur Stagnation verschiedener Körperkanäle und schließlich zu Vata-Störungen.

Vishvodara Nadi
Als letzter der dreizehn Hauptkanäle verläuft die *Vishvodara* Nadi um den Bauchnabel herum, dem Ort, wo sich das dritte Chakra befindet. Sie regt die Nebennierendrüsen an und verteilt darüber hinaus Prana im ganzen Körper.

Die Vishvodara Nadi ist der Hauptenergiestrom des Körpers und wird häufig als *Ki* oder *Chi* bezeichnet. Alle Kampfsportarten und Yoga-Techniken, besonders Tai Qi, Quigong und Pranayama, dienen dazu, diese Schlüsselnadi zu stärken.

TEIL VIER

AYURWEDISCHE KÖRPERTYPEN

PRAKRUTI

Die frühen Ayurwedagelehrten haben spezifische Richtlinien aufgestellt, die uns helfen können, unsere Konstitution festzustellen. Diese Richtlinien ermöglichen es uns, in Weisheit auf der Erde zu leben und gleichzeitig unsere Gesundheit zu erhalten. Ausgehend von den drei Doshas Vata, Pitta und Kapha wurden ursprünglich sieben Körpertypen identifiziert. Unser Körpertyp, der bei der Geburt durch das genetische und karmische Gedächtnis bestimmt wird, ist unser konstitutionelles Wesen, unser *Prakruti.*

Dieses Prakruti ist von den besonderen Kombinationen und Vertauschungen der fünf Elemente im Sperma und der Eizelle bei der Empfängnis abgeleitet. Sobald die Geburt ihren elementaren Abdruck hinterlassen hat, können wir ihn nicht entsprechend unseren Bedürfnissen oder Wünschen verändern. Unabhängig davon, wie sehr wir durch kulturelle, gesellschaftliche Faktoren und Umweltfaktoren bzw. unsere persönlichen Entscheidungen beeinflußt sein mögen, unser grundlegendes Prakruti bei der Geburt bleibt unerschütterlich.

Die menschliche Konstitution oder Prakruti umfaßt alle drei Doshas. Das bedeutet, daß jedes Indidividuum in sich die dynamischen Kräfte von Vata, Pitta und Kapha trägt. Die Unterschiede zwischen Individuen betreffen das Ausmaß, in dem die drei Doshas innerhalb jedes Körpertyps interagieren. Wie oben dargestellt, bleibt die Konstitution eines Menschen, so wie sie bei der Geburt durch genetische Faktoren festgelegt wurde, durch die gesamte Lebenszeit dieses Menschen konstant. Nur unsere physio-psychologischen Aspekte verändern sich, da sie durch soziale und kulturelle Faktoren sowie Umweltfaktoren und unsere persönlichen Entscheidungen beeinflußt werden, die allesamt in unserem Leben wirken.

Obwohl die letzte Realität aller Körpertypen im Einklang besteht, ist es wesentlich, zwischen den Doshas zu unterscheiden, um das Konzept des Selbst, das seinem Wesen nach eins und ganz ist, zu verstehen. Wenn das nicht richtig verstanden wird, wird man mit Sicherheit individuelle Unterschiede mißverstehen. Im wesentlichen ist der Körpertyp nur ein Adjektiv auf der endlosen Liste von Attributen, die ein Individuum ausmachen. Die Doshas sind jedoch ein eindrucksvolles Beispiel für scheinbare Gegner, die, weil sie in der Lage sind, auf einer Ebene von absolutem Gleichgewicht zu funktionieren, beileibe keine Gegner sein müssen. Es lohnt sich, daß wir uns daran in all unseren Beziehungen und unseren Beschlüssen, die wir ständig für uns selbst und gegenüber anderen fassen, erinnern.

Die sieben ursprünglichen Körpertypen

Der Ayurweda hat ursprünglich sieben Körpertypen definiert. Diese hießen Vata, Pitta, Kapha, Sama, Vata-Kapha, Vata-Pitta und Pitta-Kapha. Die ersten drei Typen kommen in ihrer reinen Form sehr selten vor, so selten ist es, daß jemand in erster Linie von einem einzigen Dosha beeinflußt wird. Sogar noch weniger häufig kommt das Sama Dosha vor, das auch *Tridosha* genannt wird. vor. Beide Namen beziehen sich auf die gleichmäßige Verteilung der drei Doshas Vata, Pitta und Kapha. Die bei weitem häufigsten sind die kombinierten Körpertypen, die als duales Prakruti bezeichnet werden, das heißt Kapha-Pitta, Vata-Pitta und Pitta-Kapha. In jüngerer Zeit sind diese drei dualen Typen zu sechs dualen Typen ausgeweitet worden, indem die beiden Doshas innerhalb jedes dualen Typs umgedreht und als separater Typ angesehen worden sind, das heißt Kapha-Vata, Pitta-Vata und Kapha-Pitta. Ein Mensch, bei dem sowohl Vata als auch Pitta dominiert, kann daher entweder ein Vata-Pitta oder ein Pitta-Vata-Typ sein, je nachdem, welches der beiden Doshas dominanter ist.

Anmerkung: Da sich so viele Störungen nicht auf einen spezifischen Körpertyp beschränken, sind die meisten der in diesem Buch beschriebenen Therapien auf diejenigen Störungen ausgerichtet, die zum Vata-, Pitta- oder Kapha-Dosha gehören, anstatt zu einem spezifischen Körpertyp. Auf diese Weise bleibt die Hauptaufmerksamkeit auf das Wesen der Störung gerichtet. Wo das möglich war, werden Therapien sowohl anhand des Körpertyps als auch anhand der Störung identifiziert. Empfehlungen zu Ernährung und Aktivitäten sind sowohl auf die individuelle Therapie als auch auf den Körpertyp ausgerichtet. Aus Gründen der Einfachheit sind Hinweise auf den Körpertyp in den Abschnitten über Therapie, Arzneiempfehlungen und Kochrezepte auf drei Typen beschränkt: Vata (schließt Vata-Pitta, Vata-Kapha und Vata ein); Pitta (schließt Pitta-Vata, Pitta-Kapha und Pitta ein) und Kapha (schließt Kapha-Vata, Kapha-Pitta und Kapha ein).

Da die Körpertypen die Grundlage jeglicher ayurwedischen Diagnose bilden, werden sie hier recht detailliert besprochen. Diese Erklärungen sollen Ihnen darüber hinaus helfen, ihre persönliche Konstitution besser zu verstehen.

Elementare Quelle der Körpertypen

Seltene Körpertypen

1) Vata	Luft/Äther
2) Pitta	Feuer/Wasser
3) Kapha	Wasser/Erde
4) Sama	Gleichgewicht aller drei Doshas

Duale Körpertypen (ursprüngliche Klassifikation)

1) Vata/Pitta	Luft/Äther Haupttyp; Feuer/Wasser Nebentyp
2) Vata/Kapha	Luft/Äther Haupttyp; Wasser/Erde Nebentyp
3) Pitta/Kapha	Feuer/Wasser Haupttyp; Wasser/Erde Nebentyp

Zusätzliche duale Körpertypen (von zeitgenössischen Ayurweda-Ärzten anerkannt)

1) Pitta/Vata	Feuer/Wasser Haupttyp; Luft/Äther Nebentyp
2) Kapha/Vata	Wasser/Erde Haupttyp; Luft/Äther Nebentyp
3) Kapha/Pitta	Wasser/Erde Haupttyp;Feuer/Wasser Nebentyp

Eigenschaften der verschiedenen Körpertypen

Vata (wie Wind)	*Kapha* (wie Wasser)	*Pitta* (wie Feuer)
trocken	ölig	heiß
kalt	kühl	ölig
leicht	schwer	leicht
beweglich	stabil	intensiv
unregelmäßig	dicht	flüssig
rauh	glatt	übelriechend
bitter	süß	säurehaltig
zusammenziehend	säurehaltig	scharf
scharf	salzig	salzig

Nährungsbedürfnisse

Vata: wird durch die Elemente Feuer, Wasser und Erde genährt

feucht	süß
schwer	salzig
glatt	säurehaltig
heiß	

Pitta: wird durch die Elemente Wasser, Luft, Äther und Erde genährt

kühl	süß
substantiell	bitter
aromatisch	zusammenziehend
beruhigend	

Kapha: wird durch die Elemente Feuer, Luft und Äther genährt

trocken	scharf
warm	bitter
leicht	zusammenziehend
nicht zu süß	

Bestimmen Sie Ihren ayurwedischen Körpertyp

Im allgemeinen besitzt jeder Mensch Eigenschaften aller drei Kategorien von Körpertypen, obwohl gewöhnlich ein oder zwei Kategorien vorherrschen.

Schauen Sie sich die Tabelle unten aufrichtig an. Denken Sie daran, daß Ihre Bewertung durch die Eigenschaften Ihres gegenwärtigen Lebensstils gefärbt sein wird. Sechs Monate nach den notwendigen Veränderungen in Ihrer Ernährung und Ihren täglichen Aktivitäten sowie der regelmäßigen Anwendung der reinigenden Sadhanas sollten Sie die Einschätzung der Körpertyptabelle wiederholen. Die spätere Einschätzung wird in größerer Übereinstimmung mit Ihrer wahren konstitutionellen Natur stehen.

Anweisungen: Bewegen Sie sich horizontal durch jeden der Abschnitte in der unten abgebildeten Tabelle und ziehen Sie einen Kreis um diejenigen Eigenschaften, von denen Sie das Gefühl haben, daß sie Sie am genauesten widerspiegeln. Wählen Sie mindestens eine Eigenschaft aus jedem Abschnitt aus. Bitten Sie Ihren Ehepartner, Vater oder Mutter, oder einen Freund oder eine Freundin, Ihnen bei der Bewertung der „emotionalen Eigenschaften" zu helfen, damit Ihre Auswahl so objektiv wie möglich ausfällt. Für Männer ist es ratsam, sowohl was den Abschnitt „physische Eigenschaften" angeht als auch für die „emotionalen Eigenschaften", um die Unterstützung einer Frau – der Ehefrau, einer Freundin oder der Mutter – zu bitten. Bewegen Sie sich dann auf jeder der drei Spalten nach unten und zählen Sie aus, wieviele Eigenschaften Sie für jeden Körpertyp eingekreist haben. Die Spalte mit der höchsten Punktzahl zeigt Ihren ayurwedischen Körpertyp an. Wenn zum Beispiel die Punktzahl für Vata 15 ist, diejenige für Pitta 12 und diejenige für Kapha 5, dann ist Ihr ayurwedischer Körpertyp Vata/Pitta.

	Vata	*Pitta*	*Kapha*
Temperament:	ängstlich, unentschlossen, nervös, einfühlsam	aggressiv, intelligent, arrogant, erfolgreich	gierig, ruhig, stabil, stur
Gedächtnis:	lernt schnell, vergißt schnell	lernt schnell, vergißt langsam	lernt schnell, vergißt langsam
Sprache:	unterbrochen, gesprächig	entschlossen, klarer Ausdruck	langsam, vorsichtig
Spiritualität:	spirituell diszipliniert	Tendenz zu materiellem Erfolg	im wesentlichen materiell
Träume:	flüchtig, ängstlich, unterbrochen	feurig, grausam, intensiv	wäßrig, sinnlich, lange Sequenzen
Sexualität:	kalt, variabel	heiß, intensiv	warm, dauerhaft

Tab. 2: Körpertypen: Emotionale Eigenschaften

	Vata	*Pitta*	*Kapha*
Körperbau:	dünn, unregelmäßig, sehr klein oder sehr groß	mittelgroß, proportional, harmonisch	schwer, breit, gleichmäßig proportioniert
Gewicht:	nimmt schwer zu, nimmt leicht ab	nimmt leicht zu, nimmt leicht ab	nimmt leicht zu, nimmt schwer ab
Haut:	kalt, dunkel und fahl, bräunt leicht	warm, hell und rötlich, rascher Sonnenbrand	kühl, blaß und ölig, bräunt leicht
Haar:	trocken, gekräuselt, dünn, dunkel	gerade, fein, rötlich, vorzeitiges Ergrauen oder Haarausfall	ölig, wellig, blond, schwarz oder dunkelbraun
Augen:	braun, grau, violett oder eine ungewöhnliche Farbe, klein	grün, haselnuß- oder hellbraun, mandelförmig	schwarz, blau, dunkelbraun, groß, sinnlich
Nägel:	trocken, gräulich, gerillt	hell, schön geformt, biegsam	quadratisch, weiß, gleichmäßig
Appetit:	schwankend	stark	gleichbleibend
Ausscheidung	verstopft, unregelmäßig, kleine Mengen	locker, regelms44ßi; große Mengen	zäh, regelmäßig, eher kleine Mengen
Schweiß:	spärlich	reichlich	mäßig
Ausdauer:	gering, angestrengt	mäßig, getrieben	hervorragend, nachlässig
Schlaf:	leicht, veränderlich	mäßig, leicht	lang, tief

Tab. 3: Körpertypen: Physische Eigenschaften

Kapitel zwei

Kosmische Anatomie

Teil eins

Buddhi und Ahamkara – Weisheit und Ego

Dem Selbst als Herr des Wagens bekannt,
Der Körper als Wagenlenker.
Erkenne die Fähigkeit der Weisheit (Buddhi)
Wie den Wagenlenker
Und den Geist wie die Zügel.
Die Sinnesorgane sind die Pferde
Und die Sinnesobjekte sind die Arena.
So sagen die Weisen.

Katha Upanischad III (3-4)

Unsere kosmische Anatomie wirkt im wesentlichen durch zwei Informationskanäle, unsere Fähigkeit zur Weisheit, *Buddhi* genannt, und unser intuitives Ego namens *Ahamkara*, das auch alle Erinnerungen aufzeichnet. Die Hauptfunktion von Buddhi besteht darin, unserem Geist seine innere Brillianz zu geben, die wiederum unsere Sinne lenkt. Die Menschen der heutigen Zeit, die nichts von der numinosen Kraft Buddhis wissen, werden fast nur von ihren Sinneseindrücken beherrscht und als Folge davon ist ihr Geist versklavt.

Buddhi: Das Licht des Geistes

Sowohl Ahamkara als auch Buddhi sind Aspekte der uns innewohnenden Seele, *Atman*. Buddhi ist jedoch seinem Wesen nach weitaus beherrschender. Buddhi erhellt den Geist, *Manas*, der dann die Sinnesorgane, die *Indriyas*, lenkt. Ohne Buddhi wären sowohl der Geist als auch die Sinne nicht mehr als ein träges Rüstzeug. Buddhi ist nicht nur das Licht des Geistes und seiner Sinne, sondern auch ihre Lebenskraft. Wie alle kosmischen Aspekte innerhalb der menschlichen Anatomie ist Buddhi eine potentielle Kraft, die den Menschen befähigt, durch Wissen zu lernen, durch Anwendung zu üben und seine Kraft so zu verwenden, wie es beabsichtigt war. Buddhi wirkt durch die Anwendung unseres Willens und den mit ihm verbundenen Kräften der Wahl und der Selbstreflexion. Die richtige Verwendung des Dreigestirns von Buddhi, Geist und Sinnen ermöglicht es uns, unglaubliche Heldentaten zu vollbringen. Wenn der Geist wissend und mit Achtung verwendet wird, kann er sich zu Buddhi und seinen kognitiven Kräften hinzugesellen und es uns ermöglichen, über Zeit und Raum hinweg Zugang zu unseren gesamten Erinnerungen zu bekommen. In der tiefen Meditation sind wir in der Lage, uns den tiefen Atem der Stille zunutze zu machen und den feinstofflichen Körper dazu zu inspirieren, in die entlegensten Gebiete der sieben Welten zu reisen (den Veden zufolge ist die Erde eine der sieben Welten, die das Universum umfaßt). Wir können sogar über die Zeitbarriere hinaus in die Zeitlosigkeit reisen. Wenn wir das höchste menschliche Potential verwirklichen, können wir die Manifestationen der an die Zeit gebundenen Existenz auflösen und den unwandelbaren, unbegrenzten (und unendlichen) Raum Gottes betreten.

Ahamkara: Hüter der Erinnerungen

Obwohl Ahamkara im allgemeinen als das Ego-Selbst bzw. als das Individuum, das sich durch Erfahrungen, Begrenzungen usw. ausdrückt, angesehen wird, ist seine Funktion als Bestandteil von Antahkarana diejenige, die Erinnerungen aufzuzeichnen. Diese Funktion von Ahamkara steht im Mittelpunkt dieser Arbeit. Die Hauptfunktion von Ahamkara besteht darin, die Erinnerungen unserer Gegenwart aufzuzeichnen und sie mit den kognitiven Erinnerungen, die wir aus unserer Vergangenheit behalten haben, in Beziehung zu setzen ebenso wie mit den kollektiven oder kosmischen Erinnerungen, die das Universum enthält. Diese drei Erinnerungsfunktionen von Ahamkara laufen in jedem Menschen zur gleichen Zeit ab.

Sowohl Buddhi als auch Ahamkara sind uns von Geburt an von unserem Schöpfer überlassen worden. Die wesentlichsten kosmischen Aspekte sind uns als Navigationsinstrumente für die Reise durch jedes Leben zugeteilt worden. Ahamkara setzt sowohl das intuitive Ich ein als auch Prana, die Lebenskraft. Im wesentlichen ist es das sich erinnernde Selbst, das die individuellen Erinnerungen an alle Leben enthält.

Die Perlen und die Gebetsschnur eines Rosenkranzes können hier als hilfreiche Analogie dienen: die Gebetsschnur ist das Ahamkara oder das intuitive Ich, und eine ihrer Perlen verkörpert ein gegenwärtiges Leben. Der Rest der Perlen auf der Ahamkara-Schnur sind Ihre vergangenen oder zukünftigen Leben. Der Rosenkranz insgesamt, der mehr ist als die Summe seiner Teile, enthält die kollektiven Erinnerungen aller Leben des indivuellen Lebensweges vom Beginn der ersten Geburt an durch alle Wiedergeburten hindurch bis zur endgültigen Befreiung aus den Zyklen von Geburt und Tod. Die Veden bezeichnen die Befreiung als *Moksha*, eine Befreiung, die in den heiligen Schriften als endgültiges Ziel jedes lebenden Organismus definiert wird, wobei die Erreichung dieses Zieles nur durch die Geburt als Mensch ermöglicht wird. Daher wird die Tatsache, als Mensch geboren zu werden, als heiligste und mutigste Erfüllung angesehen, die jede Gattung erreichen kann.

Teil zwei

Drei Phasen des Gedächtnisses

Das Gedächtnis ist das wichtigste Gut, das die Menschheit besitzt. Es enthält die Wahrheit des gesamten Universums und ist sowohl der innere Führer für jedes Leben als auch das Vehikel des Austauschs mit dem Universum.

Wir erleben das Gedächtnis in drei Phasen, nämlich dem kosmischen, dem kognitiven und dem erfahrungsorientierten. Die kosmische Erinnerung, die manchmal auch als kollektive Erinnerung bezeichnet wird, ist das vollständige Gedächtnis des gesamten lebendigen Universums vom Beginn der Zeit an. Jedes Atom und jedes Molekül im Kosmos, einschließlich der winzigsten Zelle und des winzigsten Raums innerhalb des menschlichen Körpers, sind von der kosmischen Erinnerung aller Zeiten durchdrungen. Die physische und emotionale Form und Funktion jeder Gattung ist auf dieses Gedächtnis des Universums, das hier als kosmisches Gedächtnis oder als kosmische Erinnerung bezeichnet wird, durchdrungen.

Die zweite Phase des Gedächtnisses, das kognitive Gedächtnis, ist das Geschenk des Schöpfers an die menschliche Gattung. Diese numinose Fähigkeit, die von Göttern und *Yogis* bezeugt worden ist, ist unser am wenigsten anerkanntes Merkmal. Unsere Erkenntnis funktioniert unabhängig vom Körper, dem Geist und den Sinnen nur durch Buddhi, unsere Fähigkeit zur Weisheit und durch Ahamkara, den Hüter der gesamten Erinnerung von Beginn des ersten Lebens einer Person an durch jede Wiedergeburt hindurch. Ich bezeichne dieses Gedächtnis als „kognitiv“, weil es unser vergangenes Wissen beinhaltet. Sobald wir einmal in der Lage sind, unserer kognitives Gedächtnis anzurufen, können wir Zugang zu unserem höheren Zustand persönlicher Weisheit bekommen. Dieses Gedächtnis wird durch ehrfurchtsvolle und harmonische Praktiken, die Sadhanas, geweckt. Unter den Tausenden voneinander unabhängiger Sadhanas, die uns dieses Universum gegeben hat, sind die heilenden und reinigenden Sadhanas der ayurwedischen Pancha-Karma-Therapien zusammen mit ihren Verjüngungstechniken und Praktiken zur Potenzsteigerung sowie die Erhaltung und der Anbau von natürlichen Nahrungsmitteln, die frei von Giften sind, die weitaus wichtigsten Sadhanas für den Erwerb und Erhalt letzter Fähigkeiten der persönlichen Erkenntnis. Gesunde kognitive Fähigkeiten in der Gegenwart hängen von der Verfügbarkeit der essentiellen Informationen ab, die aus vorherbestimmten Erfahrungen in jeder unserer früheren Existenzen und ihrer Wiedererlangung in unserem kognitiven Zustand gewonnen werden. Wir können von diesen Informationen Gebrauch machen, indem wir auf unser nur kognitives Gedächtnis zurückzugreifen.

Die dritte Phase des Gedächtnisses, das erfahrungsorientierte Gedächtnis, basiert auf der Gesamtsumme von Erfahrungen in jedem unserer gegenwärtigen Leben, Erfahrungen, die in erster Linie durch Geist, Körper und Sinne vermittelt worden sind. So wesentlich das erfahrungsorientierte Gedächtnis für die Aufrechterhaltung der komplexen persönlichen Interaktionen im Alltagsleben auch ist, die Erinnerungen, die wir von Moment zu Moment erleben, sind höchst emp fänglich für Ungenauigkeiten. Erfahrungen, die innerhalb einer Lebensspanne gesammelt werden, haben kaum genug Zeit, um von den Zellen und Geweben unseres physischen Organismus assimiliert zu werden, geschweige denn innerhalb des individuellen Ahamkaras, das sich über Milliarden von Jahren hinweg seit Beginn der Manifestation bildet, um verfeinert und vergöttlicht zu werden. Erfahrungsorientierte Erinnerungen als solche sind eher als Erinnerungen aufzufassen, die noch im Entstehen begriffen sind, deshalb sollte man sich nicht ausschließlich auf sie verlassen. Auch der Geist und die Sinne können uns keine fehlerlose Erinnerung oder die unfehlbare Wahrheit vermitteln. In sich selbst und aus sich selbst heraus werden Geist und Sinn von den Veden als unzuverlässige Instrumente für die Erkenntnis der Wahrheit und das Verständnis der dynamischen Realitäten des Lebens und Lebendigseins angesehen.

Kognitives Gedächtnis

Sterben, aber nicht zugrunde zu gehen,
Bedeutet, ewig präsent zu sein.

Tao Te Ching

Die erhabenste Form universeller Sprache, die der Mensch in sich trägt, sind die Fähigkeiten des kognitiven Gedächtnisses. In dem Beispiel mit der Perle und dem Rosenkranz, das an früherer Stelle als Vergleich angeführt wurde, ist das kognitive Gedächtnis der gesamte Rosenkranz, während die empirische Erfahrung eines jeden Lebens eine einzelne Perle verkörpert. Jeder Mensch trägt die Verbindungsglieder von früheren und zukünftigen Leben in sich und besitzt so die unaussprechliche, selten genutzte Gabe des kognitiven Gedächtnisses.

Wir lassen uns durch die Aktivitäten des Geistes und der Sinne ablenken und haben deshalb kein Bewußtsein von unserer heiligen Größe. Obwohl wir keinen Augenblick lang ohne sie sind, sind wir einfach nicht in der Lage, uns auf sie zu stützen, weil wir uns ihrer Existenz in uns nicht bewußt sind. Trotz unserer vollständigen Unwissenheit macht sich die tiefe Erkenntnis häufig unabsichtlich bemerkbar. Der kognitive Zustand, der durch Namen und Formulierungen wie „sechster Sinn“, „déja vu“, „ein bestimmtes Gefühl im Bauch haben“, „Wissen, das auf ungewöhnlichen Wegen zu uns gekommen ist“, „außersinnliche Wahrnehmung“, „weibliche Intuition“ usw. erniedrigt worden ist, bleibt unerkannt. So lange dieser Zustand vorherrscht, sind wir der eigentlichen Essenz unserer höchsten menschlichen Fähigkeiten beraubt – einer Fähigkeit, die sich kraft der Anzahl von Leben und der Reisen, die wir durchlebt haben, ansammelt – schließlich wird jedoch als unentbehrliches Ergebnis das kognitive Gedächtnis aktiviert.

Kognitive Erinnerungen sind solche, die den Körper bei jeder Wiedergeburt überdauert haben. Sie sind ihrem Wesen nach real und hängen sich nach dem Tod an den feinstofflichen Körper an; zur Zeit der Wiedergeburt werden sie dann in das Ahamkara des neuen Körpers übertragen. Im Ahamkara ist die Gesamtsumme sowohl der erlösten als auch der unerlösten Erinnerungen aller vorangegangenen Leben erhalten. Sogar zukünftige Leben als noch nicht gebildete Erinnerungen werden vom feinstofflichen Körper in Form des schwerer zugänglichen kosmischen bzw. universalen Gedächtnisses festgehalten. Diese zukünftigen Leben werden wie das jetzige Leben durch die eingeprägten Aufzeichnungen Ihrer individuellen Taten aus allen früheren Leben bestimmt. Da Sie in einem einzigen Leben niemals Ihr gesamtes karmisches Konto leeren, gibt es immer offenstehende Posten auf jedem individuellen karmischen Konto, die darauf warten, zur Initiierung künftiger Wiedergeburten genutzt zu werden. Diese sogenannten Erinnerungen zukünftiger, noch zu lebender Leben bleiben in Form von *Samskaras* in Ihrem feinstofflichen Körper vorhanden, wenn Sie ein gegenwärtiges Leben erfahren, und werden nicht in das Ahamkara des jetzigen Lebens übertragen. Samskaras sind die karmischen Eindrücke aus allen vergangenen Leben, die im feinstofflichen Körper festgehalten werden, und die die Schwingungen und das potentielle Material für all Ihre zukünftigen Leben oder Wiedergeburten liefern. In diesem Sinne können Sie auf diese Samskaras nicht mittels des Ahamkara zurückgreifen, noch können Sie sie aus Ihrem feinstofflichen Körper auslöschen. Diese karmischen Abdrücke sind es, die den menschlichen Organismus durch das subtile Feld kosmischer Schwingungen beeinflussen.

Kalidasas vielsagende Gedenken in den folgenden Versen ahmen den Gesang jeder Seele nach:

Wie ein Fragment einer Melodie
Oder der Duft einer Blume
Vergessene Erinnerungen heraufbeschwört,
Die die Seele mit Trauer erfüllen,
Als ob vage Erinnerungen an andere Leben
Über den Geist hinwegglitten!

Geschliffen und verfeinert haben diese kognitiven Erinnerungen, Abdrükke in Form von Erinnerungen, den bitteren Test der Zeit bestanden und ruhen in unserem tiefsten Platz der Entschlossenheit. Sie wohnen in uns, um uns zu führen, uns zu beschenken und unsere jetzige Reise und künftige Reisen im Universum zu unterstützen.

Kognitive Erinnerungen sind die Restessenz der Gesamtsumme jedes unserer individuellen Leben, die durch den Schöpfer mit der heiligen Überlieferung getränkt worden sind. Sie erkennen jede Existenz, die Sie durchlebt haben und alle Wege, die Sie gegangen sind. Das kognitive Gedächtnis ist unsere persönliche Weisheit. Es ist mehr als ein Instinkt; es ist unsere Gottesnatur. Wenn wir den Geist und die Sinne in ihren natürlichen Funktionen anleiten, uns selbst durch Wissen und Erlauben wertschätzen, die universellen Gesetze des moralischen Verhaltens (Dharmas) beachten und in unseren täglichen Sadhanas präsent sind, dann sind wir in der Lage, Zugang zu unseren kognitiven Fähigkeiten zu bekommen.

Zugang zum kognitiven Gedächtnis bekommen

Die Erkenntnis zeigt sich uns, wenn Körper, Geist und Sinne durch die beständige Übung der Sadhanas zu wohlwollenden Empfängern geworden sind. Der kognitive Zustand ist die einfache Essenz unseres Seins; wenn Geist und Sinne beschwichtigt worden sind, ist die Erkenntnis leicht zugänglich. In Augenblicken äußersten Schmerzes oder einer Nahtoderfahrung können sich die Schleusen der Erkenntnis weit öffnen. In den Jahren, in denen ich Krebs hatte, wurde mir ein großer Teil meiner kognitiven Erinnerung zugänglich. Das war auf die Zerbrechlichkeit meines physischen Körpers und die Impulse eines sterbenden Organismus zurückzuführen. Wenn der physische Körper zu verletzlich wird, dann bereitet sich der feinstoffliche Körper auf seinen Abgang vor. Ahamkara, das nicht in der Lage ist, seine Besitztümer zu behalten, beginnt, seine Erinnerungs- und Pranareserven loszulassen. Diese werden dann vom feinstofflichen Körper als Vorbereitung für seine Abreise aus dem sterbenden physischen Körper gesammelt. Gleichzeitig wird die Aufmerksamkeit des Geistes von seiner Anhaftung an den sensorischen Mechanismus weggezogen und von den dramatischen Transaktionen zwischen Ahamkara und dem feinstofflichen Körper in Anspruch genommen. Auf diese Weise schwappt eine verlockende Welle der Erkenntnis zu dem Wesen, das die Nahtoderfahrung macht, über. Das kognitive Gedächtnis aufgrund des Verfalls des physischen Körpers zu empfangen ist jedoch ein alles andere als idealer Weg, um einen Zugang zu unseren inneren Kräften zu bekommen.

Der physische Körper, der Geist und die Sinne sind uns als Vehikel für die Ausübung der Sadhanas mitgegeben worden, damit wir unsere Gesundheit erhalten, indem wir für unsere Erkenntnis verfügbar sind. Durch unsere Präsenz bei diesen Übungen sind wir in der Lage, unsere drei Körper, nämlich den kosmischen, kognitiven und erfahrungsorientierten, zu verstehen und ins Gleichgewicht zu bringen. Die Veden sagen aus, daß es keine neuen Erfahrungen mit Ausnahme des Wissens um unser wahres Wesen gibt. Unsere Erkenntnis hält die Antworten für jedes Geheimnis und jedes Rätsel, das wir erzeugen, bereit. Wenn wir nicht die Lektionen aus unseren umfangreichen vergangenen Erfahrungen lernen, erscheinen sie uns als „neu“.

Kognitive Erinnerung durch die Sinne

Kognitive Erinnerung durch die sechs Geschmacksrichtungen

Die sechs Geschmacksrichtungen der Natur, die vom Ayurweda behandelt werden, sind süß, sauer, scharf, bitter, zusammenziehend und salzig. Unser Geschmackssinn ist im kognitiven Zustand verwurzelt und daher der Hauptempfänger für den Zugang zur kosmischen Erinnerung. Wir essen, um uns die gesamte Zeit vom Beginn unserer Reise im Universum an ins Gedächtnis zu rufen. Durch die sechs Geschmacksrichtungen können wir die eigentliche Essenz des Universums assimilieren, weil sie die Erinnerungen des Universums von Beginn der Zeit an enthalten. Sie stellen uns auch die grundlegenden Mittel bereit, um uns unsere eigene kognitive Natur zu erschließen. Wenn wir zum Beispiel eine Schüssel Reis essen, dann löst sein süßer, warmer und nährender Geschmack das Entzücken aller Erinnerungen an süßen Geschmack aus, der im Universum festgehalten ist. Auf die gleiche Weise werden, wenn wir eine Limone oder eine Grapefruit schmecken, die Impulse, die der sauere Geschmack bis tief in unsere Körpergewebe hineinschickt, alle Erinnerungen an Saures wecken, die im Universum von seiner Schöpfung an gespeichert wurden. Sauer ist die wesentliche Geschmacksrichtung des Universums, um den Appetit und die gesunde Nachfrage anzuregen. Aufgrund seiner starken Wirkung wird es nur in kleinen Mengen verwandt.

Der scharfe Geschmack, der in Nahrungsmitteln wie Ingwer, Knoblauch und Paprika enthalten ist, regt Leidenschaft und Hitze im Körper an. Der scharfe Geschmack verbindet uns mit den weitreichenden Erinnerungen des Universums an Leidenschaft und Anregung. Der bittere Geschmack ruft in unserem Körpersystem Enge hervor. Er sendet ein ruckartiges Signal durch das System, das es warnt, leicht zu bleiben. Der zusammenziehende Geschmack, der in der Gerbsäure von Rinden und in ungekochten Hülsenfrüchten zu finden und auch verschiedenen Arzneien zu eigen ist, regt das System zur Lebendigkeit an. Sowohl der bittere als auch der zusammenziehende Geschmack werden als untergeordnete Geschmacksrichtungen in unserer täglichen Nahrung verwandt und rufen die kosmischen Erinnerungen an Leichtigkeit und Lebendigkeit im Körper hervor.

Der salzige Geschmack reinigt die Körpergewebe und verleiht ihnen neues Potential, um die Weisheit aus dem Universum zu erlangen. Der größte Teil der Salze im Universum entstammt dem Wasser. Sogar das kristallisierte Steinsalz aus dem Sind-Gebirge in Pakistan war einst unter dem Meer begraben. Meersalz und Meerwasser werden bereits seit Jahrhunderten in den Heiltherapien Indiens, Chinas und Europas verwandt. Salz und Wasser sind wesentlich, um die Flüssigkeit der kognitiven und erfahrungsorientierten Erinnerungen zu wecken und zu erhalten. Aufgrund seiner Stärke wird Salz als Würzmittel in unserer Nahrung verwendet und nicht als Hauptgeschmacksträger. Eine kleine Menge Steinsalz oder Meersalz erhält die Homöostase des Körpers, der zu fünfundsiebzig Prozent aus Wasser besteht.

Das volle Spektrum der sechs Geschmacksrichtungen hatte seinen Ursprung im Wasserelement. Ohne Wasser kann es keinen Geschmack geben. Ohne Geschmack kann es keine Erinnerung geben. Also ist Wasser das wichtigste Element für das Funktionieren der Erinnerung. Mit Wasser verbundene Erinnerungen sind normalerweise die ersten, die sich uns erschließen, wenn wir anfangen, Zugang zu unserer kognitiven Natur zu bekommen.

Der Geschmackssinn, der über die Zunge geht, beginnt im *Tarpaka*-Wasser des Kopfes und regt Erwartungen in allen Sinnesorganen an. So können zum Beispiel lange bevor eine Mahlzeit serviert wird, die Appetitsäfte durch die Sinne angeregt werden. Das kann soweit zurückgehen wie das Feld, in dem wir die goldgelben Getreideähren sahen, die im Wind raschelten und sich gegen einen azurblauen Himmel und die glänzenden Lichtstrahlen der Sonne abzeichneten. Unsere Ohren haben vielleicht das Säuseln der tanzenden Ähren vernommen; unsere Augen haben gesehen, wie glimmernde Teile der Sonne auf die Erde fielen; unsere Haut wurde vielleicht mit unendlicher Sanftheit von den langen dünnen Büscheln des Unkrauts zwischen dem Getreide gestreichelt und unsere Nase sog vielleicht das geröstete, nussige Aroma der Erde und des Getreides in ehelicher Vereinigung ein. All diese kosmischen Erfahrungen können unsere Appetitsäfte stärken, wenn sich die Tore der Erkenntnis weit öffnen und die kosmische Erinnerung des Universums kaskadenartig hineinstürzt. Wenn die Mahlzeit unmittelbar bevorsteht, wird *Bodhaka*-Wasser in unsere Zunge geschickt, um das ganze Spektrum unseres Geschmackssinns und unserer Genußfähigkeit zu beleben. Wie durch das Beispiel des Getreidefeldes erläutert wurde, ist die persönliche Teilnahme an den Sadhanas, die lebenswichtig für die Produktion und Zubereitung natürlicher Nahrungsmittel sind, unerläßlich. Indem wir auf diese Weise daran teilhaben, bleibt unser Geschmackssinn erhalten.

In der heutigen Zeit vergewaltigen die Menschen ihren Geschmackssinn mehr als jeden anderen Sinn. Besonders in den letzten vierhundert Jahren haben wir eine lange und harte Mißachtung gegenüber den reichlichen Gaben der Schöpfung entwickelt. Anstatt Nahrung als selbstverständlich anzusehen, haben wir sie zu einem sozialen Ereignis gemacht. So ist es uns gelungen, heilige Nahrung in vergiftetes Viehfutter zu verwandeln. Indem wir die Achtung vor dem Land verlieren, verlieren wir die Erinnerung. Die ungeheuren Giftmengen in Form von Schädlingsbekämpfungsmitteln, pilztötenden Mitteln, Hormonen usw., die eingesetzt werden, um die Ernte zu vergrößern; die zahlreichen Maschinen, die verwandt werden, um Nahrungsmittel zu verarbeiten, einzufrieren, sie elektrisch aufzuladen und zu bestrahlen; die kommerzielle und genetische Manipulation von Nahrungsmitteln, die ihr eigentliches Wesen entstellt, erschöpfen die Energiemengen des heiligsten Gutes, das die Menschheit besitzt – die natürliche Nahrung. Die schändlichen Mittel, die angewendet werden, um Nahrung zu produzieren, zum Beispiel die boshafte Abschlachtung von Tieren, die Verseuchung ihres Fleisches, ihrer Milch und ihrer Jungtiere sind die Folge davon, daß Menschen ihr eigenes essentielles Wesen vergessen haben. Umgekehrt schwebt die menschliche

Rasse als Folge dieser Grausamkeiten gegenwärtig in der schmerzlichen Flüssigkeit des Gedächtnisverlustes. Um unser menschliches Potential für ein kognitives Leben wiederzugewinnen, müssen diese sinnlosen und brutalen Aktivitäten ein Ende finden und Land, Tiere und Ernte wieder ihrer natürlichen Pracht zugeführt werden.

Der Geschmackssinn kann als grundlegender Aspekt bei der Wiedergewinnung sämtlicher Erinnerungen nicht übertroffen oder umgangen werden, wenn wir die Erkenntnis, die unser großes Potential als menschliche Rasse darstellt, zurückgewinnen wollen. Die ayurwedischen jahreszeitlichen Reinigungstherapien sind notwendige Sadhanas, um uns bei der Erweckung unserer tiefsten kognitiven Erinnerungen durch die Nutzung des Geschmackssinns und anderer Sinne zu unterstützen. Die Nahrungs-Sadhanas, die uns dabei helfen können, diese dem Menschen innewohnende Gabe der Selbsterkenntnis wiederzugewinnen, sind in meinem früheren Buch, *Ayurveda: A Life of Balance,* dargestellt.

Kognitive Erinnerung durch die anderen vier Sinne

All unsere Sinne sind in unseren kognitiven Zustand eingebettet. Der Geruchssinn zum Beispiel ist ebenfalls eine äußerst wichtige Verbindung zur Selbsterkenntnis. Wir erfahren also oft einen bestimmten Duft oder Geruch, der den Geist zu einer Zeit in der Vergangenheit zurückführt, als vielleicht ein tiefes Gefühl von Liebe, Haß oder eine andere starke Emotion erfahren wurde. Während der Zeitspanne, in der ich Krebs hatte, gab es viele Vorfälle, in denen ich vergangene Erfahrungen wiedererlebte, die sich aus den Erinnerungsfetzen sowohl meines jetzigen als auch vergangener Leben zusammensetzten. Bei einem solchen Vorfall, während ich zum x-ten Male überstürzt in den Operationssaal geschoben wurde, fühlte ich eine tiefe Welle von Angst. Der antiseptische Geruch hing schwer im Raum und das Operationsteam versuchte wie wild, verlorene Zeit wieder einzuholen. Ich lag auf der Tragbahre, hörte der Kakophonie von Geräuschen zu, atmete den strengen Geruch ein und wurde plötzlich in eine Zeit versetzt, die viele, viele Jahre zurücklag.

Inmitten der Raserei jenes kalten, strengen Raums begann ich, in eine Zeit hineinzugleiten, als ich zwei Jahre alt war und Diphterie hatte.

Ich sah, wie das Gesicht meines Vaters durch das Zelt lugte, in dem ich inkubiert wurde. Ich erinnere mich daran, daß ich mich kalt, naß und unbehaglich fühlte und darauf wartete, daß er meine Windel wechselte. Ich sehnte mich nach seinen Besuchen, nach der Wärme seiner enormen Hände, nach der beruhigenden Wirkung seiner tiefen, klangvollen Stimme, die ganz von Liebe durchdrungen war ... einer Liebe, die mich am Leben hielt. Wieder einmal sah ich mich dem Herrn des Todes gegenüber. Unsanft wurde ich in die Gegenwart zurückgeholt, als ich unter die Operationsleuchten geschoben wurde und meine Arme wurden zurückgezogen und festgebunden. Das rasende Operationsteam hatte vergessen, daß ich immer noch ein lebendes, atmendes Geschöpf war. Ich beobachtete mich selbst, wie ich in den grauen Nebel des Narkosemittels eintauchte und mich aus der warmen Erinnerung an die Präsenz meines Vaters, die weit in der Vergangenheit lag, zurückzog, um mich wieder einmal am Leben zu halten.

Viele Dinge änderten sich für mich an dem Tag, als ich die Liebe meines Vaters so klar sah. Ich verstand plötzlich, daß ich gerade einen zweiten ernsthaften Versuch unternommen hatte, die Erde zu verlassen, weil ich vergessen hatte, wieviel mir doch bei dieser Geburt gegeben worden war. An jenem Tag entschied ich mich, Krankenhäuser und Ärzte hinter mir zu lassen. Dies sollte der erste Tag meiner Wiedergeburt und meines neuen Lebens sein – der Tag, an dem ich mich entschied zu leben.

Es gibt nicht einen einzigen Augenblick innerhalb jeder Lebensminute, in der wir unseren kognitiven Zustand nicht erfahren. Die meisten Menschen sind sich seiner lediglich nicht bewußt. Wir begegnen der Erkenntnis selten als einem „Urknall". Die Erkenntnis ist eine sehr subtile Form von Energie, die unseren gesamten Organismus durchdringt, so, als ob sie auf unsere Anerkennung warten würde. Wenn wir uns unser Leben sorgfältig anschauen, dann können wir sehen, wie oft wir tatsächlich diesen subtilen und durchdringenden Zustand erlebt haben und nicht genau wußten, was er war. Zum Beispiel wurzeln all unsere Vorlieben, also das, was wir mögen bzw. nicht mögen, in unserem kognitiven Zustand. Die Dinge, die wir mögen, sind mit angenehmen Erinnerungen aus der Vergangenheit verbunden, während die Dinge, die wir nicht mögen, mit unangenehmen Erinnerungen aus der Vergangenheit verbunden sind.

Die Augen, die mehr als jedes andere Sinnesorgan benutzt werden, sind auch ein Speicher von Erinnerungen. Indem wir sehen, erinnern wir das gesamte Universum. Unser Sehvermögen besitzt die größte Faszination für uns. Anhaftung an die Objekte der materiellen Welt, die wir durch unsere Sinne wahrnehmen, geschieht hauptsächlich durch den Sehsinn. Durch unser Sehvermögen hinterlassen angenehme und unangenehme Objekte gleichermaßen einen Eindruck in unserem Geist. Diese Eindrücke durchdringen den zellulären Körper und werden magnetisch im Geist zurückgehalten. Eine der Hauptabsichten von Meditation liegt darin, daß wir die Sinnesobjekte auf die gleiche Weise aus unseren Sinnen zurückziehen, wie wir Kinder von ihrem Spielzeug befreien, wenn wir sie ins Bett bringen. Auf diese Weise bleibt der Geist ungebunden und frei, auf kognitive Impulse zu reagieren.

Auf meiner ersten Reise in den Himalaya wurde ich recht häufig in meinen kognitiven Zustand hineinkatapultiert, zum einen aufgrund der dünnen, sauerstoffarmen Luft, zum anderen aufgrund der visuellen Schönheit der schneebedeckten Gipfel, des kobaltblauen Himmels und des unglaublichen Ganges-Flusses, der als Rinnsal vom Mast des höchsten Gipfels hinuntertröpfelte. Der Himalaya, historischer Schauplatz der frühen Seher und der heiligen Überlieferung der Veden, beraubt die Sinne ihrer routinemäßigen Wahrnehmung und Erfahrungen, und schleudert sie von Angesicht zu Angesicht dem Schöpfer und der Schöpfung entgegen.

Nach zeitlosen Tagen des Wanderns war ich nicht länger in der Lage, mein übliches Durchhaltevermögen zu aktivieren und verlegte mich darauf, auf

Händen, Knien und Bauch zu kriechen, bevor ich schließlich nachgab und ein Maultier mietete, das mich tragen sollte. Straßenhändler, die wohlschmekkende Kleinigkeiten und „Chai" servieren, *Sadhus*, die mit Asche beschmiert sind und in winzigen Hütten Opfergaben darbringen, Männer und Maultiere, die Gepäck und Gläubige auf ihrem Rücken tragen – sie alle bevölkern den unbefestigen Felsweg, der sich bis zum höchsten Gipfel dieses majestätischen Berges hinaufwindet. Die Zeit war sehr weit weg und ich war Lichtjahre von der Wahrnehmung entfernt, innerhalb der Grenzen von Zeit und Raum zu leben. Durchdrungen von dem Klang, Anblick, Geruch, Gefühl und Geschmack Gottes, erwachte ich während der meisten Zeit auf dieser Reise in meine Kognition hinein. Selbst jetzt steht sie mir voll zur Verfügung.

Jeden Morgen verströmte die Sonne ihre grelle Hitze, um die frische, kühle Luft zu erwärmen. An einem bestimmten Morgen wußte ich, daß ich niemals dieselbe sein würde. Selbst der Klang hatte an diesem Tag eine feinere Resonanz. Auf dieser bestimmten Wegstrecke wurde ich von einem der *Swamis* (ein vedischer Mönch) und einer Mitstudentin aus dem am Fuße des Gebirges gelegenen Ashram meines Lehrers in Rishikesh begleitet. Meine Mitreisende hatte sich schon viele Male dieser Pilgerreise unterzogen. Bei dieser Gelegenheit war sie jedoch unglücklich, weil sie den Swami, der uns führte, ein fröhliches, engelhaftes Wesen, dessen Gesellschaft für mich eine Ehre war, nicht mochte.

Weil meine Freundin unseren Begleiter überhaupt nicht mochte und ihn ständig kritisierte, war er uns vorausgeeilt. Trotzdem war ich über den Extremzustand der beiden Realitäten, die an jenem herrlichen Tag existierten, amüsiert. Ich hatte gleichzeitig die vollkommene Erkenntnis aller Herrlichkeiten der Schöpfung, die wortwörtlich aus jeder Ecke und Spalte der Hügel hingen, durch die wir wanderten, und unterlag in der anderen Realität der üblichen Norm, in der es mir schwerfiel, aufmerksam zu bleiben. Die wütenden Wortgefechte zwischen meiner Freundin und dem Swami erzeugten in mir die Verpflichtung, den Frieden zu wahren.

Ich wandte mich von meinem glückseligen Zustand weg, in dem ich die majestätische Schöpfung gleichsam einsog und versuchte, bei der Auseinandersetzung, die inzwischen zur Ansammlung einer Menschenmenge geführt hatte, zu vermitteln. Bevor ich ihrer beider Aufmerksamkeit weckenkonnte warf sich der Swami mit großem Schwung auf den Bauch und machte eine volle Verbeugung zu Füßen meiner Freundin, um sich dann eilends zu erheben und sein Maultier zu besteigen. Aufgrund seiner Eile löste sich sein orangefarbener *Dhoti*, das Tuch, das er um seinen Körper gewunden hatte, und flog in die Hügel davon. Plötzlich konnte man da den phantastischen Anblick eines rundlichen, fast nackten Mönches auf der Flucht sehen, der seinem Dhoti hinterherrannte.

Der Weg der Erkenntnis ist oft mit erstaunlichem Humor gepflastert. Indem ich mich zwischen dem routinemäßigen Erleben der Realität und dem glückseligen Zustand der Erkenntnis hin- und herbewegte, begriff ich an jenem Tag, daß das Leben eine sehr humorvolle Angelegenheit ist, wenn auch nicht immer ein harmonischer Prozeß.

Am Mittag desselben Tages gab es noch einen weiteren Vorfall, der sich als eine der faszinierendsten kognitiven Erfahrungen meiner Reise erweisen sollte. Ich sah einen goldenen Adler kreisen und war wieder einmal tief von der Schönheit der Schöpfung durchdrungen. In der Spalte, durch die Mutter Ganges tröpfelte, gab es eine blühende scharlachrote Affenblume, die mit ihren Wurzeln am Felsen hing. Als ich zwischen die Felsen schaute, hatte ich Ausblick auf ein offenes Feld. Ich verließ meine Freundin und kletterte ein kleines Stück hinter den Felsen, um eine höchst spektakuläre Aussicht zu erleben: ein ganzes Tal voll erlesener wilder Blumen. Das Schauspiel war so überwältigend, daß ich wie verklärt war und in die Zeitlosigkeit eintauchte. Als ich mich dem Feld näherte, sah ich, daß jedes Blütenblatt dieser Blumen eine andere Farbe hatte; diese Blumen ähnelten Akeleien und obwohl ich sie nie zuvor gesehen hatte, kamen sie mir bekannt vor. Ich saß lange Zeit da und schlief ein, berauscht von dem betörenden Aroma des Feldes. Dann hatte ich einen überwältigenden Traum, in dem ich am Königshof von einem attraktiven jungen Prinzen, der mit sämtlichen Insignien seines Amtes ausgestattet war, empfangen wurde. Ich befand mich nicht in meinem jetzigen Körper. Stattdessen schien ich Engländerin oder Europäerin zu sein, von hellerer Hautfarbe und einer anderen Art von Schönheit. Trotzdem wußte ich, daß es sich um einen Traum von mir in einem anderen Leben handelte.

Ich wachte auf und ging zu meinen Weggefährten zurück, um die lange Reise zum Tempel von Badri Nath fortzusetzen. Die herrschenden Götter des Tempels, Gott Vishnu und seine Gattin Lakshmi, schenken ihren Segen für Liebe, Geld, Ehe, Kinder usw. Badri Nath ist ein sehr spiritueller Pilgerort, in dessen natürlichen heißen Quellen einst Vishnu und Lakshmi selbst gebadet haben sollen. Sowohl meine Freundin als auch ich waren *Brahmacarinis*, das heißt junge Anwärterinnen des mönchischen Lebens. Deshalb würden wir normalerweise nicht um eine der Wohltaten beten, die uns der Gott Vishnu und seine Gattin Lakshmi erweisen könnten. Nach einem Bad in den kräftigen Quellen, die nahezu unerträglich heiß waren, gesellte ich mich jedoch zu den anderen, die in der ersten Reihe der überfüllten Morgen*puja* standen. Dort stand in vollem Glanz der *Rawal* (das religiöse Oberhaupt der Hindus), der die Zeremonie leitete, und schüttete uns beiden einen Schwall Wasser über den Kopf.

Als seine Augen meine trafen, erkannte ich in ihm den Prinzen aus dem Traum, den ich gehabt hatte, während ich in dem Blumenfeld schlief. Sofort überreichte man meiner Freundin und mir ein Einladungsschreiben, das wir dem Rawal nach Abschluß der Morgenzeremonie überreichen sollten. Wie Sie sich denken können, hatte diese Einladung weitreichende Folgen, und es bedurfte des weisen Eingriffs meines Lehrers, um mich zurück auf meinen Weg zu bringen.

Durch die Klarheit meiner Sinne wurde ich auf kognitive Weise zu den Umständen geführt, die ich mir in diesem Leben noch einmal anschauen sollte. Die Erkenntnis hofft immer auf unsere Bereitschaft, das zu empfangen, was sich am Grunde unserer wahren Natur befindet. Als ich mich von jenem heiligen Ort entfernte, verstand ich die Bedeutung der nahegelegenen Gebirgskette, die Tienshan genant wird, das heißt „himmlischer Berg“. Solche Erfahrungen, die oft als Hindernisse wahrgenommen werden, sind die himmlischen Berge unseres Lebens. Meine Reise war wieder einmal eine Metapher, mit dem einzigen Unterschied, daß ich dieses Mal schließlich in der Lage war, die heiligen Hügel in mir zu aufzunehmen.

Während meines Aufenthaltes in Indien weitete sich meine eigene Verbundenheit zur Selbsterkenntnis schnell aus. Teilweise war das auf die Gründe meines Aufenthalts dort zurückzuführen. Meine Familie hatte Indien vor mehr als einem Jahrhundert verlassen und war mit den Briten zusammen in das damalige Britisch-Guyana ausgewandert. Obwohl die Tradition des brahmanischen Lebens in meiner Familie aufrechterhalten worden war, hatte ich immer das Gefühl, daß ein Teil von mir in der Heimat zurückgeblieben war. Die Realität von Menschen, die ihrer Kultur entrissen wurden, besonders einer so tiefen und alten Tradition wie derjenigen Indiens, beinhaltet immer ein großes Maß an Schmerz und Leid. Die Älteren sterben an gebrochenem Herzen, lange bevor sie alt sind. In unserem Fall wurde wie in so vielen anderen die brutale Last von der ersten Generation getragen. Meine Eltern gehörten zu dieser Generation. Mein Vater war ein stoischer Mensch von geradezu übermenschlicher Stärke. Er trug den gesamten Familienclan und ganze Dörfer gebrochener Menschen auf seinem Rücken. Nachdem ich einen Teil der Last von ihm genommen hatte, sollte schließlich meine Rückkehr nach Indien den Leiden meiner Verwandtschaft, für die Indien ein Land geworden war, das sich viel weiter entfernt hatte als seine geographische Distanz, Ruhe geben.

Ich war die erste, die zurückkehrte. Nachdem ich viele Jahre in den Vereinigten Staaten gelebt hatte, mich fünf Jahre lang mit Krebs auseinandergesetzt und den Tod meines Vaters erlebt hatte, traf ich die dramatische Entscheidung, mein weiteres Leben in engem Kontakt zur Natur zu verbringen und mich in die traditionellen Studien der heiligen Veden zu vertiefen, um meine kognitiven Kräfte als Mensch vollständig wiederzugewinnen. Auf dieser „Suche der Unschuld“ ging ich mit meinem Lehrer Swami Dayananda Saraswati nach Indien. Sein Ashram befindet sich am Fuße des Himalaya und an den Fersen des heiligen Ganges-Flusses.

Nach meiner rituellen Einweihung als Brahmacarini, das heißt als jemandem, der das mönchische Leben eines Studenten der Veden verfolgt, stand ich lange Zeit in dem heiligen Fluß. Alle Zeichen begünstigten an jenem glückverheißenden Tag mein neues Leben. Der Wind hatte in der Nacht zuvor gewütet und den Sand und den Fluß hoch aufgewirbelt. Der Sturm dauerte bei meiner Initiation den ganzen Morgen lang an. Dann kam plötzlich eine heitere Sonne durch und verbreitete eine Stille, die lauter widerhallte, als es zuvor der Sturm getan hatte. Als ich auf einem großen Felsblock stand, der vom Wasser glattpoliert war, überfluteten die Gesichter meiner Vorfahren, die ich nie in meinem Leben gesehen hatte, meine Erkenntnis. Sie waren schließlich zur Ruhe gekommen. Alle Abdrücke von Schmerz und Sehnsucht wurden aus meiner Brust entfernt. Die Berührung mit dem kalten, glatten Wasser an meinen Füßen, das Geräusch des heulenden Windes, der gegen das Wasser und den Berghang peitschte – all das nährte mich in jenem heiligen Moment, in dem ich meine Gelübde ablegte.

Diese Erzählung ist zutiefst persönlich und meine Absicht ist es, die kognitiven Erfahrungen, die ich als kosmisches Wesen gemacht habe, mit Ihnen zu teilen. Sobald eine Erfahrung gültig ist, wird sie Teil unserer kognitiven Natur. Als solche gehört sie nur dem kosmischen Universum. Und so gehört das, was ich mit Ihnen teile, ebensosehr Ihnen, wie es mir gehört. In Wirklichkeit gehören all unsere kognitiven Erlebnisse dem Universum. Sie könnten eingreifen und diese Natur näher zu sich heranrufen. Es ist die wirkliche Natur aller Menschen. Die einzige Voraussetzung besteht darin, daß Sie mit Ehrfurcht in der Natur leben und fortfahren, bei der Ausübung der Sadhanas, die Sie als wesentlich für Ihr Verständnis ansehen, präsent zu bleiben.

Erkenntnis im Traum

Unsere wirkliche Natur ruht im Raum des kosmischen Traums. Die Bezeichnung „Traum“ wird hier in bezug auf auf unsere idyllischen Sehnsüchte, auf die Ideenfetzen, die uns etwas über unsere wirkliche Natur zuflüstern, benutzt, und nicht in bezug auf die „Träume“, die Ihren Schlaf unterbrechen. Zu dieser Bezeichnung hat man in allen Sprachen Zuflucht genommen, um auf den Raum hinzuweisen, in den wir flüchten können, wenn die brutale Existenz, die nichts von unserer kosmischen Führung weiß, in unserem Geist und unserem Körper Krieg führt. Dieser Raum des Träumens ist in Wirklichkeit unser kosmisches Refugium. Die Sanskritbezeichnung für Raum ist *Akasha*, was „das, was alles erhält“ heißt. Aufgrund ihrer tiefen Resonanz und Stille wird die Kraft von Akasha mit dem reinen Bewußtsein, dem absoluten Ewigen, gleichgesetzt.

Der Raum des Träumens ist lediglich eine andere Art, den Raum zu definieren, in dem unsere kosmischen Erinnerungen wohnen. Nach unseren Träumen zu greifen ist ein Instinkt, der durch die Selbst-Erkenntnis angespornt wird. Im Tiefschlaf sind wir in der Lage, mit unserer wirklichen Natur, der tiefen Stille, in Resonanz zu kommen. Der Raum des Träumens ist ein Ausdruck des Elementraums. Er existiert in einem zeitlosen Zustand wie der Tiefschlaf, in dem unser physischen Wesen durch die Resonanz des Raums wieder aufgefüllt wird und wir unsere kosmische Natur innerhalt ihrer essentiellen Stille erfahren.

Erkenntnis im Tiefschlaf

Wir erfahren unsere kognitive Natur ununterbrochen über viele Stunden hinweg im Zustand des Tiefschlafs. Wenn die geistigen und sensorischen Schwankungen zwischen Wach- und Traumzuständen aufgelöst worden sind, dann bleibt der Tiefschlaf von diesen Bewegungen unberührt und ermöglicht es uns, vollkommen in unserer kognitiven Natur zu ruhen.

Der Zustand des Tiefschlafs transzendiert alle auf Wahrnehmung basierenden Erfahrungen, die im Wachzustand gemacht werden. Nach einem gesunden Schlaf erwachen wir vollkommen verjüngt, frisch und voller Freude, durch unsere eigene reine Natur wieder aufgefüllt. Während wir im Raum des Schlafes ruhen, ist Prana als stiller Zeuge da, um Ahamkara zu beschützen. In diesem Zustand bleibt unsere Erkenntnis durchdringend und funkelnd, sie wird nicht durch die Reize der Wachphase unterbrochen. Gesunder, friedlicher Schlaf ist der Zustand, der von den Weisen am häufigsten angeführt wird, um unsere wirkliche Natur der Selbst-Erkenntnis zu demonstrieren.

Wenn wir uns dieser Erkenntnis bedienen, dann dringen wir tief in den Kern unser primären Natur des inneren Leuchtens ein und sind frei von Begegnungen, die an die Zeit gebunden sind. Im Gegensatz zu den physischen, geistigen und sensorischen Erfahrungen, in denen der Geist, die Sinne und der physische Organismus einen äußeren Antrieb bekommen, um mit den Objekten ihrer Wahrnehmung in der Schöpfung zu interagieren, tritt die Erkenntnis vermehrt erst dann auf, wenn wir die Reise nach innen und zur wirklichen Natur des Bewußtseins antreten. Wenn der physio-psychische Organismus sich durch seine Erfahrungen erschöpft hat, wendet er sich notwendigerweise in Form von Schlaf oder Kontemplation nach innen, um mit seiner kosmischen Natur wiederaufgeladen zu werden. Eins mit der Selbst-Erkenntnis zu sein bedeutet, eins mit dem kosmischen Universum zu sein.

Als Menschen sind wir in der Lage, die vollkommene Integration all der Teile zu genießen, aus denen wir bestehen, das heißt, Geist, Sinne, Buddhi und Ahamkara. Wenn sich diese Teile in die durchdringende Einheit unserer Erkenntnis auflösen, können wir in Harmonie leben, und unsere äußere und innere Natur werden auf eine Art miteinander verflochten, die die Selbst-Erkenntnis sowohl in der Schlaf- als auch in der Wachphase der Existenz fördert. Solange wir schlafen, werden wir sehr durch die Auflösung der universellen Energie in die dunkle Phase der Nacht unterstützt. Wenn die Nacht hereinbricht, verlangt der physische Organismus nach Ruhe. Die Seher legen uns nahe, als Vorbereitung für die vollkommene Ruhe die Aktivitäten der wachen Stunden vollkommen aufzulösen. Auf diese Weise hören alle Wahrnehmungen und Erfahrungen auf, unabhängig davon, ob sie beendet sind oder nicht. Der Geist wird dazu überredet, sich von den Sinnesorganen zu lösen und die laufende Tagesordnung hinter sich zu lassen. Wenn wir nicht in der Lage sind, den Geist von seinen Sinnen und die Sinne von ihren Sinnesorganen zu lösen, dann greifen Träume in unseren Ruhezustand ein.

Die Weisen weisen uns darauf hin, daß wir in der Wachphase, wenn die ganze Welt vor Beweglichkeit und Transformation glüht, den Aktivitäten, der Ernährung und anderen Aspekten des täglichen Lebens besondere Aufmerksamkeit schenken sollten. In der hellen Phase des Tages werden Ideen geboren, Entscheidungen vorangetrieben, Beziehungen gefördert und Ehrgeiz gesteigert. Es ist daher dringend notwendig, daß wir unsere kognitive Natur herbeirufen und sie in unserer Nähe haben, damit sie uns in unserem Bemühen, in Harmonie zu leben und als Individuen und als Art zu wachsen, beständig führen kann. Die Wachphase stellt eine sehr viel größere Herausforderung dar als die Zeit des Schlafes. Indem wir uns jedoch immer wieder an unsere kosmische Natur erinnern und beständig die Sadhanas üben, die notwendig sind, um Ausdauer und Sanftheit aufrechtzuerhalten, können wir die Anhaftung jedes wachen Tages progressiv auflösen und uns in diesem Prozeß in unseren natürlichen Zustand der Selbst-Erkenntnis auflösen.

WEISSAGUNG: EIN WERKZEUG DER ERKENNTNIS

In vielen ländlichen Gegenden der Vereinigten Staaten wird immer noch die Methode der Suche nach Wasser mit der Wünschelrute praktiziert. Die Weissagung wurde in erster Linie von Alten und Eingeborenen verwendet, die das Prinzip der Resonanz verstanden hatten. Wenn wir dem Universum unsere aufrichtigen Absichten erklären, dann erhalten wir eine gleichbleibend schnelle und vielsagende Antwort. Wenn wir bei dem, was wir nach außen geben, klar und sauber vorgehen, dann ziehen wir das gewünschte Ergebnis an. Bei der Weissagung werden wir zu einem glänzenden Gefäß, indem wir unsere Absichten in das Universum hineinleeren und es seiner Antwort erlauben, uns zu führen.

Sowohl die vedischen Seher als auch eingeborene Schamanen haben viele Bände mit Informationen über die heilige Bedeutung aller Tiere, Vögel, Pflanzen, Kräuter usw. gefüllt. Wenn wir diese symbolischen Bedeutungen kennen, dann können wir unsere Absichten und Ergebnisse lenken. Tiere sind die wahren Symbole der Weissagung.

Wenn man zum Beispiel einen Bären sieht oder er einem ins Gedächtnis kommt, dann dient er als Bote der Stille, als Zeichen, um in die Gebärmutterhöhle des Selbst einzutauchen, und es dem Universum zu erlauben, zu klären und zu nähren, was wir an diesem bestimmten Ort und zu dieser bestimmten Zeit brauchen. Weiße Vögel sind ein Omen für den Tod; nicht notwendigerweise für den physischen Tod, sondern vielleicht für den Tod eines alten Lebensstils oder einer Lebensphase.

Ein Schmetterling fliegt vorbei, um uns an unsere persönliche Transformation zu erinnern, daran, daß wir uns aus der Trägheit der Verpuppung lösen und in unseren eigenen prachtvollen Raum hineinfliegen sollen. Adler und Falke sind Boten des Göttlichen und erinnern uns an unsere auf das Spirituelle eingestimmte Natur. Sie kommen nur, wenn wir bereit sind. Die Eule spricht ebenfalls von der Weisheit, aber sie sagt uns, daß wir weise zum Selbst sein sollten und uns vor jeder Art von Täuschung, die gegenwärtig in unserem Leben wirksam ist, hüten sollten. Ein Eichhörnchen, das uns in seinem Lieblingsbaum, der Eiche, begegnet, ist ein Warnsignal für notwendige Vorbereitungen für die Zukunft, die wir vielleicht nicht getroffen haben. Die Wasserschildkröte erscheint, um uns an die Standhaftigkeit zu erinnern, die wir brauchen. Sie ist ein Symbol der Mutter Erde und wird als ältestes Tiersymbol der Erde angesehen. Wenn der Elch ruft und die Elchkuh mit dem schallenden Geräusch tief aus dem Bauch heraus, das wir einfach nicht überhören können, antwortet, dann bellt sie uns etwas von der Achtung entgegen, die wir uns selbst gegenüber haben müssen.

In Gebeten, Mantras oder einfachen Absichtsbekundungen benutzen wir die Affirmation des Klangs, der in den Körpergeweben und den Energien der Hemisphäre schwingt, und körperliche und kosmische Impulse vereinigt. Diese Vereinigung läßt die kognitive Erinnerung in uns wiederaufleben und wir fühlen sofort eine Entladung in der Hoffnung lebendig werden. Wir können zum Zwecke der Weissagung ein Blatt, eine Münze oder sogar ein Sandkorn benutzen. Das Universum stellt Millionen von Mitteln bereit, damit wir es lesen und uns auf es einstimmen können.

Von Tieren festgehaltene kosmische Erinnerungen

Die Ziege zum Beispiel heißt *Aja*, „die, die keine Wiedergeburt hat", womit ausgesagt werden soll, daß die Ziege die kognitiven Erinnerungen aller Wiedergeburten im Universum enthält. Wenn wir die Ziege beobachten und ihre Art erhalten, dann erhalten wir das Wissen ihrer essentiellen Erinnerung auf der Erde. Der Kuh ist derselbe Name gegeben worden wie den heiligen Schriften, nämlich „*Go*". Dieser Name ist darüber hinaus noch dadurch geweiht worden, daß der Gott Krishna als „*Gopala*" bezeichnet worden ist, das heißt „derjenige, der die heiligen Schriften schützt". Die Kuh als Spezies hält also die kognitive Erinnerung an die Lehren der Schriften fest. Indem wir die Kuh schützen, werden wir vielleicht dazu inspiriert, die Schriften zu studieren oder sogar die Bedeutung der Heiligen Überlieferung zu erkennen. Der Elefant wird „*Gaja*" genannt, was „der, der das erste Wissen der Kräuter und Pflanzen der Erde festhält", bedeutet. Diese göttliche Erinnerung kann uns in die Lage versetzen, Krankheit dauerhaft abzuwehren und so unsere Natur der Unsterblichkeit zurückzugewinnen.

In den Veden wird davon ausgegangen, daß jede Art eine bestimmte Form des kosmischen Gedächtnisses festhält, und daß durch die gütige und ehrerbietige Erhaltung einer jeden Art die Erinnerung, die sie trägt, geschützt wird. Ich glaube, daß, wenn eine Art aufgrund unserer Ausbeutung und unseres Mangels an Ehrfurcht ausstirbt, die Erinnerung, die diese Art in sich trägt, auf immer für uns verloren ist. Als Folge davon können wir im menschlichen Feld der Erinnerung das besondere Wissen, das in der Erinnerung jener Art festgehalten war, nicht länger aufrechterhalten.

Das Universum gibt uns Milliarden von Hinweisen in Form von Zeichen und Symbolen, die uns helfen sollen, unsere kognitive Natur wieder einzufordern. Es gibt mehr als genügend Zeichen und Symbole, um all unsere Aktivitäten zu leiten. Jede Kreatur, jede Pflanze, jedes Kraut und jede Blume, ja sogar Wind, Feuer, Wasser und jedes Sandkorn können uns etwas über unsere Natur lehren. Die Ureinwohner Nordamerikas verstanden die Bedeutung jedes lebenden Wesens. Sie erkannten, daß jedes Lebewesen mit einer besonderen Gedächtnisfunktion ausgestattet ist, und daß wir, wenn wir seine Gegenwart auf der Erde in ihrer natürlichen, nicht vom Menschen beeinträchtigten Umgebung beachten und erhalten, das Leben unserer eigenen kognitiven Erinnerungen sicherstellen. Wenn die Alten ein Tier als Opfergabe darbrachten, um die Götter zu besänftigen, dann bestand der Akt darin, das zu ersetzen, was irgendwie durch menschliches Vergehen vergewaltigt worden war. In der Vergangenheit, als die Menschen Tiere jagten, wurden Jagd und Erbeutung zu einer Zeremonie, um die innewohnenden Kräfte des Gedächtnisses zu erben, das jenes Tier als Übergangsritus seiner Art in sich trug. Sowohl die Alten als auch die Ureinwohner (die am meisten gefährdete Art, die es heute auf unserem Planeten gibt) kannten die universelle Energie und lebten nur gemäß ihrer Erlaubnis. Die heutigen Menschen, die nicht mehr über die Weisheit einer solchen Ehrfurcht verfügen, können die Jagd, Erbeutung und Opferung von Tieren sowie das Ererben ihres Gedächtnisses nicht länger ausüben. Sie verdienen dieses heilige Privileg nicht länger. Die Weisheit, die in der Jagd des Tieres zum Zwecke der Überlassung seines Gedächtnisses an die menschliche Erkenntnis liegt, ist von der Mehrheit der Menschen auf der Erde vergessen worden. Dem heutigen Töten, Jagen und Opfern von Tieren mangelt es an kosmischer, kognitiver oder zellulärer Intelligenz. Es handelt sich dabei um grobe, grausame und gleichgültige Handlungen von Menschen, die ihre eigene heilige Natur vollkommen vergessen haben und somit auch diejenige der Tiere, die sie töten.

Das erfahrungsorientierte Gedächtnis

Weisheit bedeutet, es unserer Intelligenz zu erlauben,
Den Geist zu erleuchten;
Weisheit erlaubt die Herrschaft der Natur über alle Arten,
Den Menschen eingeschlossen;
Weisheit erlaubt unsere wahre Natur;
Weisheit bedeutet, einfach erlauben.

Bri Maya Tiwari

Als Menschen werden wir mit Sinnesorganen, einem Geist und einer Fähigkeit zur Weisheit bzw. Buddhi, um die Sanskritbezeichnung zu gebrauchen, geboren. Anstatt es unserer Weisheitsfähigkeit zu überlassen, unseren Geist und über diesen auch unsere Sinne zu führen, benutzen wir unsere Sinneswahrnehmungen, um den Geist zu gefangenzunehmen, auch wenn das unwissentlich geschieht. Wir sind uns unserer inneren Führung, des Buddhi und der natürlicherweise unbegrenzten Gaben, die uns zur Verfügung stehen, nicht bewußt. Jedes Körpergewebe, jeder Körpersaft, der Körperabfall und die Körperkanäle dienen als Kommunikationsmittel innerhalb des Körpers. Jeden Augenblick, den wir erleben, haben wir dieser Kommunikation zu verdanken, und die Abdrücke des Ganzen hinterlassen eine Geschichte des gelehrten und ignoranten Gebrauchs unseres kosmischen und physischen Spaziergangs durch die Zeit. Auf diese Weise werden wir zu Ahnen der Zukunft. Was wir jetzt über unsere physio-kosmische Natur lernen, wird zu dem

Wissensbezug in der Zeit, die vor uns liegt, hinzugefügt, ebenso wie zur Läuterung des Universums durch die Handlungen dieser unglaublichen Spezies, die sich Mensch nennt. Wie hoch die Leistung unserer Kommunikationscodes ist, hängt vollkommen vom erfahrungsorientierten, kognitiven und kosmischen Gdächtnis ab. Mit anderen Worten, um als Art progressiv fortzuschreiten, müssen wir uns erinnern.

Das erfahrungsorientierte Gedächtnis, das auf der Gesamtsumme der individuellen Erfahrungen in jedem Leben basiert, ist teilweise durch das Karma bestimmt, da das Karma die Umstände bzw. das Feld für unsere Begegnungen bereitstellt. Das Karma ist das, was sich durch all unsere Handlungen in allen unseren Leben als Ergebnis angesammelt hat. Im wesentlichen kann man es sich als ein kosmisches Bankkonto vorstellen, in dem über unsere Schulden und unsere Guthaben in jedem Leben Buch geführt wird. Den Weisen zufolge bestimmt das durch die kollektiven Geburten eines jeden Menschen angehäufte Karma die Umstände jedes Lebens von Geburt zu Geburt. Selbst genetische Faktoren sind karmisch bedingt. Physiologisch gesehen werden die Eigenschaften eines jeden Individuums bei der Geburt durch mehrere Faktoren verursacht, zum Beispiel die Doshas von Sperma und Eizelle zur Zeit des Austausches, durch den Gesundheitszustand beider Eltern, die jahreszeitlichen Einflüsse zur Zeit der Empfängnis und Schwangerschaft sowie durch die Ernährung und die Aktivitäten der Mutter während der Schwangerschaft. All das ist Bestandteil unseres karmischen Erbes. Bereits bei der Geburt tragen wir die kognitiven Abdrücke aller früheren Leben in uns.

Das Gedächtnis ändert sich bei der Geburt

Solange sich der Embryo in der Fruchtblasenflüssigkeit der mütterlichen Gebärmutter befindet, schlägt sein Herz 160 Mal pro Minute. Diese erhöhte Frequenz erzeugt eine flüssige Erinnerung. Man sagt, daß dem Embryo die kollektiven Erinnerungen aller vergangenen Leben zur Verfügung stehen, solange er sich in der wäßrigen Umgebung der Gebärmutter befindet. Im Augenblick der Geburt werden diese Erinnerungen gelöscht. Wenn das Kind aus dem Geburtskanal austritt, wird es in eine Atmosphäre aus Sauerstoff und Luft getrieben, wo der Herzschlag auf 72 Schläge pro Minute absinkt und die kognitiven Erinnerungen vage werden. Als Menschen sind wir dazu bestimmt, in einer Umgebung zu leben, die den Gebrauch unserer geistigen und sensorischen Wahrnehmungen erfordert. Im Augenblick der Geburt werden alle Erinnerungen an frühere Leben im Ahamkara gespeichert, und von da aus sollen wir erwachen und uns mit Hilfe von Sadhanas erneut Zugang zu ihnen verschaffen. Auf diese Weise wachsen wir unter der Führung unserer Erkenntnis bei jeder unserer gegenwärtigen Reisen in die Weisheit hinein.

Wir müssen begreifen, daß die kosmische Absicht für uns nicht die ist, die erfahrungsorientierten Erinnerungen jedes vergangenen Lebens zurückzuholen. Wenn das so wäre, dann wären sie uns vom Augenblick der Geburt an zugänglich und der Prozeß der Geburt durch die wäßrige Umgebung der Gebärmutter in die sauerstoffgeladene Atmosphäre der Erde hinein hätte nicht unsere Fähigkeit zerstört, uns an sie zu erinnern. Unsere sensitiven, geistigen und sensorischen Fähigkeiten sind kaum in der Lage, die Erfahrungen aus dem gegenwärtigen Leben zusammenzuhalten, geschweige denn die endlosen Dateien aus den Begegnungen all unserer vergangenen Leben. In Wirklichkeit werden alle gültigen Erinnerungen an vergangene Leben als kognitives Gedächtnis in Form von essentiellen Erinnerungen oder Erinnerungsfetzen an vergangene Begegnungen im Ahamkara festgehalten.

Wenn wir heutzutage die Rückführungstherapie einsetzen, um uns Erinnerungen an vergangene Leben zunutze zu machen, so ist das auf mancherlei Weise hilfreich, denn diese Erinnerungen ermöglichen es uns zu verstehen, daß unsere Natur nicht einfach bloß die Summe der Erfahrungen eines einzigen Lebens ist. In vielen Fällen wirkt diese Art von Therapie jedoch auch regressiv, nämlich dann, wenn die Absichten, die hinter der Erinnerung an vergangene Erfahrungen stehen, mißverstanden werden. Eine forcierte Flut solcher Erinnerungen kann Geist und Sinne bombardieren und zu Wahnvorstellungen führen, die sich als Persönlichkeitsspaltung oder geistige Verwirrtheit in der regredierten Person äußern. Sofern die Rückführungstherapie nicht darauf ausgerichtet ist, dem oder der Betreffenden eine erste Einführung in seine oder ihre gültige kosmische Natur zu geben, könnte eine solche Therapie schädlich sein.

Das einzige bekannte Mittel, um ein wahrhaft kognitives Leben zu führen, besteht darin, daß wir Tag für Tag in der Ausübung von Sadhanas präsent sind. Die Weisen aus alter Zeit haben uns eine detaillierte Beschreibung unglaublicher Sadhanas hinterlassen, die, wenn sie sorgfältig geübt werden, das menschliche System bis zu dem Punkt verfeinern, wo sich die vollkommene Erkenntnis der Vergangenheit harmonisch mit der Gegenwart verbindet. Das Zusammenbringen der Zeitlosigkeit des kognitiven Zustands und der zeitgebundenen Phase des erfahrungsorientierten Lebens führt zum endgültigen Gleichgewicht. Die Ausübung der Sadhanas bereitet den menschlichen Organismus allmählich darauf vor, sein ganzes Wesen zu integrieren. Die Sadhanas umfassen ein weites Spektum an körperlichen, existentiellen und kosmischen Praktiken, das vom Studium der heiligen Schriften bis hin zu Yoga, Tai Chi, organischem Landbau, gesundem Kochen usw. reicht.

Die gültige Erinnerung

Die gültige Erinnerung bezieht sich auf diejenigen Erinnerungen, die durch all unsere vergangenen Leben hindurch den Test der Zeit bestanden haben und uns im jetzigen und in zukünftigen Leben als unsere persönliche Weisheit zur Verfügung stehen. Die gültigen Erinnerungen eines jeden Lebens heften sich zur Zeit des Todes an den feinstofflichen Körper an. Wenn die Gewebe zerfallen, dann stirbt der physische Körper einer Person und der feinstoffliche Körper fliegt hinauf in die ganze Schöpfung.. Normalerweise gibt es zur Zeit des Todes viele ungelöste Punkte auf der Tagesordnung, die sich auf eine von drei Arten erklären lassen. Die ersten beiden beziehen sich auf die gültige Erinnerung, während sich die dritte auf die ungültige Erinnerung bezieht.

Unvollendete Erfahrungen führen zu unerlösten Erinnerungen: mit anderen Worten, es ist ein Prozeß in Gang gekommen, aber es wurde noch keine Lösung oder kein Ergebnis erreicht. Alle unerlösten Erinnerungen begleiten den feinstofflichen Körper zur Zeit des Todes, wenn sie das Ergebnis gültiger Erfahrungen sind. Eine gültige Erinnerung wird unabhängig davon, ob sie erlöst oder unerlöst ist, automatisch in das Ahamkara einprogrammiert, solange wir leben und in den feinstofflichen Körper überführt, wenn wir sterben. Diese gültigen Erinnerungen sind oft physische Erfahrungen, die, weil sie nicht erlöst worden sind, eine sehr große Sehnsucht im Geist erzeugen. In solchen Momenten könnte es sein, daß der feinstoffliche Körper nicht in der Lage ist, seine Kräfte in Richtung seines kosmischen Ursprungs zu mobilisieren, und stattdessen um das bekannte Territorium seiner Anhaftung herumschwebt. Solche Begegnungen werden normalerweise als Geister bezeichnet, die auf der irdischen Ebene existieren. In den meisten Fällen steht der feinstoffliche Körper auf seiner Reise in die Schöpfung in Flammen und wartet in Übereinstimmung mit den universellen Gesetzen des Karma auf seine Wiedergeburt.

Die zweite Erklärung bezieht sich auf die Person, die ihre Begegnungen im jetzigen Leben vor dem Tod beendet oder erlöst hat. Diese vollendeten Erfahrungen führen zu erlösten Erinnerungen und werden ebenfalls zum Zeitpunkt des Todes in den feinstofflichen Körper übertragen. Obwohl erlöste Erfahrungen in zukünftigen Leben niemals wieder erlebt werden, bleiben sie im Ahamkara der nächsten Geburt als kognitive Erinnnerungen an spezifische Erfahrungen erhalten. Sobald eine Erfahrung so total gelebt wurde, daß sie erlöst worden ist, geht sie auch in Buddhi ein und wird zu unserer manifesten (nicht potentiellen) Weisheit, einer Weisheit, die uns in diesem und allen künftigen Leben dient. Aus diesem Grunde werden bestimmte junge Menschen als „alte Seelen“ bezeichnet oder als diejenigen, die „über ihre Jahre hinaus“ weise sind.

Ungültige Erinnerungen

Die dritte Möglichkeit umfaßt Erfahrungen, die weder erlöst noch unerlöst, sondern ungültig sind. Obwohl sie im jetzigen Leben im Ahamkara gespeichert sind, lösen sich diese Erfahrungen im Tod auf und werden nicht in den feinstofflichen Körper übertragen. Es scheint so, als ob falsche Wahrnehmungen von Menschen dasselbe begrenzte Schicksal ereilt wie alle anderen menschlichen Erfindungen. Ungültige Erfahrungen führen zu ungültigen Erinnerungen. Im Laufe unseres Lebens erzeugen wir ständig Erinnerungen. Die meisten Erfahrungen im Leben häufen sich durch geistige und sensorische Wahrnehmungen an, die normalerweise keine genauen Ergebnisse liefern. Obwohl das Ungültige vielleicht nur eine begrenzte Zeit vorherrscht, richtet es großen Schaden an und führt zu Schmerz, solange es am Leben erhalten wird.

Es wird gesagt, daß im Durchschnitt sieben von zehn Situationen unrichtig wahrgenommen werden. Wenn wir zum Beispiel Licht sehen, das durch einen Kristall hindurchgeht, dann neigen wir dazu, das Farbenspektrum dem Kristall und nicht der Lichtbrechung zuzuschreiben. Die gültige Erfahrung lautet, daß der Kristall klar und farblos ist; bis jedoch diese Tatsache bekannt ist, wird die Wahrnehmung des farbigen Kristall vorherrschen, was eine ungültige Erfahrung ist. In ähnlicher Weise nehmen wir vielleicht einen Himmel als blau wahr, obwohl er in Wirklichkeit ein farbloser Raum ist, der die Wolken reflektiert. Vielleicht sagt man uns die Wahrheit und aufgrund bestimmter Umstände nehmen wir an, daß es sich um eine Lüge handelt. Der Glaube, daß man uns angelogen hat, und daß die Person, die in Wirklichkeit die Wahrheit gesagt hat, ein Lügner ist, ist eine ungültige Erfahrung. Vielleicht meinen wir, jemanden sehr gut zu kennen und stellen dann fest, daß wir, indem wir unsere eigenen Wünsche auf den Charakter dieser Person projiziert haben, für deren wirklichen Charakter blind waren. Die plötzliche Entdeckung ist die reale und gültige Erfahrung, während die projizierte Erfahrung, egal wie lange sie dauert, ungültig ist.

Ungültige Erfahrungen sind normalerweise die Erfahrungen, die die verheerendsten Schmerzen verursachen. Das ist auf drei gleichzeitig ablaufende Prozesse zurückzuführen: auf der kosmischen Ebene werden wir eklatant mit der Trennung von unser wirklichen Natur konfrontiert, auf der physischen Ebene müssen wir die ungültigen Schlußfolgerungen im wahrsten Sinne des Wortes aus dem Ahamkara herausziehen, und auf der äußeren Ebene müssen wir all das zurücknehmen, was wir vorher auf unsere Freunde, Familie und andere projiziert hatten. Das physische Herausziehen von Daten aus dem Ahamkara und der „Gesichtsverlust" vor Personen, die uns nahestehen, kann unser persönliches Ego peinlich berühren.

So notwendig und schmerzlich es ist, die im Gedächtnis gespeicherten ungültigen Informationen zu entfernen, so wichtig ist es auch zu begreifen, daß ein glückliches Leben sich niemals auf die Zurückhaltung ungültiger Erinnerungen gründen kann. Die kosmische Vergegenwärtigung der Tatsache, daß wir mit unserer kognitiven Natur verbunden bleiben müssen, ist die positive Lektion aus diesen Erfahrungen. Wir können aus ihnen lernen und in diesem Prozeß dadurch getröstet werden, daß selbst in der größten Verzweiflung die Zeit alle Wunden heilen wird.

Mehr noch als die Bereitschaft, uns zu ändern, müssen wir die Prämissen unserer Wahrnehmung verschieben, bevor wir uns wirklich vor dem wiederholten Auftreten ähnlicher ungültiger Erfahrungen schützen können. Ob wir nun ungültige Erfahrungen erkennen oder nicht, und sie erlösen, bevor wir unsere sterbliche Hülle ablegen, sie sind eigentlich nicht existent, weil unsere Wahrnehmungen ungenau ist. Auch wenn wir sie, obwohl sie falsch sind, im Ahamkara speichern können, solange wir leben, werden sie im Tod nicht in den feinstofflichen Körper überführt, weil der grobstoffliche Geist, dem sie ihr Leben verdanken, mit dem Körper stirbt. Alles Ungenaue oder Ungültige kann sich nicht auf unbestimmte Zeit halten, weil das physische Vehikel, an das es gebunden ist, ein begrenztes Leben hat. Aus diesem Grunde sind Sterbende zum Zeitpunkt des Todes in der Lage, sich von Groll zu lösen, den sie ihr ganzes Leben lang gehegt haben. Bevor ein Mensch stirbt, ist er normalerweise fähig, die Ungültigkeit aller negativen Wahrnehmungen, die er in dem jeweiligen Leben gemacht hat, zu erkennen.

Wenn jemand sich ständig mit ungültigen Wahrnehmungen beschäftigt, dann zeigt das einen Mangel an persönlicher Weisheit und eine Trennung vom kognitiven Selbst an. Obwohl ungültige Erinnerungen nach dem Tod nicht im feinstofflichen Körper zurückbehalten werden, hinterläßt der Zustand unserer Weisheitsfähigkeit ebenso wie unsere kognitiven Leistungen bzw. der Mangel daran ein definitives Guthaben aus unserem karmischen Bankkonto, das unsere nächste Geburt beeinflußt.

Erinnerungen speichern und abrufen

Im Laufe des normalen Lebensprozesses werden ständig Erinnerungen gespeichert, abgerufen, gebildet, bestätigt und neu abgespeichert. Das Abspeichern aller Erinnerungen im Ahamkara geschieht, solange unserem physischen Körper Leben innewohnt. Das Ahamkara wird ständig durchsucht, um eine frühere Begegnung auszumachen, die einer gegenwärtigen Situation ähnelt. Dann wird die neue Erfahrung mit der früher gespeicherten verglichen, und es wird eine Bewertung vorgenommen, ob sie wünschenswert ist oder nicht. Auf diese Weise durchleben wir ständig ähnliche Erfahrungen und aktualisieren die Datenbank durch jede neue Erfahrung. So kann zum Beispiel die Erinnerung an den Verzehr von Eis während der Lebenszeit eines Menschen ungefähr 7200 Mal gespeichert und neugespeichert werden. Die meisten Menschen, die Eis verzehren, speichern die Erinnerung an eine süße und angenehme Erfahrung ab.

In Abhängigkeit von der Qualität und Menge der Eiscreme und der Häufigkeit des Verzehrs wäre das gültigere Erinnerungsfeedback, das aus dieser sogenannten angenehmen Erfahrung gespeichert werden könnte, die Tatsache, daß das Verdauungsfeuer geschwächt werden kann, und das Feuer des ersten Körpergewebes eine Funktionsstörung aufweisen und dadurch mehr Körperabfälle in Form von Schleim produzieren kann anstelle des Nährstoffplasmas, das vonnöten ist, um die lange Kette hungriger Körpergewebe zu ernähren. Als Folge davon kann der gesamte Organismus träge und lethargisch werden.

Im wesentlichen basieren die Informationen, die Sie im Gedächtnis abspeichern, auf Wahrnehmungen und sind als solche im allgemeinen ungenau. Für diejenigen, die besser auf Körper und Geist eingestimmt sind, wird das Speichern der Eiscreme-Erfahrung die wirklichen Auswirkungen des Eisverzehrs auf den physischen Organismus inklusive seines süßen Geschmacks genau widerspiegeln.

Die vielen ungültigen Erinnerungen, die Menschen im Ahamkara speichern, dienen dazu, die Dateien in Unordnung zu bringen, und sie führen daher zu großer geistiger Verwirrung. Als Folge davon werden die Klarheit des Verstandes und die Begeisterung des Geistes stark beeinträchtigt.

Die Rolle der direkten Wahrnehmuung im erfahrungsorientierten Gedächtnis

Es gibt normalerweise drei Prozesse, die beim Erleben und Speichern von Erinnerungen im Ahamkara nacheinander ablaufen: die Wahrnehmung, die Schlußfolgerung und die Beurteilung. Mit Hilfe der geistigen und sensorischen Wahrnehmung erfahren wir eine bestimmte Situation. Zum Beispiel könnte es sein, daß wir beim Tauchen zwischen der Flora und den Muscheln auf dem Meeresgrund eine schöne weiße Perle entdeckt haben. Der Verstand, der das Input aus den Sinneswahrnehmungen aufnimmt, stürzt sich sofort auf eine Schlußfolgerung oder pflegt zumindest eine Annahme, nämlich die, daß es sich bei der schönen, schillernden Perle um eine echte Perle handelt. Später, wenn wir die Perle aus der Tiefe hochgeholt haben und sie zu verkaufen versuchen, entdecken wir, daß unsere „echte Perle" einfach nur ein Spielzeug von keinerlei finanziellem Wert ist. Erbost, weil wir es uns erlaubt haben, Hoffnungen aufzubauen, werfen wir die Perle weg und denken: „Wie ist dieser nutzlose Ramsch nur auf den Meeresgrund gelangt?" Die Antwortet lautet natürlich, daß egal, wie er dorthin gekommen ist, er uns sicherlich eine gute Lektion vermittelt hat, nämlich die, niemals voreilige Schlußfolgerungen zu ziehen oder Annahmen zu pflegen.

Wenn der Verstand sich auf eine Schlußfolgerung gestürzt hat, dann entläßt er diese Erfahrung unmittelbar in das Ahamkara, das es seinerseits speichert. Die Bezeichnung „stürzen" wird im wörtlichen Sinne gebraucht, um die Kluft zwischen einem potentiell kognitiven Zustand (der unmittelbar, nachdem eine Sinneswahrnehmung aufgenommen worden ist, eintritt) und dem Zustand der Amnesie (des vollkommenen Vergessens unseres kognitiven Zustands) zu verdeutlichen.

Dieser Prozeß des Schlußfolgerns ist eigentlich eine Form der Mutation unserer innewohnenden kognitiven Fähigkeit. Wenn eine Wahrnehmung gültig ist, was bedeutet, daß das, was wir sehen, hören usw. tatsächlich real ist, ohne Verfälschung oder Veränderung des Vorfalls, dann tritt die Notwendigkeit, Schlußfolgerungen zu ziehen, nicht auf. Nur dann, wenn wir nicht sicher sind, was wir erfahren, drängen wir den Prozeß in den Bereich der Schlußfolgerungen. Schlußfolgerungen können potentiell gültige Situationen ungültig machen. Das geschieht, wenn das Gefühl für Erkenntnis bei einer Person so schwach ausgeprägt ist, daß sie alles als falsch wahrnimmt. Schlußfolgerungen können potentiell gültige Situationen ungültig machen. Schlußfolgerungen werden fast immer aus ungültigen, nicht wahrhaftigen oder nicht realen Situationen gezogen.

Als Menschen können wir die Notwendigkeit unserer sensorischen und mentalen Mechanismen nicht leugnen, da wir innerhalb der physikalischen Prinzipien von Raum und Zeit existieren. Daher müssen wir wachsam bleiben und es unterlassen, Schlußfolgerungen zu ziehen. Sobald diese Regel eingehalten wird, werden alle Wahrnehmungen richtig in den Gedächtnisspeichern von Ahamkara aufgenommen und als gültige Erinnerungsimpulse, die uns später in ähnlichen Umständen nützen können, abgespeichert.

Um zu unserer hypothetischen Entdeckung der Perle zurückzukehren, die richtige Vorgehensweise würde so aussehen, daß man die Frage nach ihrer wirklichen Natur offenläßt, bis die angemessene Überprüfung vorgenommen worden ist. Auf diese Weise würde es keine Enttäuschung geben, wenn sich herausstellt, daß es sich nicht um eine echte Perle handelt. Die Enttäuschung ist ein Produkt der Erwartungen, die aus Schlußfolgerungen aufgebaut werden. Es spricht jedoch vieles dafür, daß wir, wenn wir uns der Schlußfolgerung enthalten hätten, daß es sich bei der Perle um eine echte Perle handelte, entdeckt hätten, daß die Perle tatsächlich echt war.

Die Rolle der indirekten Wahrnehmuung im erfahrungsorientierten Gedächtnis

Wir erleben Wahrnehmung hauptsächlich auf zwei Wegen, nämlich direkt und indirekt. Die direkte Wahrnehmung tritt wie in dem gerade angeführten Beispiel dann auf, wenn einer oder mehr Sinne direkt von einer bestimmten Situation in Anspruch genommen werden. Die indirekte Wahrnehmung tritt auf, wenn wir eine Situation indirekt erleben – durch Gerüchte, indem wir etwas darüber lesen usw. In Fällen der indirekten Wahrnehmung sind wir noch stärker gewarnt, wachsam zu bleiben und äußerste Diskretion zu wahren, obwohl es sehr viel leichter ist, Schlußfolgerungen in Angelegenheiten zu ziehen, die andere und nicht einen selbst betreffen. Wenn man mir zum Beispiel gesagt hätte, daß mein Kollege Harry unserer Organisation Geld gestohlen hätte, dann hätte ich infolge dieser Aussage angenommen, daß „Harry ein Dieb ist" und ihn bereits verurteilt. Selbst wenn Harry auf frischer Tat mit dem Geld in der Hand ertappt worden wäre, dann könnte ich niemals sicher sein, daß er einen Diebstahl begangen hätte, wenn ich nicht die vollkommene Erkenntnis meiner selbst besäße. Es ist also besser, niemals Schlußfolgerungen in irgendeiner Angelegenheit zu ziehen, denn der Zustand der Selbsterkenntnis ist ein sanfter Zustand, der von Mitgefühl anderen Menschen gegenüber geprägt ist. Bemühen Sie sich, die Wahrheit als kognitives Wesen zu entziffern, egal mit welchem Ergebnis. Im menschlichen Leben gibt es immer mildernde Umstände. Jeder Mensch ist zu irgendeiner Zeit und an irgendeinem Ort von Gefühlen der Hoffnungslosigkeit, Angst, Habgier usw. überwältigt worden. Wenn wir die Maxime der menschlichen Rücksichtnahme kennen, dann können wir Harry unsere Hilfe anbieten, wenn wirklich er es war, der das Verbrechen begangen hat. Es einfach zu unterlassen, eine Schlußfolgerung zu ziehen, wird Harry helfen, da ihm das Universum auf energetischem Wege unsere Schwingungen des Mitgefühls zukommen lassen wird.

Die gegenwärtige Norm lautet nicht nur zu folgern, daß „Harry ein Dieb ist", sondern dann noch weiter Salz in die Wunde zu streuen, indem wir ein Urteil fällen wie: „Harry ist darüber hinaus auch noch ein Schnorrer". Obwohl es äußerst anstrengend ist, sich darin zu üben, keine Schlußfolgerungen zu ziehen, ist es überraschend festzustellen, eine wie große Zahl von Schlußfolgerungen und Urteilen wir Minute für Minute und an jedem Tag zurückholen können. Selbst die sprachliche Formulierung, die wir benötigen, um ein potentielles Urteil neuzuformulieren, entzieht sich uns oft; so fest sind das gewohnheitsmäßige Äußern von Schlußfolgerung und Urteilen in unserem Geist verankert.

Die meisten Situationen lösen sich auf, wenn wir es dem natürlichen Fluß der universellen Energie erlauben, auf alle Lebensentscheidungen einzuwirken. Wenn unsere Wahrnehmungen genau sind und keine Schlußfolgerungen gezogen werden, dann verfügen wir über überdurchschnittlich gute Möglichkeiten, um selbst die abscheulichsten Vorkommnisse mit Anmut zu lösen. Auf diese Weise reifen wir nicht nur, sondern der oder die Schuldigen können es ebenfalls tun. Ohne eine Schlußfolgerung kann kein Urteil gefällt werden.

Die Veden, eine Quelle der Weisheit, raten uns, niemals eine Schlußfolgerung zu ziehen, unabhängig von der scheinbaren Genauigkeit unserer Wahrnehmung bei einer bestimmten Erfahrung. Es ist weitaus besser, es einer Situation zu erlauben, in ihrer eigenen Zeit zu reifen, so daß Ahamkara nicht mit ungültigen Daten überladen wird. Wenn unsere Erinnerungsdaten mit ungültigen Schlußfolgerungen vollgestopft sind, dann blockieren wir unseren göttlichen Zugang zu unserer eigenen kognitiven Natur. Wenn Ahamkara nur nachprüfbare Erinnerungen enthält, die den Test der Zeit durch alle früheren Leben bestanden haben, dann sind wir in der Lage, uns an unsere kognitive Natur zu erinnern. Die Rückstände aller gültigen Erfahrungen werden geordnet und dienen dazu, geistige Klarheit und Gleichmut zu fördern. Der natürliche Rhythmus unserer Energie schützt und leitet uns durch dick und dünn, durch Licht und durch Dunkelheit.

Das kosmische Gedächtnis

Wenn ein Fohlen Momente nach seiner Geburt auf seinen langen, schlaksigen Beinen herumschwankt, dann trägt es die Erinnerung seiner Art vom ersten Pferd an in sich. Wenn die Palme ihre Frucht fallenläßt, wird der Same von der Erde geschluckt und eine andere Palme wächst zu stolzer Höhe heran. Wenn eine Bergziege der Schwerkraft trotzt, indem sie kopfüber an dem überstehenden Rand eines Himalayagipfels hängt, dann gehorcht sie der Tapferkeit, die durch die Verfeinerung ihrer Art über Milliarden Jahre hinweg in ihren Füßen verankert ist. Bewahren, verfeinern und durch die Beibehaltung der kosmischen Erinnerung auftauchen – das ist die natürliche Ordnung des Lebens.

Das kosmische Gedächtnis trägt das gesamte Universum und das kognitive Gedächtnis trägt die Reisen aller Arten. Jede Art ist von Beginn ihrer Reise an durch jede Wiedergeburt hindurch vom kognitiven Gedächtnis durchdrungen. Das kosmische Gedächtnis ist die kollektive Erinnerung aller Arten, jeglicher Materie und Energie im gesamten Universum, die über die Zeit hinweg verfeinert worden ist. Es ist die kumulative universelle Erfahrung, die von den ersten Einzelheiten der Manifestation durch die Gegenwart in die vollkommene Zukunft hinein verfeinert worden ist. Das kosmische Gedächtnis ist unsere universelle Natur, die für immer mit unserer persönlichen Erkenntnis resoniert. Der Kosmos und der Körper sind Varianten desselben Energiemusters. Energie und Informationen fluktuieren unaufhörlich zwischen den Geweben des Körpers und den verschiedenen Schichten des Kosmos.

Das kognitive Gedächtnis ist untrennbar mit dem kosmischen verbunden und enthält ebenfalls die Abdrücke aus Vergangenheit, Gegenwart und Zukunft. Es ist jedoch leichter für uns, auf die kognitive Vergangenheit und auf gegenwärtige Erfahrungen zurückzugreifen als auf zukünftige, weil wir noch nicht über die früheren Anhaftungen an zukünftige Erfahrungen verfügen, die diese erschaffen. In diesem Sinne könnte man sagen, daß wir, obwohl die kosmische Erinnerung unsere kognitiven Erinnerungen direkt beeinflußt, keinen direkten Zugang zu den kosmischen Erinnerungen haben, ohne daß wir unseren normalen Bewußtseinszustand verändern.

Die Atemstille

Die Atemstille, die auf Sanskrit *Samadhi* heißt, ist eine uralte Praxis der Atemkontrolle, die uns von den vedischen Sehern übermittelt worden ist. Sie ist der Zustand, in dem der Yogi, also jemand, der sein Leben der Ausübung der Sadhanas gewidmet hat, die ihn darin unterstützen, die Vereinigung mit Gott zu erreichen, alle erfahrungsorientierten Erinnerungen von Geist und Sinnen ebenso auflöst wie alle Stimuli aus der äußeren Welt und vollkommen in den kognitiven Zustand eintaucht. Nach langer, beständiger Übung und mit der überreichlichen Gnade Gottes soll der Yogi in der Lage sein, die höchste Form von Samadhi zu erreichen, wo nicht nur die kognitiven Ebenen (die die Gesamtheit vergangener und gegenwärtiger Leben tragen) erobert worden sind, sondern auch der kosmische Zustand, der die Gesamtheit unserer vergangenen, gegenwärtigen und zukünftigen Samskaras bzw. karmischen Abdrücke trägt. Man sagt, daß nur dann, wenn der Zustand der Selbsterkenntnis ***und*** der kosmische Zustand vollkommen transzendiert worden sind, die Vereinigung des Yogi mit dem reinen Bewußtsein abgeschlossen ist. Mit dieser Vereinigung werden alle möglichen Materialien und Schwingungen für zukünftige Wiedergeburten auf allen Ebenen der Existenz vollkommen aufgelöst.

Die zeitlose Natur

Ein zeitloser Geist ist ein Geist,
Der seine Aufmerksamkeit auf die Ewigkeit richtet,
Auf den Geist, der weder Anfang noch Ende in der Zeit hat.
Wenn sich unser äußerer Bezugspunkt vom Ego auf den zeitlosen Geist
Verschiebt, dann durchbrechen Sie die Barriere der Zeit und beginnen,
Die Zeit als quantifizierte Ewigkeit zu erfahren und die Sterblichkeit
Als quantifizierte Unsterblichkeit. Wenn Sie beginnen, die Zeit
Als quantifizierte Ewigkeit zu erfahren, dann wird der Körper alterslos,
Weil Körper und Geist untrennbar sind. Wenn die Zeit stillsteht,
Dann steht auch die biologische Uhr still.

Dr. med. Deepak Chopra
(Interview, Yoga Journal, *Sept./Okt. 1993)*

Es erfordert nicht nur ungeheure Disziplin und die Ausrichtung der Aufmerksamkeit auf einen Punkt, um das letzte Ziel von *Moksha* (das Ende der Zyklen der Wiedergeburt) zu erreichen, sondern auch die vollkommene Gnade des Herrn. Das Überschreiten der Barrieren des Lebens in die Zeitlosigkeit hinein ist das letztendliche Geburtsrecht jedes Menschen. Was wir jedoch tun müssen, bevor das passieren kann, ist, unsere kognitiven Erinnerungen zu läutern und sie für uns selbst verfügbar zu machen. Jeder Mensch ist in jeder Phase in der Lage, durch das Praktizieren der Sadhanas die absolute Erkenntnis anzustreben und zu erreichen. Das befähigt uns, von neuem die kosmische Sprache des Selbst wachzurufen, die durch unsere menschliche Ignoranz gegenüber der Natur unterdrückt wurde. Das Universum stellt uns die vollständige Ausrüstung an gesunden Aktivitäten bereit, die, wenn wir sie täglich üben, unsere eigene strahlende Natur wiederbeleben können, so daß wir das Unsterbliche und Zeitlose wahrhaftig widerspiegeln.

Die Veden beschreiben unsere wirkliche Natur als grenzenlos und unsterblich. Diese Natur erfahren wir im Zustand der Selbsterkenntnis. In Samadhi wird unsere kognitive Natur zur vollen Realität der Zeitlosigkeit erweckt, die alle Ebenen der Existenz, die himmlische eingeschlossen, transzendiert. So kommt es zu einer vollständigen Überwindung der Sterblichkeit. Solange wir leben, schwanken wir zwischen der zeitlosen Natur unserer vollen Erkenntnis und der an die Zeit gebundenen Existenz unseres erfahrungsorientierten Zustands hin und her. Aufgrund der Zusammensetzung des physischen Körpers, des Geistes und der Sinne sind wir gezwungen, innerhalb einer Realität zu leben, die an die Zeit gebunden ist. Das schließt jedoch nicht aus, daß wir unser zeitloses Recht in Anspruch nehmen können, die Selbsterkenntnis zu wecken und sie als unseren heiligste Führerin einzusetzen, wenn wir die zeitgebundenen Straßen des Lebens überqueren.

Abschnitt II

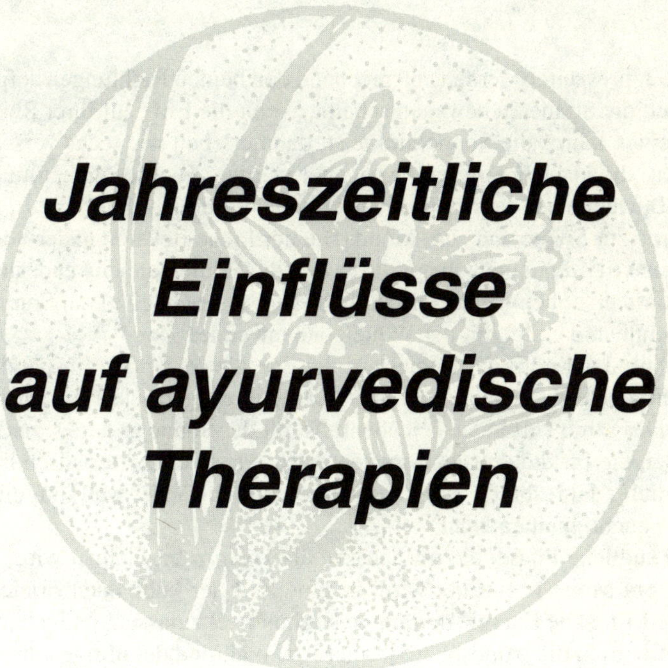

Jahreszeitliche Einflüsse auf ayurvedische Therapien

Kapitel drei

Die sechs Jahreszeiten

Teil eins

Nördliche und südliche Bewegungen der Sonne

Die Jahreszeiten werden entsprechend den beiden Richtungen definiert, in die sich die Sonne zu bewegen scheint. Wenn die Erde auf ihrer Reise während eines Jahres die Sonne umkreist, dann erleben wir sechs verschiedene Phasen, die als Jahreszeiten bezeichnet werden. Die nördlichen und südlichen Bewegungen der Sonne entstehen hauptsächlich durch die Beziehung der Erde zur Sonne und zum Mond. Die nördliche Bewegung der Sonne, die auf Sanskrit *Adana* heißt, beginnt zur Zeit der Wintersonnenwende und endet zur Sommersonnenwende. Die südliche Bewegung beginnt zur Sommersonnenwende und endet mit der Wintersonnenwende.

Während der nördlichen Phase ist die Energie der Sonne am stärksten; sie entzieht der Erde Feuchtigkeit und läßt sie in ausgetrocknetem Zustand zurück. Der Wind verbindet sich ebenfalls mit der Sonne und trägt zu der Rauheit bei, die für die drei Jahreszeiten dieser Phase charakteristisch ist. Während dieser Jahreshälfte neigt der Körper zu Schwäche, weil ihm die Sonne seine Feuchtigkeit entzieht.

Die südliche Phase, die im Sanskrit als *Visagra* bezeichnet wird, und die eher vom Mond beeinflußt wird, ist eine Zeit der kühlenden Erleichterung für die Erde. Die Energie der Sonne beginnt nachzulassen, und mehr Feuchtigkeit wird in die Atmosphäre freigesetzt. Während der übrigen drei Jahreszeiten neigt der Körper dazu, stärker und vitaler zu werden.

Die drei Jahreszeiten in der nördlichen Phase der Sonne

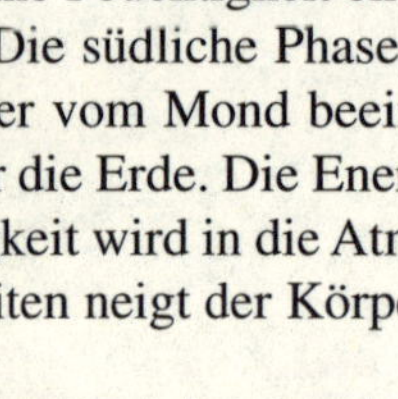

Spätwinter

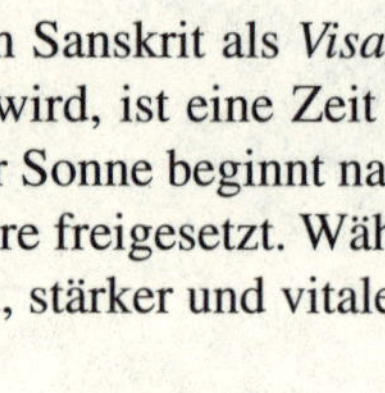

Frühling

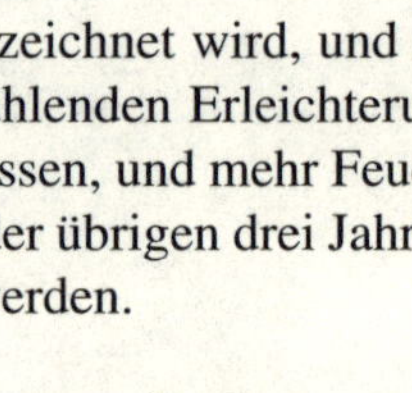

Sommer

Die drei Jahreszeiten in der nördlichen Phase der Sonne sind der Spätwinter, der Frühling und der Sommer. Vom Spätwinter, das heißt von Mitte Januar an, steigen die absorbierenden Wirkungen von Sonne und Wind progressiv bis Mitte Juni zum höchsten Stand der Sonne an, wenn die südliche Bewegung der Erde um die Sonne beginnt.

Aufgrund des rauhen Charakters der Sonne während der nördlichen Phase werden drei der sechs Geschmacksrichtungen drastisch verstärkt. Die bittere, zusammenziehende und scharfe Geschmacksrichtung haben ein einengendes und absorbierendes Wesen gemeinsam, die, wenn sie in Form von Nahrung Anwendung finden, den physischen Organismus weiter entleeren.

Die drei Jahreszeiten in der südlichen Phase der Sonne

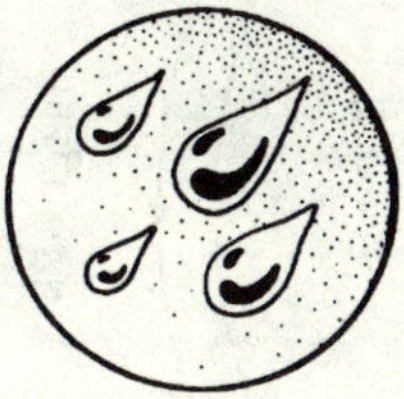

Regenzeit (Frühherbst)

Herbst

Frühwinter

Im Gegensatz zur nördlichen Phase leitet die südliche Bewegung der Sonne eine Zeit des Aufschubs für die Erdbewohner und die Vegetation der Erde ein. Diese Phase wird von der Mondqualität dominiert, die die Sonnenstrahlen beeinflußt, die auf die Erde treffen. Während dieser Zeit werden Sonne und Wind ebenfalls durch Wolken und Regen eingeschränkt, wodurch eine Phase der Kühlung ausgelöst wird, die zum Ende des Sommers beginnt. Die ungeheuren Kräfte der Sonne beginnen infolge des Verlaufes der Sonnenbewegung, Wolkenbildung und der Gegenwart von Wind und Regen nachzulassen.

Die drei Jahreszeiten, die durch die südliche Bewegung der Sonne entstehen, sind die Regenzeit oder der Frühherbst, der Herbst und der Frühwinter. Von Mitte Juni an bis zum Ende des Sommer nimmt die Hitze der Sonne progressiv bis zu ihrem Tiefststand Mitte November ab, wenn der Drei-Jahreszeiten-Zyklus der nördlichen Phase erneut einsetzt. Das Ende der südlichen Phase und der Beginn der nördlichen Phase markieren den wichtigsten Übergang der wechselnden Jahreszeiten.

Während der südlichen Phase wird das Wesen der drei verbleibenden Geschmacksrichtungen süß, sauer und salzig entscheidend verstärkt. Wenn sie im Körper Verwendung finden, tragen sie dazu bei, ihm Masse und Kraft zu verleihen.

Der zweitwichtigste Übergang zwischen den Jahreszeiten (wenn Adana zu Visagra übergeht) ereignet sich zwischen dem 8. und dem 24. Juni

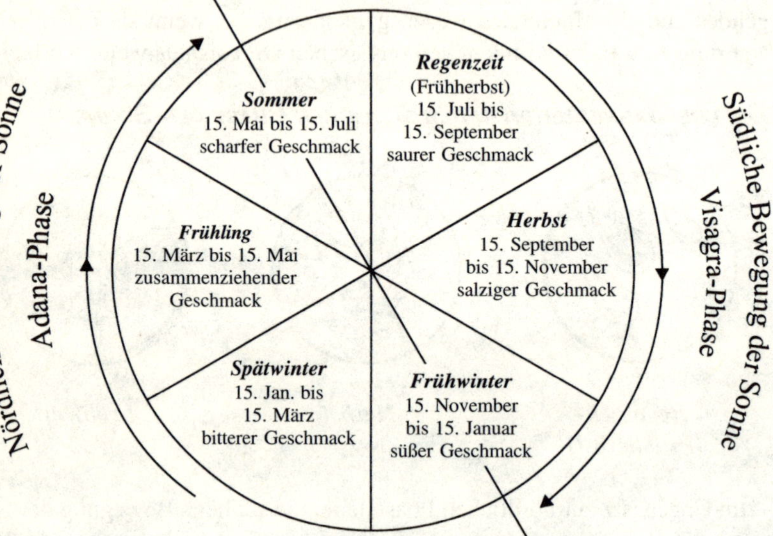

Der wichtigste Übergang zwischen den Jahreszeiten (wenn Visagra zu Adana übergeht) Yama Damstra ereignet sich zwischen dem 22. November und dem 9. Dezember

Tab. 4: Ayurwedisches Schaubild der sechs Jahreszeiten

TÄGLICHE UND JAHRESZEITLICHE ZYKLEN

DIE SIEBEN TÄGLICHEN ZYKLEN

Die Erde ist eine bewegliche Kraft, die die Sonne umkreist, genau so, wie der Mond die Erde umkreist. Die täglichen und jahreszeitlichen Zyklen entstehen durch die dynamische Beziehung der Erde zu Sonne und Mond.

	Vata	*Pitta*	*Kapha*
Morgengrauen	dominant	neutral	zunehmend
Morgen	abnehmend	zunehmend	dominant
Mittag	neutral	dominant	abnehmend
Nachmittag	zunehmend	abnehmend	neutral
Abenddämmerung	dominant	neutral	zunehmend
Früher Abend	abnehmend	zunehmend	dominant
Mitternacht	neutral	dominant	abnehmend

Vata:	dominant von 2.00 bis 6.00 Uhr und von 14.00 bis 18.00 Uhr
Pitta:	dominant von 10.00 bis 14.00 Uhr und von 22.00 Uhr bis 2.00 Uhr
Kapha:	dominant von 6.00 bis 10.00 Uhr und von 18.00 bis 22.00 Uhr

Tab. 5: Die sieben täglichen Zyklen der Doshas

Wir erleben jeden Tag sechs Phasen der Expansion und sechs Phasen der Kontraktion, die ausnahmslos von der Sonne kontrolliert werden. Im Morgengrauen, wenn der Sonnenaufgang unmittelbar bevorsteht, sind die trokkenen, kalten und beweglichen Aspekte von Vata, die sich im Laufe der Nacht angesammelt haben, vorherrschend. Bei Tagesanbruch beginnt die kühle und schwere Kapha-Energie aus dem Körper zu fließen, wenn wir uns nach der Nachtruhe erheben. Mittags, wenn die Sonne an ihrem höchsten Punkt steht und den Körper mit ihrer Hitze Kraft entzieht, herrscht Pitta vor. Am frühen Nachmittag, wenn die Sonnenergie abzunehmen beginnt, ist erneut die trokkene, kalte Energie von Vata vorherrschend. Bei Sonnenuntergang, wenn die Sonne am Horizont verschwindet, beginnt Kapha wieder in den Körper einzuströmen, um ihn zur Ruhe anzuhalten. Um Mitternacht schließlich, wenn die Sonne sich auf der anderen Seite der Erde befindet, herrscht wieder Pitta vor.

Die Körperhitze, die durch die vibrierenden Hitzewellen der Sonne kontrolliert wird, ist mittags und um Mitternacht am größten, also zu den Zeiten, zu denen sich Pitta auf dem Höhepunkt befindet, da das Feuer des Körpers natürlicherweise zu diesen beiden entscheidenden Übergangsphasen des Tages erhöht wird. Bei den Übergängen vom Tag zur Nacht und von der Nacht zum Tag wird der Körper sowohl von Vata als auch von Kapha beherrscht.

Zeit	*Dosha*	*Organ*
11.00 - 13.00	Pitta	Herz
13.00 - 15.00	Pitta	Dünndarm
15.00 - 17.00	Vata	Blase
17.00 - 19.00	Vata/Kapha	Nieren
19.00 - 21.00	Kapha	Herzbeutel
21.00 - 23.00	Kapha/Pitta	Körperhöhlen
23.00 - 01.00	Pitta	Gallenblase
01.00 - 03.00	Pitta	Leber
03.00 - 05.00	Vata	Lunge
05.00 - 07.00	Vata	Dickdarm
07.00 - 09.00	Kapha	Magen
09.00 - 11.00	Kapha/Pitta	Milz

Tab. 6: Der tägliche Zyklus der Organe und Doshas

Der tägliche Zyklus der Organe und Doshas

Wenn die Erde die Sonne umkreist, dann wird der menschliche Organismus von den dadurch entstehenden Energieschwankungen direkt beeinflußt. Jedes Organ und jedes Dosha ist für die dynamische Energie, die sich natürlicherweise während des Tages ansammelt, empfänglich, wobei in einem Zweistundenzyklus jeweils andere Doshas und Organe betroffen sind. Die Doshas sind darüber hinaus vom natürlichen Gang der Verdauung betroffen, wobei Vata, Pitta und Kapha jeweils einen spezifischen Aspekt dieses Prozesses kontrollieren.

	unmittelbar nach der Nahrungsaufnahme	***bei der Verdauung***	***nach der Verdauung***
Vata	neutral	zunehmend	dominant
Pitta	zunehmend	dominant	abnehmend
Kapha	dominant	neutral	neutral

Tab. 7: Das Verhalten der Doshas bei der Verdauung

Die Übergänge zwischen den Jahreszeiten

Dem Ayurweda zufolge nehmen alle Krankheiten an den Übergängen zwischen den Jahreszeiten ihren Anfang, weil die einzelnen Doshas zu dieser Zeit schnell aus dem Gleichgewicht geraten. Daher ist es ratsam, die Übergänge zwischen den Jahreszeiten sanft und sorgsam zu durchlaufen. Wie Sie in dem Kapitel über die ayurwedischen Reinigungstherapien entdecken werden, findet ein Großteil der inneren Reinigung und Heilung des Körpers zu dieser Zeit statt und ist in dem Bemühen entstanden, Körper und Geist neuzubeleben und wieder aufzufüllen. Das einzigartige Heilsystem des Ayurweda, Pancha Karma, ist entwickelt worden, um diesen natürlichen Prozeß zu erleichtern. Pancha-Karma-Behandlungen werden normalerweise an den Übergängen zwischen den sechs Jahreszeiten durchgeführt. Detaillierte Beschreibungen für den Übergang von einer Jahreszeit zur nächsten finden sich in den alten ayurwedischen Texten. Diese jahreszeitlichen Vorschriften können sie an späterer Stelle in diesem Kapitel nachlesen.

Während der Körper den vollen Jahreszyklus der nördlichen und südlichen Bewegung der Sonne miterlebt, erfährt er sechs verschiedene Variationen bei jedem der sechs Jahresübergänge. Diese Variationen verursachen Ungleichgewichte innerhalb der Doshas, weshalb die Übergänge zwischen den Jahreszeiten für eine Zeit großer Verletzlichkeit für den Körper gehalten werden. Die letzten sieben Tage der vorhergehenden Jahreszeit und die ersten sieben

Tage der nachfolgenden Jahreszeit gehören zur *Rtusandhi*, der Übergangsphase. Während dieser Tage sollten wir besonders wachsam sein und die notwendigen Anpassungen bei all unseren Aktivitäten, in unserer Arbeit, Nahrung, bei den Sadhanas usw. vornehmen.

Die sechs Jahreszeiten finden im frühen Winter (15. November bis 15. Januar), späten Winter (15. Januar bis 15. März), im Frühling (15. März bis 15. Mai), im Sommer (15. Mai bis 15. Juli), in der Regenzeit oder dem frühen Herbst (15. Juli bis 15. September) und im Herbst (15. September bis 15. November) statt. Der ayurwedische Kalender unterteilt diese Jahreszeiten in weitere zwölf Phasen. In Wirklichkeit hat jede Jahreszeit eine Früh- und eine Spätphase, so ist zum Beispiel die Frühphase des Frühlings vom 15. März bis zum 15. April, während die Spätphase vom 15. April bis zum 15. Mai geht. Die vierzehn Tage zwischen der frühen und der späten Phase jeder Jahreszeit werden als Übergangszeit innerhalb der Jahreszeit angesehen. Es gibt sechs Übergänge innerhalb der sechs Jahreszeiten.

Außerdem gibt es sechs Hauptübergangsphasen zwischen den einzelnen Jahreszeiten, zum Beispiel werden die vierzehn Tage zwischen Frühlingsende und Sommeranfang ebenfalls als jahreszeitliche Übergänge angesehen. Insgesamt gibt es zwölf Übergänge, sechs innerhalb der Jahreszeiten und sechs zwischen den Jahreszeiten. Letztere sind die bedeutenderen. Die Übergänge dienen in der ayurwedischen Medizin einem besonderen Zweck. Sie sind die Phasen, in denen die Körperzyklen und die Doshas am anfälligsten sind.

Krankheiten entstehen im Körper erstmalig zur Zeit der jahreszeitlichen Übergänge. Diese „Lücken" werden ernsthaft betrachtet, bevor der *Shodana*-Prozeß, das heißt die Therapien, die dazu dienen, die Abfallprodukte des Körpers in Form von Doshas auszuscheiden, durchgeführt werden.

Die Reinigungstherapien für Vata werden zweimal im Jahr durchgeführt: einmal während des jahreszeitlichen Übergangs der Regenzeit (Frühherbst) zwischen dem 22. Juli und dem 7. August, und schließlich noch einmal zwischen dem jahreszeitlichen Übergang vom Herbst zum Frühwinter. In den tropischen und subtropischen Klimazonen fällt diese Zeit zwischen den 8. und den 22. November. In der gemäßigten Zone wird dieser Übergang als längere Phase zwischen dem 20. Oktober und dem 20. November eingehalten. Der Grund dafür, daß in gemäßigten Klimaten diese Phase verlängert wird, ist darin zu sehen, daß die Durchführung der Therapie erleichtert werden soll, bevor die extreme Winterkälte einsetzt. Die Ausweitung der Therapie auf mehr als vierzehn Tage zu dieser Jahreszeit dient ferner dem Zweck, Zeit für die Reinigung der Pitta- und Vata-Doshas zu haben, deren Ausscheidungszyklen sich natürlicherweise während dieser Zeit abspielen. Kapha kann ebenfalls zu dieser Zeit gereinigt werden, da sich aufgrund der Feuchtigkeit der vorhergehenden Regenzeit Überschüsse angehäuft haben können. Das Ende des Herbstes wird also als günstige Zeit für die Reinigung und Wiederherstellung der Tridoshas angesehen.

In den tropischen und subtropischen Klimazonen stellen die vierzehn Tage zwischen Herbstende und dem Beginn des frühen Winters, das heißt die Zeit vom 22. November bis zum 9. Dezember, die günstigste Zeit zur Reinigung von Pitta-Überschüssen dar. Obwohl es in den Tropen keinen Winter gibt, wird diese Zeit hier aus praktischen Gründen als Frühwinter bezeichnet.

Der günstigste jahreszeitliche Übergang für die Ausscheidung von überschüssigem Kapha ist der Übergang vom Ende des Spätwinters zum Frühling vom 21. März bis zum 21. April. Auch diese Phase wird ausgeweitet, so daß sie zwei Phasen von jeweils vierzehn Tagen umfaßt, da Kapha die Tendenz hat, sich über den frühen und späten Winter hinweg anzuhäufen und so eine längere Auftauphase benötigt. Der Kapha-Dosha verflüssigt sich normalerweise vom Beginn bis zum Ende der Frühlingsphase und kann in dieser Phase zu einer beliebigen Zeit aus dem Körper ausgeschieden werden.

Obwohl es unter den klassisch-ayurwedischen Gelehrten Meinungsverschiedenheiten darüber gibt, was die richtige Zeit für die Durchführung der Pancha-Karma-Therapie sei, gibt es zumindest in einem Punkt Übereinstimmung. Charaka und Sushruta sind sich darin einig, daß die güngstigste Zeit für die Entfernung überschüssiger Doshas aus dem Körper das Ende der Jahreszeiten ihrer Verschlimmerung ist. Zu dieser Zeit haben die Doshas ihre flüssigste Konsistenz und können leicht aus den Geweben herausgezogen werden. So ist normalerweise der Beginn des Frühlings die beste Zeit, um Kapha-Überschüsse zu behandeln, und das Ende des Herbstes ist die beste Zeit, um den Körper von Vata- und Pitta-Überschüssen zu reinigen. Wie bereits erwähnt, kann Vata ebenfalls an dem zentralen Übergang zwischen der frühen und der späten Phase der Regenzeit eliminiert werden. Auf diese Weise werden die Überschüsse der Doshas geschwächt, bevor sie sich im Körper als Krankheiten einnisten können. Die Reinigungstherapien werden nicht einmal in den ihnen entsprechenden Jahreszeiten verabreicht, wenn das Wetter extrem kalt oder extrem heiß ist.

Der Hauptzweck der Pancha-Karma-Reinigungstherapien besteht darin, die Körpergewebe zu überreden, ihren Abfall freizugeben, und die natürliche Funktion von Körpergeweben und Doshas wiederherzustellen. Den ayurwedischen Sehern zufolge sind die Körpergewebe zu Zeiten der jahreszeitlichen Übergänge eher bereit, *Ama*, die übelriechenden, unverdauten Stoffe, die sich in den Geweben abgelagert haben, freizusetzen. Zu dieser Zeit reagiert der Körper auf die natürlichen Einflüsse der sich ändernden Jahreszeiten und ist gleichzeitig verletzlich und geschmeidig. Die Anwendung dieser Therapien mit tief reinigender und heilender Wirkung soll Körper und Geist dazu bringen, sich ihrer Überschüsse, Gifte usw. zu entledigen. So wird Ama von den dazu bereiten Geweben des Körpers freigesetzt und gelangt in den Verdauungstrakt, von wo aus es dann aus dem Körper ausgeschieden wird. Auch jede übermäßige Blockierung des Geistes wird im Laufe dieses Prozesses entfernt.

Wenn auf der anderen Seite diese Behandlungen zur falschen Jahreszeit oder Zeit durchgeführt werden – zum Beispiel dann, wenn das entsprechende Dosha dominant ist oder sich in der ersten Aufbauphase befindet – dann kann dem Körper geschadet anstatt geholfen werden. Das liegt daran, daß der Körper nicht immer bereit ist, sich seiner Abfallstoffe und Gifte zu entledigen, so daß unkorrekte Reinigung oder Reinigung zur falschen Zeit *Ama* sogar dazu zwingen kann, sich noch tiefer in den Geweben einzunisten.

	Anhäufung	***Verschlimmerung***	***Linderung***
Vata	Sommer	Regenzeit (Frühherbst) Spätwinter	Herbst
Pitta	Regenzeit	Herbst Regenzeit (Frühherbst)	Frühwinter
Kapha	Frühwinter	Frühjahr Regenzeit (Frühherbst)	Sommer

Tab. 8: Die Jahreszeiten der natürlichen Anhäufung, Verschlimmerung und Linderung

Teil drei

Jahreszeitliche Reinigungstherapien für jedes Dosha

Vata – Die Jahreszeiten der Verschlimmerung

Die Regenzeit (Frühherbst)

Während der Regenzeit gibt die Erde mehr Gase an die Atmosphäre ab, und dieser Prozeß verschlimmert tendenziell Vata. Eine weitere Verschlimmerung wird durch die Feuchtigkeit der Regenzeit und den höheren Säuregehalt des Wassers zu dieser Zeit herbeigeführt. Die Regenzeit tritt zu einer Zeit ein, wenn der Körper am tiefsten Punkt seiner Vitalität angelangt ist, nachdem er die lange, harte Zeit der nördlichen Phase ertragen hat. Obwohl die Regenzeit den Beginn der südlichen Phase, einer Phase der Stärkung, markiert, ist der Körper immer noch zu verletzlich, um dem Angriff der Regenfälle standzuhalten.

Das Vata-Dosha überschreitet sehr schnell seine Grenzen und ist somit das ganze Jahr über in gewissem Maße belastet. Es benötigt jedoch besondere Hilfe zum Ende der Phase der größten Verschlimmerung, die im Sommer beginnt und die gesamte Regenzeit über andauert. Die erste jährliche Reinigungsphase von Vata liegt also zwischen der Früh- und der Spätphase der Regenzeit.

Obwohl die Hauptjahreszeit der Linderung von Vata die Regenzeit (Frühherbst) ist, liegt die nächste günstige Reinigungsphase am Ende des Herbstes. In gemäßigten Klimaten, in denen es keine festgelegte Regenzeit gibt, tritt die Beeinträchtigung von Vata aufgrund der nördlichen Bewegung der Sonne ebenfalls zu dieser Zeit auf; daher gelten dieselben jahreszeitlichen Empfehlungen.

Der Spätwinter

Der Spätwinter ist die nächste Jahreszeit, in der Vata im allgemeinen gelindert wird. Die extreme Kälte des Winters verstärkt die ohnehin schon kalte Natur von Vata und der Körper benötigt das größte Ausmaß an physischer Wärme und nährenden Nahrungsmitteln. Wenn der Körper nicht reichlich gewärmt oder ernährt wird, beginnt er, seine eigenen Gewebe zu verzehren, und als Folge davon verschlimmert sich Vata. Nährende, warme Nahrungsmittel mit saurem, süßem und salzigem Geschmack werden empfohlen, um Vata in dieser Jahreszeit auszugleichen. Heilende Halbedelsteine wie Opal, Topas und Beryll und Aromen wie Rose, Minze und Jasmin können zu dieser Zeit verwendet werden. Ayurwedische Massagen, eine warme Umgebung und warme Kleidung sowie verringerte sexuelle Aktivität werden als äußerst wichtig angesehen, um das Gleichgewicht von Vata in dieser Jahreszeit zu erhalten.

Obwohl es in den tropischen und subtropischen Klimazonen zu dieser Zeit einige kühlende Einflüsse gibt, gelten die in diesem Buch für den Spätwinter empfohlenen Reinigungsprogramme für diese Zonen nicht.

Sommer

Vata kann während des Sommers aufgrund der durch die Sonnenhitze verursachten Verminderung von Kapha im Körper leicht beeinträchtigt werden. Wenn Kapha zu stark reduziert ist, leidet Vata, da Kapha den notwendigen Puffer für den mageren und sprunghaften Vata-Charakter bildet.

Vata kann zu dieser Zeit durch leichte, kühle, nährende und süße Nahrungsmittel genährt werden, ebenso wie durch sanfte tägliche Routinemaßnahmen, verminderte sexuelle Aktivität, Edelsteine wie Perlen, Opal und Amethyst, durch Aromatherapie, sanfte Körperabreibungen usw.

Herbst

Das Ende des Herbstes wird im allgemeinen als die Zeit angesehen, in der alle drei Doshas von ihren Überschüssen befreit werden können. Wenn also die Vata-Beschwerden nicht während der Regenzeit gelindert wurden, können sie durch die Ausscheidungstherapien zum Ende des Herbstes entfernt werden.

In dem Versuch, eine bestimme Zeit als beste Zeit für die Reinigung aller drei Doshas festzulegen, haben Ayurweda-Ärzte in den Vereinigten Staaten, Europa und England Pancha Karma hauptsächlich im Herbst angewendet und zufriedenstellende Ergebnisse erzielt. Wir sollten uns jedoch bewußt sein, daß wir nicht erwarten können, diese einzigartige, dynamische Kunst vollkommen zu standardisieren, ohne die Ergebnisse negativ zu beeinflussen, was sich in vielen Fällen als gesundheitsschädigend erweisen kann. Diese Therapien sollen auch mit der ursprünglichen Verwendung von Materie, Energie und Zeit in Einklang stehen. Daher sollten sie nicht mit Geräten durchgeführt werden, die elektrische Energie benötigen; sie sollten nicht zur falschen Zeit durchgeführt werden, und man sollte auch keine unnatürlichen oder ungeeigneten Substanzen verwenden.

Ayurweda stellt uns ein umfassendes und erhellendes Mandala von Heiltherapien zur Verfügung. Obwohl viele seiner Techniken heute nicht mehr bekannt sind, haben wir das Glück, daß wir immer noch über praktische Kenntnisse in bezug auf Pancha Karma und seine unterstützenden Therapien verfügen. Die Pancha-Karma-Therapien umfassen Behandlungen, die die verschlimmerten Doshas reinigen und eliminieren, ebenso wie verjüngende und wiederherstellende Sadhanas, die Geweben und Doshas helfen, ihren Gleichmut wiederzugewinnen.

Die Therapien und die richtige Zeit für ihre Anwendung werden im folgenden erläutert. Weitere Details finden Sie in dem Abschnitt über die eigentlichen Behandlungsmethoden und Sadhanas. Diese Therapien können von allen Körpertypen in Übereinstimmung mit dem Verhalten der Doshas verwendet werden.

Jahreszeitlicher Reinigungsplan für Vata

Klima	*Jahreszeit*	*Datum*
gemäßigt und tropisch	Übergang von Sommer und Regenzeit (Frühherbst)	24. Juli bis 7. August
tropisch	Herbstende	8. bis 20. November
gemäßigt	im Laufe des Herbstes*	20. Oktober bis 20. November

**Anmerkung:*
Die Reinigung zu dieser Zeit muß vor Yama Damstra (vgl. Erklärung auf S. 109) erfolgen.
*Da der Herbst eine der beiden Hauptübergangszeiten des Jahres ist (die andere ist der Frühling), wird die Reinigungszeit im Herbst auf eine längere Phase ausgedehnt als nur die Übergangsphase zwischen Herbst und Frühwinter.

Die jahreszeitlichen Reinigungstherapien für Vata

Vasti-Therapie: Die ayurwedische Anwendung von Einläufen aus pflanzlichen Abkochungen ebenso wie von arzneilichen Öleinläufen, um überschüssiges Dosha aus dem Dickdarm zu entfernen. Abkochungen für Einläufe werden aus Kräutern wie Schwarzwurz, *Dashamula*, *Gotu Kola* und Lakritze gewonnen. Der Sesamöleinlauf wird gewöhnlich separat durchgeführt. Diese Einläufe lenken die Apana-Luft zu ihrem normalen Abwährtsfluß zurück und harmonisieren Vata-Ströungen im Körper.

Pinda Sweda: Die ayurwedische Anwendung der Therapie mit feuchten Umschlägen, um den Körper gründlich zu kräftigen.Diese Therapie regt die lebenswichtigen Gewebe und Organe an und lindert gleichzeitig körperliche Schmerzen. Die Sweda-Therapie führt darüber hinaus zur Erweckung des zellulären Gedächtnisses und macht den Geist angstfrei.

Abhyanga: Die Anwendung des ayurwedischen Massagesystems unter Verwendung von arzneilichen Ölen aus Kräutern, Sesamöl, Sandelholzpaste usw. Abhyanga ist eine sehr wichtige ayurwedische Technik, die verwendet wird, um den Gleichmut im Muskelsystem des Körpers wiederherzustellen. Da diese Massage auch das natürliche „Valium" im Körper anregt, fördert Abhyanga die innere Ruhe und die Stärke der Gliedmaßen.

Shirovasti: Die ayurwedische Technik, bei der der Kopf mit arzneilichem Öl übergossen wird, das dort eine Weile verbleibt. Diese Therapie fördert die geistige Klarheit, sie regt das kognitive und das erfahrungsorientierte Gedächtnis an und belebt den Körper vollkommen neu.

Shirobhyanga: Die ayurwedische Anwendung von arzneilichen Ölen am Kopf. Verschiedene ayurwedische Kräuter wie *Madhuka*, *Kesare* oder *Devadaru* werden als Vorbereitung für Shirobhayanga in Sesamöl gekocht. Dann wird der Kopf ausgiebig mit dem Öl massiert, was den Sinnesorganen Leben und Gleichgewicht verleiht und den gesamten Körper verjüngt.

Eine detaillierte Darstellung dieser und anderer Heilverfahren für Vata findet sich in den Abschnitten über die Reinigungstherapien und die verjüngenden Sadhanas in diesem Buch.

Pitta – Jahreszeiten der Verschlimmerung

Herbst

Angehäuftes Pitta aus der Regenzeit verschlimmert sich im Herbst, einer Zeit, in der das Verdauungsfeuer bereits außerordentlich stark von der langen und trockenen Zeit der vorangegangenen nördlichen Phase beeinträchtigt ist. Pitta wird weiterhin durch die extremen Bedingungen der Regenzeit, die dem Herbst vorausgeht, beeinträchtigt. Wenn sich durch die Sonneneinstrahlung der Himmel aufzuklären beginnt und so die notwendige Hitze bereitstellt, um die Feuchtigkeit der gerade vergangenen Regenzeit zu verdunsten, dann beeinträchtigt sie das verletzliche Pitta und führt dazu, daß die Verdauung und das Blutsystem leiden. Zu dieser Zeit dämpft die Feuchtigkeit, die Pitta während der Regenzeit angesammelt hat, das Verdauungsfeuer und führt zu Appetitverlust.

Damit Pitta seine normalerweise hervorragende Verdauungsleistung wiederherstellen kann, wird die ayurwedische Purgiertherapie *Virechana* empfohlen (siehe unten). Die beste Zeit im Herbst für jede Art von Reinigungstherapie ist das Ende der Anhäufung von Pitta, also die letze Phase der Jahreszeit, wenn der Dosha am flüssigsten ist. In tropischen und subtropischen Klimaten ist die beste Zeit das Ende des Herbstes.

Die Regenzeit

Es gibt viele ayurwedische Heiltherapien, die, obwohl sie weder Bestandteil von Pancha Karma noch der Heilkräutertherapien sind, während der Regenzeit und der gesamten Herbstzeit angewendet werden können. Hierzu gehören Massagen für den Pitta-Typ, die Verwendung aromatischer und kühlender Öle wie Kokosöl kombiniert mit Sandelholzessenz, das tägliche Bürsten des Körpers, das Umschalten auf mildere und harmonischere Aktivitäten, besonders in der Anfangsphase der Verletzlichkeit des Doshas; Aromatherapie mit Ölen wie Minze, Lakritze, Sandelholz, Jasmin oder Vetiver, um Geist und Magen zu beruhigen; heilende Edelsteine wie Perlen, Koralle, Smaragde oder Kristalle.

Jahreszeitlicher Reinigungsplan für Pitta

Klima	*Jahreszeit*	*Datum*
gemäßigt	während des Herbstes*	20. Oktober bis 20. November
tropisch	Herbstende	8. bis 20. November

Anmerkung:
*Die Reinigung vor dieser Zeit muß vor Yama Damstra durchgeführt werden (vergleichen Sie die Erklärung auf S. 109).

Die jahreszeitlichen Reinigungstherapien für Pitta

Virechana-Therapie: Die Anwendung von ayurwedischen Purgiermitteln, um die unteren Kanäle des Körpers zu klären. Diese Therapie trägt dazu bei, das Blut zu regenerieren und Magen, Schweißdrüsen, Dünndarm, Dickdarm, Nieren, Leber und Milz zu reinigen. Substanzen wie Psylliumschalen, Rizinusöl, Sennesblätter, Kuhmilch mit Ghee, Flachssamen, Trivrit und Triphala werden verwendet, um die Purgierung einzuleiten.

Rakta Mosha: Obwohl diese Therapieform, die normalerweise Aderlaß heißt, im heutigen Indien selten verwendet wird und in den Vereinigten Staaten und in Europa illegal ist (in Deutschland ist der Aderlaß – vom Arzt oder Heilpraktiker durchgeführt – erlaubt. A. d. L.), ist diese Therapieform, wenn sie korrekt durchgeführt wird, ein wirksames Mittel, um Giftstoffe aus dem Blut zu entfernen. Giftstoffe, die sich unter der Haut und um die Marma-Punkte (den Energieknotenpunkten der Körpermeridiane) herum angesammelt hatten, wurden allgemein durch den Prozeß des Aderlasses eliminiert.

Da sich Pitta in den Abfallprodukten des Blutes manifestiert, werden viele Hautleiden wie Ausschlag, Ekzeme und Akne durch Gifte verursacht, die im Blutsystem kreisen. Das Abzapfen einer kleinen Menge Blutes aus der Vene vermindert die Blutveränderung die durch diese Giftstoffe verursacht wird. Die innere Anwendung bestimmter bitterer Kräuter wie Neem, Löwenzahnblätter, Klettenwurzel, Kalmus-Wurzel und Kurkuma kann ebenfalls zur Reinigung des Blutes genutzt werden.

Shirodhara: Die Anwendung einer Abkochung wie arzneilichem Ghee und Buttermilch, Zuckerrohrsaft und pflanzlichen Ölen auf der Stirn, um Geschwürbildungen in Kopf und Körper sowie ein brennendes Gefühl im Kopf bzw. Kopfschmerzen zu lindern. Bei der traditionellen ayurwedischen Anwendung liegt die betreffende Person auf einem großen, abgelagerten Baumstamm. Ein Gefäß namens Dhara Chatti, das einem großen Trichter ähnelt oder ein Dhara Patra, ein Topf mit einem Loch im Boden, werden benutzt, und durch diese wird das arzneiliche Öl rhythmisch auf die Mitte der Stirn getropft und zwar auf die Stelle, an der sich das dritte Auge befindet. Shirodhara ist eine schöne Therapie, die unseren kognitiven Zustand weckt und den gesamten Körper in einen Zustand der Ruhe versetzt. Die Therapie wird angewendet, um alle drei Doshas ins Gleichgewicht zu bringen. Zu diesem Zwecke werden diejenigen arzneilichen Öle und Substanzen benutzt, die am besten zu den verschiedenen Doshas und Leiden passen.

Eine detaillierte Darstellung dieser und anderer Heilverfahren für Pitta findet sich in den Abschnitten über die Reinigungstherapien und die verjüngenden Sadhanas in diesem Buch.

Kapha – Die Jahreszeiten der Verschlimmerung

Frühling

Obwohl Kapha die größte Widerstandskraft aller drei Doshas besitzt, erlebt es seine Zerbrechlichkeit im Frühling. Nach den langen kalten und trägen Phasen des frühen und späten Winters beginnt Kapha aufzutauen, so daß sich die meisten der halbgefrorenen Abfallprodukte, die sich in den vorangehenden Jahreszeiten angehäuft haben, verflüssigen.

Kapha-Ungleichgewichte drücken sich durch Gefühle von Lethargie, Erkältungen, Mandel- und Halsentzündungen, Lungenkongestion, kalte Extremitäten usw. aus. Der Winter wechselt zum Frühling nahezu am Höhepunkt der nördlichen Phase der Sonne, wenn Stärke und Vitalität durch die Rauheit der Sonne oft abnehmen. Das Auftauen des flüssigen Abfalls im Körper verzögert das Verdauungsfeuer und den Stoffwechsel des Körpers, und aus diesem Grunde verstärken sich die potentielle Lustlosigkeit und Lethargie von Kapha. Die Zeit vor dem vollen Erblühen des Frühlings ist die beste Zeit für die gründliche Reinigung des Kapha-Doshas durch die Ausscheidungstherapien und verjüngende Sadhanas. Diese Prozesse erleichtern das überschüssige Dosha, wenn es sich in seinem flüssigsten Zustand befindet und noch nicht in Form von Krankheit im Körper verwurzelt ist. Dann hat Kapha genügend Zeit, um im Laufe der noch verbleibenden Frühlingszeit seine Kräfte aufzubauen.

Die Regenzeit

Kapha erlebt ähnliche Schwierigkeiten während der Regenzeit (Frühherbst), einer Zeit, in der sich der im Frühling ablaufende Prozeß umkehrt. Das Ende der Sommerhitze mit dem daraus folgenden Nachlassen der Kräfte wird durch die feuchte Kälte der Regenzeit aufgefangen. Aufgrund des reduzierten Kapha-Verdauungsfeuers kann erneut ein Gefühl von Lustlosigkeit vorherrschen und Kapha neigt stark dazu, Überschüsse im Körper anzuhäufen. Während dieser Zeit sind wiederauffüllende Therapien zur Erhaltung des Gleichgewichts von Kapha empfehlenswert. Hierzu gehören: der Jahreszeit entsprechende Nahrungsmittel; ayurwedische Massage mit Aguru-Öl, Inhalationstherapien unter Verwendung von Aromen wie Salbei, Eukalyptus, Pfefferminze und aromatischem Räucherwerk bzw. Räucherstäbchen; Collyrium, verschiedene Augensalben und heilende Edelsteine wie Smaragd, Lapislazuli, Rubin und Granat.

Jahreszeitlicher Reinigungsplan für Kapha

Klima	*Jahreszeit*	*Datum*
gemäßigt und tropisch	Ende des Spätwinters bis in den Frühling hinein*	24. März bis 21. April

Anmerkung:

Da der Frühling eine der beiden Hauptübergangszeiten des Jahres ist (die andere ist der Herbst), wird die Reinigungszeit im Frühling auf eine längere Phase ausgedehnt als nur die Übergangsphase zwischen Spätwinter und Frühling.

Jahreszeitliche Reinigungstherapien für Kapha

Vamana-Therapie: Vamana, auch als Brechtherapie bekannt, ist eine uralte therapeutische Methode, um die Ansammlung von Kapha aus den oberen Kanälen zu entfernen. Zum Beispiel werden am Morgen zwei Gläser Salzwasser oder eine pflanzliche Abkochung getrunken. Diese Lösung verschlimmert Kapha und führt Erbrechen herbei. Die Zunge wird normalerweise mit dem Zeige- und dem Mittelfinger gerieben, um den Brechreflex anzuregen. Vamana befreit Kongestion in den Lungen und führt zu unmittelbarer Erleichterung bei Asthma- und Bronchialasthmaanfällen. Vamana wird bei schweren Kapha-Störungen angewendet und hilft auch bei anderen Leiden wie Hautkrankheiten, Diabetes, chronischen Lungen- und Magenleiden, Stirnhöhlenkatarrh und Mandelentzündung. Ölmassagen und feuchte Umschläge, die am Abend vor der Brechtherapie auf die Brust gelegt werden, sind vorbereitende Schritte, um den Zustand herbeizuführen, der für diese Therapie am förderlichsten ist.

Nasya: Die Anwendung von Arzneien in Puder- oder flüssiger Form in der Nase. Das Puder wird mit Hilfe eines Schlauches in die Nase eingeführt, Flüssigkeit mit einer Pipette. Die Nase ist das Tor zu den zerebralen, sensorischen und motorischen Funktionen des Körpers. Störungen, die mit dem Prana-Strom in Verbindung gebracht werden, werden durch die Nasya-Therapie beseitigt. Kapha-Überschüsse in Hals, Nase, Stirnhöhlen und Kopf werden ebenfalls durch Nasya aus dem Körper entfernt. Pflanzliche Puder wie Gotu Kola und Shatavari werden je nach Dosha und Natur der Störung ebenso verwendet wie Substanzen wie Milch, Ghee, arzneiliche Öle, Ingwer und Knoblauch.

TEIL VIER

BEZIEHUNG ZWISCHEN DOSHAS UND JAHRESZEITEN

Die Doshas sind für den Körper, was die Jahreszeiten für die Erde sind. Sowohl Doshas als auch Jahreszeiten werden aus den fünf Elementen gebildet. Die elementaren Aspekte der Jahreszeiten sind der Weltraum, Wind, Sonne, Mond, Regen und Erde. In diesem Zusammenhang sind wir aufgefordert, das Zusammenspiel zwischen den Doshas und den jahreszeitlichen Einflüssen innerhalb der Vorherrschaft der fünf Elemente zu begreifen. Die Doshas sind nicht nur die dynamische Energie innerhalb des Körpers, sonderen sie werden in erster Linie durch jahreszeitliche Variationen beeinflußt. Die Kenntnis der Jahreszeiten ist für die Ausbalancierung der Doshas von großem Belang. Daher setzt ein gründliches Verständnis der Funktion der Doshas innerhalb des Körpers ein Verständnis für die Variationen innerhalb jeder Jahreszeit, der Übergänge zwischen den Jahreszeiten und der jährliche Wechsel der sechs Jahreszeiten voraus.

Diese abschließenden Überlegungen hängen mit Ihrem Körpertyp zusammen: die Geschmacksrichtungen, diejenigen Aktivitäten, die Ihren Körpertyp im Laufe des Jahres allgemein nähren, die notwendigen Veränderungen von einer Jahreszeit zur nächsten und die erforderliche tägliche und jahreszeitliche Reinigungsroutine für Körper und Geist. In vielen Fällen scheinen die zugeordneten jahreszeitlichen Geschmacksrichtungen und Eigenschaften widersprüchlich zu sein. Aus diesem Grunde wurden die folgenden Tabellen erstellt, die Ihnen dabei helfen sollen, Ihren Körpertyp mit seinen jahreszeitlichen Geschmacksrichtungen und Eigenschaften zu koordinieren.

JAHRESZEITLICHE GESCHMACKSRICHTUNGEN UND GESCHMACKSRICHTUNGEN DER KÖRPERTYPEN AUSGLEICHEN

Der scheinbare Widerspruch zwischen den Geschmacksrichtungen und Eigenschaften, die für jeden Körpertyp vorteilhaft sind, und den Geschmacksrichtungen und Eigenschaften, die durch die zyklische Natur der Jahreszeiten angedeutet werden, ist folgendermaßen zu verstehen: Wenn die Erde im Laufe eines Jahres die Sonne umkreist, dann wird die Hälfte des Jahres, die sogenannte nördliche Phase, stark von den Auswirkungen der Sonne beeinflußt, die der Erde ihren feuchtigkeitsspendenden Balsam entzieht. Infolge dieser absorbierenden Tätigkeit sind die Eigenschaften und Geschmacksrichtungen, die von der Vegetation der Erde vorwiegend produziert werden hauptsächlich bitter, zusammenziehend und scharf. Die Jahreszeiten, die diesen Geschmacksrichtungen entsprechen, sind der Spätwinter, der Frühling und der Sommer. Während dieser Zeiten werden unsere Körpergewebe stärker mit diesen drei Geschmacksrichtungen gesättigt als sonst. Infolgedessen müssen wir die anderen drei Geschmacksrichtungen – sauer, salzig und süß – und ihre Eigenschaften einsetzen, um innerhalb des Organismus ein Gleichgewicht zu schaffen.

In ähnlicher Weise herrscht in der anderen Jahreshälfte, der sogenannten südlichen Phase, wenn sich die Sonne weiter von der Erde entfernt befindet, die beruhigende Kühle des Mondes vor. Diese Zeit ist eine Zeit der Befreiung und Erleichterung für die Erde und jetzt erhöht sich die Energie der drei wesentlichen Geschmacksrichtungen sauer, salzig und süß. Die Jahreszeiten, die diesen Geschmacksrichtungen entsprechen, sind der Frühherbst/die Regenzeit, der Herbst und der Frühwinter. In dieser Zeit suchen wir Ausgleich durch die Geschmacksrichtungen und Eigenschaften der eher bitteren, zusammenziehenden und scharfen Nahrungsmittel und Aktivitäten.

Jede der sechs Geschmacksrichtungen trägt, wenn sie sich in Nahrungsmitteln ausdrückt, in verschiedener Weise und unterschiedlichem Ausmaß zum Leben bei. Der süße Geschmack ist der dominanteste im Universum; er umfaßt mehr als siebzig Prozent aller auf der Erde existierenden Nahrungsmittel und zeichnet sich durch seine nährende, aufbauende und erhaltende Natur aus. Die fünf übrigen Geschmacksrichtungen – sauer, salzig, scharf, bitter und zusammenziehend – sind unterstützende Prinzipien und werden hauptsächliche als Akzente und Würzmittel in der Nahrung und im Leben verwendet. Eine Ausnahme bilden diejenigen Geschmacksrichtungen, die natürlicherweise in einem bestimmten Nahrungsmittel vorherrschend sind, zum Beispiel der saure Geschmack in der Grapefruit; natürliches Salz in den meisten wäßrigen Nahrungsmitteln wie Zucchini und Kohl, und der scharfe Geschmack in Ingwerwurzel, Knoblauch, Peperoni bzw. Paprika und den meisten Kräutern. Der bittere Geschmack kommt in Nahrungsmitteln wie grünen Gemüsen und Salaten vor, während er in Form von Alkoloiden und Glukosiden hauptsächlich in Kräutern und Arzneien vorkommt. Das zusammenziehende Prinzip, wie es zum Beispiel im Tannin von Rinden vorkommt, ist für Arzneien wesentlich. Es findet sich darüber hinaus auch in Nahrungsmitteln wie ungekochten Hülsenfrüchten. Alle sechs Geschmacksrichtungen bilden in unterschiedlichem Maße die Grundlage für alle Nahrungsmittel und Prinzipien in der Natur.

Geschmacksrichtungen innerhalb des Körpers

Der Ayurweda erkennt die Geschmacksrichtungen als intrinsische Sprache, die die gesamte Natur durchdringt und in jeder Struktur des Universums vorhanden ist. Wir bringen im allgemeinen Geschmacksrichtungen mit dem offensichtlichen Sinnesorgan der Zunge und der Nahrung, die sie aufnimmt, in Zusammenhang. Bei den therapeutischen Aspekten der ayurwedischen Heilungs- und Reinigungsvorschriften und Sadhanas muß der Geschmack notwendigerweise in seinem allumfassenden Licht gesehen werden. Jede Geschmacksrichtung wird durch die fünf Elemente in jeweils anderer Zusammensetzung bestimmt.

Die Doshas und Dhatus können als körperliche Entsprechung zu den universalen Geschmacksrichtungen angesehen werden. Sie wirken hauptsächlich durch den Geschmackssinn. Gewisse Geschmacksrichtungen innerhalb der Doshas und Dhatus werden durch jahreszeitliche Änderungen erhöht und gestört, da sie sich in der Nahrung befinden, die wir verzehren. Der Rasa Dhatu, bzw. das Körperplasma, die Lymphe und das Nahrungssaftgewebe, die hauptsächlich aus dem Wasserelement bestehen, sind eigentlich das süße Gewebe des Körpers. Im Winter, wenn der süße Geschmack dominiert, ist er am nachteiligsten für den Rasa Dhatu. Ebenso hat Rakta Dhatu, was mit dem Blut gleichzusetzen ist, das Feuer als seine dominante Natur und ist das scharfe Gewebe des Körpers. Im Sommer ist der scharfe Geschmack außerordentlich stark ausgeprägt und hat direkten Einfluß auf den Rakta Dhatu. Asthi Dhatu, das Knochengewebe des Körpers, das von Luft und Äther durchdrungen ist, kann als das bittere Gewebe des Körpers aufgefaßt werden. Im Herbst und im frühen Winter ist der bittere Geschmack erhöht und Asthi Dhatu ist im allgemeinen negativ davon betroffen. Die Natur oder allgemeine Eigenschaft der Doshas kann auch mit dem Geschmackssinn in Zusammenhang gebracht werden. Vata, das hauptsächlich Luft und Äther ist, kann auch bitterer Dosha genannt werden; Pitta, das hauptsächlich Feuer und Wasser ist, kann der scharfe Dosha genannt werden und Kapha, das hauptsächlich Wasser und Erde ist, kann der süße Dosha genannt werden.

Einfach ausgedrückt, wir müssen mehr von den Geschmacksrichtungen zu uns nehmen, die gegenwärtig im Universum und in unserem Körper nicht vorherrschend sind. So werden unsere inneren Geschmacksrichtungen beruhigt und genährt, damit wir besser in der Lage sind, in sanftem Gleichgewicht mit der irdischen Natur zu fließen. Unten auf der Seite finden Sie eine Tabelle, mit deren Hilfe Sie die Erfordernisse Ihres persönlichen Körpertyps mit dem Gesamtschema der jahreszeitlichen Einflüsse der Erde in Verbindung bringen können. Dieser Zuordnungsprozeß erfordert Geduld und Übung. Nachdem Sie sich ein Jahr lang nach den jahreszeitlichen Zyklen und Übergängen und ihrer Entsprechung zu Ihrem Prakruti (Konstitutionstyp) gerichtet haben, werden Sie die Routine, die am besten zu Ihnen paßt, leichter identifizieren und durchführen können und sie in den verbleibenden Jahren, wenn nötig, anpassen können.

Die ayurwedische Darstellung der universellen Geschmacksrichtungen bildet die Grundlage für alle Sadhanas, egal, ob sie sich nun auf Ihre Nahrungsmittel, Aktivitäten, Ihren Lebensstil oder Ihre Träume beziehen. Die Kenntnis der sechs Geschmacksrichtungen ist besonders relevant für die jahreszeitlichen Heilungs- und Reinigungstherapien des Ayurweda, wobei die Geschmacksrichtungen so etwas wie andere Buchstaben des Alphabets darstellen, aus dem die vollständige Sprache der Natur besteht.

Es wird niemals eine Geschmacksrichtung ausschließlich verwendet, sondern es muß immer irgendwie eine Kombination aller sechs Geschmacksrichtungen vorhanden sein. Wie der Körper ist jede Form von Leben und atmosphärischem Zustand eine Kombination aller sechs Geschmacksrichtungen, wobei jede Ausprägung ein unterschiedliches Ausmaß der fünf Elemente, die sich in den sechs Geschmacksrichtungen niederschlagen, aufweist. Es ist essentiell, alle sechs Geschmacksrichtungen das ganze Jahr über zu verwenden und gleichzeitig diejenigen zu betonen, die für Ihre Gesundheit vor dem Hintergrund Ihres individuellen Prakruti und der Erfordernis der Jahreszeiten wichtiger sind.

Nördliche Phase (Wintersonnenwende bis Sommersonnenwende)

Jahreszeit	***trockene Geschmacksrichtungen****	***Zusammensetzung der Elemente***	***Dosha***
Spätwinter	bitter	Luft und Äther	Vata
Frühling	zusammenziehend	Luft und Erde	Vata & Kapha
Sommer	scharf	Luft und Feuer	Vata & Pitta

**Anmerkung:* Die progressive nördliche Bewegung der Sonne erzeugt die trockenen Geschmacksrichtungen

Südliche Phase (Sommersonnenwende bis Wintersonnenwende)

Jahreszeit	***feuchte Geschmacksrichtungen****	***Zusammensetzung der Elemente***	***Dosha***
Regenzeit (Frühherbst)	sauer	Erde und Feuer	Pitta & Kapha
Herbst	salzig	Wasser und Feuer	Pitta
Frühwinter	süß	Wasser und Erde	Kapha

**Anmerkung:* Die progressive südliche Bewegung der Sonne erzeugt die feuchten Geschmacksrichtungen

Tab. 9: Die Geschmacksrichtungen der Jahreszeiten

	Vata	*Pitta*	*Kapha*
Spätwinter	***Haupt:*** sauer, salzig, fettig ***Neben:*** süß	***Haupt:*** süß, sauer*, salzig*, warm, fettig ***Neben:*** bitter, zusammenziehend, kühl, leicht	***Haupt:*** sauer*, zusammenziehend, scharf,warm, mäßig fettig ***Neben:*** bitter, salzig, trocken
Frühling	***Haupt:*** süß, scharf, warm, mäßig fettig, alkalisch ***Neben:*** sauer, scharf	***Haupt:*** süß, bitter, scharf*, warm ***Neben:*** zusammenziehend, kühl, alkalisch	***Haupt:*** scharf, mäßig zusammenziehend, alkalisch, warm, trocken ***Neben:*** bitter, salzig
Sommer	***Haupt:*** süß, sauer, warm, mäßig fettig ***Neben:*** bitter, salzig, kühl, leicht	***Haupt:*** süß, bitter, kühl, mäßig fettig ***Neben:*** zusammenziehend, leicht	***Haupt:*** bitter, zusammenziehend, mäßig süß, warm, trocken ***Neben:*** scharf, kühl
Regenzeit (Frühherbst) gemässigte Klimate	***Haupt:*** süß, mäßig bitter*, salzig, mäßig fettig, warm ***Neben:*** sauer	***Haupt:*** bitter, zusammenziehend, mäßig salzig, mäßig süß, warm, mäßig fettig ***Neben:*** scharf, kühl	***Haupt:*** bitter, zusammenziehend, scharf, warm, leicht ***Neben:*** salzig, sauer, trocken
tropische & subtropische Klimate	***Haupt:*** süß, salzig, mäßig fettig, warm ***Neben:*** bitter, scharf	***Haupt:*** süß, bitter, salzig*, warm, mäßig fettig ***Neben:*** zusammenziehend, scharf	***Haupt:*** mäßig salzig*, scharf, bitter, warm, mäßig fettig ***Neben:*** zusammenziehend, trocken
Herbst	***Haupt:*** süß*, sauer, warm, leicht ***Neben:*** salzig, zusammen-ziehend	***Haupt:*** süß, bitter, zusammenziehend, kühl, leicht ***Neben:*** scharf	***Haupt:*** bitter, zusammenziehend, mäßig süß, warm, leicht
Frühwinter	***Haupt:*** salzig*, bitter, mäßig sauer, warm, fettig ***Neben:*** scharf, süß	***Haupt:*** bitter, zusammenziehend, mäßig scharf*, warm, mäßig fettig ***Neben:*** süß	***Haupt:*** scharf, zusammenziehend, bitter, warm, mäßig fettig ***Neben:*** salzig

Tab. 10: Jahreszeitliche Geschmacksanpassungen

Anmerkungen zur Tabelle auf S. 107:

**Vata-typen*	Wenn eine starke Tendenz zu Vata-Störungen besteht, dann als Nebengeschmacksrichtung verwenden und den Gebrauch des sauren und salzigen Geschmacks während der angegebenen Jahreszeit erhöhen.
**Pitta-typen*	Wenn eine starke Tendenz zu Pitta-Störungen besteht, dann als Nebengeschmacksrichtung verwenden und den Gebrauch des bitteren, zusammenziehenden und süßen Geschmacks während der angegebenen Jahreszeit erhöhen.
**Kapha-typen*	Wenn eine starke Tendenz zu Kapha-Störungen besteht, dann als Nebengeschmacksrichtung verwenden und den Gebrauch des scharfen, bitteren und alkalischen Geschmacks während der angegebenen Jahreszeit erhöhen.

Vorteilhafte Geschmacksrichtungen entsprechend den Doshas

Vata:	süß, sauer, salzig
Pitta:	süß, bitter, zusammenziehend
Kapha:	scharf, bitter, zusammenziehend

Hierbei handelt es sich nur um die allgemeine Regel, die entsprechend den dynamischen Erfordernissen einer jeden Jahreszeit abgeändert werden muß.

Die Übergänge zwischen den Jahreszeiten

Obwohl dieses Schema für den Übergang lästig erscheinen kann, hat es dennoch einen überzeugenden Rhythmus. Nachdem Sie es einmal beim Übergang von einer Jahreszeit zur nächsten ausprobiert haben, werden Sie beim nächsten Übergang eine natürliche Leichtigkeit erfahren. Eigentlich halten wir dieses Schema bis zu einem gewissen Grade ein, ohne uns dessen bewußt zu sein. Die einfache Tatsache, daß man die Kleidung für eine Jahreszeit wegräumt und diejenige für die nächste hervorholt, spiegelt diesen Rhythmus wider. Nur selten setzen wir durch unsere Handlungen den Angelegenheiten einer bestimmten Jahreszeit ein abruptes Ende.

Die jahreszeitlichen Übergänge nach dem Kalender

Spätwinter zu Frühling:	24. März bis 7. April
Frühling zu Sommer:	24. Mai bis 7. Juni
Von nördlicher zu südlicher Phase:	8. Juni bis 24. Juni
Sommer zu Regenzeit (Frühherbst):	24. Juli bis 7. August
Regenzeit (Frühherbst) zu Herbst:	23. September bis 7. Oktober
Herbst (Yama Damstra) zu Frühwinter:	22. November bis 9. Dezember
Frühwinter zu Spätwinter:	24. Januar bis 7. Februar

Vierzehn-Tage-Übergangskur

Tag	*Kur*
1	¼ der (Kur) der vorhergehenden Jahreszeit und C\v der (Kur) der neuen Jahreszeit
2	volle (Kur) der vorhergehenden Jahreszeit und nichts aus der neuen Jahreszeit
3	¼ der vorhergehenden und C\v der neuen
4	½ der vorhergehenden und ½ der neuen
5	¼ der vorhergehenden und C\v der neuen
6	¼ der vorhergehenden und C\v der neuen
7	½ der vorhergehenden und ½ der neuen
8	¼ der vorhergehenden und C\v der neuen
9	½ der vorhergehenden und ½ der neuen
10	½ der vorhergehenden und ½ der neuen
11	¼ der vorhergehenden und C\v der neuen
12	¼ der vorhergehenden und C\v der neuen
13	nichts aus der vorhergehenden und die volle der neuen
14	¼ der vorhergehenden und C\v der neuen

Wenn diese Übergangskur abgeschlossen ist, dann bleiben Sie bis zum nächsten Jahreszeitenwechsel vollkommen bei der Kur für die laufende Jahreszeit. Dann wiederholen Sie das obige Schema.

Die Stärke des jahreszeitlichen Einflusses

Die komplizierte Natur der Jahreszeiten wird durch den Verlauf von Erde, Sonne und Mond erzeugt, und die menschliche Vitalität wird durch die daraus folgenden Unterschiede bestimmt. Die beiden wichtigsten Übergangsphasen finden dann statt, wenn die südliche und die nördliche Phase einander abwechseln. Während dieser Wechsel besteht eine Neigung zu physio-psychologischer Verletzlichkeit und zu Streß. Die Zeit zwischen dem 22. November und dem 9. Dezember, die *Yama Damstra* genannt wird und in der die südliche Phase zur nördlichen wechselt, ist der entscheidendste Übergang von allen. *Yama* ist der Gott, der die Verstorbenen empfängt. Diese Zeit hält in der ihr innewohnenden Struktur Angst und geistige Störungen für den Menschen bereit. Um das Gleichgewicht von Geist und Körper wiederherzustellen, ist es ratsam, die Sadhanas des Fastens, der Meditation und Gebete einzuhalten.

Die Zeit zwischen dem 8. und dem 24. Juni, in der die nördliche Phase zur südlichen wechselt, ist der zweitwichtigste Übergang zwischen den Jahreszeiten. Obwohl sie potentiell nicht so traumatisch ist wie die Yama-Damstra-Zeit, ist sie immer noch eine Zeit der Verletzlichkeit. Sadhanas wie Aromatherapie, leichte Massagen, Pranayama, der sorgfältige Übergang bei jahreszeitlich bedingten Nahrungsmitteln usw., sind essentiell für die Erhaltung der physischen und geistigen Gesundheit. Da dieser Phase ein andere Übergangszeit, nämlich diejenige zwischen dem 24. Mai und dem 7. Juni vorausgeht, sollte der gesamte Monat vom 24. Mai bis zum 24. Juni als Zeit des Übergangs eingehalten werden.

Rückblickend läßt sich also sagen, daß die gesündeste Phase des Jahres diejenige zwischen November und Januar ist und die am wenigsten gesunde zwischen Mai und Juli. Die Monate dazwischen – von Februar bis Mai und von August bis Oktober – sind mäßig ausgeglichen und gesund.

	Gebot	***Verbot***
Spätwinter	sauer, salzig, mäßig süß, fettig, substantielle Menge Nahrungsmittel	übermäßig süß, scharf, bitter, trocken, kalt, rohe Nahrung, geringe Menge an Nahrung
Frühling	scharf, zusammenziehend, mäßig süß, mäßig salzig, warm, mäßige Menge an Nahrung	sauer, übermäßig süß, bitter, zu viel Flüssigkeit, kalt
Sommer	süß,bitter, zusammenziehend, kühl, mäßig fettig, genügend Flüssigkeit.	salzig, sauer, scharf, heiß, unzureichende Menge an Flüssigkeit
Regenzeit (Frühherbst) gemäßigte Klimate	scharf, bitter, zusammen-ziehend, mäßig salzig, mäßig sauer, leicht, warm	süß, übermäßig sauer, übermäßig salzig, kalt, trocken, übermäßig fettig
tropische & suptropische Klimate	sauer, salzig, fettig, mäßig süß, mäßig fettig, warm	scharf, bitter, zusammenziehend, übermäßig süß, kalt, trocken
Herbst	süß, bitter, zusammenziehend, kühl, leicht, nicht-ölig	sauer, salzig, scharf, heiß, ölig, zu viel und zu schwere Nahrung
Frühwinter	salzig, bitter, zusammen-ziehend, mäßig sauer, warm, mäßig fettig, mäßige Menge	süß, übermäßig sauer, übermäßig kalt, übermäßig trocken, zu viel Nahrung, rohe Nahrung.

Tab. 11: Jahreszeitliche Gebote und Verbote

(Die „jahreszeitlichen Verbote“ können gelegentlich als Nebengeschmack verwendet werden. Vergleichen Sie dazu die Tabelle auf Seite 107)

Jahreszeiten und Stärke

S Frühwinter (*Hemanta*)
15. Nov. bis 15. Januar; maximale Stärke (Spitzenzeit)

N Spätwinter (*Sisira*)
15. Januar bis 15. März; maximale Stärke (abnehmende Zeit)

N Frühling (*Vasanta*)
15. März bis 15. Mai; mäßige Stärke (abnehmende Zeit)

N Sommer (*Grisma*)
15. Mai bis 15. Juli; minimale Stärke (abnehmende Zeit)

S Regenzeit (*Varsa*)
15. Juli bis 15. Sept.; minimale Stärke (Spitzenzeit)

S Herbst (*Sarada*)
15. Sept. bis 15. Nov.; mäßige Stärke (Spitzenzeit)

Anmerkung:
S = Südliche Phase
N = Nördliche Phase

Stärkste Phase menschlicher Stärke: 10. Januar bis 24. Januar
Schwächste Phase menschlicher Stärke: 10. Juli bis 24. Juli

Eine Jahreszeit für Frauen

Es gibt eine zusätzliche Jahreszeit für Frauen, die sich einmal pro Monat während der Menstruation abspielt. Der Beginn der Vollmondphase ist die natürliche Zeit für den Eisprung. Die sexuellen Impulse der Frau steigen jetzt und ihre Vitalität wird wieder aufgefüllt, da sie zu dieser Zeit die Essenz des Mondes empfängt. Dann, zur Zeit des Neumonds, erlebt sie den natürlichen Menstruationszyklus. Die Menstruation wird dadurch verursacht, daß die Sonne Energien von der Erde absorbiert, wodurch wiederum die Menstruationsabfälle aus dem Körper gezogen werden. Wenn der Zyklus nicht durch den Gebrauch der Pille oder anderer Verhütungsmittel, durch schädliche Nahrungsmittel und Aktivitäten, sowie durch schädliche sexuelle Aktivitäten beeinflußt worden ist, dann bleibt die natürliche Ebbe und Flut des monatlichen Zyklus der Frau in Harmonie mit den Mondzyklen.

Während der Vollmondphase können Sadhanas wie Aromatherapie, warme Bäder, der Gebrauch der passenden heilenden Edelsteine für jeden Dosha und andere Aktivitäten, die die vitalen Essenzen des Körpers erhöhen, ausgeübt werden. Während der Menstruation muß Aktivität auf das Wesentliche beschränkt werden, damit der Körper das geringstmögliche Ausmaß an Störung erlebt. Ein Minimum an körperreinigenden Sadhanas ist ebenfalls zu dieser Zeit ratsam. Schnelle, kühle Duschen oder Abwischen des Körpers nach unten sind die geeigneten Mittel der Körperreinigung während der Menstruation. Eine Frau sollte sich jeglichen sexuellen Vorspiels und sexueller Aktivitäten ebenso enthalten wie der Koch-Sadhanas, um zu verhindern, daß die Energien aus den Menstruationsabfallprodukten die Nahrungsmittel durchdringen. Zu dieser Zeit ist die Frau sehr labil, daher sollte sie diese Zeit zum Ausruhen nutzen und dazu, dem Körper zu erlauben, sich zu entleeren, bevor er erneuert wird. Selbst wenn Ihr Zyklus nicht mehr mit dem Rhythmus des Mondes übereinstimmt, können Sie diese Sadhanas einhalten, um schließlich Ihren natürlichen Zyklus wiederherzustellen.

Zur Zeit des Eisprungs ist Pitta der dominanteste Dosha, während Vata die Phase der Menstruation und Kapha die Phase danach dominiert.

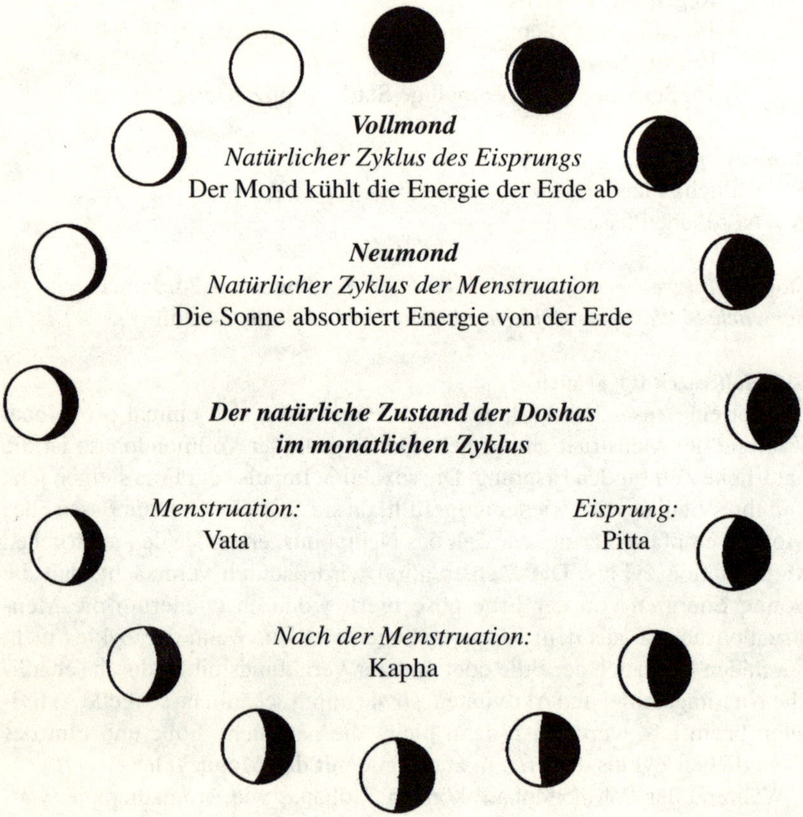

Tab. 12: Eine Jahreszeit für Frauen
Monatlicher Menstruationszyklus

ABSCHNITT III

Ayurwedische Verjüngungs-Sadhanas

KAPITEL VIER

ABHYANGA – AYURWEDISCHE MASSAGETHERAPIE

Ayam me hasto Bhagavan
Ayam me bhagavattarah
Ayam me visvabheshajah
Ayam shivabhimarshanah

Meine Hand ist Gott.
Grenzenlos glückselig ist meine Hand.
Diese Hand bewahrt alle heilenden Geheimnisse,
Die ganz machen mit ihrer sanften Berührung.

Rigweda

Die Abhyanga-Therapie ist eine uralte Technik, die in vorvedischer Zeit entstanden ist. Die Menschen der Frühzeit praktizierten lebenserhaltende Techniken der Körpermanipulation, um dem Körper Stärke, Beweglichkeit, Flexibilität und ein flüssiges Gedächtnis, das mit dem Kosmos verwoben war, zu verleihen.

Die Alten, die eng mit der tiefgreifenden Harmonie der Erde verbunden waren, wußten, daß jede Bewegung im Kosmos mit dem universellen Abhyanga zusammenhängt. Blätter und Baumrinden werden ständig vom Wind massiert; Steine und Kiesel werden von Bächen und Flüssen gerieben und die Tiere, die von Äther, Wind und Wald gestreift werden, werden für immer durch Abhyanga in Harmonie gebracht.

TEIL EINS

DIE MARMA-PUNKTE – DEN KURS FÜR ABHYANGA ABSTECKEN

Ayurwedische Massage basiert auf der Kenntnis der *Marma*-Punkte, der vitalen Punkte des Körpers, an denen Strukturen pulsieren und wo es zu Schmerzen kommt. Marmas bzw. anatomische Reflexpunkte werden von Sushruta auch als Kreuzungspunkte von Prana bezeichnet. Die Kenntnis der Marma-

Punkte wurde im frühen Indien aus der Atharva Veda gewonnen. Zur vedischen Zeit wurde das Wissen um diese lebenswichtigen Punkte weitläufig angewendet, um Kriegsgegner tödlich zu verwunden, Leben durch Chirurgie zu retten, den Körper durch die Abhyanga-Therapie neuzubeleben, ihn durch Kampfkünste zu stärken und zu beleben, sowie diese lebenswichtigen Punkte durch die ayurwedische Akupunktur zu reparieren und zu heilen.

Der Körper besteht aus Tausenden von Marma-Punkten; 365 Punkte sind essentielle Punkte und 43 von diesen werden hauptsächlich behandelt. Einige Punkte sind wichtiger als andere und 107 Punkte sind tödlich, wenn sie von einem Schlag getroffen werden.

Marma-Punkte werden auch als die Verbindungspunkte bezeichnet, an denen sich Fleisch, Venen, Arterien, Sehnen, Knochen und Gelenke treffen. Diese Punkte sind wie ein Rosenkranz durch einen gemeinsamen Faden bzw. feinstofflichen Kanal namens *Nadi* verbunden. Die Marmas werden durch die pranische Energie vitalisiert, die ihnen über diese feinstofflichen Kanäle zugeführt wird. Die meisten Nadis befinden sich tief innen in den Körpergeweben und bewegen sich gelegentlich mehr zur Körperoberfläche hin.

Obwohl die Massagetechniken, die am Ende dieses Kapitels erläutert werden, die Haupt-Marmas und -zirkulationskanäle anregen, wird nur eine kurze Beschreibung und Darstellung von ihnen gegeben. Die hier gegebenen Anweisungen sind elementar, sie reichen jedoch für die allgemeine Anwendung der Massage und als vorbereitende Maßnahme für Pancha Karma aus.

Für die Abhyanga-Therpie sind grundlegende Kenntnisse über Marmas, Nadis und das zirkulatorische System erforderlich. Die Massagen wirken sich direkt auf Blut, Nerven und das Lymphsystem aus. Das Lymphsystem, das durch Röhren, Knotenpunkte und Kanäle verläuft, hat keine Kapillaren, wie das Blutsystem, um seine Flüssigkeiten unabhängig zu transportieren. Die Funktion des Lymphsystems besteht darin, den Blutkreislauf zu ergänzen. Außerdem dient es als Reservoir für die Muskeln. Seine Lymphknoten unterstützen die Blutzirkulation, indem sie überschüssige Flüssigkeit aus dem Blut entfernen und so die Arbeit des Herzens erleichtern. Sie stellen dem Körper auch direkte Verteidigungsmechanismen gegen Krankheit bereit. Durch Anregung der Lymphknoten, Massagetherapie, besonders dann, wenn sie mit warmem Öl oder anderen Substanzen durchgeführt wird, kann der Körper gereinigt und neu belebt werden.

Es gibt im wesentlichen drei Arten von Massagetechniken in der Abhyanga-Therapie: die aktive, die passive und die persuasive. Bei der aktiven Massage wird starker Druck ausgeübt; bei der passiven Massage werden sanfte Striche verwendet; bei der persuasiven Massage werden die kleinen Muskeln zwischen Daumen und Zeigefinger gezwickt und geknetet. Im allgemeinen werden Vata- und Pitta-Störungen mit einer Kombination aus aktiver und passiver Massage behandelt, Kapha-Störungen dagegen mit einer Kombination aus aktiver und persuasiver Massage.

Obwohl Kopf, Gesicht, Nacken, Schultern und oberer Brustbereich in der Abhyanga-Therapie zuerst massiert werden, bewegt sich der allgemeine

Massagefluß dann zu den Fußsohlen und geht nach oben zum Herzen weiter, sofern keine kalte Massage verabreicht wird. In diesem Fall beginnen die Streichbewegungen am Kopf und werden stetig nach unten weitergeführt. Das Massieren des Körpers von den Fußsohlen aufwärts aktiviert die Venen und leitet das verunreinigte Blut zum Zwecke der Reinigung zum Herzen weiter. Das neu belebte Blut wird dann über die Arterien im ganzen Körper verteilt.

Im allgemeinen wird Abhyanga mit warmen Substanzen durchgeführt. Gelegentlich kann jedoch bei Pitta-Störungen eine kühlende Substanz verwendet werden. Eine reiche Auswahl an Massageölen, aromatischen Ölen, duftenden Pudern und Bohnen- und Getreidemehlmischungen, die sogenannten *Ubtans*, wird verwendet, um die Haut zu glätten und eine leichte Reibung zu verursachen.

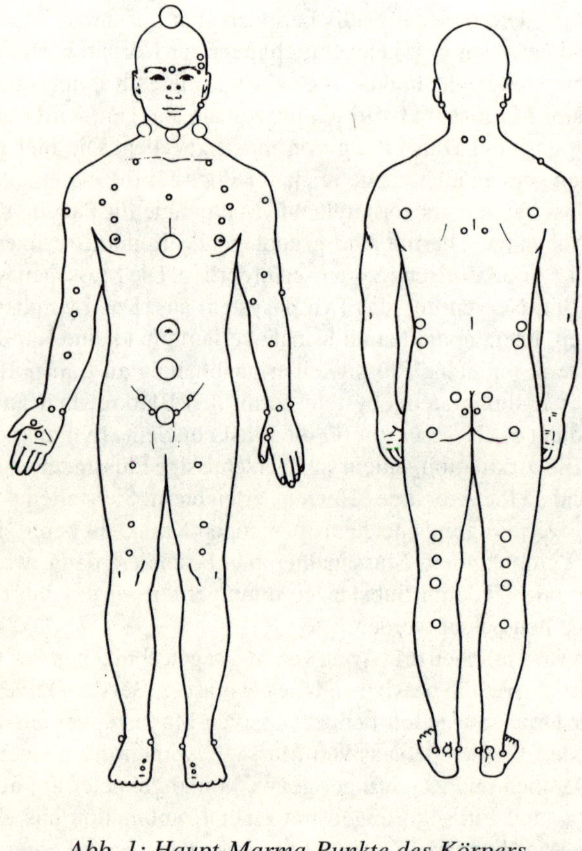

Abb. 1: Haupt-Marma-Punkte des Körpers

Dreiundvierzig im allgemeinen behandelte Marma-Punkte

Die Marma-Punkte sind nach ihrer Lage oder Funktion im Körper benannt.

Arme und Beine:

Talahridaya	„Herz“ – Mitte des Handtellers oder der Fußsohle
Kshipram	„Schnelligkeit“ – zwischen Daumen und Zeigefinger der Hand; zwischen dem großen Zeh und dem zweitem Fußzeh an der Fußunterseite
Kurcha	Das Bündel von Muskeln oder Sehnen an der Daumen- oder Großzehwurzel
Kurchasira	„Der Kopf von Kurcha“ – an der Hand- oder Fußwurzel
Manibandhi	„Armband“ – vier Punkte um das Handgelenk herum
Gulpa	Knöchelgelenk
Indrabasti	„Indras Blase“ – Mitte des Unterarms und Mitte der Wade
Kurpara	Ellenbogengelenk
Janu	Kniegelenk
Ani	Der untere Bereich des Oberarms oder Beins
Urvi	„Weit“ – der weite Mittelbereich des Oberschenkels oder Unterarms
Lohitaksha	„Rotäugig“ – der untere Frontalansatzpunkt des Schultergelenks und Kniegelenks
Kaksadhara	„Hält die Flanken aufrecht“ – das oberste Ende des Schultergelenks
Vitapa	Der Damm; die Stelle, an der die Beine mit dem Rumpf verbunden sind

Unterleib:

Guda	Anus
Basti	Blase
Nabhi	Nabel

Brustkorb:

Hridaya	Herz
Stanamula	Brustbein
Stanarohita	Neigung (bzw. oberer Bereich) der Brust
Apastambha	Die Oberseite des Brustkorbs
Apalapa	„Ungeschützt“, Mitte des oberen Brustkorbs

Rücken:

Katikataruna	„Was aus dem Kreuzbein entspringt“ – die Mitte des Gesäßes
Kukundara	„Die Lenden markierend“ – zu beiden Seiten des posterior superior am Darmbein

Nitamba	Die oberen Bereiche des Gesäßes
Parsvasandhi	„Die Verbindung der Seiten – die Seiten der Taille
Vrihati	„Die Große" – die breite Region des Rückens
Amsaphalaka	Das Schulterblatt
Amsa	Die Schulter

Hals:

Manya	„Ehre" – vielleicht aufgrund seiner Verbindung zur Udana-Luft, die die Stimme kontrolliert
Nila	„Dunkelblau" – von der Farbe der Adern an zwei Punkten unten am Hals
Sira Matrika	„Die Mutter der Blutgefäße" – von den Arterien zum Kopf, die durch diesen Bereich fließen
Krikatika	Zwei Punkte am Nacken

Kopf:

Vidhuram	„Alarm" – aufgrund der Empfindlichkeit der beiden Punkte unten hinter den Ohren
Phana	„Die Brillenzeichnung der Kobra" – die Seite der Nasenflügel
Apanga	Der äußere Augenwinkel
Avarta	„Unheil" – aufgrund der Empfindlichkeit der beiden Punkte direkt hinter den Ohren
Sankha	„Trompetenschnecke" – die Schläfe
Sthapani	„Stütze" – Punkt zwischen den Augenbrauen
Sringatakani	„Orte, wo sich vier Straßen kreuzen" – der weiche Gaumen
Simanta	„Gipfel" – der Schädel und die ihn umgebenden Gelenke
Adhipati	„Der Oberherr" – Punkt an der Krone des Kopfes

Teil zwei

Regeln und Vorbereitungen für die Abhyanga-Therapie

Eigenschaften des Abhyanga-Helfers

Geben Sie Massagen nur, wenn Sie ruhig, gereinigt, frisch und frei von Krankheit sind. Der Abhyanga-Helfer sollte ebenfalls frei von Zorn, Angst und Habgier sein. Traditionellerweise nimmt der ayurwedische Massagetherapeut ein Bad und zieht nach jedem Patienten einen frischgewaschenen Kittel an. Zumindest Gesicht und Hände sollten nach jeder Behandlung gewaschen werden. Die Hände müssen warm sein, die Nägel sollten sauber, geschnitten und unlackiert sein.

Generell gilt, daß Sie nie Massagen während der Menstruation geben sollten oder während Ihr Körper Giftstoffe und Abfallprodukte freisetzt. (Vergleichen Sie Kapitel neun, „Reinigende Waschungen für den Therapeuten").

Abhyanga-Therapieraum

- gut belüftet, wenn möglich weiches, natürliches Licht
- kein grelles Licht (d. h. keine Leuchtstoffröhren und kein direktes Sonnenlicht)
- keine kalte Zugluft oder kalter Wind
- ruhig, nur natürliche Geräusche sind zu hören
- trocken und warm
- wenn möglich, natürlicher Hartholzboden
- spärlich möbliert, nur die Dinge, die für die Abhyanga-Therapie notwendig sind
- nach Möglichkeit ein traditioneller Massagetisch aus Holz, 1,90 m lang und 80 cm breit. Der Tisch kann direkt auf dem Fußboden stehen oder Beine haben.

Ungeeignete Bedingungen für Abhyanga beim Helfer und beim Patienten

- Menstruation
- Absonderung von Abfallprodukten aus dem Körper
- Geschwüre in den Eingeweiden
- Fasten
- Die ersten zwei Stunden nach einer Mahlzeit
- Eine volle Blase
- Angst
- Laute Geräusche/Unterhaltung mit dem Patienten während der Behandlung

Abhyanga-Verfahren für Frauen

- Während der Schwangerschaft werden die Magengegend und der Unterleib ausgespart.
- Es sollte nur eine Frau massieren, sofern die Massage nicht vom Ehepartner der Patientin gegeben wird.
- Nur die Seiten der Brüste werden langsam und sanft massiert.
- Nach der Entbindung wird eine gründliche Massage mit Schwerpunkt auf den Oberschenkeln, der Taille und dem Unterleib empfohlen. Das erfrischt den Körper, lindert Schmerzen und erneuert die Kraft der Mutter. Die Massage nach der Entbindung unterstützt darüber hinaus die Ausscheidung der Abfallprodukte der Gebärmutter aus dem Körper. Diese Massage sollte von einer Geburtshelferin oder einer weiblichen Ayurweda-Massagetherapeutin durchgeführt werden.

DIE PRAXIS DER ABHYANGA-THERAPIE

Wirkung

Massage ist die älteste Technik zur Linderung von Schmerzen. Abhyanga ist immer noch eine wirksame und blühende Kunst in den meisten Regionen Indiens, insbesondere in Kerala. Diese Massage wird angewendet, um Dosha-Störungen, besonders diejenigen von Vata, positiv zu beeinflussen und zu korrigieren, um orthopädische Verletzungen zu heilen, geschwollenen Geweben Erleichterung zu verschaffen und die Regeneration von Geweben und Organen ebenso zu fördern wie die inneren Funktionen des Körpers. Außerdem belebt Massage die Haut, die Muskeln, Venen und Arterien, die zirkulatorischen Systeme und das Nervensystem. Sie verbessert das Hautbild, stärkt die Lungen, die Eingeweide und die Knochen und reguliert das Verdauungssystem.

Massage facht die Hitze im Körper an und bringt so den Körper dazu, seine Abfallprodukte wirksamer auszuschwemmen. Indem Abhyanga Vitalität, Stärke, Ausdauer und Flexibilität fördert, verbessert es ebenfalls die Konzentration, die Intelligenz, das Vertrauen, die Wertschätzung und die Jugendlichkeit.

Die Massagetherapie nützt jedem, ist aber von besonderem Wert für alte und gebrechliche Menschen.

Notwendige Hilfsmittel

- Behandlungskittel*
- Leintuch
- eine Glasflasche, die zwei Tassen Massageöl enthält
- ein kleiner Trichter aus rostfreiem Stahl, der eine Schnute mit einer Öffnung von 0,5 cm cm hat
- zwei saubere Baumwollhandtücher
- ein sauberes Baumwollaken
- einen bequemer Stuhl, auf dem der Patient bei der Kopfmassage sitzen kann

**Anmerkung:* Vergleichen Sie Anhang D

Abhyanga-Therapie

Jahreszeit: *ganzjährig*
Körpertyp: *alle Typen*
Dauer der Behandlung

Vata:	*45 Minuten (frühmorgens oder am frühen Abend)*
Pitta:	*45 Minuten (frühmorgens oder Mitte des Morgens)*
Kapha:	*60 Minuten (frühmorgens)*

Anmerkung: Der Kopf des Patienten sollte nach Osten zeigen, wenn die Massage am Morgen durchgeführt wird und nach Westen, wenn sie am frühen Abend durchgeführt wird. Eine Ganzkörper-Massagebehandlung sollte nicht nach Einbruch der Dunkelheit gegeben werden.

Diese Therapie sollte als vorbereitende Maßnahme vor Pancha Karma angewendet werden bzw. als generelles Mittel zur Verjüngung von Körper und Geist während des ganzen Jahres. Als vorbereitende Maßnahme vor Pancha Karma kann die Massage für alle Körpertypen auf vierzig Minuten gekürzt werden.

Allgemeine Techniken

1. **Beruhigende Reibungsbewegung:** Verwenden Sie beruhigende reibende Bewegungen für die Oberfläche von Armen und Beinen.
   Beine: von den Seiten der Füße zur Leistengegend.
   Arme: von den Fingerspitzen zu den Achselhöhlen.

2. **Kneiftechnik:** Die Muskeln werden zwischen Zeigefinger und Daumen vom Knochen weg gegriffen. Wenden Sie Kneiftechniken nur für folgende Bereiche an: Brustkorb, Arme, Beine und Rücken.

3. **Knettechnik:** Greifen Sie die großen Muskeln mit den Händen und verhelfen Sie ihnen zu mehr Vitalität. Die Knettechnik kann am ganzen Körper angewendet werden.

4. **Drucktechnik:** Drücken Sie mit flachen Händen in kreisförmigen Bewegungen an den harten Körperoberflächen entlang. Streicheln und drücken Sie die weicheren Teile des Körpers zusammen, indem Sie sich mit wellenartigem Druck kontinuierlich aufwärts bewegen.

5. **Kleine kreisförmige Daumenbewegung:** Kleine kreisende Massagebewegungen im und gegen den Uhrzeigersinn werden im allgemeinen mit dem Daumen an den essentiellen Marma-Punkten im Körper angewendet.

Reihenfolge der Massagen

1. Shirobhyanga
2. Padabhyanga
3. Abhyanga: Arm- und Handmassage
4. Abhyanga: Unterleibs- und Brustmassage
5. Abhyanga: Rückenmassage
6. Spezielle Hüftmassage
7. Spezielle Bauchmassage

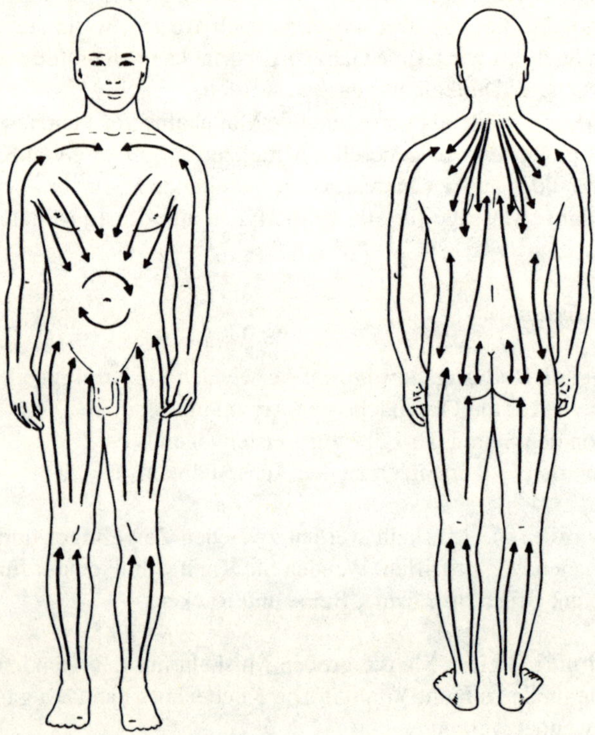

Abb. 2: Massagerichtungen

SHIROBHYANGA: KOPF-, HALS- UND SCHULTERMASSAGE

(wobei sich der Patient in einer sitzenden Position befindet)

KOPFMASSAGE: ERSTE PHASE

Anweisungen

Der Kopf ist der wichtigste Teil des Körpers; er enthält acht der zehn heiligen Tore oder Öffnungen des Körpers: die beiden Öffnungen der Nasenlöcher, Augen und Ohren, den Mund und den glückverheißendsten Punkt, *Brahma*

Randhra genannt, der sich acht Fingerbreit von der oberen Mitte der Augenbrauen enfernt befindet. Der Embryo bekommt seine Nahrung über den Brahma Randhra, bis er seine Reise aus der Gebärmutter heraus antritt. Den Veden zufolge verläßt die Seele nach dem Tod den Körper von diesem Punkt aus (auch *Sahasrara*, das siebte Chakra genannt), daher der Name Brahma Randhra, „das Tor von Brahma", dem Schöpfer. Die verbleibenden zwei Tore des Körpers sind der Anus und die Genitalien. Bei der Abhyanga-Therapie beginnt die Massage immer am Kopf.

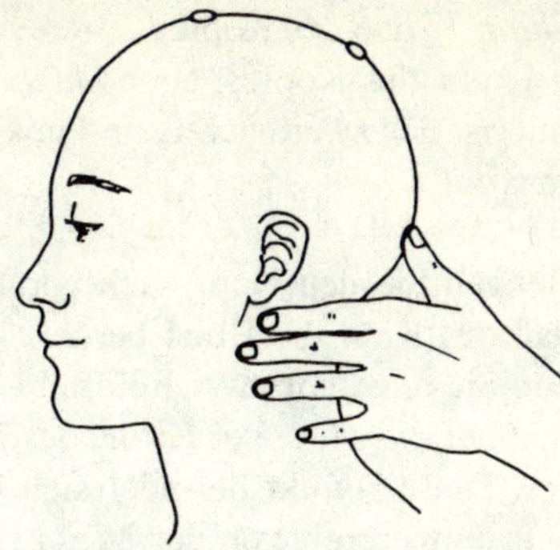

Abb. 3: Drei Punkte am Kopf

Wirkung

Shirobhyanga verbessert den Fluß der Zerebrospinalflüssigkeit und stärkt so das Nervensystem. Diese Massage wirkt ausgleichend auf die Hirnanhangdrüse und auf die Zirbeldrüse. Augen, Lunge, Herz, Gehirn, Dickdarm und Magen werden dadurch ebenfalls harmonisiert. Shirobhyanga trägt auch dazu bei, das erfahrungsorientierte und das kognitive Gedächtnis zu verbessern, ebenso wie Wachsamkeit und Stabilität.

Der Ayurweda empfiehlt Neugeborenen, in den ersten neun Lebensmonaten eine kleine Menge Sesam- oder Kokosöl auf das Hinterhaupt bzw. die weiche Stelle des Schädels aufzutragen. Diese Maßnahme dient dazu, das Gedächtnis, die Intelligenz, die Energie und das Sehvermögen des Kindes zu verbessern. Eine tägliche Kopfmassage stärkt darüber hinaus das Nervensystem und die Energie des Kindes. Bei Erwachsenen kann die Massage in unterschiedlichem Grad den gleichen Nutzen haben.

Die drei Hauptpunkte des Kopfes einölen: Erste Phase

***Brahma Randhra*:** Weicher Punkt des Kopfes

Waschen Sie sich vor der Massage gründlich die Hände. Schütteln Sie sie dann und drehen Sie Ihre Handgelenke sanft im Uhrzeigersinn. Beschleunigen Sie den Rhythmus Ihrer Handbewegungen, bis Sie ein Prickeln in Ihren Fingern verspüren. Diese Aktivität erlaubt es Ihrer Heilenergie, frei zu fließen.

Bitten Sie den Patienten, sich mit geradem Rücken auf einen Stuhl zu setzen und stellen Sie sich hinter den Stuhl. Teilen Sie das Haar in der Mitte und gießen Sie ungefähr zwei Eßlöffel Öl auf den Brahma-Randhra-Punkt (vergleichen Sie Abb. 4: Den Kopf einölen).

- Beginnen Sie damit, oberhalb der Ohren Öl in beide Seiten des Kopfes einzumassieren.
- Verteilen Sie das Öl auf dem vorderen Teil des Kopfes, während Sie den Kopf fest mit beiden Händen reiben.

Shikha: Krone des Kopfes

Die Krone des Kopfes, auch *Shikha* genannt, ist der zweitwichtigste Punkt auf dem Kopf.

- Beugen Sie den Kopf nach vorne, so daß das Kinn die Brust berührt. Gießen Sie ungefähr zwei Eßlöffel Öl direkt auf die Mitte der Krone des Kopfes. Dieser Punkt befindet sich etwa acht Fingerbreit von der Medulla oblongata entfernt, also der Stelle, an der der Schädel in den Hals übergeht.
- Verteilen Sie das Öl auf der Rückseite des Kopfes, während Sie den Kopf fest mit beiden Händen reiben.

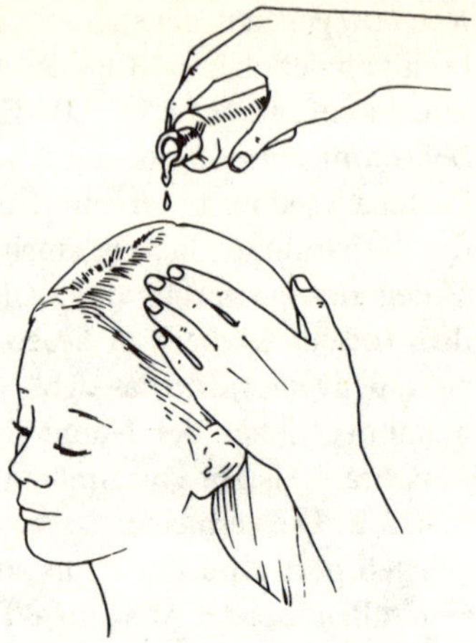

Abb. 4: Den Kopf einölen

Medulla oblongata: Das verlängerte Mark des Gehirns.

Auf der Mitte der Rückseite des Kopfes, dort, wo der Schädel in den Hals übergeht, befindet sich der drittwichtigste Punkt des Kopfes. Dieser Punkt heißt Medulla oblongata und bestimmt die Art und Weise, in der das Gehirn mit dem gesamten Nervensystem kommuniziert.

- Beugen Sie den Kopf des Patienten sanft nach vorne, und gießen Sie etwa einen Teelöffel Öl direkt auf die Medulla oblongata.
- Benutzen Sie beide Hände, und reiben Sie die Schädelbasis und den Nakken fest, um die feinen Kapillaren des Kreislaufs und des Nervensystems anzuregen.
- Drücken Sie schließlich mit beiden Daumen auf jeder Seite des Medulla-oblongata-Punktes, und halten Sie den Druck etwa eine Minute lang.

Kopfmassage: zweite Phase

- Bringen Sie beide Hände in Gebetshaltung zusammen. Legen Sie Ihre gefalteten Hände auf den Scheitelpunkt des Patienten.
- Bewegen Sie Ihre Hände in einer scherenähnlichen Bewegung; beginnen Sie damit, entschieden auf die Mittellinie des Kopfes zu schlagen, und bewegen Sie sich so langsam nach vorne bis oben auf die Stirn; dann bewegen Sie beide Hände wieder zurück und bleiben die ganze Zeit auf der Mittellinie des Kopfes.

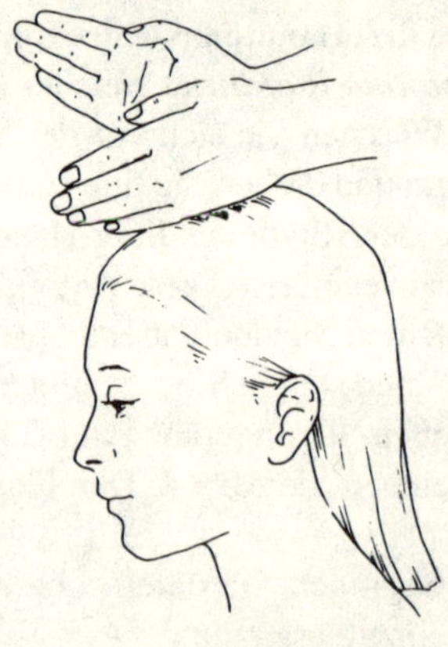

Abb. 5: Scherenähnliche Bewegung

- Bitten Sie den Patienten, seinen Kopf nach vorne und nach unten zu neigen, so daß das Kinn fast die Brust berührt, wenn Sie mit Ihren Scherenschlägen unten auf der Rückseite des Kopfes angelangt sind.
- Nachdem Sie so auf die Mittellinie des Kopfes geschlagen haben, nehmen Sie eine kleine Menge der Haare, die direkt über den drei glückbringenden Punkten des Kopfes (Brahma Randhra, Shikha und Medulla oblongata) liegen und zwirbeln Sie sie (Abb. 6).
- Ziehen Sie sanft an jedem einzelnen dieser Haarzwirbel; beginnen Sie am Brahma Randhra-Punkt und enden Sie am Medulla-oblongata-Punkt.

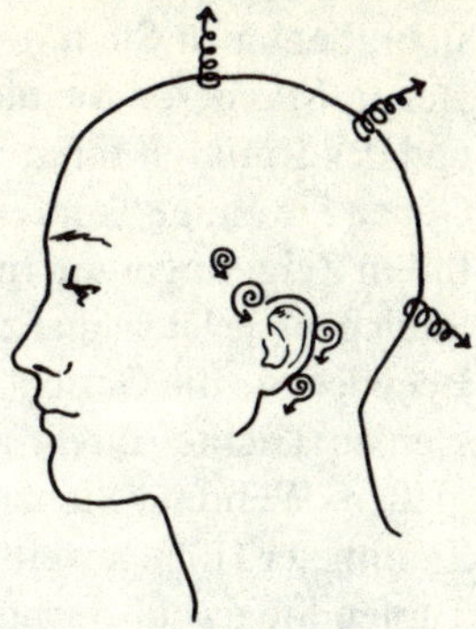

Abb. 6: Haare zwirbeln, Massage-Punkte um die Ohren herum

Kopf-, Hals-, Gesichts- und Schultermassage: Endphase

- Verreiben Sie etwa einen Eßlöffel Öl in Ihren Händen, und beginnen Sie, Hals und Nacken einzureiben. Üben Sie mit beiden Daumen Druck an der Mittellinie des Nackens aus, während Ihre Finger sanften Druck am Hals ausüben.
- Ballen Sie beide Hände zu Fäusten, und üben Sie mit den Daumen sanften Druck in einer subtilen Kreisbewegung gegen den Uhrzeigersinn über den Ohren und um sie herum aus, wobei Sie den beiden Punkten hinter den Ohren, von denen sich einer direkt über dem Ohr und der andere hinter dem Ohrläppchen befindet, besondere Aufmerksamkeit schenken (Abb. 6).
- Stimulieren Sie mit beiden Händen sanft die Schläfen zu beiden Seiten des Kopfes, indem Sie Ihre Finger in einer subtilen Kreisbewegung gegen den Uhrzeigersinn bewegen.
- Gießen Sie einen weiteren Eßlöffel Öl in Ihre Hände, und reiben Sie damit die Schultern ein. Massieren Sie mit beiden Händen die Schultern mit großzügigen Strichen, indem Sie auf der Mitte des Rückens beginnen und die gesamte Fläche nach außen zu den Armen hin massieren.
- Drücken Sie vom Nacken ausgehend fest nach unten zum oberen Rücken hin.
- Während Sie weiterhin hinter dem Patienten stehen, reiben Sie seine Schulterblätter mit beiden Händen.
- Fahren Sie fort, indem Sie mit festem Druck nach unten den oberen Brustbereich massieren.
- Führen Sie den Patienten zum Massagetisch, bitten Sie ihn, sich auszuziehen und das Leintuch anzulegen. Decken Sie den Patienten mit einem sauberen Laken zu, und laden Sie ihn ein, ein paar Minuten lang auszuruhen, während Sie sich die Hände waschen und sich auf die Ganzkörpermassage vorbereiten.
- Wenn Sie wiederkommen, bitten Sie den Patienten, seine Augen zu schließen; führen Sie ihn dann in die vollkommene Entspannung hinein.

- Gießen Sie etwa einen Eßlöffel Öl in Ihre Hände und reiben Sie das Gesicht; beginnen Sie mit der Stirn, und machen Sie dann mit den Wangen weiter. Massieren Sie die Nasenflügel, den Bereich um den Mund herum und das Kinn mit Ihren Daumen.
- Geben Sie einige Tropfen Öl in die Nasenlöcher, und reiben Sie schnell mit Ihrem Zeigefinger die Innenseite der Nasenlöcher.
- Streichen Sie leicht und zart mit den Daumen über die geschlossenen Augen.
- Beenden Sie die Gesichtsmassage, indem Sie zwei Eßlöffel Öl durch einen kleinen Trichter direkt auf das dritte Auge, den *Sthapani*-Marma-Punkt, gießen. Während Sie das Öl ausgießen, bewegen Sie den Trichter in 2,5 Zentimeter Höhe jeweils zu beiden Seiten des dritten Auges.
- Tupfen Sie das überschüssige Öl im Gesicht mit einem Handtuch ab.

Anmerkung: Shirobhyanga kann auch als unabhängige Massage gegeben werden, wenn *Mardana*, eine leichte Druckmassage des Kopfes, erforderlich ist.

Padabhyanga: Fuss- und Beinmassage

Wirkung

Padabhyanga, die Fuß- und Beinmassage, regt alle Organe des Körpers an; sie fördert Ojas und einen Zustand tiefer Entspannung, indem Sie im gesamten System ein Gefühl von vollkommenem Wohlbefinden erzeugt. Das Massieren der Füße, eines der vier Aktionsorgane, hilft gegen Schlaflosigkeit, Nervosität sowie Trockenheit oder Taubheitsgefühl in den Füßen. Das Massieren der Beine energetisiert den Bauch, das Becken und den Dickdarm, es regt den Kreislauf und die Fruchtbarkeit an und ist ein wirksames Mittel gegen Benommenheit.

Fußmassage und Massage des unteren Beines: erste Phase

- Entfernen Sie das Laken, das die Beine bedeckt.
- Schütteln Sie jedes Bein kräftig durch, indem Sie beide Hände auf den Fußrücken legen und leicht die Beine anheben.
- Geben Sie zwei Eßlöffel Öl auf beide Seiten des Fußes, und reiben Sie sie mit kreisenden Bewegungen im Uhrzeigersinn gründlich ein.
- Nehmen Sie die Ferse des Patienten in Ihren rechten Handteller, und drükken Sie das Knöchelgelenk fest mit Daumen und Fingern (Abb. 7).
- Drücken Sie mit Ihrer linken Hand die Zehenspitzen, und ziehen Sie dann fest an jedem einzelnen Zeh. Geben Sie Öl auf die Zehennägel, und reiben Sie sie dann noch einmal.
- Massieren Sie mit beiden Händen den Ansatzpunkt jedes einzelnen Zehs (Abb. 8).

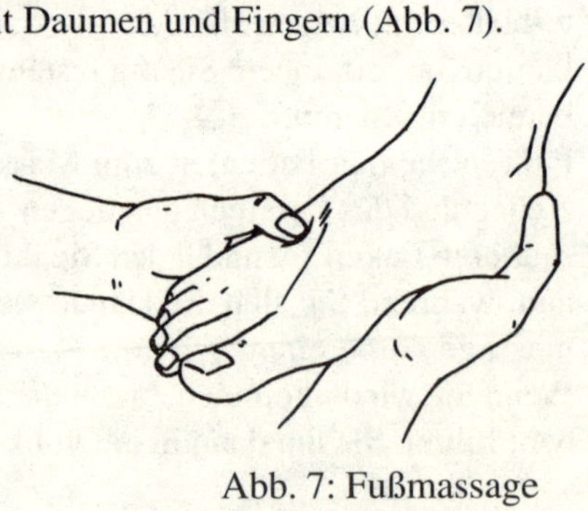

Abb. 7: Fußmassage

- Beginnen Sie 20 cm über den Knöcheln, und massieren Sie das Bein fest mit beiden Händen, wobei Sie sich allmählich abwärts bis zum Fuß bewegen.
- Massieren Sie gleichzeitig die Ober- und Unterseite des Fußes, indem Sie die Unterseite mit Ihren Fingern halten und mit beiden Daumen die Oberseite des Fußes drücken.
- Wiederholen Sie den gleichen Ablauf auf der linken Seite, aber massieren Sie jetzt gegen den Uhrzeigersinn, wo dies angebracht ist.

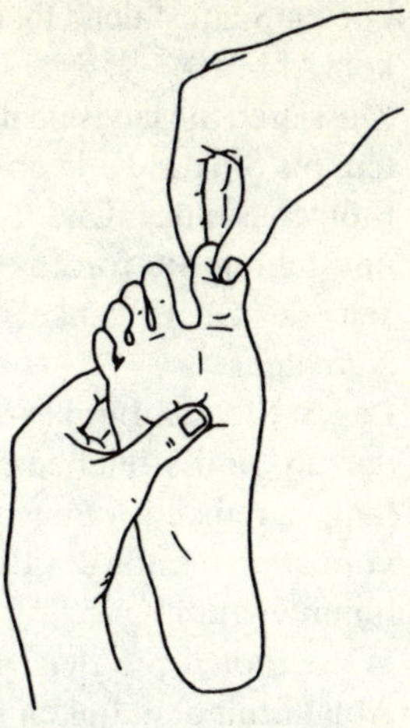

Abb. 8: Massieren der Zehen

Massage des unteren Beines: zweite Phase

- Stützen Sie das rechte Bein ab, so daß das Knie gebeugt ist und die rechte Fußsohle auf dem Massagetisch ruht.
- Gießen Sie zwei Eßlöffel Öl auf das rechte Bein und beginnen Sie damit, vom Knie aus nach unten zu massieren.
- Kneten Sie fest die Wadenmuskeln.
- Legen Sie Ihre Daumen auf den unteren Teil der Kniekehle, und drücken Sie fest in die Sehnen hinein.
- Machen Sie kleine Kreisbewegungen mit den Daumen (Bewegungen im Uhrzeigersinn an den Punkten am äußeren Bein und Bewegungen gegen den Uhrzeigersinn an den Punkten am inneren Bein) an den folgenden zehn essentiellen Beinpunkten: zwei Punkten zu beiden Seiten der unteren Kniekehle; zwei Punkten zu beiden Seiten hinter dem Knie; zwei Punkten zu beiden Seiten an der Mitte der Wade; zwei Punkten zu beiden Seiten direkt unterhalb der Wade und schließlich zwei Punkten zu beiden Seiten des Beins hinter dem Knöchelknochen (Abb. 9).
- Massieren Sie das untere Bein mit beiden Händen vom Knie aus abwärts bis zum Knöchel. Schütteln und drehen Sie den Knöchel sanft, bis er sich locker anfühlt. Strecken Sie das Bein und wiederholen Sie denselben Ablauf beim linken Bein.

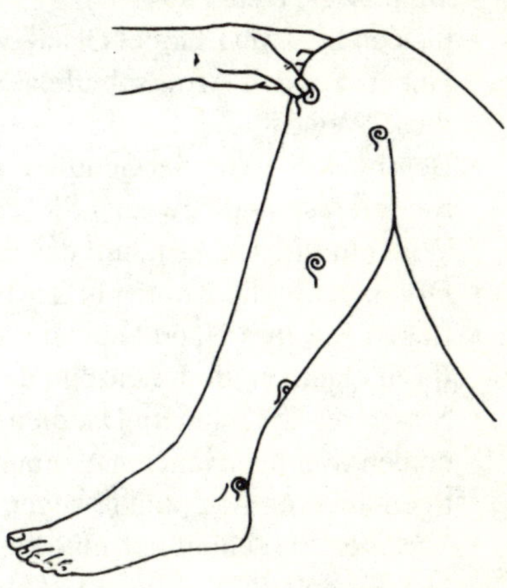

Abb. 9: Massage des unteren Beins

Massage des oberen Beins: dritte Phase

- Gießen Sie zwei Eßlöffel Öl auf den Oberschenkel des rechten Beins.
- Beginnen Sie mit beiden Händen von oben aus das Bein zu massieren, und

kneten Sie fest den Oberschenkel (Abb. 10).

- Massieren Sie langsam nach unten, bis Sie das Knie erreichen. Stützen Sie das Knie leicht ab, und fahren Sie fort, die Rückseite des Oberschenkels durchzukneten.
- Legen Sie das Bein sanft wieder ab, und streichen Sie mit langen, reibenden Bewegungen vom oberen Ende des Beins bis hinunter zum Knie.
- Wiederholen Sie den gleichen Ablauf mit dem linken Bein.

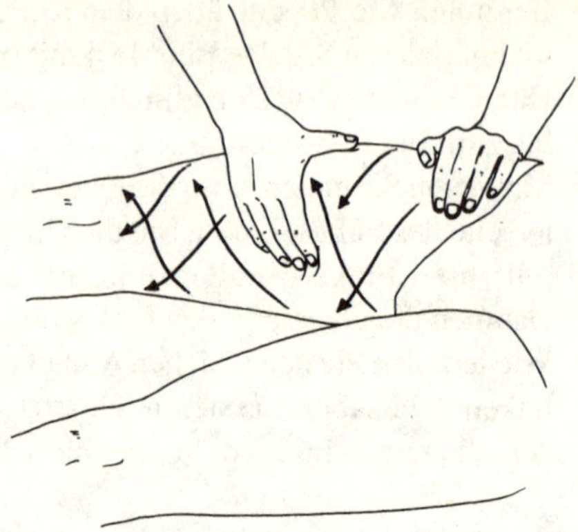

Abb. 10: Massage des oberen Beins

ABHYANGA: ARM- UND HANDMASSAGE

Wirkung

Unsere Hände, die ebenfalls eines unserer fünf Aktionsorgane sind, enthalten energetisch gesprochen die fünf Elemente in den Fingerspitzen. Die Erde ist im kleinen Finger enthalten, das Wasser im Ringfinger, das Feuer im Mittelfinger, die Luft im Zeigefinger und der Äther im Daumen. Unsere Hände sind lebenswichtige Verlängerungen, die es uns ermöglichen, die Natur zu berühren und sie in uns selbst zu verfeinern.

Die Handmassage regt sowohl beim Helfer als auch beim Patienten das tiefe kognitive Gedächtnis an und energetisiert gleichzeitig die Gewebe und Organe des Körpers. Das Massieren von Händen und Armen erhöht die Flexibilität und erfrischt den gesamten Körper energetisch.

Armmassage: erste Phase

- Gießen Sie zwei Eßlöffel Öl auf den rechten Arm, und reiben Sie sie sanft ein.
- Heben Sie den Arm, schütteln Sie ihn sanft, und entspannen Sie ihn auf diese Weise.
- Beginnen Sie von der Schulter ausgehend, den Arm zu massieren; kneten Sie ihn fest, und bewegen Sie sich dabei nach unten.
- Winkeln Sie den Arm, um das Ellenbogengelenk zu beugen.
- Drücken Sie die Knoten in der Ellenbogenbeuge.
- Legen Sie Ihre Hände auf die Rückseite des Arms, und drücken Sie mit Ihren Daumen die Innenseite des Arms bis hinunter zum Handgelenk.
- Massieren Sie mit dem Daumen in kleinen kreisförmigen Bewegungen die beiden wichtigen inneren Armpunkte im Uhrzeigersinn und die beiden wichtigen äußeren Armpunkte gegen den Uhrzeigersinn.
- Verteilen Sie schließlich eine kleine Menge Öl in jeder Achselhöhle. Drükken Sie mit Ihren Fingern sanft in die Achselhöhle, und halten Sie den Druck etwa eine Minute lang, bis Sie die Pulsation spüren können.

Handmassage: zweite Phase

- Reiben Sie die rechte Hand mit einer kleinen Menge Öl.
- Massieren Sie die Handteller, indem Sie sie mit Ihren Daumen drücken.
- Regen Sie mit kleinen kreisförmigen Bewegungen Ihrer Daumen im Uhrzeigersinn die Erhöhungen im Handteller an, die unter jedem Finger liegen.
- Reiben Sie jeden Fingernagel mit Öl ein, und massieren Sie jeden Finger, indem Sie sanft an ihm ziehen.
- Drücken Sie jeden Finger fest und drehen Sie ihn.

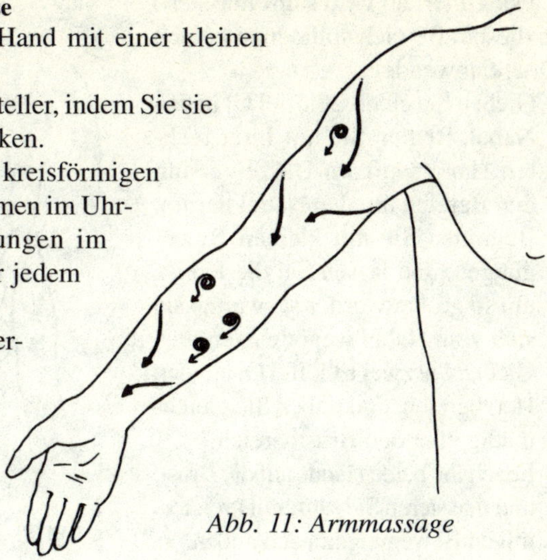

Abb. 11: Armmassage

- Biegen Sie die Finger nach hinten und dann nach vorne, indem Sie das Handgelenk dehnen und abwinkeln.
- Schütteln Sie das Handgelenk fest, und drehen Sie es solange, bis es locker ist und seine Spannung losgelassen hat.
- Drücken Sie mit Ihren Daumen die Rückseite der Hand, bis Sie am Fingernagel jedes Fingers angelangt sind.
- Wiederholen Sie denselben Ablauf mit der linken Hand, indem Sie sich an den Erhebungen im Handteller gegen den Uhrzeigersinn bewegen, wie in Abb. 12 dargestellt.

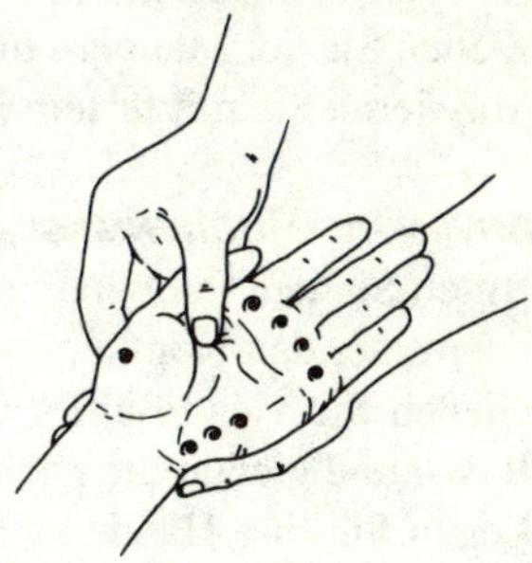

Abb. 12: Handtellermassage

Abhyanga: Unterleibs- und Brustmassage

Wirkung

Der Bauchnabel wird als Körpermittelpunkt angesehen. Er verbindet alle 72.000 Nerven des Körpers. Er enthält auch die Erinnerung an die erste Ernährung in diesem Leben, da unsere erste lebenswichtige Nahrung von unserer Mutter durch ihn geflossen ist. Als Mittelpunkt des Bauches und des Körpers stellt der Nabel eine erstaunliche Energiebasis dar. Eine Unterleibsmassage hilft, stagnierende Energie in Bewegung zu bringen und diese fundamentale Lebensquelle neu zu beleben. Physisch hilft die Unterleibsmassage gegen Verstopfung, sie harmonisiert die Magenmuskeln, löst Gifte im Körper und vermittelt tiefe Gefühle des Wohlbehagens.

Die Abhyangamassage an der Brust regt das Herz an, verbessert den Kreislauf; sie regt die Kapillaren des Blutgefäßsystems an, harmonisiert Leber und Milz, erhöht Prana, stimuliert die Lungen und entfernt Schleimansammlungen.

Der Unterleib wird sanft massiert; in diesem Bereich sollte man keinen Druck anwenden.

- Gießen Sie einen Eßlöffel Öl in den Nabel. Reiben Sie mit Ihrer rechten Hand sanft im Uhrzeigersinn den Bereich um den Nabel herum. Beginnen Sie mit kleinen Bewegungen, und lassen Sie die Kreise um so größer werden, je weiter Sie sich vom Nabel wegbewegen.
- Gießen Sie zwei Eßlöffel Öl auf den Herzbereich, und reiben Sie gleichmäßig über den Brustbereich.
- Legen Sie beide Hände auf die Brust, und massieren Sie sanft mit kreisförmigen Bewegungen nach außen.

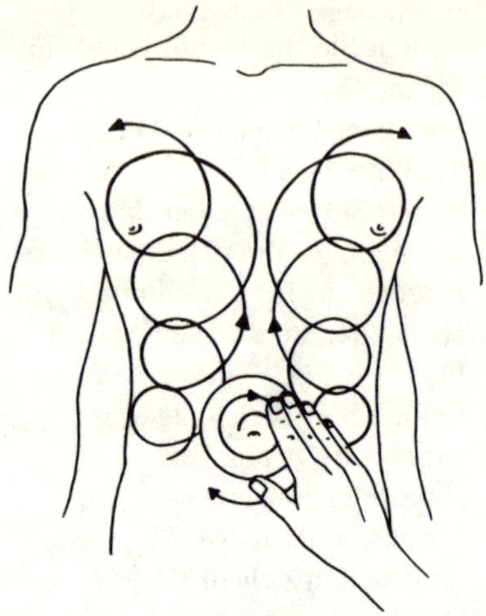

Abb. 13: Brustkorbmassage

- Wenn Sie eine Frau massieren, dann üben Sie keinen Druck auf die Brüste aus.
- Reiben Sie mit leichtem Kreisen sanft um die Brüste herum.
- Ziehen Sie bei Männern und bei Frauen sanft an den Brustwarzen.
- Massieren Sie mit festem Druck den Brustkorb.

ABHYANGA: RÜCKENMASSAGE

- Bitten Sie den Patienten, sich auf den Bauch zu legen und die Arme über oder unter den Kopf zu legen.
- Gießen Sie vier Eßlöffel Öl entlang des Rückgrats; beginnen Sie an der Basis, und gießen Sie nach oben bis zum Nacken.
- Legen Sie Ihre Hände zu beiden Seiten der Basis, und massicren Sie mit beiden Daumen gleichzeitig in halbkreisförmigen Bewegungen, wobei sich der linke Daumen gegen den Uhrzeigersinn bewegt und der rechte Daumen im Uhrzeigersinn.
- Bewegen Sie die Hände mit Hilfe dieser halbkreisförmigen Daumenbewegungen langsam nach oben, bis Sie den Nacken erreicht haben.
- Legen Sie Ihre Hände noch einmal zu beiden Seiten der Basis und ihre Daumen neben die Wirbelsäule.
- Massieren Sie den Rücken kräftig mit Ihren Fingern, indem Sie sie bis zum Nacken nach oben bewegen.

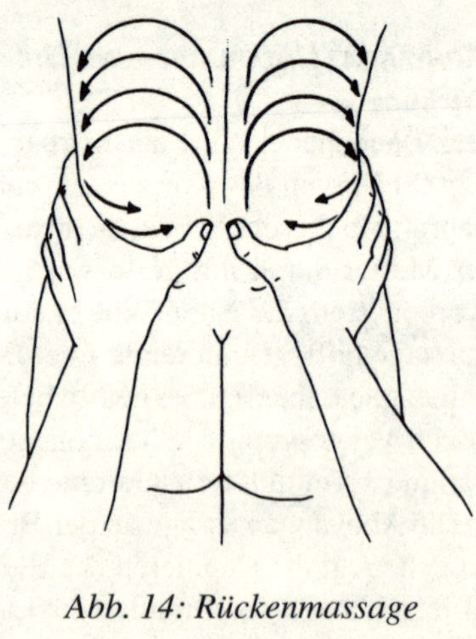

Abb. 14: Rückenmassage

- Kneten Sie die Muskeln auf beiden Seiten der Wirbelsäule. Benutzen Sie dabei beide Hände gleichzeitig.
- Sie können auch die Haut am gesamten Rücken kneifen.
- Reiben Sie schließlich kräftig die beiden Gesäßhälften.
- Decken Sie den Patienten zu und lassen Sie ihn eine Viertelstunde lang ruhen.

Spezielle Hüftmassage

Über die Harmonisierung der Muskeln hinaus trägt das Massieren der Hüften auch dazu bei, Agni, das Verdauungsfeuer, und die Peristaltik des Dickdarms zu verbessern; außerdem hilft es, Leber und Milz zu harmonisieren.

Anweisungen

- Bitten Sie den Patienten, sich auf die linke Seite zu legen.
- Gießen Sie einen Eßlöffel Öl auf die rechte Hüfte.
- Fassen Sie die Hüfte fest mit beiden Händen; Ihre Daumen liegen dabei auf der Rückseite, Ihre Finger auf der Vorderseite der Hüfte (Abb. 15).
- Massieren Sie den Bereich um Taille und Hüfte kräftig und regelmäßig fünf Minuten lang mit großzügigen kreisförmigen Bewegungen Ihrer Hände.
- Wiederholen Sie denselben Ablauf bei der linken Hüfte.

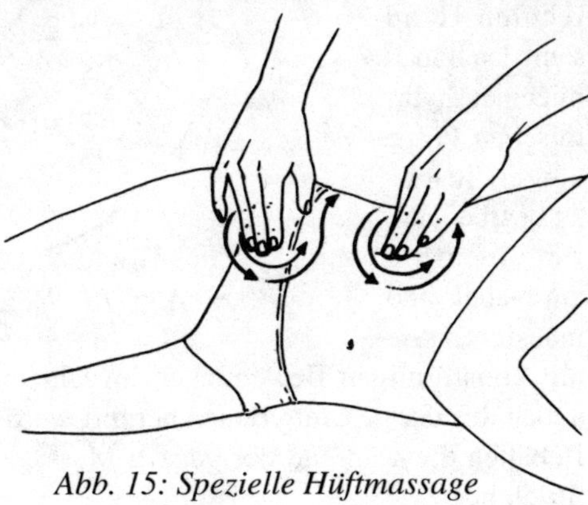

Abb. 15: Spezielle Hüftmassage

Spezielle Bauchmassage

In der Abhyanga-Therapie wird eine spezielle Bauchmassage durchgeführt, um den Magen zu harmonisieren, die Verdauung, den Kreislauf und die Fruchtbarkeit zu verbessern, und, was am wichtigsten ist, um Verstopfung zu lindern.

Warnung

- Vergewissern Sie sich, daß die Patientin nicht schwanger ist, und daß Patient oder Patientin keine Entzündung im Bauchraum, zum Beispiel in Form eines Magengeschwürs, haben.
- Der Patient sollte mindestens drei Stunden vor der Behandlung nichts mehr gegessen haben.
- Der Patient sollte seine Blase unmittelbar vor der Massage entleeren.
- Unterbrechen Sie die Massage, wenn der Patient über Bauchschmerzen klagt.

Anweisungen

- Bitten Sie den Patienten, sich auf den Rücken zu legen. Die Knie sollten dabei abgestützt sein und die Fußsohlen flach auf dem Massagetisch ruhen.
- Bitten Sie den Patienten, tief durch die Nasenlöcher in den Bauch einzuatmen und einige Minuten lang durch den Mund auszuatmen.
- Reiben Sie fest die Schultern des Patienten solange, bis Sie fühlen, daß der Körper sich entspannt.
- Wenn der Bauch vollkommen entspannt ist, können Sie mit der Massage beginnen.
- Setzen Sie sich zur Rechten des Patienten, und gießen Sie einen Teelöffel Öl in den Nabel. Legen Sie sanft beide Hände auf den Bauch, und bedekken Sie in vollkommenem Schweigen etwa eine Minute lang den Nabel.
- Dann beginnen Sie allmählich damit, mit den Fingern Ihrer rechten Hand sanft den Bauch mit einer rhythmischen Folge kurzer Striche zu bearbeiten.
- Beginnen Sie am Nabel, und massieren Sie mit kreisförmigen Bewegungen im Uhrzeigersinn in einer Spirale nach außen, bis der gesamte Bauch berührt worden ist (Abb. 16).

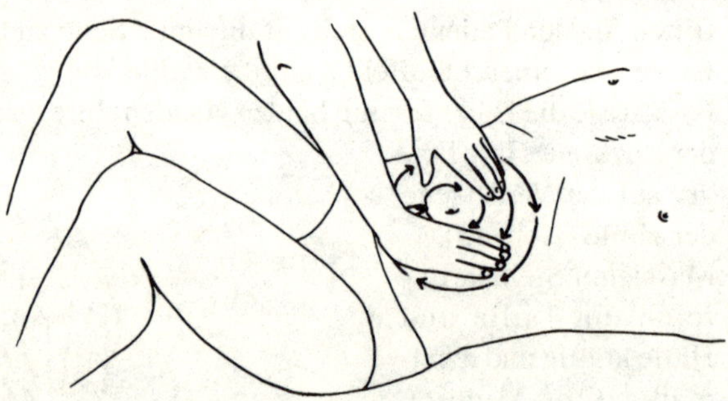

Abb. 16: Spezielle Bauchmassage

- Behalten Sie während der ganzen Massage einen sanften, aber kräftigen Strich bei.
- Fahren Sie fort, indem Sie mit Ihrem Handteller in kreisförmigen Bewegungen im Uhrzeigersinn den Bauch reiben.
- Beginnen Sie an der linken unteren Seite des Bauches, und kneten Sie mit beiden Händen sanft die Muskeln, wobei Sie allmählich Ihren Druck verstärken. Bewegen Sie sich stetig aufwärts, aber wenden Sie in diesem Teil des Bauches Druck nach unten an.
- Wiederholen Sie den gleichen Ablauf am oberen Teil des Bauches, und gehen Sie dann zur rechten Bauchseite über, wobei Sie wieder unten aufhören.
- Beenden Sie die Massage, indem Sie einen weiteren Teelöffel Öl in den Nabel gießen. Legen Sie den Mittelfinger Ihrer rechten Hand in den geölten Nabel, und spüren Sie etwa eine Minute lang die Pulsation des Bauches.
- Lassen Sie beide Hände einen Moment lang auf dem Bauch ruhen. Decken Sie dann den Patienten mit einem sauberen Laken zu, und lassen Sie ihn zehn Minuten lang ruhen.

Regeln für die Zeit nach der Massage

- Wenn bei der Massagetherapie Öl verwendet wurde, dann pudern Sie den Körper mit frischgemahlenem Urad- oder Kichererbsenpuder, bzw. mit Sandelholzpulver (vergleichen Sie die Rezepturen am Ende dieses Kapitels). Reiben Sie dann den Körper leicht mit einem Handtuch ab, indem Sie nach unten streichen, um das Öl und den Puder zu entfernen.
- Lassen Sie den Patienten eine Viertelstunde lang ausruhen und veranlassen Sie ihn dann, ein kühles Bad zu nehmen. Vata-Typen können ein lauwarmes Bad nehmen.

Teil vier

Selbstanwendung von Padabhyanga

Eine tägliche Fußmassage ist ein einfaches und äußerst belebendes Sadhana zur Erhaltung der Gesundheit. Padabhyanga ist seit Jahrtausenden als Voraussetzung für guten Schlaf, zur Schaffung von Gleichmut bei den Tagesaktivitäten und als exotischere Aktivität an den Königshöfen Indiens und Chinas auch als Vorspiel für sexuelle Aktivitäten benutzt worden. Dem Ayurweda zufolge befinden sich viele Marma-Punkte für die lebenswichtigen Organe und Sinnesorgane des Körpers in den Fußsohlen. Padabhyanga kräftigt und erneuert nicht nur den gesamten Körper, es fördert auch den Fluß von natürlichem „Valium" im Körper. Friedliche Nachtruhe und ruhige Tagesaktivitäten sind die direkte Folge einer gründlichen Fußmassage.

Im Laufe eines Tages tragen die Füße wortwörtlich Tonnen von dynamischem Körpergewicht. Eine Fußmassage zu Beginn oder am Ende jedes Tages ist eine wundervolle Möglichkeit, um diesem tapferen Aktionsorgan unsere Wertschätzung zu zeigen.

Padabhyanga: Fussmassage

Anmerkung: Dieses Symbol zeigt Therapien an, die zu Hause durchgeführt werden können.

Jahreszeit: *ganzjährig*
Körpertyp: *alle Typen*
Zeit der Anwendung: *frühmorgens oder vor dem Zubettgehen*

Beschwerden

Rauhe oder trockene Haut, Stumpfheit der Sinnesorgane, Erschöpfung, mangelndes Sehvermögen, Nervosität, Lethargie.

Selbstmassage

- Waschen Sie Ihre Hände, Ihr Gesicht und Ihre Füße, und ziehen Sie einen frischen Kittel an. Gießen Sie eine viertel Tasse eines geeigneten Öls in eine kleine Schüssel und stellen Sie sie neben sich.
- Setzen Sie sich bequem hin, entweder auf eine saubere Matte auf den Boden oder aufrecht auf einen Stuhl.
- Schließen Sie Ihre Augen, und sitzen Sie einige Minuten lang in kontemplativer Stille, bevor Sie mit der Massage beginnen.
- Nach der Kontemplation heben Sie sanft das rechte Bein an, lassen Sie den rechten Knöchel auf dem linken Knie ruhen, und gießen Sie eine kleine Menge Öl auf den rechten Fuß.
- Greifen Sie den Fuß mit beiden Händen; die Daumen ruhen auf der Unterseite des Fußes und die Finger auf der Oberseite.
- Krümmen Sie die Finger, und drücken Sie kräftig in die obere Mittellinie des Fußes, wobei Sie am Knöchel beginnen und sich am Fuß entlang bis zur mittleren Zehe hocharbeiten. Drücken Sie gleichzeitig die Daumen in die Fußunterseite; beginnen Sie an der Ferse, und bewegen Sie sich an den inneren und äußeren Kanten der Fußunterseite entlang. Synchronisieren Sie beide Hände, so daß sie sich mit der gleichen Geschwindigkeit bewegen, und Fußober- und Fußunterseite gleichzeitig massiert werden.

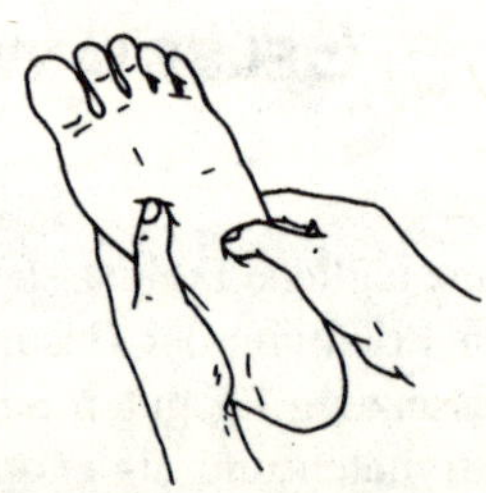

Abb. 17: Padabhyanga

- Fahren Sie damit fünf Minuten lang fort, wobei Sie immer von der Ferse ausgehen und sich mit Fingern und Daumen zu den Zehen vorarbeiten und diesen Ablauf solange wiederholen, bis die gesamte Fußoberfläche gründlich massiert worden ist.
- Lösen Sie den Fuß, und gehen Sie zu den Zehen. Beginnen Sie mit dem großen Zeh, drükken Sie mit Daumen und Zeigefinger Ihrer linken Hand zu beiden Seiten des Nagels. Ziehen Sie sanft an dem Zeh, und massieren Sie dann kräftig die untere Seite, wobei Sie am Zehenansatz beginnen. Das Reiben dieses Punktes regt das Gehirn an und verbessert die Sehfähigkeit.
- Gehen Sie nach einer Weile zum zweiten Zeh über, und wiederholen Sie denselben Ablauf. Dieser Zeh gibt Energie an die Lungen ab.
- Machen Sie so Zeh für Zeh weiter.

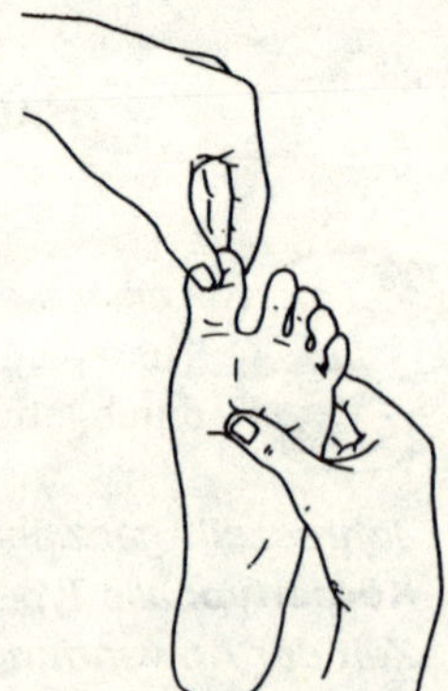

Abb. 18: Zehenmassage

- Der Meridian für den Dickdarm verläuft durch den mittleren Zeh; ihn zu massieren trägt zur Harmonisierung des Dickdarms bei. Der vierte Zeh ist der Ort, an dem sich der Nierenmeridian befindet; ihn zu massieren trägt dazu bei, den Fluß lebenswichtiger Energie in den Nieren zu verstärken. Der kleine Zeh beherbergt den Herzmeridian; diesen Zeh zu massieren regt das Herz an und befähigt es, sein langsames und rhythmisches Schlagen beizubehalten.
- Die gesamte Massage kann noch einmal wiederholt werden. Bevor Sie den Fuß wechseln, drücken Sie Ihren Daumen kräftig in die vier Marma-Punkte, die auf der Unterseite des Fußes angezeigt sind (vgl. Abb. 19).
- Wechseln Sie die Position der Beine und wiederholen Sie den gesamten Ablauf mit dem linken Fuß.

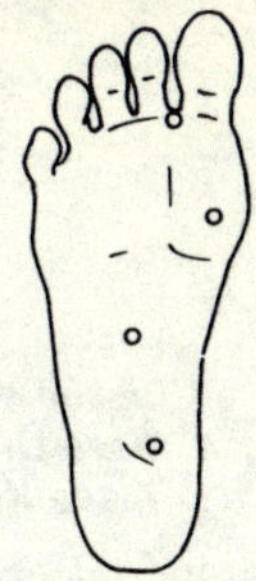

Abb. 19: Marma-Punkte am Fuß

Nachdem Sie beide Füße massiert haben, reiben Sie sanft alle Ölreste mit einem trockenen Handtuch ab. Waschen Sie sich die Hände und halten Sie eine kurze Meditation ab. Bereiten Sie sich darauf vor, voller Freude den Tag zu begrüßen oder sich zu einer friedlichen Nachtruhe hinzulegen.

Teil fünf

Abhyanga-Rezepturen

Abhyanga-Zubereitungen mit Öl

Öle werden sowohl bei der Abhyanga-Massage als auch in der Snehana-Therapie verwendet, um den Körper zu beruhigen und ihn zu stabilisieren; darüber hinaus dienen sie als Trägerstoffe für die nährenden Kräuter und Substanzen, die den Ölen hinzugefügt werden. Öle regulieren die Doshas der weiblichen Genitalien, und sie versorgen den Körper mit Hitze. Sie harmonisieren die Haut und die Körpergewebe. Allgemein lindern Öle Vata-Störungen, sie stabilisieren Pitta-Störungen und verschlimmern Kapha.

Eine reichhaltige Auswahl an ayurwedischen Ölen wird zur Massage jedes Teils des menschlichen Körpers verwendet. Sesamöl wird aufgrund seiner wärmenden, nährenden und durchdringenden Eigenschaften als dominante Grundlage für die meisten Öle zum Einreiben verwendet. (Vergleichen Sie Anhang A für eine ausführliche Aufstellung von Massageölen.)

Kräuterölabkochung

4 Tassen Wasser
1 Tasse Öl
¼ Tasse Kräuter

Bringen Sie das Wasser in einem Topf aus rostfreiem Stahl zum Kochen. Fügen Sie Öl und Kräuter hinzu, decken Sie das Ganze zu, und lassen Sie es bei geringer Hitze 4 bis 6 Stunden lang köcheln, bis alles Wasser verdunstet ist. Lassen Sie das Kräuteröl abkühlen, und gießen Sie es dann durch ein Teesieb in einen Glaskrug. Decken Sie das Öl zu, und lagern Sie es an einem kühlen Ort.

Kräuterölaufguß

1 Tasse Öl
¼ Tasse Kräuter

Bringen Sie das Öl in einem Topf aus rostfreiem Stahl zum Kochen. Fügen Sie die Kräuter hinzu, und nehmen Sie den Topf vom Herd. Decken Sie das Öl zu, und lassen Sie es 10 Stunden lang ziehen. Gießen Sie es dann durch ein Teesieb in einen sauberen Glaskrug. Decken Sie das Öl zu, und lagern Sie es an einem kühlen Ort.

Frische Kräuteröl-Sonnenabkochung

¼ Tasse frische Kräuter
1 Tasse Öl

Hacken Sie die frischen Kräuter grob, und geben Sie sie zusammen mit dem Öl in ein sauberes Glasgefäß. Bedecken Sie die Mischung mit einem Stück Baumwollgaze, und befestigen Sie die Gaze mit einem Gummiband. Stellen Sie das Gefäß 25 Tage lang zwischen 10 Uhr und 15 Uhr in die Sonne. Achten Sie darauf, daß Sie das Gefäß weder extremer Kälte noch Regen oder Mondlicht aussetzen. Wenn der Außguß fertig ist, gießen Sie die Mischung in einen sauberen Glaskrug ab. Verschließen Sie sie mit einem gutschließenden Deckel, und lagern Sie sie an einem kühlen Ort.

Mischen von Ölen

Im allgemeinen werden im Ayurweda Öle nicht gemischt. Stattdessen werden ihnen entweder Kräuter oder andere Substanzen zugesetzt, oder sie werden allein gebraucht. Ätherische Öle werden in winzigen Mengen zu primären Einreibeölen hinzugefügt, um einen besonderen Akzent zu setzen. Wenn ätherische Öle zu einem Basisöl hinzugefügt werden, dann nehmen Sie zehn Tropfen von dem ätherischen Öl auf etwa 30 Gramm Basisöl.

Mischen von Ölen mit Säften und Gels

Das Mischen von Ölen, Kräutern und Aromen ist eine Kunst, die für die ayurwedischen Verjüngungstechniken wesentlich ist. Der frische Saft von Kräuterwurzeln, wie der von Ingwer und Knoblauch zum Beispiel, oder der frische Pflanzensaft, der aus der Minze und dem Koriander gewonnen wird, kann mit warmem oder kühlem Öl gemischt werden. Im allgemeinen nimmt man einen Teil Saft auf zwei Teile Öl. Wenn ein Gel, wie zum Beispiel Aloe Vera oder Gummiharze, wie das Harz von Asa foetida oder Kiefer, zu Öl hinzugefügt wird, dann ist die Vorgehensweise etwas anders. Bei einer Gelsubstanz beträgt das Verhältnis ein Teil Gel auf drei Teile warmes oder kaltes Öl. Ein Hartgummiharz wird zu Pulver zerrieben, zu dem warmen Öl hinzugefügt und vor dem Gebrauch einige Stunden lang stehengelassen. Wenn das Gummiharz weich ist, dann wird es zu dem warmen Öl hinzugefügt und die Mischung wird bei niedriger Hitze etwa fünfzehn Minuten lang geköchelt. Im allgemeinen werden zehn Prisen Gummipulver oder zehn Tropfen weiches Gummiharz zu etwa 30 Gramm flüssigem Basisöl hinzugefügt.

Wenn frische Säfte oder Gele mit Ölen gemischt werden, wird die Zubereitung vor jeder Anwendung frisch hergestellt, um Verderben zu vermeiden.

Das Erwärmen von Massageölen

Im allgemeinen empfiehlt der Ayurweda, die für Abhyanga verwendeten Öle zu erwärmen. Bei bestimmten Fällen von Pitta-Beschwerden können die Öle jedoch auf Zimmertemperatur erwärmt benutzt werden. Es ist am besten, die Öle in einem Turmtopf zu erwärmen, sofern sie nicht mit Wasser verdünnt sind. Benutzen Sie niemals elektrische Öfen oder andere elektrische Heizgeräte, um Massageöle zu erwärmen. Elektrische Energie bringt die Energie der Öle in Unordnung, die nun ihrerseits chaotische Schwingungen durch die Haut schicken, wenn die Öle dann angewendet werden. Gasöfen oder andere Heizgeräte, die eine offene Flamme haben, sind am besten zur Erwärmung der Öle und Substanzen geeignet, die bei Abhyanga verwendet werden.

Massageölgefäße

In früheren Zeiten wurden verschiedene Metalle, Glas, Keramik oder Ton als Energieleiter für Massageöle benutzt. Die zur Herstellung von Gefäßen verwendeten Materialien beeinflußten die Energie der verschiedenen Öle, die sie enthielten. Gold-, Bronze- und Messinggefäße wurden zum Beispiel zur Aufbewahrung der Öle verwendet, die zu Behandlung von Vata- und Kapha-Störungen gebraucht wurden, während Silber-, Zinn- oder Platingefäße zur Aufbewahrung der Öle, die für Pitta-Störungen verwendet wurden, dienten. Im allgemeinen wurden Ton- und Keramikgefäße verwendet, um die Wärme des Öls zu erhalten und ihm Bescheidenheit zu vermitteln; diese Eigenschaften wiederum wurden dann in Form von Schwingung auf den Patienten übertragen, bei dem das Öl angewendet wurde. Es wurden auch verschiedenfarbige Glasgefäße für die Öle verwendet, da jede Farbe ihre eigene einzigartige Heilschwingung hat. Außerdem erlaubte die Transparenz des Glasgefäßes es dem Öl, durch die Energien von Sonne oder Mond beeinflußt zu werden, wenn die numinosen Schwingungen von Sonnen- oder Mondenergien für die Heilung der Person, für die das Öl beabsichtigt war, notwendig waren.

Auch wurden passende Edelsteine in die Massageöle gelegt und besondere Mantras rezitiert, um nach Anwendung der Öle die gewünschten Ergebnisse zu erzielen. Sie können auch Gebrauch von diesen uralten und lichtvollen Verfahren machen, wenn Sie diese zeitlosen Heilungssadhanas praktizieren.

Abhyanga-Ölrezepturen

Basisöle

Folgende Basisöle oder Schmiermittel können allein oder als Basis für die Kräuter oder ätherischen Öle, die am besten für jeden Typ geeignet sind, verwendet werden.

Vata:	dunkler oder heller Sesam, Jojoba, Avocado, Walnuß, Mandel
Pitta:	heller Sesam, Kokosnuß, Sonnenblume, Canola, Ghee
Kapha:	heller Sesam, Canola, Mais, Walnuß, Mandel

Ätherische Öle

Im folgenden einige Beispiele für ätherische Öle, die zu den für jeden Typ geeigneten Basisölen hinzugefügt werden können. Verwenden Sie zehn Tropfen ätherisches Öl auf etwa 30 Gramm flüssiges Basisöl. Fügen Sie das ätherische Öl hinzu, nachdem Sie das Basisöl vom Herd genommen haben, sofern es erhitzt werden soll. (Anhang A enthält eine umfangreiche Liste der Massageöle.)

Vata:	Jasmin, Rose, Sandelholz, Kardamom, gelber Champa, Muskatnuß, Zimt, Lavendel, Weihrauch, Safran, Flieder, Vetiver
Pitta:	Sandelholz, Jasmin, Fenchel, Koriander, Lavendel, Pfefferminze, Zitrone, Limone, Safran, Orange, Flieder, Rose
Kapha:	Salbei, Myrrhe, Patschuli, Piment, Eukalyptus, Kardamom, Zimt, gelber Champa, Zitrone, Limone, Neroli, Geranium.

Bei Ölinfusionen und Abkochungen verwendete Kräuter

Im folgenden einige Beispiele für Kräuter, die für Ölinfusionen oder Abkochungen für Abhyanga verwendet werden können:

Vata:	Ashwagandha, Bala, Bhringaraja, Gotu Kola, Süßholz, Nelken, Schwarzwurz, Kalmus, Ingwer, Ginseng
Pitta:	Nimba, Mahabala, Amalaki, Gotu Kola, Gokshura, Shatavari, Bhringaraja, Pfefferminze, Fenchel, Süßholz
Kapha:	Bhringaraja, Gotu Kola, Bibhitaki, Haritaki, Gokshura, Nimba, wilder Ingwer, Rosmarin, Salbei, Meerrettich

Aufgrund der geregelten Schweißproduktion im Körper während des Schwitzens wird Kapha ebenfalls dadurch gelindert, daß es reduziert wird; außerdem bessern sich Beschwerden wie Übergewicht, Lethargie, Appetitverlust und niedriges Verdauungsfeuer.

Aufgrund der natürlichen Körperhitze von Pitta werden nur milde Formen der Schwitzbehandlungen empfohlen. (Vergleichen Sie Kapitel sechs für die verschiedenen Arten von Swedana-Therapien.)

Für die vorbereitende Schwitzbehandlung vor Pancha Karma wird im allgemeinen ein Dampfraum genommen, der durch heiße Steine oder Ziegel erhitzt und gelegentlich mit Wasser bespritzt wird, um die Dampfbildung anzuregen. Ein geschlossener Dampfraum bzw. ein Holzkasten, der traditionell Baspa Sweda genannt wurde und durch einen Gasgenerator erhitzt wird, (vermeiden Sie elektrisch aufgeladene Dampfräume oder -kästen) genügt ebenfalls. Wenn Ihnen kein Dampfraum bzw. kein Dampfkasten zur Verfügung steht, dann können die einfachen Schwitzanwendungen, die im folgenden dargestellt sind, angewendet werden.

Schwitzbehandlung

Zeit der Anwendung:

Vata und Kapha: *30 Minuten*

Pitta: *15 Minuten*

Anmerkung:

1. Die Schwitzbehandlung sollte nach der Abhyanga-Therapie und vor Pancha Karma angewendet werden.
2. Die Bedingungen und Restriktionen, die in Kapitel sechs „*Swedana* – Ayurwedische Schwitztherapie" genannt werden, sind hier ebenfalls zu beachten.

Die Ingwerkompresse*

Ingwerkompressen können am Körper und an den Gliedmaßen angewendet werden, nicht aber am Kopf. Verwenden Sie zwei besonders große Töpfe aus rostfreiem Stahl, die mit Ingwerwasser gefüllt sind. Ein Topf mit Ingwerabkochung soll bei niedriger Hitze köcheln, während der andere Topf mit Abkochung in Gebrauch ist. (Folgen Sie den Anweisungen in „Die Ingwerkompresse – eine Behandlungsmethode für die Nieren", die unten zu finden sind, und gleichen Sie die Mengen so an, daß Sie 15 Liter Wasser auf 2 Tassen geriebenen Ingwer nehmen und eine Handtuchkompresse am ganzen Körper auflegen.)

**Anmerkung:*

Vergleichen Sie die Liste der im Ayurweda gebräuchlichen Kräuter für Swedana und gebräuchliche schweißtreibende Kräuter in Anhang A. Diese können in Abkochungen als Kombination von drei bis sieben verschiedenen Kräutern verwendet werden, je nach der für die Schwitzbehandlung erforderlichen Hitzeintensität.

Die Ingwerkompresse – eine Behandlungsmethode für die Nieren

gut 3,5 l Wasser
1 Handvoll frischgeriebener Ingwer

Bringen Sie das Wasser in einem Topf aus rostfreiem Stahl zum Kochen. Legen Sie den geriebenen Ingwer in einen kleinen sauberen Baumwollbeutel, den Sie mit einer Kordel befestigen. Drücken Sie mit Ihrer kräftigeren Hand den Beutel fest zusammen, so daß der Ingwersaft aus dem Beutel in das kochende Wasser tropft. Dann lassen Sie den Ingwerbeutel in den Topf mit kochendem Wasser fallen. Decken Sie ihn zu und köcheln Sie das Ingwerwasser bei niedriger Hitze dreißig Minuten lang. Tragen Sie Schutzhandschuhe, nehmen Sie den Topf vom Herd und tragen Sie ihn vorsichtig in das Behandlungszimmer, wo sie die Mischung fünf Minuten lang ziehen lassen, bevor Sie den Deckel abnehmen.

Anweisungen
Halten Sie die Enden eines Handtuchs mit beiden Händen und tauchen Sie die Mitte des Handtuchs in den Topf mit dem heißen Ingwerwasser, ohne daß das Wasser die Enden berührt, die Sie gerade festhalten. Wringen Sie das Handtuch aus, um überschüssiges Wasser in den Topf fließen zu lassen. Decken Sie den Topf wieder zu, um die Hitze des Wassers zu erhalten. Schütteln Sie das Handtuch fest, um etwas Hitze freizusetzen. Testen Sie die Temperatur des Handtuchs zuerst, indem Sie es sanft einen Moment lang auf den Rücken des Patienten legen. Fragen Sie den Patienten, um sicherzugehen, daß die Hitze erträglich ist, bevor Sie die Kompresse anwenden.

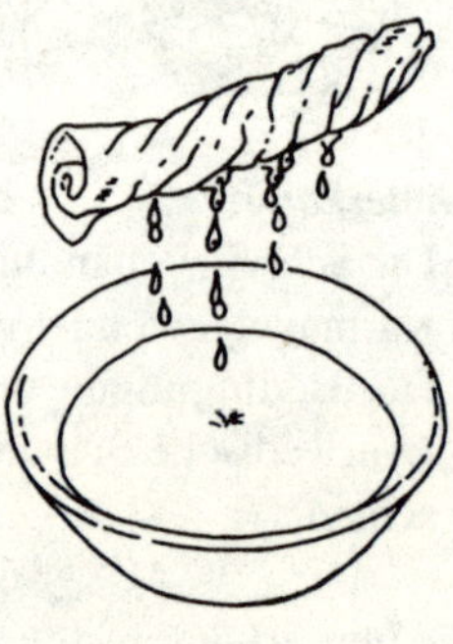

Abb. 20: Auswringen des Tuches

Falten Sie das Handtuch und legen Sie es direkt über die Nieren auf den unteren Rücken. Üben Sie mit Ihren Händen kräftigen Druck auf das Handtuch aus. Wenn das Handtuch lauwarm wird, dann wiederholen Sie das Eintauchen in das heiße Wasser und das nachfolgende Auswringen.

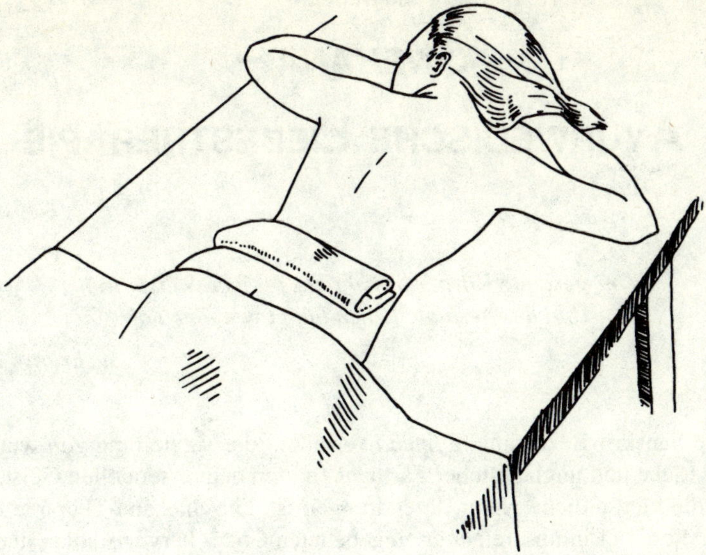

Abb. 21: Ingwerkompresse

Wiederholen Sie die Anwendung mit dem heißen Handtuch etwa fünf Mal auf dem Rücken das Patienten oder solange, bis das Ingwerwasser seine Hitze verliert.

Verfahren davor und danach

Verreiben Sie direkt vor und direkt nach der Behandlung eine reichliche Menge warmen Sesamöls auf dem Rücken des Patienten.

Nadi Sweda für den ganzen Körper

Nadi Sweda kann angewendet werden, um den ganzen Körper zum Schwitzen zu bringen, anstatt nur einen bestimmten Teil, wie in Kapitel sechs, Teil drei erklärt ist: „Nadi Sweda: Lokale Dampfanwendung"

Um nach der Behandlung den gesamten Körper mit Ausnahme des Kopfes zu harmonisieren, beachten Sie die für Nadi Sweda aufgestellten Regeln.

KAPITEL FÜNF

SNEHANA – AYURWEDISCHE LIEBESTHERAPIE

Der gesamte Körper besteht aus fettigen Substanzen,
Und das gesamte Leben hängt von ihnen ab.

Sushruta

Die Sanskrit-Bezeichnung *Sneha* vermittelt die Vorstellung von wunderbarer Liebe und unglaublicher Zärtlichkeit, von dem essentiellen Geist, von dem die menschliche Natur durchdrungen ist. Die Snehana-Therapie dient dazu, diese tief in unsere Natur eingebetteten Codes hervorzuholen und unser kognitives Gedächtnis zu erwecken.

Der Schwerpunkt dieser Therapie liegt auf dem Einölen, Salben, Einschmieren und Liebkosen des inneren und des äußeren Körpers. Indem der Ayurweda-Arzt dem Patienten seine Fürsorge zukommen läßt und ölige Substanzen in den Patienten gelangen, können Körper, Geist und Seele wachsen, sich ausbreiten, und sich an ihre kognitive Natur erinnern. Das äußerlich angewendete Sadhana stellt als das Snehana, das die größte Liebe verbreitet, eine heilige Verbindung von neun intrinsischen Eigenschaften dar, die in Form von ayurwedischen Kräutern und Substanzen über die Haut tief in die Gewebe eindringen. Diese neun Eigenschaften sind Nässe, Stärke, Kräftigung, Zärtlichkeit, Heilung, Flüssigkeit, Anpassung, Ruhe und Kognition. Zusammen haben sie eine synergistische Wirkung, die dazu dient, die negativen Elemente aus dem Körper herauszubefördern und die Kanäle des Gedächtnisses zu schmieren. Snehana öffnet von neuem die Kanäle, durch die Energie und Informationen fließen. Als Folge davon sind wir in der Lage, freien Zugang zu Ahamkara zu bekommen und ein subtiles Gleichgewicht zwischen den erfahrungsorientierten Aktivitäten und dem kognitiven Gedächtnis aufrechtzuerhalten. Ohne Snehana kann das Leben wirklich lieblos und kalt sein.

Im Ayurweda kann die Snehana-Therapie zur inneren und äußeren Schmierung angewendet werden. Snehana wird äußerlich als erste vorbereitende Therapie vor Beginn der Pancha-Karma-Behandlung durchgeführt. Sie kann auch als unabhängige Therapie genutzt werden, um Vata-, Pitta- und Kapha-Störungen zu beseitigen. Sowohl innere als auch äußerliche Snehana-Behandlungen werden wirksam genutzt, um Vata-Störungen zu heilen.

Das äußerliche Snehana wird im wesentlichen auf zwölf verschiedene Weisen angewendet. Viele Snehana-Therapien beinhalten sowohl Massage als auch Einölen. Das Einschmieren des ganzen Körpers mit Ölen oder Ghee heißt *Abhyanga*. Weil Abhyanga auch als unabhängige Behandlungsform angewendet wird und für sich genommen eine umfangreiche Massagekunst darstellt, wird es ausführlich in Kapitel vier besprochen.

Eine besondere therapeutische Form der Ölmassage für nervöse Störungen, ebenso wie eine trockene Form der Massage für Kapha-Störungen wie rheumatische Arthritis, heißt *Udvartana*. Bei dieser Massage werden kräftiger Druck und kontinuierliche Aufwärtsstriche angewendet. Diese Therapie wird auch verwendet, um überschüssiges Fett zu schmelzen. Im allgemeinen sollte Udvartana nur unter Aufsicht eines ayurwedischen Arztes durchgeführt werden. Da sie sehr kompliziert ist, wird diese Therapie in diesem Buch nicht besprochen.

Der Prozeß des Einkleisterns des Körpers mit arzneilichen Substanzen heißt *Lepa*. Es gibt verschiedene Formen der Lepa-Therapie, die ausführlich sowohl bei den Snehana- als auch bei den Swedana-Therapien angewendet werden. Die Technik des Abwaschens des Körpers mit Ölen und Wasser, besonders des Rückens, wird *Samvahana* genannt. Dieser Prozeß wird verwendet, um Haut, Muskeln und Blut zu verjüngen. Er ist eine erfrischende, jedoch schlaffördernde Behandlung für alle Körpertypen. *Parisheka*, was als Snehana- und als Swedana-Prozeß angesehen wird, beinhaltet die Anwendung einer komplizierten Rezeptur, die verschiedene ayurwedische Kräuter enthält, mit denen der gesamte Körper übergossen und massiert wird. Die Parisheka-Behandlung, die detailliert in dem Abschnitt über Swedana beschrieben wird, ähnelt sehr stark der Samvahana-Behandlung und kann zur Erzielung derselben Ergebnisse verwendet werden.

Wie im vorhergehenden Kapitel besprochen, ist das Einreiben der Füße mit Öl eine traditionelle Form der Massage, die seit mehr als fünftausend Jahren praktiziert wird. Diese Massage heißt *Padaghata* oder *Padabhyanga*. Das Einreiben des Kopfes hat die gleiche Bedeutung wie das Massieren der Füße. Es gibt viele Arten von Kopfmassagen im Ayurweda, wobei die wichtigsten *Shiro Tarpana*, die Anwendung von Öl auf dem Kopf; *Shirobhyanga*, das Einreiben des Kopfes mit Öl; *Shirovasti*, ein kunstvolles Verfahren, bei dem Öl auf dem geschorenen Kopf angewendet wird; und *Shirodhara*, der Prozeß, bei dem eine arzneiliche Abkochung eine bestimmte Zeit lang auf die Stirn getropft wird. Die Padbhyanga- und die Shirobhyanga-Massagen werden ebenfalls detaillierter in dem Abschnitt über Abhyanga besprochen.

Der Ayurweda wendet eine äußerst ganzheitliche Therapieform an, um den Mundraum gesundzuerhalten. Bei diesem Verfahren, das *Kavalagraha* heißt, wird eine flüssige Abkochung für kurze Zeit im Mund behalten. Diese Therapie erfrischt die Sinnesorgane, besonders den Geschmacks-, Geruchs- und Sehsinn. Eine ähnliche Abkochung wird bei der Massage der Ohren verwendet, indem Flüssigkeit in die Gehörgänge getropft wird; dieses Verfahren wird *Karna Purana* genannt. Pflanzliche Abkochungen werden auch benutzt, um die Augen zu beleben; diese Waschungen sind als *Akshitarpana* bekannt.

Ein bisher nicht erwähntes Verfahren in der äußerlich angewendeten Snehana-Therapiegruppe heißt *Pichu*, der Prozeß, bei dem ein Stück Stoff in arzneilichem Öl getränkt und auf der Stirn angebracht wird.

REGELN FÜR DIE SNEHANA-THERAPIE

Wie alle ayurwedischen Verjüngungspraktiken sollte auch die Snehana-Therapie nur in den passenden Jahreszeiten und nur bei bestimmten Beschwerden durchgeführt werden. Die Therapie sollte immer in einem sauberen, warmen, hellen und gut belüfteten Raum stattfinden, der frei von Staub und Feuchtigkeit ist. Wenn die Therapie so angewendet wird, dann ist sie von ungeheurem Nutzen. Snehana verbessert das Verdauungsfeuer, baut überschüssiges Fett ab, wärmt den Körper, tut dem Geist wohl, führt Schlaf herbei, macht die Haut glatt und die Gliedmaßen flexibel. Es fördert die rechtzeitige Ausscheidung der Körperabfälle und macht so Geist und Sinne klar und rein.

Normalerweise ist während der Snehana-Behandlung und für dieselbe Zeitspanne danach eine heilende Diät aus leichter warmer Reisgrütze und milden Bohnensuppen einzuhalten. Um Ängste oder Sorgen abzubauen, kann dem Patienten vor der Behandlung einen Lecksaft, der mit braunem Zucker, Sukkanat, Rohrzucker oder Honig zubereitet wurde, zusammen mit einem leichten Frühstück verabreicht werden.

Drei Schritte, die den Kopf betreffen, sind ebenfalls vor der Snehana-Behandlung zu beachten. Diese Maßnahmen werden getroffen, um alle Hindernisse zu beseitigen, die in den Kanälen bestehen könnten und um den Magen zu beruhigen. Ein mildes Abführmittel wie Tee aus Rizinuswurzel wird zusammen mit Ingwertee serviert. Danach erfolgt das Gurgeln mit einer Triphala-Abkochung. Schließlich wird eine milde Nasya-Behandlung mit verdünntem Ingwersaft verabreicht.

Beschwerden, bei denen die Snehana-Therapie geeignet ist

- als vorbereitende Behandlung vor der Pancha-Karma-Therapie
- als unabhängige Verjüngungstherapie für alle Typen
- bei Vata-Störungen wie trockener Haut, Nervosität, Gedächtnisverlust, Schlaflosigkeit und geistigem Streß
- für die Schwachen, Erschöpften, diejenigen, die unter Anämie oder Impotenz leiden
- für die Alten und die Kinder
- bei Alkohol- und Drogenabhängigkeit
- bei Bindehautentzündung und grauem Star
- nach anstrengender körperlicher Betätigung und langen Reisen
- als jahreszeitliche Verjüngungsroutine
- während der Kopf des Patienten nach Osten weist, wenn die Behandlung am Morgen beginnt bzw. nach Westen, wenn die Behandlung am späten Nachmittag oder frühen Abend gegeben wird

Wenn man sich nicht an die jahreszeitlichen und anderen Erfordernisse und Bedingungen hält, dann kann die Snehana-Therapie zu Beschwerden wie Kopfschmerzen, Ohnmacht, Müdigkeit, Steifheit des Körpers, Verwirrung, Gefühlen von Brennen, Verstopfung, Verdauungsschwäche, Magenverstimmung, Gelbsucht und Schwindel führen.

Während der Snehana-Therapie und für einige Zeit danach ist ein bestimmter Plan einzuhalten, der eine beruhigende Diät und beruhigende Aktivitäten enthält. Eine detaillierte Darstellung dieser Heildiät und -aktivitäten wird in den Kapiteln acht und neun gegeben.

Reinigende Waschungen sind ebenfalls sowohl vom Behandelnden als auch vom Patienten vor Beginn der Therapie einzuhalten (vergleichen Sie Kapitel neun).

Eine vorbereitende Ölmassage und Schwitzbehandlungen sind vor den folgenden Snehana-Therapien durchzuführen (vergleichen Sie Kapitel vier). Die passenden Massageöle für jeden Körpertyp sind ebenfalls in Kapitel vier erwähnt.

Bedingungen, unter denen die Snehana-Therapie nicht angebracht ist

- Fettsucht und schwere Kapha-Störungen (sofern keine Snehana-Therapie wie *Udvartana* von einem ayurwedischen Arzt verschrieben wurde und überwacht wird)
- wenn eine Schädigung des Verdauungsfeuers vorliegt; schwache oder übermäßige Verdauung; bei Unterleibs- und Stoffwechselbeschwerden
- bei Brechreiz oder Magersucht
- unmittelbar nach der Pancha-Karma-Therapie (Brechen, Purgieren, Einläufe und die Einführung von Arzneien in die Nase)
- während der Schwangerschaft oder unmittelbar nach der Entbindung
- wenn eine Abneigung gegen Nahrungsmittel und fettige Substanzen besteht
- während der Menstruation
- wenn extreme Schwäche und Abmagerung des Körpers besteht
- bei Fieber

Jahreszeitlicher Snehana-Plan für jedes Dosha

Pitta-Störungen:	Herbst:	Mitte des Morgens
	Sommer	früher Abend
Vata-Störungen:	Herbst:	Mitte des Morgens
	Sommer:	früher Abend
	Frühe Regenzeit (15. Juli bis 15. August):	früher Abend
Kapha-Störungen:	Spätfrühling (15. April bis 15. Mai):	Mitte des Morgens
	Frühwinter:	mittags
	Spätwinter:	mittags

Ungünstige Zeiten und Jahreszeiten für Snehana

- Als allgemeine Regel gilt, daß Snehana nicht im Frühfrühling (15. März bis 15. April) durchgeführt werden sollte, besonders nicht von Kapha-Körpertypen, da zu dieser Zeit Kapha im Universum vorherrscht.
- Snehana sollte im Sommer nicht während der Stunden durchgeführt werden, in denen Tageslicht herrscht. Das führt zur weiteren Verschlimmerung von Vata und Pitta.
- Snehana sollte im Winter nicht während der dunklen Stunden (Abend) durchgeführt werden. Das führt zur Verschlimmerung von Kapha.
- Snehana sollte, außer bei Vata-Störungen, nicht in der Regenzeit durchgeführt werden.

Eigenschaften der Substanzen, die in der Snehana-Therapie Verwendung finden

In der Snehana-Therapie verwendet der Ayurweda eine umfangreiche Palette von Arzneien, um die Gewebe zu beruhigen und Gefühle von Liebe und Zärtlichkeit im menschlichen Geist zu fördern. Spezifische Kräuter, Pulver, Wurzeln, Öle und Flüssigkeiten wie Milch, Ghee und Sesamöl werden bei dieser Therapie verwendet, weil sie die neun heiligen Eigenschaften aufweisen, die bei der Anwendung von Snehana erforderlich sind. Diese neun Eigenschaften sind fettig, schwer, kalt (obwohl die warme Eigenschaft ebenfalls äußerlich angewendet wird), weich, flüssig, zäh, beweglich und/oder langsam und subtil. Alle in Snehana benutzten Substanzen gehören vorherrschend zum Wasserelement.

Die fettige Qualität gibt dem Körper Nässe und Weichheit. Die schwere Eigenschaft fügt Stärke hinzu, indem sie Abfallstoffe bei äußerlich angewendetem Snehana in der Haut, bei innerlich angewendetem Snehana in den Geweben aufspaltet. Die kalte Eigenschaft bei innerlich angewendeten Substanzen fördert das Zusammenziehen und die Kräftigung der Gewebe, die daraufhin Klarheit und Selbst-Erkenntnis fördern; sie wirkt darüber hinaus lindernd bei Brennen im Körper und Durstgefühlen. Die kalte Eigenschaft bei Kräutern, die als Zusätze zu verschiedenen äußerlich angewendeten Snehana-Ölen Verwendung finden, gibt den Ölen Schärfe und Leichtigkeit und fördert die Anregung ebenso wie die Resorption von Substanzen in der Haut.

Die weiche Qualität von bei der Snehana-Therapie verwandten Substanzen lindert Brennen und Entzündungen der Haut oder der inneren Gewebe. Sie fördert darüber hinaus Weichheit und Zartheit im Körper. Die flüssige Eigenschaft dient hauptsächlich als Vehikel, um all die anderen Eigenschaften tief in die Gewebe oder die Haut hineinzubefördern. Diese Eigenschaft ist für Körper, Geist und Seele wesentlich, um das Glück und die Feuchtigkeit zu erhalten, die für das Lebendigsein essentiell sind. Die flüssige Eigenschaft befördert, wenn sie innerlich angewendet wird, die ölige Substanz durch den ganzen Körper und verflüssigt die überschüssigen Doshas, um sie darauf vorzubereiten, durch die Ausscheidungsprozesse der Pancha-Karma-Therapie den Körper zu verlassen.

Die zähe Eigenschaft dient dem Körper als Stärkungsmittel, das ihn neu belebt. Sie hilft, aufgerissene Haut und Brüche im Körperinneren zu reparieren, sie verlangsamt die Verdauung und bringt den Körper zur Ruhe. Die Eigenschaft der Beweglichkeit initiiert die Bewegung von Substanzen im Körper und erlaubt es ihnen, sich zu verflüssigen. Diese Eigenschaft erhöht Vata in der Haut oder im Körper und fördert die rechtzeitige Ausscheidung der Körperabfälle. Die langsame Qualität der bei der Snehana-Therapie verwandten Substanzen hält den beweglichen Faktor unter Kontrolle. Diese Aktion verlangsamt die Bewegung der fettigen Substanzen, wenn sie durch die Haut in die Gewebe wandern, und gibt ihnen so reichlich Gelegenheit mit den überschüssigen Doshas, Dhatus und Malas zu interagieren. Die langsame Eigenschaft dämpft die verschlimmerten Doshas und gibt den Dhatus Sneha, das heißt Liebe und Zuneigung.

Die subtile Eigenschaft der Snehana-Substanzen wird als atomar, fein und durchdringend definiert. Im Sanskrit heißt sie *Suksma*, wofür es keine genaue Übersetzung im Deutschen gibt. Diese Eigenschaft ist ein Prinzip des subtilen Körperfeuers, das als *Tejas* bekannt ist. Es dringt durch die winzigsten atomaren Partikel im Körper, hält diese gleichzeitig miteinander verbunden und wirkt so durch die subtilen Körperkanäle, die für das bloße Auge nicht sichtbar sind. Seine Hauptfunktion innerhalb einer Substanz besteht darin, Verbrennung herbeizuführen und den Stoffwechsel zu fördern. Es befördert die Essenzen von Glanz, Farbe und Leuchten in den Körper. Tejas, die feinste Essenz des Körpers, die durch die subtilen Eigenschaften von Bestandteilen transportiert wird, facht das zelluläre Gedächtnis an, das wiederum die Selbsterkenntnis entzündet.

Teil zwei

Anwendung der Snehana-Therapien

Lepa – Snehana-Packungen und -umschläge

Snehana-Anwendungen umfassen weit mehr als das bloße Auftragen von arzneilichen Ölen und -salben auf dem Körper. Die Anwendung einer arzneilichen Packung oder eines Umschlags am Körper, Lepa-Therapie genannt, ist von Beginn der Zeit an benutzt worden, um entzündliche Schwellungen zu lindern. Im Ayurweda werden sie hauptsächlich auf drei Arten angewendet. Eine dünne kalte Lage einer Packung, *Pralepa* genannt, kann auf dem Körper aufgetragen werden, um Blutstörungen zu heilen und Pitta-Störungen zu reduzieren. Eine dicke oder dünne, warme oder kalte Packung, die als *Pradeha* bekannt ist, kann angewendet werden, um Vata- und Kapha-Störungen zu reduzieren. Diese Art von Packung, die im allgemeinen nicht absorbierend ist, wird verwendet, um die Heilung von körperlichen Verletzungen zu erleichtern und Schwellungen zu reduzieren und auf diese Weise schmerzlindernd zu wirken. Der dritte Prozeß, *Alepanam* genannt, beinhaltet die Anwendung einer zusammenziehenden Packung und wird für Geschwüre und andere entzündliche Erkrankungen verwendet. Die genaue Durchführung des letztgenannten Prozesses wird unten näher beschrieben.

ALEPANAM – ÖRTLICHE ANWENDUNG VON ARZNEILICHEN UMSCHLÄGEN

***Jahreszeit**: ganzjährig*
***Körpertyp**: alle Typen*
***Zeit der Anwendung**: morgens oder nachmittags*

Beschwerden
Vereiterte Schwellungen, harte entzündete Stellen.

Wirkungen
Dieses Verfahren bietet örtlichen Blutungen Einhalt, es macht die vereiterten Schwellungen und Stellen weich, es zieht verwestes Fleisch aus dem Körper und stoppt die Eiterbildung. Die Anwendung von Alepanam reduziert darüber hinaus Schmerzen und Gefühle von Brennen auf der Haut und im Blut, sie reinigt die Haut und dämpft die verschlimmerten Doshas.

Notwendige Hilfsmittel
- eine sterilisierte Schüssel aus rostfreiem Stahl, die die Packung enthält
- eine sterilisierte Schüssel aus rostfreiem Stahl, die das warme Wasser enthält
- eine sterilisierte Schüssel aus rostfreiem Stahl, die eine Lösung aus Hamamelis enthält (nachzulesen auf S. 215)
- 2 Tücher aus sterilisierter Baumwollgaze
- 2 heiße, feuchte, sterilisierte Handtücher
- ein sterilisierter Spachtel aus rostfreiem Stahl
- ein Paar sterilisierte Gummihandschuhe

Anmerkung: Vergleichen Sie die Sterilisierungsverfahren in Anhang E.

Anweisungen
Wenn eine Alepanampackung für entzündliche Schwellungen verschrieben wurde, um die betroffene Stelle weich zu machen und/oder das verweste Fleisch aus seiner Höhlung zu entfernen, dann sollte sie einmal täglich für dreißig Minuten aufgelegt werden, bis die Eiterbildung aufhört und die verweste Masse vollkommen herausgezogen ist.

Dieser Prozeß kann für jeden betroffenen Körperbereich (mit Ausnahme der Augen) verwendet werden. Die Position des Patienten während der Behandlung wird durch den Ort bestimmt, an dem sich die Schwellung befindet.

- Bitten Sie den Patienten, sich auf einen Holztisch, der mit einem sauberen Tuch bedeckt ist, zu setzen oder zu legen.

- Massieren Sie sanft den Kopf der Person, um dafür zu sorgen, daß sich der Patient während der Behandlung wohlfühlt.
- Waschen Sie Ihre Hände in der Hamamelislösung, und ziehen Sie sich die sterilen Handschuhe an.
- Säubern Sie die betroffenen Bereiche mit Verbandswatte, die Sie in der Hamamelislösung getränkt haben.
- Tragen Sie die Packung auf, unmittelbar nachdem Sie sie mit einem Spachtel aus rostfreiem Stahl angemischt haben.
- Verwenden Sie kontinuierliche Aufwärtsstriche, um die Packung aufzutragen; beginnen Sie unterhalb der Schwellung und enden Sie 15 cm oberhalb davon.

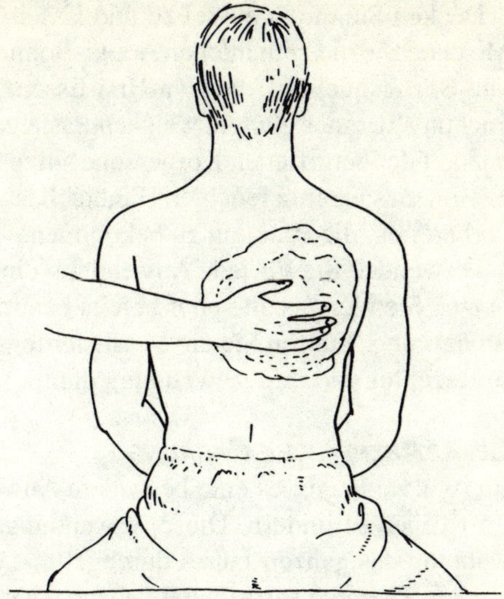

Abb. 22: Örtlicher Alepanam-Umschlag

- Am Ende sollte die Packung gleichmäßig verteilt etwa einen einen Zentimeter dick sein und den geschwollenen Bereich großzügig abdecken.
- Die Packung sollte etwa dreißig Minuten lang wirken bzw. solange, bis sie anfängt, hart zu werden.
- Verwenden Sie ein kühles, feuchtes Handtuch, um die Packung mit sanften Strichen nach unten zu entfernen.
- Lassen Sie die Person für kurze Zeit ruhen.

ALEPANAM-REZEPTUREN

***Jahreszeit**: ganzjährig*
***Körpertyp**: alle Typen*

½ Pfund Aduki-Bohnen
½ Tasse Wasser
¼ Tasse Wildkirschenrinde (withania somnifera, getrocknet)
1 Eßlöffel Bhringaraja-Pulver
gut 50 Gramm Hamamelis
20 Tropfen White Oak-Essenz*
10 Tropfen Uva-Ursi-Essenz

Anmerkung: Diese Packungsmenge reicht aus, um damit die gesamte Oberfläche der durchschnittlichen weiblichen Brust zu bedecken.

Mahlen Sie die Bohnen mit einer Handmühle zu einem mittelfeinen Puder. Bringen Sie das Wasser in einem mittelgroßen Topf aus rostfreiem Stahl zum Kochen, fügen Sie die Wildkirschenrinde hinzu, bedecken Sie das Ganze und köcheln Sie es bei mittlerer Hitze fünfzehn Minuten lang bzw. so lange, bis die Hälfte des Wassers verdunstet ist. Verwenden Sie ein kleines Sieb, um die Flüssigkeit abzugießen, während Sie die Abkochung in einer mittelgroßen Schüssel aus rostfreiem Stahl auffangen. Fügen Sie das Bhringaraja-Pulver zu dem heißen Rindentee hinzu.

Decken Sie die Schüssel zu und lassen Sie sie zehn Minuten lang stehen. Mischen Sie die gemahlenen Aduki-Bohnen, *White Oak* (*siehe Anschriften und Bezugsquellen), die Uva-Ursi-Essenz und die Hamamelis hinzu, bis die Packung zu einer glatten, weichen Paste geworden ist, die leicht zu verteilen und auf der betroffenen Körperzone aufzutragen ist. Decken Sie die Schüssel mit einem sauberen feuchten Handtuch zu, während Sie den Patienten darauf vorbereiten, die Packung zu bekommen.

Verwenden Sie für jede Anwendung eine frisch hergestellte Packung. Benutzen Sie niemals alte oder bereits benutzte Packungen.

Anmerkung: Führen Sie die Sterilisierungsmaßnahmen in Anhang E für diese Rezeptur und ihre Anwendung durch.

Lepa: Arzneiliche Packung

Im Ayurweda gibt es eine besondere Anwendung von Lepa, um Schmerzen im Körper zu lindern. Diese Anwendung kann von allen Körpertypen und während des ganzen Jahres durchgeführt werden. Sie ist eine besonders geeignete Therapie für Athleten, ebenso wie für Vata-Typen. Dieses Verfahren kann am ganzen Körper angewendet werden, um die Doshas zum Normalzustand zurückzuführen und den gesamten Körper zu verjüngen.

***Jahreszeit**: ganzjährig*
***Körpertyp**: alle Typen*
***Zeit der Anwendung**: morgens*

Beschwerden

Muskelkrämpfe, Steifheit des Körpers, stechende Schmerzen, Rückenschmerzen, Ödeme.

Wirkung

Über die Linderung der obengenannten Beschwerden hinaus hat diese Therapie die Wirkung, daß sie das Körpergewebe neu belebt, das Gleichgewicht der Doshas wiederherstellt und den Geist beruhigt.

Notwendige Hilfsmittel

- Eine Schüssel mit der Packung
- eine Schüssel mit warmem Wasser
- eine kleine Schüssel mit aromatisiertem Massageöl
- ein Laken zum Zudecken

Anwendung für Rückenschmerzen

- Bitten Sie die Person, sich vollkommen auszuziehen und sich flach auf den Bauch auf den Holztisch zu legen, der mit einem sauberen Baumwollaken bedeckt ist.
- Verwenden Sie ein weiteres sauberes Baumwollaken, um die Teile des Körpers zu bedecken, die gerade nicht behandelt werden.

- Führen Sie mit einer kleinen Menge des arzneilichen Öls eine sanfte Kopfmassage aus.
- Fahren Sie fort, indem Sie den gesamten Bereich, auf dem Sie die Packung auftragen werden, sanft einölen (in diesem Beispiel der ganze Rücken).
- Massieren Sie den Rücken, indem Sie sanften Druck mit Ihren Händen vom Nackenansatz ausgehend zur Mitte der Wirbelsäule und dem mittleren Rücken ausüben.
- Beginnen Sie mit voll ausgebreiteten Fingern und mit beiden Händen gleichzeitig beide Seiten des oberen Rückens zu massieren. Die Daumen sollten dabei fast parallel zum Rückgrat sein, und Sie sollten Ihre Hände allmählich zu den Oberarmen des Patienten wandern lassen.
- Gehen Sie dann zum mittleren Rücken, und massieren Sie ihn mit Aufwärts- und Abwärtsstrichen.
- Gehen Sie danach zum Rumpfbereich, massieren Sie sanft mit Aufwärts- und Abwärtsstrichen von den Gesäßbacken ausgehend zum mittleren Rücken hoch.
- Legen Sie das Laken über den Rücken des Patienten, während Sie sich die Hände waschen und sich auf die Packunganwendung vorbereiten.
- Stellen Sie die Schüssel mit der Packung in Reichweite, ziehen Sie das Laken zurück, um den Rücken frei zu haben; beginnen Sie mit der Anwendung der Packung von den Gesäßbacken ausgehend, und gehen Sie bis zum Nackenansatz hoch.
- Die Packung sollte mit Hilfe von Aufwärtsstrichen gleichmäßig auf dem Rücken verteilt werden. Die Packung sollte den gesamten Rücken bedekken. Bedecken Sie zuerst die untere Hälfte des Rückens und dann den oberen Teil des Rückens (Abb. 23).

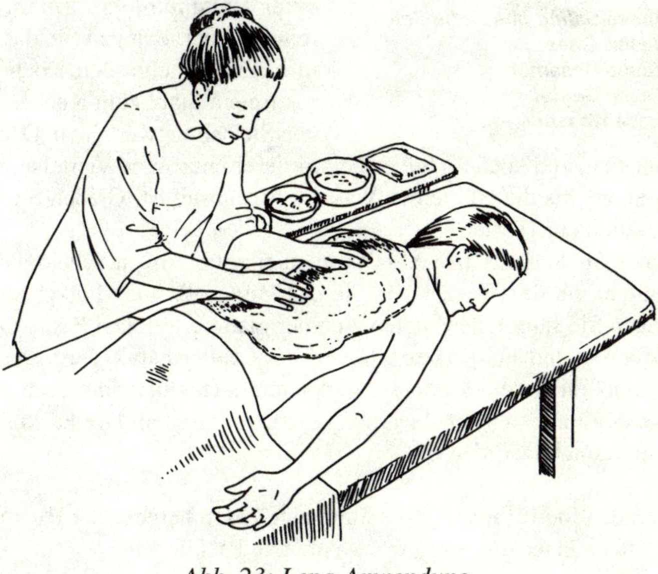

Abb. 23: Lepa-Anwendung

- Lassen Sie die Packung etwa eine halbe Stunde auf dem Rücken einwirken, bis sie kurz davor ist, hart zu werden.
- Entfernen Sie dann sofort die Packung mit einem sauberen Handtuch vom Rücken.
- Verwenden Sie Striche nach unten, um die Packung zu entfernen.
- Reinigen Sie die letzten Packungreste mit einem anderen sauberen, feuchten Handtuch.
- Verwenden Sie einen Zerstäuber mit warmem Wasser und aromatisierten Ölen, um den Rücken ganz sanft einzusprühen.
- Decken Sie den Rücken mit dem Laken zu, und lassen Sie nun den Patienten eine Weile ruhen.

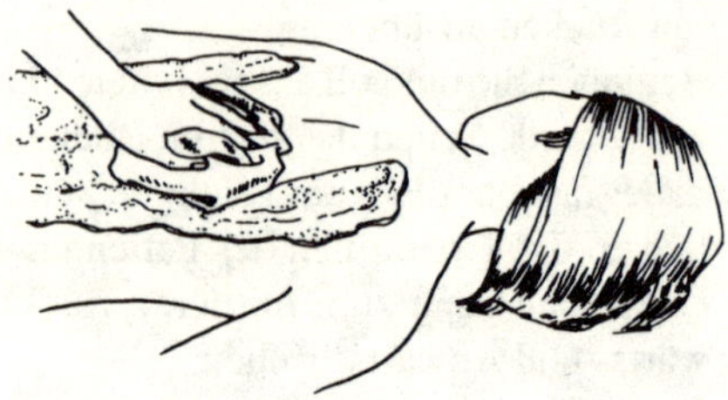

Abb. 24: Entfernung von Lepa

Lepa-Packung

***Körpertypen**: Vata, Pitta und Kapha*

2 Pfund ganze Mungo-Bohnen
56 Gramm gehackter frischer Ingwer
¼ Tasse Sahne aus Rohmilch
¼ Tasse Ghee
¼ Tasse Sesamöl
¼ Tasse Senföl
1 Tasse Wasser

Anmerkung: Diese Packungsmenge ist ausreichend, um die Oberfläche des durchschnittlichen männlichen Rükkens zu bedecken.

Mahlen Sie die Mungobohnen mit einer Handmühle zu einem mittelfeinen Puder. Bringen Sie das Wasser in einem mittelgroßen Kochtopf aus rostfreiem Stahl zum Kochen und fügen Sie den Ingwer hinzu. Decken Sie das Ganze zu, und köcheln Sie es bei mittlerer Hitze eine Viertelstunde lang bzw. solange, bis die Hälfte des Wassers verdunstet ist. Gießen Sie die Mischung durch ein Teesieb.

Mischen Sie Sahne, Ghee und Öle in einer mittelgroßen Schüssel aus rostfreiem Stahl mit dem Tee. Fügen Sie das Mungo-Bohnen-Pulver hinzu und vermengen Sie sämtliche Zutaten zu einer glatten, weichen Paste, die leicht zu verteilen ist und auf den betroffenen Körperteilen haften wird. Decken Sie die Schüssel mit einem sauberen, warmen und feuchten Handtuch zu, während Sie den Patienten für die Anwendung vorbereiten. Die Packung sollte warm aufgetragen werden.

Verwenden Sie für jede Anwendung eine frisch hergestellte Packung. Benutzen Sie niemals alte oder bereits benutzte Packungen.

Aromatisches Öl

Vata: Mischen Sie 3 Eßlöffel Sesamöl mit 10 Tropfen Rosen- oder Jasmin-Essenz

Pitta: Mischen Sie 1 Eßlöffel Sesamöl und 1 Eßlöffel Ghee mit 10 Tropfen Sandelholz-Essenz

Kapha: Mischen Sie 1 Eßlöffel Sesamöl und 1 Eßlöffel Sonnenblumenöl mit 5 Tropfen Eukalyptus-Essenz

Aromatisches Sprühfluid

Vata: Mischen Sie ½ Tasse Quellwasser mit 10 Tropfen Rosen- oder Jasmin-Essenz

Pitta: Mischen Sie ½ Tasse Quellwasser mit 10 Tropfen Sandelholzöl

Kapha: Mischen Sie ½ Tasse Quellwasser mit 10 Tropfen Eukalyptusöl

Füllen Sie das Duftwasser in einen Zerstäuber oder eine kleine Sprühflasche mit einer feinen Sprühkappe. (Vergleichen Sie Anhang A für die vollständige Auswahl an Ölen, die für den jeweiligen Körpertyp verwendet werden können.)

Teil drei

Snehana-Therapien für den Kopf

Im Ayurweda gibt es Dutzende von Snehana-Therapien für die Behandlung des Kopfes, da er als wichtigster Teil des menschlichen Körpers angesehen wird. Der Kopf enthält vier der fünf Sinnesorgane des Körpers und sieben der neun Körperöffnungen, durch die wir mit dem äußeren Universum interagieren. An der obersten Stelle des Kopfes befindet sich der heilige Schrein, den wir *Sahasrara Chakra* nennen und durch den angeblich die Seele den Körper bei der Geburt betreten und im Tod verlassen soll.

Fünf der sanftesten und nährendsten Behandlungen für den Kopf sind folgende: Shiro Tarpana, das Aufbringen von Öl auf den Kopf; Shirodhara, der Prozeß, bei dem Öl oder arzneiliche Flüssigkeit mit Hilfe eines speziell dafür hergestellten Topfes, der direkt über der Stirn hängt, systematisch auf die Stirn getropft wird; Pichu, ein Verfahren, bei dem ein Baumwolltuch mit arzneilichem Öl getränkt und auf den Kopf gelegt wird; Shirovasti, ein kunstvolles Verfahren, bei dem der Kopf rasiert und mit einer großen Lederkappe bedeckt wird; und schließlich ein einfacherer, aber wirksamer Prozeß namens Masthiskya, der Shirovasti ähnelt, bei dem aber keine geölte Kappe verwendet wird, sondern eine Paste direkt auf dem Kopf aufgetragen wird.

Diese Therapien sind ein wirksames Mittel gegen Herzbeschwerden, Schlaflosigkeit, Geistesstörungen, Erschöpfung, Migräne, Gelenkschwächen, Gesichtslähmung, Blutkrankheiten, Augenkrankheiten, Kahlköpfigkeit und vorzeitiges Ergrauen, Schuppen, Verletzungen der Kopfhaut und Entzündung des Kopfes.

Das Scheren des Kopfes

Sowohl bei der Masthiskya- als auch bei der Shirovasti-Snehana-Therapie wird der Kopf des Patienten vor der Behandlung geschoren. Das Scheren des Kopfes ist seit Beginn der Zeit wedische Tradition gewesen, und die Weisen und Yogis haben das Sadhana der Kopfrasur zu einem dafür günstigen Zeitpunkt, nämlich am Vorabend des Vollmondes, durchgeführt. Dem Geiste der wedischen Tradition entsprechend gründet sich diese Handlung auf die Weisheit des Lebens und die Achtung vor der Natur. Im Ayurweda wird das Haar als ein sekundäres vitales Gewebe des Körpers angesehen. Es steht mit dem Kapha-Dosha in Beziehung und ist direkt aus dem Knochenmarkgewebe und dem zentralen Nervensystem des Körpers hervorgegangen. Die Haarentfernung zum richtigen Zeitpunkt regt folglich das Nervensystem an, sie erneuert das Knochenmarkgewebe, und führt zu einer erneuten Belebung des gesamten Kapha-Körpersystems. Sobald Kapha verjüngt ist, harmonisieren sich die anderen Doshas im allgemeinen von selbst.

Weil das Scheren der Haare auch Körper, Geist und Seele erneuert, haben die Weisen und Yogis früherer Zeiten bewußt ihre abgenutzten Gewebe abgeschält und durch neue ersetzt und dabei gleichzeitig ihre Anhaftung an den physischen Körper überwunden, um stattdessen aus ihrem unsterblichen und zeitlosen Selbst heraus zu leben. Das Rasieren der Haare, das Selbstaufopferung symbolisiert, ist ein unbestrittenes Hilfsmittel zur Erleuchtung des Geistes.

In meinen eigenen Leben bin ich zweimal mit der Einladung beehrt worden, meinen Kopf zu scheren. In den Jahren, in denen ich Krebs hatte, hatte ich intuitiv das Gefühl, daß die Entfernung meiner Haare mir meine Bürde irgendwie erleichtern würde. Ich handelte dieser Intuition entsprechend und ließ meinen Kopf drei Jahre lang

Abb. 25: Der geschorene Kopf

kahl. Als Folge davon begann ich in die dauerhafte Helligkeit meines eigenen Wesens hineinzuwachsen. In jüngerer Zeit lud man mich nochmals dazu ein, als ich mein Gelöbnis als Brachmacarini ablegte. Wieder einmal erlebte ich, wie die Bürden des materiellen Lebens durch die Entfernung der Haare von meinem Geist genommen wurden. Ich fühlte, wie der Wind gegen meinen Kopf fegte und begann erneut, mich an mein kognitives Wesen zu erinnern.

Weil die Haare auch die Erfahrungen unserer Leben tragen und eng mit Ahamkara verwoben sind, bedeutet ihre Entfernung , daß man sich von sehr viel mehr befreit als nur von seinen Haaren. Unter der Voraussetzung, daß die Haare zur richtigen Zeit und unter den richtigen Umständen entfernt werden, wird es leichter, unseren zeitlosen Geist der Unschuld zu sehen, der so oft von dieser üppigen Mähne verhüllt wird.

So wie es beim Verzicht auf die materiellen Gaben, die uns geschenkt worden sind, gilt, gibt es auch hier eine richtige Zeit und einen richtigen Ort, um das zu tun. Falls wir jedoch nicht wie Yogis, Weise oder Dichter leben, sind Kopfhaare lebenswichtig für die Eitelkeiten des täglichen Lebens. Um so notwendiger ist die Einhaltung der Sadhanas des täglichen Leben, die die Beseitigung des Egos in Form von Haaren zur richtigen Zeit und für einen bestimmten Zeitraum beinhaltet.

Im Laufe der Jahre habe ich viele Krebspatienten auf ihrer dunklen Reise begleitet. Zu den Sadhanas, die ich ihnen zu praktizieren empfohlen habe, gehört auch das zeitweilige Scheren des Kopfes, das sich als wichtiger Bestandteil herausgestellt hat, um es dem Selbst zu erlauben, seine wahre Wertschätzung zu finden. Ein kahler Kopf macht es uns leichter, dem reinen, ungeschmückten Geist unseres Selbst zu begegnen, so daß wir uns mit seiner Wahrheit aussöhnen und das Selbst für das wertschätzen können, was es in Wirklichkeit ist. Eine schwere Krankheit ist jedoch keine Vorbedingung für die Einhaltung dieses einfachen Sadhanas. Bei den Snehana-Therapien Shirovasti und Masthiskya zum Beispiel wird der Kopf in jedem Fall geschoren.

Der Tradition entsprechend wird eine spezifische Behandlungsdauer, die durch die Störung eines jeden Doshas bestimmt wird, als wesentlich für Pancha Karma und seine vorbereitenden Praktiken angesehen. Die ayurwedischen Weisen haben festgelegt, daß die Störung eines jeden Doshas wirksamer gelindert werden kann, wenn die Behandlungszeiten spezifisch auf Vata-, Pitta- und Kapha-Beschwerden abgestimmt sind. Der wedischen Weisheit folgend haben Sie ferner erkannt, daß jeder Dosha effizienter reagierte, wenn Sie ein Zeitverhältnis von 2:3:4 für Störungen beibehielten, die jeweils in Kapha, Pitta oder Vata wurzelten. Diese Zeitdauer ist besonders dann wichtig, wenn die Behandlung am Kopf erfolgt. Vata-Störungen zum Beispiel werden genau dreiundfünfzig Minuten lang behandelt, Pitta-Störungen genau zweiundvierzig Minuten lang und Kapha-Störungen genau einunddreißig Minuten lang. Obwohl in der gegenwärtigen Praxis die Zeiten für die Behandlung jedes Doshas auf sechzig, fünfundvierzig und dreißig Minuten abgeändert worden sind, wird die ursprüngliche Zeitdauer für Kopftherapien empfohlen, wobei man davon ausgeht, daß dann vonseiten des Behandelnden eine größere Wachheit erforderlich ist.

Masthiskya – Arzneiliche Paste auf dem Kopf

***Jahreszeit**: ganzjährig*
***Körpertyp**: alle Typen*
***Zeit der Anwendung**: morgens (7.00 Uhr – 10.00 Uhr)*
***Behandlungsdauer:** sieben aufeinanderfolgende Tage*

Vata-Störungen:	*53 Minuten*
Pitta-Störungen:	*42 Minuten*
Kapha-Störungen:	*31 Minuten*

Beschwerden

Vata-und Kapha-Störungen: Gesichtslähmung; Empfindungsverlust in der Haut; Schlaflosigkeit; Trockenheit der Nasengänge, Trockenheit von Mund und Kehle, Herzkrankheit; Krankheiten des Kopfes (inklusive Tumore); Erschöpfung; Kopfschmerz; Harnbeschwerden; Angst und Besorgnis; Verlust des körperlichen Glanzes; Gelenkschwäche; Magersucht.

Pitta-Störungen: Rachenkatarrh; Augenkrankheiten (inklusive grauer Star); Wunden und Entzündungen am Kopf; vorzeitiges Ergrauen; Blutkrankheiten; Gelbsucht.
Anmerkung: Bei ernsten Beschwerden (zum Beispiel Gesichtslähmung, Herzkrankheit, schweren Augenkrankheiten, Tumoren, Entzündungen am Kopf, schweren Harnkrankheiten (wie Diabetes, Abmagerung und Magersucht) wird eine vierzehntägige Behandlung empfohlen, die jeden Tag eine Dreiviertelstunde lang zwischen sieben und zehn Uhr durchgeführt werden soll.

Wirkung

Über die Linderung der oben aufgeführten Beschwerden hinaus hat diese Behandlung den zusätzlichen Effekt, daß sie Erschöpfung beseitigt und die Doshas ausgleicht. Sie stellt auch Prana im Herzen wieder her, macht das Gesicht sanft und flexibel, stärkt die Ojas und Gelenke des Körpers und stellt den gesunden Appetit des Patienten wieder her.

Notwendige Hilfsmittel

- eine mittelgroße Schüssel aus rostfreiem Stahl, die die Paste enthält
- eine kleine Tonschüssel, die das Massageöl enthält
- ein heißes, feuchtes Handtuch, um die Schüssel mit Paste zuzudecken (wenn die Paste kalt verwendet wird, dann benutzen sie ein kaltes, feuchtes Handtuch, um sie zuzudecken
- ein sauberes Baumwollaken zum Zudecken
- einen sauberen Behandlungskittel aus Baumwolle*
- zwei warme, feuchte Handtücher
- ein warmes, trockenes Handtuch
- ein sauberes 60 qcm großes Baumwolltuch, um den Kopf einzuwickeln

- ein Zerstäuber oder eine Sprühflasche mit einer feinen Zerstäuberkappe, die das aromatisierte Wasser enthält
- eine Uhr mit Minutenanzeiger

**Anmerkung:*
Vergleichen Sie Anhang D

Anmerkung: Ein tragbarer Turmtopf ist eine wertvolle Bereicherung für das Behandlungszimmer. Unter anderem dient er dazu, die Massageöle warmzuhalten, während die Packung aufgetragen wird.

Um bestmögliche Ergebnisse bei der Masthiskya-Therapie zu erzielen, wird empfohlen, vorher Abhyanga (Ölmassage) und die Schwitzbehandlung (um Schwitzen herbeizuführen) durchzuführen. Wenn diese vorbereitenden Maßnahmen eingehalten werden, dann sollten sie am frühen Morgen durchgeführt und von der Masthiskya-Therapie am späten Nachmittag gefolgt werden.

Anweisungen für Masthiskya

- Richten Sie es so ein, daß der Kopf des Patienten am Abend vor der Behandlung geschoren wird. Das sollte unmittelbar vor dem Vollmond geschehen.
- Bitten Sie den Patienten, sich zu entkleiden, ein Bad zu nehmen und einen sauberen Behandlungskittel anzuziehen.
- Bitten Sie den Patienten, sich mit dem Rücken auf den Behandlungstisch zu legen, der zuvor mit einem sauberen Baumwollaken abgedeckt wurde.
- Decken Sie den Körper des Patienten mit einem sauberen Laken zu, und lassen Sie Gesicht und Kopf frei.
- Benutzen Sie das richtige Öl für den jeweiligen Körpertyp, und massieren Sie sanft das Gesicht, den Hals und den Kopf des Patienten.
- Bevor Sie die Paste auf dem Kopf auftragen, bitten Sie den Patienten, seinen Kopf an die Kante des Behandlungstisches zu legen.
- Tragen Sie die Paste mit beiden Händen dick auf dem Kopf auf; beginnen Sie an der Stirn, gehen Sie bis zum obersten Punkt des Kopfes und schließlich zur Rückseite des Kopfes.
- Sobald der Kopf vollständig von der circa 1 ¼ cm dicken Paste bedeckt ist, bitten Sie den Patienten, sich auszuruhen, während Sie die Schüssel mit der Paste entfernen und sich die Hände waschen.
- Nachdem die vorgeschriebene Behandlungszeit abgelaufen ist, nehmen Sie ein sauberes Baumwollhandtuch, um die Paste vom Kopf zu entfernen.
- Setzen Sie diese anfängliche Reinigung fort, indem Sie ein sauberes, feuchtes Handtuch verwenden, um die gesamte restliche Paste zu entfernen.
- Verteilen Sie eine kleine Menge des Öls zum Einreiben in Ihren Händen, und schmieren Sie damit einige Minute lang flink den Kopf des Patienten ein.
- Nehmen Sie den Zerstäuber, und sprühen Sie ein feines Fluid mit warmem aromatisiertem Wasser über den Kopf.

- Klopfen Sie mit einem sauberen trockenen Baumwollhandtuch sanft das Fluid vom Kopf ab.
- Bitten Sie den Patienten, sich eine Weile auszuruhen, bevor er aufsteht.
- Umwickeln Sie, bevor der Patient geht, seinen Kopf mit einem sauberen Baumwollhandtuch, um ihn vor den Elementen zu schützen.
- Bitten Sie ihn, sich vor übermäßiger Kälte, Hitze und/oder Feuchtigkeit zu schützen und den Kopf bedeckt zu halten, wenn er nach draußen geht. Diese Praxis sollte während der Behandlungszeit und eine Woche danach beibehalten werden.

MASTHISKYA-REZEPTUREN

***Jahreszeit**: ganzjährig*
***Körpertyp**: alle Typen*

Takra Dhara (Amalaki-Buttermilch)

1 Tasse Rohmilch mit vollem Fettgehalt
2 Tassen Wasser
1 Tasse Amalaki-Pulver

Mischen Sie Milch und Wasser und gießen Sie die Mischung in einen mittelgroßen Topf aus rostfreiem Stahl. Erwärmen Sie sie bei mittlerer Hitze, bis die Mischung warm ist (ca. 45°C). Nehmen Sie den Topf vom Herd und mischen Sie mit einem Holzlöffel das Amalaki-Pulver hinein; rühren Sie gut um, bis sich das gesamte Pulver mit der Milch vermischt hat.

Gießen Sie die Mischung in einen ca. 30 cm großen Eimer aus rostfreiem Stahl. Decken Sie den Eimer mit einem großen, sauberen Handtuch aus Baumwollfrottee zu; lassen Sie das Handtuch über den Eimerrand hängen und befestigen Sie es mit einem gut 90 cm langen Bindfaden. Lagern Sie den Eimer zwölf Stunden lang bei einer Zimmertemperatur von zwischen 24°C und 27°C oder solange, bis die Heilpflanzenmilch zu einer dicken Creme mit der Konsistenz von Buttermilch geworden ist. Der Teil der Mischung (die als Buttermilch bezeichnet wird), der als Masthiskya-Paste für den Kopf verwendet wird, sollte abgemessen werden, bevor die restliche Buttermilch eingefroren wird. Die eingefrorene Portion kann von Vata-Typen zusammen mit den Mahlzeiten eingenommen werden; sie ist sehr wirksam für die Reduzierung von Vata-Störungen.

Anmerkung: Über die Verwendung bei allen Körpertypen hinaus wird diese Rezeptur auch innerlich bei Vata-Typen angewendet.

Warme Heilpflanzenpaste

½ Tasse Amalaki-Buttermilch
4 Eßlöffel Sandelholz-Pulver
2 Eßlöffel Padmaka-Pulver
1 Eßlöffel Vamsha-Roshana-Pulver
1 Eßlöffel Musta-Pulver
2 Eßlöffel heißes Wasser

Gießen Sie die Buttermilch in eine mittelgroße Schüssel aus rostfreiem Stahl. Fügen Sie die vier Pulver und das Wasser hinzu, und mischen Sie dann das Ganze mit Hilfe eines Holzlöffels gründlich, bis eine glatte Paste entsteht. Decken Sie die Paste mit einem heißen, feuchten Handtuch zu. Tragen Sie die Paste unmittelbar, nachdem sie hergestellt worden ist, auf.* Stellen Sie für jede Anwendung eine frische Portion Paste her.

**Anmerkung:* Lassen Sie die Paste bei Pitta-Beschwerden abkühlen, bevor Sie sie auftragen.

Massageöle

Vata- und Kapha-Störungen

Erwärmen Sie ¼ Tasse Sesamöl, und gießen Sie es in eine kleine Tonschüssel, die Sie zudecken, um die Hitze zu halten.

Pitta-Störungen

Erwärmen Sie zwei Eßlöffel Sesamöl und Ghee zusammen; lassen Sie die Öle vollständig abkühlen. Gießen Sie das Ganze in eine kleine Tonschüssel, die Sie zudecken, um die Kühle zu erhalten.

Aromatisches Sprühfluid

Vata-, Pitta- und Kapha-Störungen

Erwärmen Sie ½ Tassc Wasser*, und fügen Sie zehn Tropfen eines ätherischen Öls hinzu, das für Vata empfohlen wird (vergleichen Sie das Glossar der ätherischen Öle, Anhang A). Gießen Sie das Wasser in einen Zerstäuber oder eine kleine Sprühflasche mit einer feinen Sprühkappe.

**Anmerkung:*

Verwenden Sie kühles Wasser für Pitta-Störungen.

Shirovasti – Arzneiliche Paste und Öl auf dem Kopf

Shirovasti, eine weitere Snehana-Behandlung für den Kopf, beinhaltet sowohl die Verwendung von Paste als auch von Öl, wobei sich der Patient in einer sitzenden Position befindet. Nachdem der Kopf rasiert worden ist, wird als erstes Heilmittel die Lepapackung aufgetragen. Danach wird warmes Öl direkt über die Packung gegossen und mit einer ledernen Kappe auf dem Kopf gehalten.

Shirovasti wird nur nach den vorbereitenden Prozessen der Ölmassage und der Schwitztherapie durchgeführt, und wenn nötig wird die Vasti-Therapie verabreicht. Shirovasti wird im allgemeinen an sieben aufeinanderfolgenden Tagen durchgeführt, wobei die vorbereitenden Maßnahmen am Morgen durchgeführt werden und Shirovasti am Abend angewendet wird.

Obwohl diese Therapie Masthiskya ähnelt und für dieselben Krankheiten verwendet werden kann, wird sie im allgemeinen bei ernsten Beschwerden wie Gesichtslähmung, Herzkrankheit und Kopftumoren verwendet.

***Körpertyp**: alle Typen*
***Jahreszeitliche Richtlinien**:*

Vata-Störungen:	22. Juli bis 7. August, 20. Oktober bis 20. November
Pitta-Störungen:	20. Oktober bis 20. November
Kapha-Störungen:	21. März bis 21. April

***Zeit**: 15.00 Uhr – 16.00 Uhr, an dem Tag nach dem Vollmond*
***Behandlungsdauer:** sieben aufeinanderfolgende Tage*

Vata-Störungen:	53 Minuten
Pitta-Störungen:	42 Minuten
Kapha-Störungen:	31 Minuten

Anmerkung: Als Vorbereitung sollte Abhyanga zwischen 7.00 und 9.00 durchgeführt werden, gefolgt von der Schwitztherapie. Dann sollte der Patient ruhen. Shirovasti sollte zwischen 15.00 Uhr und 16.00 Uhr durchgeführt werden.

Beschwerden
Vata-Störungen: Gesichtslähmung; Augenkrankheiten (inklusive grauer Star); Herzkrankheit/Brustschmerzen; Krankheiten des Kopfes (inklusive Tumore); Schlaflosigkeit; Empfindungsverlust in der Haut; Trockenheit der Nasengänge, Trockenheit in Mund und Kehle; Harnbeschwerden (inklusive Diabetes); gräulicher Belag auf der Zunge; Migräne; Gelenkschwäche; geistige und körperliche Erschöpfung.

Pitta-Störungen: Magenverstimmung; Rachenkatarrh; Bindehautentzündung; brennende Gefühle auf der Haut oder den Schultern; übermäßiges Schwitzen; Blutkrankheiten; Blutungen; Gelbsucht; Herpes; gelblicher Belag auf der Zunge; grünliche oder gelbliche Färbung von Urin und Kot.

Kapha-Störungen: Magersucht; Appetitverlust (Abneigung gegen Nahrung); Körperschwere; übermäßiger Schlaf; schwache Verdauung; weißer Belag auf der Zunge; Schleim; Magenverstimmung; Fettsucht.

Wirkung
Über die Linderung der oben aufgeführten Beschwerden hinaus hat diese Behandlung die zusätzliche Wirkung, daß sie den gesamten Körper verjüngt, Erschöpfung beseitigt und der Haut ihren Glanz zurückgibt. Sie lindert darüber hinaus geistigen Streß, stellt Prana im Herzen wieder her, gleicht die Doshas aus und erhöht die Ojas in Körper und Geist.

Notwendige Hilfsmittel
- eine mittelgroße Schüssel aus rostfreiem Stahl, die die Paste enthält
- ein heißes, feuchtes Handtuch, um die Schüssel zuzudecken
- eine mittelgroße Tonschüssel mit warmem Sesamöl, die zugedeckt ist, damit das Öl warm bleibt
- eine kleinere Tonschüssel, ebenfalls mit warmem Sesamöl
- ein sauberes Baumwollaken zum Zudecken
- ein sauberer Behandlungskittel aus Baumwolle*
- zwei warme, feuchte Handtücher
- ein warmes, trockenes Handtuch
- zwei saubere Baumwolltücher zum Einwickeln (gut 1,20 m mal 10 cm lang und gut 1,10 m mal 10 cm lang)
- eine Schere
- ein Zerstäuber oder eine Sprühflasche mit einer feinen Zerstäuberkappe, die das aromatisierte Wasser enthält
- eine Lederkappe*, um das Öl auf dem Kopf zu halten
- eine Uhr mit Minutenanzeiger
- ein sauberes Baumwolltuch (circa 60 qcm groß), um den Kopf nach der Behandlung einzuwickeln

**Anmerkung:*
Vergleichen Sie Anhang D

Anmerkung:
1. Außer dem üblichen Behandlungstisch oder -stuhl und Arbeitstisch sollte das Behandlungszimmer auch ein Waschbecken mit einem kleinen Stuhl daneben, einen Eimer aus rostfreiem Stahl unter dem Waschbecken und einen Waschtisch neben dem Waschbecken haben. Die Art von Waschbekken, die in Friseursalons verwendet wird, mit einem gebogenen Vorderrand, um Kopf und Hals aufzunehmen, ist für das Shirovasti- Behandlungszimmer besonders empfehlenswert.

2. Ein kleiner tragbarer Turmtopf wird ebenfalls für das Behandlungszimmer empfohlen, um das Öl warmzuhalten, während die Packung aufgetragen wird. Die Handtücher, die benutzt werden, um Packung und Öl vom Kopf des Patienten zu entfernen, sollten ebenso wie die kleine Schüssel mit Sesamöl und dem aromatisierten Fluid (im Zerstäuber) auf diesem Tisch stehen.

Anweisungen für Shirovasti

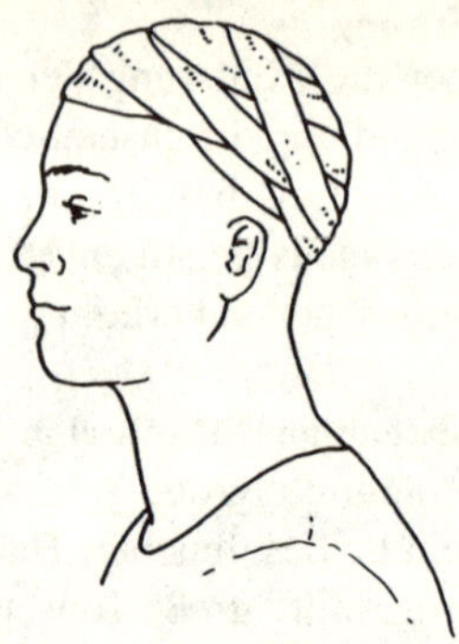

Abb.: 26 Bandagieren des Kopfes

- Raten Sie dem Patienten, daß er seinen Kopf am Abend vor der Behandlung scheren lassen sollte. Das sollte unmittelbar vor dem Vollmond geschehen.
- Bitten Sie den Patienten, sich zu entkleiden und einen sauberen Behandlungskittel anzuziehen.
- Legen Sie die Shirovasti-Kappe zum Trocknen unter direktes Sonnenlicht, und nehmen Sie sie heraus, wenn das Leder trocken, aber noch geschmeidig ist.
- Verbrennen Sie ein kleines Stück getrockneten Salbei in einem Tontopf, und warten Sie auf die Rauchentwicklung. Halten Sie die Lederkappe einige Minuten lang über den Rauch, um alle Energien zu entfernen, die möglicherweise noch von einem früheren Gebrauch darin haften könnten. Benutzen Sie die Kappe nicht wieder, ohne Sie vorher mit der eben beschriebenen Methode gründlich gereinigt zu haben.
- Bitten Sie den Patienten, sich auf den bequemen Behandlungsstuhl zu setzen, der für die Behandlung bereitsteht.
- Stellen Sie sich direkt hinter den Patienten, und tragen Sie eine kleine Menge Öl auf dem Kopf auf. Schmieren Sie den Kopf sanft einige Minuten lang ein.
- Nehmen Sie Ihre Hände, um die Lepa-Packung direkt auf den Kopf des Patienten aufzutragen (vergleichen Sie die Rezeptinformation unten). Beginnen Sie an der hinteren Kopfmitte, und bringen Sie dann die Packung auf der gesamten Kopfoberfläche auf (mit Ausnahme der Ohren, des Nackens und der Stirn). Dann bringen Sie die Packung auf der oberen Seite des Kopfes auf, und vergewissern Sie sich, daß der gesamte Kopf gleichmäßig mit der etwa 1 ¼ cm dicken Packung bedeckt ist.
- Waschen Sie sich schnell die Paste von den Händen, trocknen Sie sie, und gehen Sie zu dem Patienten zurück.
- Nehmen Sie ein gut 120 x 10 cm langes Stück Baumwollgaze und beginnen Sie, vom Ansatzpunkt unterhalb der Mitte des Hinterkopfes aus, den Kopf vorsichtig im Uhrzeigersinn einzuwickeln, bis der gesamte Kopf bedeckt ist.

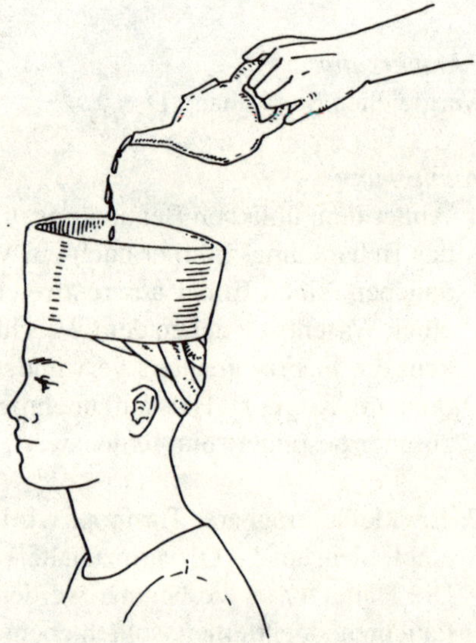

Abb. 27: Die Shirovasti-Kappe auf dem Kopf

Achten Sie darauf, dabei die Packung unter der Gaze zu belassen. Stecken Sie die Gazeenden so unter die Kopfbandage, daß sie sich nicht wieder lösen.

- Stülpen Sie die Shirovasti-Kappe über den bandagierten Kopf, lassen Sie die Ohren frei.
- Umwickeln Sie den unteren Rand der Kappe fest mit einem gut 90 x 10 cm langen Stück Baumwollgaze, um zu verhindern, daß das Öl, das in die Kappe gegossen wird, herausfließt. Auf diese Weise bleibt das Öl bis zum Ende der Behandlung zusammen mit der Packung auf dem Kopf. Lassen Sie die ersten 10 cm Gaze über die Stirn hängen.

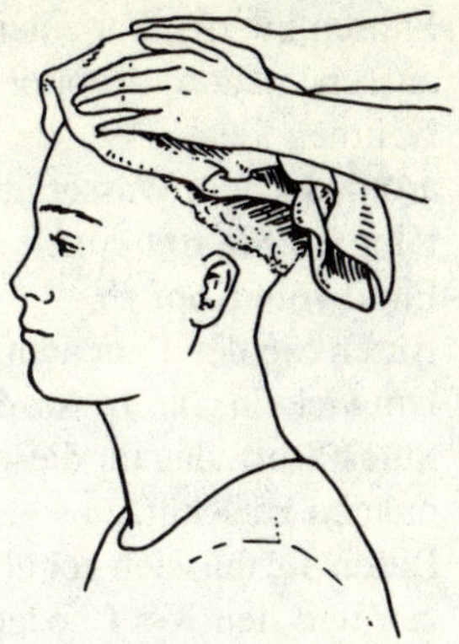

Abb. 28: Das Entfernen von Paste und Öl

- Nachdem Sie den unteren Rand der Kappe fest umwickelt haben, nehmen Sie das Gazeende und verknoten Sie es fest mit dem Stück Gaze, das über der Stirn hängt.
- Gießen Sie eine Tasse Öl in die Kappe (Abb. 27).
- Laden Sie den Patienten dazu ein, die Augen zu schließen und sich in der sitzenden Position auszuruhen.
- Vergewissern Sie sich, daß es der Patient vollkommen bequem hat, lassen Sie das Öl für die vorgeschriebene Zeit, die von der jeweiligen Dosha-Beschwerde abhängt, auf dem Kopf.
- Bevor Sie die Ölkappe und die Bandage vom Kopf des Patienten entfernen, vergewissern Sie sich, daß die Reinigungshilfen, die Sie benötigen, gebrauchsfertig sind.
- Stellen Sie den Stuhl so vor das Waschbecken, daß die Lehne zum Waschbecken zeigt. Der Stuhl sollte so niedrig sein, daß der Patient seinen Kopf rückwärts über das Waschbecken neigen kann.
- Führen Sie den Patienten vom Therapiebereich zu diesem Stuhl.
- Helfen Sie ihm dabei, auf dem Stuhl etwas nach unten zu rutschen, so daß der Nacken bequem auf dem Waschbeckenrand ruht.
- Schneiden Sie den Knoten der Bandage mit einer Schere durch, entfernen Sie sorgfältig die Ölkappe, und leeren Sie sie im Waschbecken aus.
- Entfernen Sie die Kappe aus dem Waschbecken, und legen Sie sie in den Eimer darunter.
- Lösen Sie die Bandage, und entfernen Sie sie so, daß ein Großteil der Packung mit entfernt wird.
- Nehmen Sie ein warmes, feuchtes Handtuch, und wischen Sie die Pakkungreste vom Kopf, hinter den Ohren und am Nacken.
- Bitten Sie den Patienten, sich aufzusetzen, nachdem der Kopf vollständig gereinigt ist. Nehmen Sie den Zerstäuber, und sprühen Sie den Kopf mit dem aromatisierten Sprühfluid ein.
- Klopfen Sie sanft das Fluid ab, und schmieren Sie den Kopf flink mit ein paar Tropfen Sesamöl ein.

- Führen Sie den Patienten an einen bequemen Platz, wo er sich eine Weile ausruhen kann, bevor er geht.
- Nehmen Sie den Zerstäuber, und sprühen Sie ein feines Fluid mit warmem, aromatischem Wasser über den Kopf.
- Klopfen Sie mit einem sauberen trockenen Baumwollhandtuch sanft das Fluid vom Kopf ab.
- Bitten Sie den Patienten, sich eine Weile auszuruhen, bevor er aufsteht.
- Umwickeln Sie, bevor der Patient geht, seinen Kopf mit einem sauberen Stück Stoff, das für diesen Zweck vorbereitet wurde*, um ihn vor den Elementen zu schützen.
- Bitten Sie ihn, sich vor übermäßiger Kälte, Hitze oder Feuchtigkeit zu schützen und den Kopf bedeckt zu halten, wenn er nach draußen geht. Diese Praxis sollte während der Behandlungszeit und eine Woche danach beibehalten werden.

**Anmerkung:* Vergleichen Sie für die Kopfumwicklungsverfahren Anhang D.

Shirovasti-Rezepturen

Packung

Bereiten Sie die Lepa-Packung nach dem Rezept auf S.154 vor. Geben Sie sie in eine mittelgroße Schüssel aus rostfreiem Stahl, und decken Sie sie mit einem warmen, feuchten Baumwollhandtuch zu.

Anmerkung: Bei der Anwendung von Shirovasti wird die Packung aufgetragen, solange sie noch warm ist (Vata- und Kapha- Störungen), bzw. bei Pitta-Störungen bei Zimmertemperatur.

Warmes Sesamöl

Vata- und Kapha-Störungen:

Gießen Sie eine Tasse Sesamöl in einen kleinen Kochtopf aus rostfreiem Stahl, und erwärmen Sie es bei niedriger Hitze zehn Minuten lang. Gießen Sie das Öl dann sofort in eine Tonschüssel, und decken Sie sie möglichst zu, damit das Öl seine Hitze behält.

Kühles Ghee/Sesamöl

Pitta-Störungen:

Gießen Sie ½ Tasse Sesamöl in einen kleinen Kochtopf aus rostfreiem Stahl, erwärmen Sie es bei niedriger Hitze zehn Minuten lang, nehmen Sie es vom Herd, und fügen Sie ½ Tasse reinen Ghees hinzu. Lassen Sie das Ghee in dem Öl schmelzen, und lassen Sie die Mischung bei Zimmertemperatur abkühlen.

Aromatisches Sprühfluid

Vata-, Pitta- und Kapha-Störungen:

Erwärmen Sie ½ Tasse Wasser in einer kleinen Pfanne. Fügen Sie zehn Tropfen Sandelholz-Essenz hinzu. Gießen Sie die Mischung in einen Zerstäuber oder eine kleine Sprühflasche mit einer feinen Sprühkappe. Dieses aromatisierte Fluid wird bei dem abschließenden Shirovasti-Verfahren gebraucht.

Shirodhara – Tropfen von Öl auf die Stirn

Shirodhara ist eine angenehm erregende Form der Snehana-Behandlung, bei der Öl oder eine therapeutische Substanz systematisch an einem groben Faden entlanggeführt und auf die Stirn getropft wird. Ein Metall- oder Tonkessel, der sogenannte *Dhara Patra*, wird direkt über der Stirn aufgehängt. Das Öl oder eine andere Flüssigkeit werden in den Topf gegossen, sickern durch ein Loch am Topfboden und rutschen dann an einem 10 cm langen Faden entlang, der zur Hälfte aus dem Loch heraushängt. Die Öltropfen am Faden tropfen direkt auf das dritte Auge das Patienten bzw. die Mitte der Stirn.

Diese Therapie erfordert wie alle Pancha-Karma-Behandlungen zwei gut ausgebildete, disziplinierte Begleiter, die mit der Regelmäßigkeit, Konsequenz und Geschwindigkeit eines Uhrwerks zusammenarbeiten. Diese Qualifikationen sind äußerst wichtig,um zum Beispiel das genaue Timing zu erreichen, daß zwischen dem Ausgießen des Öls auf der Stirn des Patienten und der leicht schaukelnden Bewegung des Ölgefäßes beibehalten werden soll.

Shirodhara ist eine uralte Technik und sollte in einer bestimmten rhythmischen Geschwindigkeit ausgeführt werden, um das dritte Auge zu erwecken. Außergewöhnliche Heilungen, die an Wunder grenzen, geschehen, wenn diese Technik perfekt durchgeführt wird. Der Rhythmus des Öls, das auf das dritte Auge tröpfelt, welches der Sitz unseres kognitiven Sehvermögens ist, weckt tiefe kognitive Erinnerungen. Durch die Erweckung dieses Gedächtnisses werden die Körpergewebe umgewandelt, und die Gesundheit wird wiederhergestellt.

Bevor Shirodhara durchgeführt wird, ist das vorbereitende Verfahren der Abhyanga-Massage anzuwenden. Shirodhara ist eine schlaffördernde Therapie, die Sinne und Geist beruhigt und kräftigt. Durch diesen Prozeß wird vollkommenes Wohlbefinden erreicht.

Shirodhara

Jahrzeszeit: *ganzjährig*
Körpertyp: *alle Typen*
Zeit der Anwendung: *morgens (7.00 Uhr – 10.00 Uhr)*
Behandlungsdauer:

Vata-Störungen:	53 Minuten
Pitta-Störungen:	42 Minuten
Kapha-Störungen:	31 Minuten

Beschwerden
Allgemein: Alle Kopfleiden und Krankheiten der Sinnesorgane

Vata-Störungen: stechender Kopfschmerz, Haarverlust, Verlust des Gehörs, Müdigkeit und geistige Erschöpfung, gräulicher Belag auf der Zunge, Schlaflosigkeit, Kopfschmerz, Trockenheit von Gesicht und Kopfhaut, Verstopfung.

Pitta-Störungen: Gefühle von Brennen an Kopf und Körper, geschwürige oder entzündliche Krankheiten des Kopfes, Rachenkatarrh, Bindehautentzündung, übermäßiges Schwitzen, Trübung des Sehvermögens, Blutkrankheiten, Blutungen, Gelbsucht, Herpes, gelblicher Belag auf der Zunge, grünliche oder gelbliche Färbung von Urin und Kot.

Kapha-Störungen: übermäßiger Schlaf, Körperschwere, Magenverstimmung, Schleim, Fettsucht, schwache Verdauung, weißer Belag auf der Zunge, weißer Urin oder Kot, Appetitverlust, Abneigung gegen Nahrung, Magersucht.

Wirkung
Über die Linderung der oben aufgeführten Beschwerden hinaus hat diese Behandlung den zusätzlichen Effekt, daß sie das dritte Auge erweckt, Körper und Geist kräftigt und das kognitive Gedächtnis anregt.

Notwendige Hilfsmittel
- ein kleiner Eimer aus rostfreiem Stahl, der das warme Öl oder die flüssige Substanz enthält und zugedeckt bleibt, bis die Behandlung beginnt.
- ein improvisierter Turmtopf (ein großer Topf, der zur Hälfte mit kochendem Wasser gefüllt ist und in den der Öleimer hineingestellt wird), um die Wärme des Öls zu halten
- eine kleine Tasse aus rostfreiem Stahl zum Eintauchen des Öls
- ein Dhara Patra*, oder ein Scheidetrichter mit Ring und Sockel (erhältlich in Spezialgeschäften für Laborbedarf)
- ein sauberer Behandlungskittel aus Baumwolle*
- ein sauberes Baumwollaken zum Zudecken
- zwei saubere Baumwollhandtücher
- ein sauberes 30 qcm großes, dreimal gefaltetes Baumwolltuch, um während der Behandlung als Augenbinde die Augen des Patienten zu schützen
- ein sauberes 60 qcm großes Baumwolltuch, um Kopf und Stirn nach der Behandlung einzuwickeln
- ein Allzweckwaschbecken in der Nähe des Shirodhara-Behandlungsraumes, um das Dhara Patra darin zu waschen
- 2 hohe Stühle, auf denen die Begleiter bei der Durchführung dieser Therapie sitzen können
- eine Stufenleiter, um das Dhara Patra aufzuhängen und es herunterzunehmen

**Anmerkung:* Vergleichen Sie Anhang D

Anweisungen für Shirodhara

- Führen Sie Abhyanga sehr früh am Morgen aus, am besten unmittelbar bevor Shirodhara durchgeführt werden soll.
- Nach dem Abhyanga bitten Sie den Patienten, sich aufzusetzen und einen sauberen Behandlungskittel anzuziehen.
- Bitten Sie den Patienten, sich mit dem Rücken auf den Behandlungstisch zu legen.
- Ziehen Sie das Zudecktuch bis zum Hals hoch.
- Legen sie das gefaltete Stück Stoff über die Augen, um sie vor dem heruntersickernden Öl bzw. der Flüssigkeit zu schützen. (Vergewissern Sie sich, daß das Dhara Patra an der Decke aufgehängt ist und direkt über der Stirn des Patienten hängt.)
- Bitten Sie Ihren Behandlungsassistenten, sich auf einen hohen Stuhl links vom Patienten zu setzen und das Öl bzw. die flüssige Substanz langsam in das Dhara Patra zu gießen, während Sie das hängende Gefäß stillhalten.
- Setzen Sie sich auf einen hohen Stuhl auf die rechte Seite, um das Dhara Patra zu überwachen.
- Wenn Ihr Assistent das Öl gleichmäßig in das Dhara Patra gießt, schaukeln Sie mit einer leichten Handbewegung das Gefäß sanft etwa 2,5 cm vor und zurück in beide Richtungen, so daß das Öl an der vertikalen Mittellinie der Stirn des Patienten entlangtropft.
- Vergewissern Sie sich, daß das Tropfen des Öls stetig erfolgt und während der gesamten Behandlungsdauer beibehalten wird und daß das Dhara Patra gleichzeitig rhythmisch hin- und hergeschaukelt wird.

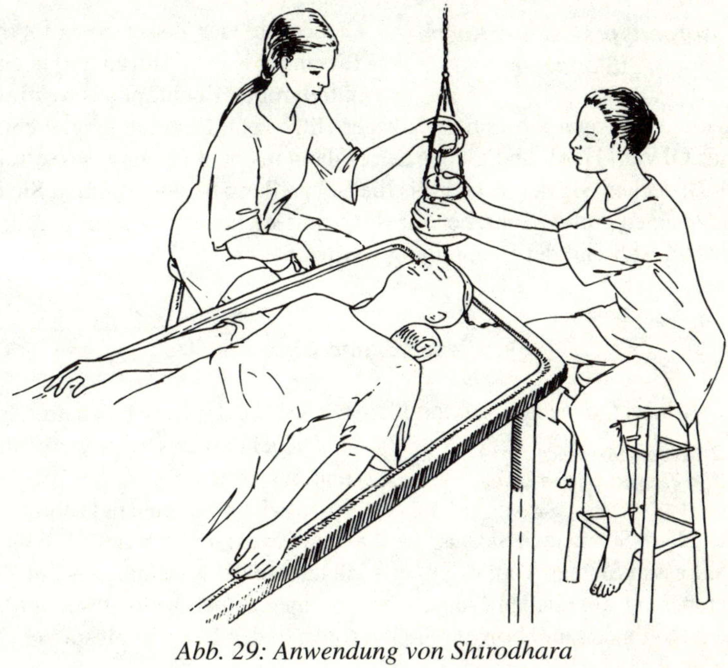

Abb. 29: Anwendung von Shirodhara

- Behalten Sie dieses Verfahren für die Zeitdauer bei, die für die Störung des jeweiligen Doshas vorgeschrieben ist.
- Am Ende der Behandlungszeit werden zwei Handlungen gleichzeitig ausgeführt: Während Sie das Gefäß an seinem Platz halten, hört Ihr Assistent auf, das Öl einzugießen, entfernt schnell das Gefäß aus seiner Hängeposition und legt es in das Waschbecken.
- Bitten Sie den Patienten, weitere fünf Minuten lang ruhig liegenzubleiben.
- Nehmen Sie ein sauberes Baumwollhandtuch, tupfen Sie sanft das überschüssige Öl von der Stirn des Patienten ab, ohne jedoch alles Öl zu entfernen.
- Entfernen Sie das durchtränkte Tuch von den Augen und tupfen Sie sanft jegliches Öl von den Augen ab.
- Bitten Sie den Patienten noch einmal, sich für kurze Zeit auszuruhen.
- Bevor der Patient geht, umwickeln Sie seinen Kopf und seine Stirn.* Bitten Sie ihn, sich vor extremer Kälte, Hitze oder Feuchtigkeit zu schützen und Kopf und Stirn zu bedecken, wenn er nach draußen geht. Diese Praxis sollte während der Behandlungszeit und eine Woche danach beibehalten werden.

**Anmerkung:* Vergleichen Sie das Kopfumwicklungsverfahren in Anhang D

Shirodhara-Rezepturen: Öle

***Jahrzeszeit**: ganzjährig*

Warmes Sesamöl

***Körpertyp**: Vata-und Kapha-Störungen*

Gießen Sie vier Tassen Sesamöl (drei Tassen für Kapha-Störungen) in einen mittelgroßen Kochtopf aus rostfreiem Stahl und erwärmen Sie es bei niedriger Hitze zehn Minuten lang. Nehmen Sie das Öl vom Herd, und gießen Sie es dann in einen Eimer aus rostfreiem Stahl. Bedecken Sie den Eimer, bis die Behandlung beginnt. Stellen Sie den Eimer in einen großen Topf, der zur Hälfte mit kochendem Wasser gefüllt ist, um das Öl während der Behandlung warmzuhalten.

Sesamöl und Ghee

***Körpertyp**: Pitta-Störungen*

2 Tassen Sesamöl
1 ½ Tassen reines Ghee

Gießen Sie das Öl in einen mittelgroßen Kochtopf aus rostfreiem Stahl, und erwärmen Sie es bei niedriger Hitze zehn Minuten lang; nehmen Sie es vom Herd. Schmelzen Sie das Ghee, indem Sie es zu dem warmen Öl hinzufügen. Lassen Sie den Topf offen, und kühlen Sie die Mischung bis auf Zimmertemperatur ab. Gießen Sie sie dann in einen Eimer aus rostfreiem Stahl. Decken Sie ihn zu, und bringen Sie ihn sofort in den Behandlungsraum.

Dashamula-Öl

***Körpertyp**: Vata-Störungen*

16 Tassen Wasser
1 Tasse Dashamula-Pulver
4 Tassen Sesamöl

Gießen Sie das Öl und das Wasser in einen großen Kochtopf aus rostfreiem Stahl und bringen Sie ihn bei mittlerer Hitze zum Kochen. Fügen Sie das Pulver hinzu, decken Sie es zu, köcheln Sie das Ganze etwa vier Stunden lang oder so lange, bis das gesamte Wasser verdunstet ist. Lassen Sie das Öl abkühlen, und gießen Sie es dann in einen Eimer aus rostfreiem Stahl. Decken Sie den Eimer zu, bis die Behandlung beginnt. Stellen Sie den Eimer in einen großen Topf, der zur Hälfte mit kochendem Wasser gefüllt ist, um das Öl während der Behandlung warmzuhalten.

Süßholzöl

***Körpertyp**: Pitta-Störungen*

12 Tassen Wasser
3 Tassen Sesamöl
C\v Tasse Süßholzöl

Gießen Sie das Öl und das Wasser in einen großen Kochtopf aus rostfreiem Stahl, und bringen Sie ihn bei mittlerer Hitze zum Kochen. Mischen Sie das Pulver dazu, dann decken Sie das Ganze zu und lassen es bei niedriger Hitze etwa vier Stunden lang köcheln oder solange, bis das Wasser verdunstet ist. Lassen Sie die Mischung abkühlen, und gießen Sie sie durch ein feines Sieb in den Eimer ab. Wenn das Öl bis auf Zimmertemperatur abgekühlt ist, decken Sie den Eimer zu, und bringen Sie ihn in den Behandlungsraum.

Andere Shirodhara-Substanzen

***Jahrzeszeit**: ganzjährig*
***Körpertyp**: alle Typen*

Takra Dhara (arzneiliche Buttermilch)

Beschwerden

Harnbeschwerden, Herzkrankheit, Magenverstimmung, Magersucht, Krankheiten von Auge und Ohr, vorzeitiges Ergrauen und Haarausfall, Kopfschmerz, Schlaflosigkeit, Erschöpfung, Gelenkschwäche, Angst und Besorgnis. Ein Mittel zur vollkommenen Wiederherstellung aller drei Doshas.
Anmerkung: Vergleichen Sie das Rezept in den Anweisungen für die Masthiskya-Therapie.
Verwenden Sie frisch hergestelltes Thakra Dara, und wenden Sie es bei einer Temperatur von 23°C bis 27°C an.

16 Tassen Wasser
4 Tassen Milch
1 Tasse Musta-Pulver
2 Tassen Takra Dhara (arzneiliche Buttermilch)

Beschwerden
Vergleichen Sie die unter Takra Dhara (arzneiliche Buttermilch) aufgeführten Beschwerden.

Gießen Sie die Milch und das Wasser in einen großen Kochtopf aus rostfreiem Stahl, und bringen Sie ihn bei mittlerer Hitze zum Kochen. Fügen Sie das Pulver hinzu. Decken Sie das Ganze zu, lassen Sie es bei niedriger Hitze etwa vier Stunden lang köcheln oder solange, bis sich die Flüssigkeit auf ein Fünftel ihres ursprünglichen Volumens reduziert hat, fügen Sie das Takra Dhara hinzu, vermischen Sie die Zutaten gründlich zu einer warmen Creme, und gießen Sie diese arzneiliche Creme in einen bis zur Hälfte mit heißem Wasser gefüllten Topf, um das Wasser während der Behandlung warmzuhalten. Wenden Sie diese Creme bei einer Temperatur von 23°C bis 27°C an.

Pichu – Einölen der Stirn

Pichu ist ein Snehana-Prozeß, bei dem ein Stück Baumwolle, das zuvor in ein bestimmtes Öl getaucht wurde, eine Zeitlang auf die Stirn gelegt wird. Pichu kann regelmäßig als Behandlung zu Hause durchgeführt werden, um die Doshas auszugleichen und Körper und Geist zur Ruhe zu bringen.

Jahrzeszeit: *ganzjährig*
Körpertyp: *alle Typen*
Zeit der Anwendung: *Morgen und früher Abend*

Beschwerden und geeignete Öle
Steifheit in den Augenmuskeln – Padmaka-Öl
Trockenheit oder wunde Stellen auf der Kopfhaut – Padmaka- oder Kaseesadi-Öl
Entzündungen am Kopf oder im Gesicht – Padmaka- oder Kaseesadi-Öl
Vaginale Blutungen – Padmaka-Öl
Hämorrhoiden – Kaseesadi-Öl

Wirkung
Lindert Schmerzen und Steifheit in den Augen, befeuchtet die Kopfhaut, reduziert Entzündungen am Kopf oder im Gesicht, ist hervorragend gegen Nasenbluten geeignet. Außerdem lindert die Anwendung von Pichu vaginale Blutungen und Hämorrhoiden.

Notwendige Hilfsmittel
- eine Tonschüssel (ca. 15 x 7 cm groß), zu einem Viertel mit Wasser gefüllt
- ein sauberes Baumwolltuch (etwa 30 qcm groß)
- ein sauberes Baumwollhandtuch

Pichu-Öle

Gießen Sie eine viertel Tasse Padmaka- oder eine viertel Tasse Kaseesadi-Öl in einen kleinen Kochtopf aus rostfreiem Stahl, und erwärmen Sie es bei niedriger Hitze fünf Minuten lang. Gießen Sie das Öl dann in die Tonschüssel. Falten Sie das saubere Stück Baumwolle so, daß sich drei gleichmäßige Stofflagen bilden. Halten Sie es an beiden Enden fest, tauchen Sie die mittleren 20 cm in das warme Öl und tränken Sie sie reichlich damit. Lassen Sie die Enden über den Schüsselrand hängen, so daß sie trocken bleiben. Stellen Sie die Schüssel so hin, daß Sie sie während der Behandlung leicht erreichen können.

Anweisungen für Pichu

- Waschen Sie sich einige Stunden vor der Pichu-Behandlung die Haare.
- Legen Sie das Öl, das Tuch und ein sauberes Handtuch auf ein sauberes Tuch, das auf dem Boden ausgebreitet ist.
- Legen Sie eine saubere Matte neben Ihre Behandlungsgegenstände, und legen Sie sich darauf.
- Halten Sie eine zehnminütige Meditation ab, und laden Sie alle Gedanken und streßerzeugenden Faktoren in Ihrem Leben dazu ein, in den Hintergrund zu treten.
- Nehmen Sie während dieser zehnminütigen Meditationszeit tiefe und entspannende Atemzüge durch die Nase.
- Tauchen Sie dann das Tuch in das Öl, und legen Sie es von einem Ohr zum anderen über die Stirn (Abb. 32).
- Drücken Sie mit beiden Händen sanft auf das Tuch.
- Wischen Sie mit dem Handtuch alles überschüssige Öl von Ihren Händen und Ihrem Gesicht ab.
- Setzen Sie sich sehr langsam au,f und nehmen Sie das Tuch von Ihrer Stirn.
- Klopfen Sie mit dem Handtuch sanft alles überschüssige Öl von Ihrer Stirn.
- Säubern Sie Ihr Ölgerät, und waschen Sie das ölgetränkte Tuch gründlich mit der Hand.
- Ruhen Sie sich eine halbe Stunde lang aus und behalten Sie für den Rest des Tages eine friedvolle Stimmung bei.

Anmerkung: Diese Behandlung kann sieben Tage lang zweimal täglich angewendet werden.

Abb. 30: Falten des Tuches

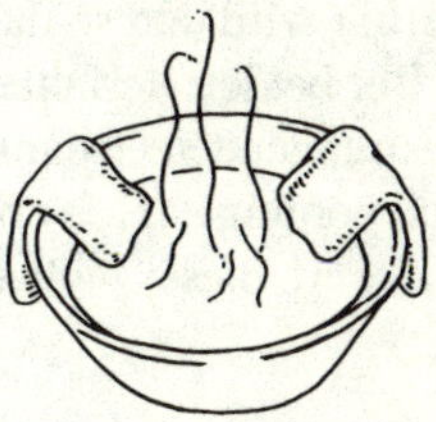

Abb. 31: Einweichen des Tuches

Abb. 32: Das Pichu-Tuch auf der Stirn

TÄGLICHE REINIGUNG DER SINNESORGANE

Die Snehana-Therapien für Augen, Nase und Mund sind eine Kunst, die in der heutigen Zeit immer mehr verlorengeht. Die tägliche Durchführung dieser Verfahren wirkt verjüngend und verbessert die Funktion der Sinnesorgane; sie hält Klarheit, Frische, Kräftigung und Freude in unserem Leben aufrecht. Die Sinnesorgane sind unser einziges sichtbares Kommunikationsmittel mit der äußeren Welt. Wenn wir sie bei hervorragender Gesundheit halten, sind wir besser dafür ausgerüstet, die uns innewohnenden kognitiven Fähigkeiten zu nutzen, die uns mit dem Universum und unseren eigenen heiligen Reisen von Beginn der Zeit an verbinden. Krankheiten können uns unmöglich befallen, wenn wir unsere Sinnesorgane bei hervorragender Gesundheit halten.

KAVALAGRAHA – GURGELBEHANDLUNG

Es gibt im wesentlichen zwei ayurwedische Gurgelverfahren, nämlich *Kavalagraha*, bei dem eine angenehme Flüssigkeit zum Gurgeln im Mund behalten wird, und *Gandusa*, bei dem der Mund vollständig mit Flüssigkeit gefüllt wird und so das Gurgeln unmöglich ist.

Bei beiden Verfahren ist es ratsam, aufrecht zu sitzen und den Geist von anstrengenden Gedanken zu befreien. Das Gurgeln regt die Sinnesorgane an und beruhigt sie, es erfrischt den Atem und kräftigt den Geist. Es ist empfehlenswert, dieses Sadhana jeden Morgen nach dem Zähneputzen auszuführen.

KAVALAGRAHA UND GANDUSA

***Jahreszeit**: ganzjährig*
***Körpertyp**: alle Typen*
***Zeit der Anwendung**: frühmorgens*

Beschwerden
Schlechter Atem, Trockenheit der Gesichtshaut, Stumpfheit der Sinne, Erschöpfung, Magersucht, Geschmacksverlust, beeinträchtigtes Sehvermögen, Halsschmerzen, alle kapha-bezogenen Beschwerden.

Wirkung

Über die Linderung der oben aufgeführten Beschwerden hinaus hat diese Behandlung die zusätzliche Wirkung, daß sie überschüssige Doshas aus den Augen, Ohren, der Nase und dem Mund herauszieht.

Anmerkung: Es werden spezielle Gurgelflüssigkeiten verwendet, um die Normalität jedes Doshas wiederherzustellen. Wärmende, fettige Flüssigkeiten werden bei Vata-Störungen verwendet. Für Pitta sind süße, kühlende, scharfe und salzige Flüssigkeiten vorgeschrieben; um Kapha wiederherzustellen, werden hitzeproduzierende und austrocknende Flüssigkeiten verwendet.

Anweisungen für das Gurgeln

- Bereiten Sie Ihre Gurgelflüssigkeit vor, und stellen Sie sie zusammen mit einem sauberen Baumwollhandtuch in das Waschbecken.
- Befreien Sie den Geist von anstrengenden Gedanken, indem Sie vor dem Gurgeln für kurze Zeit meditieren.
- Setzen Sie sich bequem, aber aufrecht, auf einen Stuhl.
- Füllen Sie Ihren Mundraum zu zwei Dritteln mit der Gurgelflüssigkeit. Behalten Sie sie eine Minute lang im Mund.
- Spucken Sie die Flüssigkeit aus, und füllen Sie dann erneut Ihren Mundraum mit derselben Menge Flüssigkeit; behalten Sie sie zwei Minuten lang im Mund. Dann spucken Sie sie wieder aus.
- Füllen Sie schließlich Ihren Mundraum noch ein weiteres Mal mit der Abkochung. Neigen Sie den Kopf leicht nach hinten, und gurgeln Sie mit der Flüssigkeit weit hinten im Rachen. Dann spucken Sie sie wieder aus.

Abb. 33: Gandusa

Abb. 34: Kavalagraha

Bei ernsten Beschwerden wie Magersucht und Geschmacksverlust gehen Sie nach dem obengenannten Verfahren vor, behalten Sie die Flüssigkeit aber jeweils zwei Minuten lang im Mund oder solange, bis die Augen zu tränen und die Nase zu laufen anfängt. Dann spucken Sie die Flüssigkeit wieder aus.

Eukalyptus-Gurgeltee

***Körpertyp**: Vata*

½ Tasse Wasser
1 Teelöffel Kümmelsamen
2 Teelöffel Sesamöl
2 Tropfen Eukalyptus-Essenz

Bringen Sie das Wasser in einem kleinen Topf aus rostfreiem Stahl zum Kochen. Fügen Sie den Kümmelsamen hinzu, decken Sie den Topf zu, und köcheln Sie die Mischung bei mittlerer Hitze drei Minuten lang. Nehmen Sie den Topf vom Herd, lassen Sie die Mischung weitere drei Minuten ziehen, seihen Sie die Samen durch ein Teesieb, und fangen Sie den Tee in einer großen Tasse auf. Fügen Sie schließlich die Öle hinzu. Der Gurgeltee sollte lauwarm verwendet werden, aber nicht so warm sein, daß es unangenehm ist, ihn im Mund zu behalten.

Ashwagandha-Gurgeltrank

***Körpertyp**: Vata*

¼ Tasse Milch
¼ Teelöffel Ashwagandha-Pulver
1 Teelöffel Sesamöl
2 Tropfen Zimt-Essenz

Erwärmen Sie die Milch und das Sesamöl in einem kleinen Topf aus rostfreiem Stahl bei niedriger Hitze drei Minuten lang. Fügen Sie das Pulver und die Essenz hinzu, und nehmen Sie dann den Topf vom Herd. Decken Sie ihn zu und lassen Sie die Mischung fünf Minuten lang ziehen. Der Trank sollte lauwarm sein, aber nicht so warm, daß es unangenehm ist, ihn im Mund zu behalten.

Fenchel-Gurgeltee

***Körpertyp**: Pitta*

½ Tasse Wasser
1 Teelöffel Fenchelsamen
¼ Teelöffel Kurkuma-Pulver
½ Teelöffel brauner Zucker

Bringen Sie das Wasser in einem kleinen Topf aus rostfreiem Stahl zum Kochen. Fügen Sie den Fenchelsamen hinzu, und lassen Sie die Mischung bei niedriger Hitze fünf Minuten lang köcheln oder solange, bis die Hälfte des Wassers verdunstet ist. Nehmen Sie den Topf vom Herd, seihen Sie die Samen durch ein Teesieb, und fangen Sie den Tee in einer großen Tasse auf. Fügen Sie das Kurkuma-Pulver und den braunen Zucker hinzu. Rühren Sie um, und lassen Sie den Tee zehn Minuten lang abkühlen.

Pfefferminz-Gurgeltrank

***Körpertyp**: Pitta*

¼ Tasse Milch
¼ Tasse Wasser
1 Teelöffel getrocknete Pfefferminzblätter
¼ Teelöffel Shatavari-Pulver
2 Tropfen Brombeer-Essenz

Mischen Sie Milch und Wasser in einem kleinen Topf aus rostfreiem Stahl, und bringen Sie die Mischung bei niedriger Hitze zum Kochen. Fügen Sie die Pfefferminzblätter und das Shatavari-Pulver hinzu. Nehmen Sie den Topf vom Herd, decken Sie ihn zu, lassen Sie die Mischung zehn Minuten lang ziehen, seihen Sie die Blätter durch ein Teesieb, und fangen Sie den Milchtrank in einer großen Tasse auf. Fügen Sie die Essenz hinzu. Rühren Sie um, und prüfen Sie die Temperatur, um sich zu vergewissern, daß Sie für den Gebrauch kühl genug ist.

Eukalyptus- und Honig-Gurgeltee

***Körpertyp**: Kapha*

½ Tasse Wasser
¼ Teelöffel Guggulu-Pulver
¼ Teelöffel grober schwarzer Pfeffer
2 Tropfen Eukalyptus-Essenz
½ Teelöffel Honig

Bringen Sie das Wasser in einem kleinen Topf aus rostfreiem Stahl zum Kochen. Fügen Sie das Guggulu und den schwarzen Pfeffer hinzu. Decken Sie zu, und lassen Sie die Mischung bei niedriger Hitze fünf Minuten lang köcheln oder solange, bis die Hälfte des Wassers verdunstet ist. Nehmen Sie den Topf vom Herd. Seihen Sie mit einem feinen Teesieb die Flüssigkeit ab, so daß die Pfefferkörner im Sieb zurückbleiben, und fangen Sie den Tee in einer großen Tasse auf. Fügen Sie die Essenz und den Honig hinzu; lassen Sie die Mischung vor Gebrauch auf Zimmertemperatur abkühlen.

Neem- und Kardamom-Gurgeltee

***Körpertyp**: Kapha*

½ Tasse Wasser
1 Teelöffel grüne Kardamomschoten
¼ Teelöffel Neem-Pulver

Bringen Sie das Wasser in einem kleinen Topf aus rostfreiem Stahl zum Kochen. Fügen Sie die Kardamomschoten hinzu, decken Sie den Topf zu, und lassen Sie die Mischung bei niedriger Hitze fünf Minuten lang köcheln oder solange, bis die Hälfte des Wassers verdunstet ist. Nehmen Sie den Topf vom Herd, fügen Sie das Neem-Pulver hinzu, decken Sie ihn noch einmal zu, und lassen Sie die Mischung fünf Minuten lang ziehen. Seihen Sie mit einem Teesieb die Flüssigkeit ab, so daß die Schoten im Sieb zurückbleiben, und fangen Sie die Flüssigkeit in einer großen Tasse auf. Lassen Sie die Mischung vor Gebrauch auf Zimmertemperatur abkühlen. *Eine hervorragende Gurgellösung für Kinder.*

Salzwasser-Gurgellösung

***Körpertyp**: alle Typen*

½ Tasse Wasser
1 Teelöffel Steinsalz oder Meersalz
¼ Teelöffel Kurkuma-Pulver

Bringen Sie das Wasser zum Kochen; lösen Sie dann das Salz und das Pulver darin auf. Nehmen Sie den Topf vom Herd, decken Sie die Mischung zu, und lassen Sie sie fünf Minuten lang ziehen. Verwenden Sie sie, wenn die Temperatur so angenehm ist, daß Sie das Gurgelwasser gut im Mund behalten können.

Süßholz-Gurgellösung

***Körpertyp**: alle Typen*

½ Tasse Wasser
¼ Teelöffel Süßholz-Pulver
1 Teelöffel Sesamöl
2 Tropfen Süßholz-Essenz

Bringen Sie das Wasser zum Kochen, fügen Sie das Pulver und die Öle hinzu. Nehmen Sie den Topf vom Herd, decken Sie die Mischung zu, und lassen Sie sie vor Gebrauch fünfzehn Minuten lang ziehen und abkühlen.

Anmerkung: Ein starker Süßholztee kann ebenfalls als regelmäßiges Gurgelwasser verwendet werden (1 Teelöffel Süßholz-Pulver auf ½ Tasse Wasser).

Honig- und Kurkuma-Gurgellösung

***Körpertyp**: alle Typen*

½ Tasse warmes Wasser
1 Teelöffel Honig
½ Teelöffel Kurkuma-Pulver

Lösen Sie den Honig in warmem Wasser auf, und fügen Sie das Kurkuma-Pulver hinzu. Diese Gurgellösung ist aufgrund der astringierenden Eigenschaften des Honigs besonders wohltuend bei Halsschmerzen und Heiserkeit. *Eine hervorragende Gurgellösung für Kinder.*

Triphala-Gurgellösung

***Körpertyp**: alle Typen*

½ Tasse warmes Wasser
½ Teelöffel Triphala-Pulver

Lösen Sie das Triphala-Pulver in heißem Wasser auf. Decken Sie den Topf zu, und lassen Sie den Aufguß zehn Minuten lang ziehen, bevor Sie ihn als Gurgellösung verwenden.

Akshitarpana – Reinigung der Augen

Akshitarpana ist der Prozeß, bei dem Flüssigkeiten und/oder fettige Substanzen in die Augen eingebracht werden. Diese Therapie verbessert das Sehvermögen, heilt Steifheit, Schmerz und Rauheit um die Augen herum. Sie stärkt die Augen und schützt sie vor den stechenden Sonnenstrahlen. Akshitarpana ist auch sehr hilfreich bei schweren Augenkrankheiten wie Grüner Star, Vereiterung der Hornhaut oder entzündlichen Verletzungen um die Augen herum.

Akshitarpana

Jahreszeit*: Folgen Sie den jahreszeitlichen Richtlinien für Snehana*
Körpertyp*: alle Typen*
Zeit der Anwendung*: frühmorgens*
Dauer der Behandlung*: vierzehn Tage*

Beschwerden
Verlust des Sehvermögens/verschwommenes Sehen, Augenverletzungen, Augenschmerzen, Dunkelheit um die Augen herum, Blässe um die Augen herum, Rauheit um die Augen herum, Abnahme der Tränenflüssigkeit, übermäßige Tränensekretion, Blutungen der Augen, Grüner Star, Vereiterung der Hornhaut, Entzündungen in den Augen.

Wirkung
Über die Linderung der obengenannten Beschwerden hinaus trägt diese Behandlung zu einer allmählichen Verbesserung ernster Augenkrankheiten bei und hat den zusätzlichen Nutzen, daß sie geistige Klarheit bringt.

Notwendige Hilfsmittel
- ein sauberes Baumwollaken zum Zudecken
- ein sauberer Baumwollkittel aus Baumwolle
- zwei saubere Baumwolltücher (30 qcm groß)
- ein sauberes, feuchtes Baumwollhandtuch
- eine Baumwollbandage für die Augen (60 x 20 cm groß)
- eine große Tasse mit Triphala-Abkochung (für die vorhergehende Augenwaschung und die Gurgelverfahren)
- eine kleine Schüssel aus rostfreiem Stahl, die die Masha(Urad-Bohnen-)-Paste enthält und mit einem feuchten Tuch zugedeckt ist
- ein kleiner Turmtopf, um das arzneiliche Ghee warmzuhalten
- eine kleine Tonteekanne mit Deckel, die das arzneiliche Ghee enthält
- eine saubere Holzoberfläche auf einem Beistelltisch, um die Masha-Paste auszurollen
- ein Waschbecken zum Abwaschen

Anweisungen
Um bestmögliche Ergebnisse zu erzielen, sollte dieses Verfahren nach den vorbereitenden Brech-, Purgier- und Klistiertherapien durchgeführt werden. Akshitarpana ist eine Therapie, die viel Fingerspitzengefühl verlangt und eine gewisse Zeit dauert, damit die Doshas und die Augen gründlich gereinigt werden. Genau wie das bei den Pancha-Karma-Therapien der Fall ist, sollte diese Behandlung nur unter der Leitung eines ayurwedischen Arztes oder von ausgebildeten Pancha-Karma-Begleitern ausgeführt werden. Das Eindringen des Sonnenlichtes in einen gut belüfteten Raum am frühen Morgen ist ebenfalls eine Standarderfordernis für diese Therapie. Der Behandlungstisch sollte mit einem sauberen Baumwollaken bedeckt sein. Alle notwendigen Substanzen und Geräte sollten bereitgestellt sein, bevor der Patient eintrifft.
Akshitarpana wird am frühen Morgen durchgeführt, nachdem sowohl die Begleiter als auch der Patient die notwendigen Waschungen vollzogen haben.

Behandlung
Erster Tag:
- Bitten Sie den Patienten, sich zu entkleiden und sich einen sauberen Baumwollkittel anzuziehen.
- Helfen Sie dem Patienten bei der vorbereitenden Augenwaschung und dem Gurgeln, bevor Sie mit den Akshitarpana-Verfahren beginnen (vergleichen Sie die Details unten).
- Bitten Sie den Patienten, sich bequem auf den Rücken zu legen.
- Legen Sie dem Patienten ein Baumwollaken über, und lassen Sie Gesicht und Kopf dabei frei.
- Reiben Sie sanft sein Gesicht mit einem sauberen Gesichtstuch ab, und überziehen Sie es mit einer dünnen Schicht Sesamöl.
- Massieren Sie sanft mit Ihren Daumen um die geschlossenen Augen herum.
- Nehmen Sie eine Handvoll Masha-Paste, und teilen Sie sie in vier walnußgroße Portionen, die Sie zu Klumpen verkneten.
- Nehmen Sie zwei Klumpen, und legen Sie sie auf die saubere Oberfläche des Beistelltisches. Drücken Sie jeden Klumpen mit Ihrem Handballen flach, und formen Sie ihn dann zu einem rechteckigen, flachen, plätzchenähnlichen Teig, der etwa 3,8 cm breit, 10 cm lang und 1,25 cm hoch ist (Abb. 35).
- Wiederholen Sie diesen Prozeß mit den zwei übrigen Klumpen. Nachdem alle vier rechteckigen Stücke fertig sind, nehmen Sie vorsichtig eines in die Hand und formen es zu einem großen Ring, der wie ein Serviettenhalter geformt ist (mit etwa 5 cm Durchmesser und 3,8 cm Höhe).

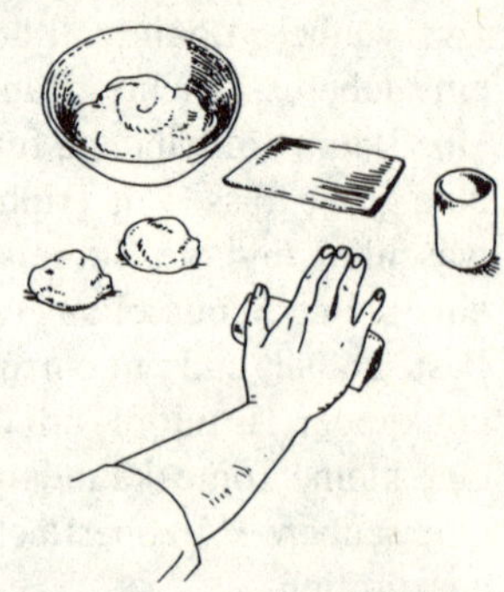

Abb. 35: Herstellung von Pastenbehältern für Akshitarpana

- Stecken Sie den Zeige- und den Mittelfinger durch den Ring, und drücken Sie die beiden Ringenden fest zusammen, indem Sie die beiden Finger fest gegen den Daumen drücken. Diese Ringkonstruktion aus Paste heißt Behälter.
- Legen Sie jeden der Pastenbehälter sanft auf die Augen des Patienten.
- Bitten Sie den Patienten, weitere zehn Minuten lang zu ruhen, bis der Pastenbehälter getrocknet ist.

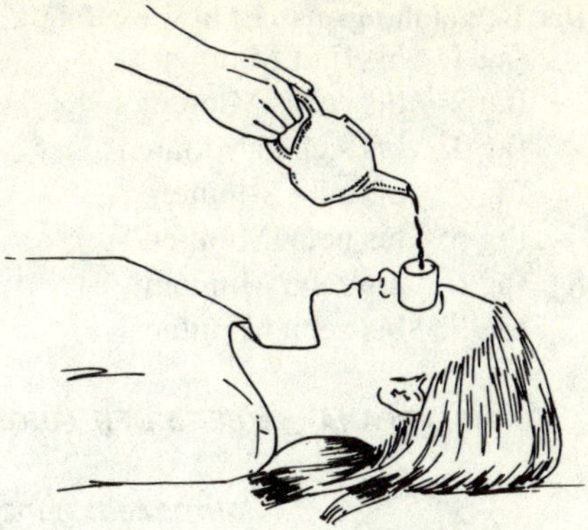

Abb. 36: Ghee auf die Augen gießen

- Während die Augen des Patienten geschlossen sind, gießen Sie das warme arzneiliche Ghee in jeden Behälter, bis das Augenlid vollständig bedeckt ist (Abb. 36). (Es wird etwa ein Eßlöffel Ghee in jeden Behälter gegossen.)
- Nach zwei Minuten bitten Sie den Patienten, die Augen langsam zu öffnen und langsam mehrere Male ohne größere Anstrengung zu blinzeln.
- Setzen Sie diesen Prozeß fünf Minuten lang fort.
- Dann entfernen Sie sanft einen Behälter nach dem anderen und wischen das arzneiliche Ghee mit einem sauberen Baumwolltuch ab. Bitten Sie den Patienten, die Augen während dieser Reinigung geschlossen zu lassen.
- Wischen Sie mit dem sauberen und feuchten Handtuch das überschüssige Ghee vom Gesicht, und legen Sie die Baumwollbandage über die Augen.
- Bitten Sie den Patienten, sich zwanzig Minuten lang auszuruhen, bevor er sich erhebt. Die Augen dürfen fünf Stunden lang weder Licht noch Kälte ausgesetzt werden und danach nur gefiltertem oder gedämpftem Licht.

Anmerkung: Da der Patient mit bandagierten Augen nach Hause geschickt wird, muß er begleitet werden.

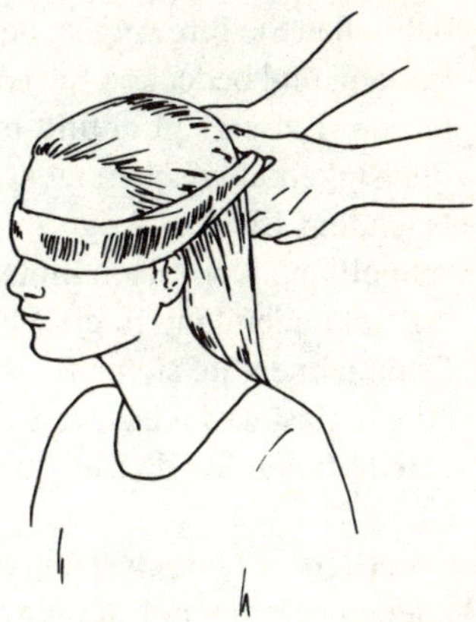

Abb. 37: Schützen der Augen

Behandlung

Zweiter und dritter Tag: Wiederholen Sie den obigen Ablauf, und erhöhen Sie die Zeit der Ghee-Anwendung auf sechs Minuten.

Dritter bis siebter Tag: Wiederholen Sie den obigen Ablauf und erhöhen Sie die Zeit der Ghee-Anwendung um eine zusätzliche Minute pro Tag.

Der Behandlungsplan ist also wie folgt:

Tag 1:	bis fünf Minuten	Tag 8:	bis neun Minuten
Tag 2:	bis sechs Minuten	Tag 9:	bis neun Minuten
Tag 3:	bis sieben Minuten	Tag 10:	bis acht Minuten
Tag 4:	bis acht Minuten	Tag 11:	bis sieben Minuten
Tag 5:	bis neun Minuten	Tag 12:	bis sechs Minuten
Tag 6:	bis zehn Minuten	Tag 13:	bis fünf Minuten
Tag 7:	bis zehn Minuten	Tag 14:	bis fünf Minuten

AKSHITARPANA – PFEGE DER AUGEN

***Jahreszeit**: ganzjährig*
***Körpertyp**: alle Typen*
***Zeit der Anwendung**: frühmorgens oder vor dem Zubettgehen*

Notwendige Hilfsmittel
- Augenglas (kleiner Behälter, um die Augen zu waschen)
- Waschbecken
- sauberes Baumwollhandtuch

Vorbereitendes Augenwaschverfahren
- Nachdem Sie den Mundraum und das Gesicht gereinigt haben, gießen Sie das Triphala-Tonikum in ein Augenglas.
- Schließen Sie Ihre Augen, neigen Sie sich leicht nach vorne über das Waschbecken, und bedecken Sie schnell das rechte Auge mit dem Augenglas, das mit der Flüssigkeit gefüllt ist. Halten Sie das Handtuch in Ihrer Nähe, um Flüssigkeit abwischen zu können, die vielleicht über ihr Gesicht tropft.
- Nachdem Sie das Auge mit dem Augenglas bedeckt haben, lehnen Sie schnell den Kopf nach hinten, und beginnen Sie, etwa fünfzehn bis zwanzig Sekunden lang in die Flüssigkeit hineinzublinzeln.
- Dann lehnen Sie sich nach vorne über das Waschbecken, entfernen Sie das Augenglas, und wischen Sie die überschüssige Flüssigkeit ab.
- Wiederholen Sie denselben Ablauf mit dem linken Auge.

Vorbereitendes Gurgelverfahren
Beziehen Sie sich auf die obige Kavalagraha-Gurgelanweisung. Verwenden Sie dasselbe Triphala-Tonikum für dieses vorbereitende Gurgelverfahren und führen Sie es unmittelbar vor der Akshitarpana-Behandlung durch.

Triphala-Augentonikum

1 Tasse Wasser
1 Teelöffel Triphala-Pulver

(Für vorbereitende Augenwaschungen und Gurgelverfahren zu verwenden.)* Bringen Sie das Wasser in einem kleinen Topf aus rostfreiem Stahl zum Kochen. Fügen Sie das Pulver hinzu. Decken Sie den Topf zu, und lassen Sie die Mischung bei mittlerer Hitze fünf Minuten lang köcheln oder bis die Hälfte des Wassers verdunstet ist. Nehmen Sie den Topf vom Herd, und kühlen Sie die Mischung ab. Verwenden Sie ein feines Sieb, um die Abkochung abzuseihen, und trennen Sie die Sedimente von der Flüssigkeit.
**Anmerkung:* Diese Abkochung und dieses Verfahren kann täglich von allen Typen verwendet werden, um Klarheit und Kühle des Sehvermögens beizubehalten.

Masha-Paste

Ergibt zwei „Behälter":

56 g ganze Urad-Bohnen
56 g Perlgraupen
¼ Tasse Wasser

Mahlen Sie die Urad-Bohnen und die Graupen in einer Handmühle zu einem groben Pulver. Geben Sie es in eine Schüssel aus rostfreiem Stahl, und fügen Sie nach und nach das Wasser hinzu, während Sie das Pulver zu einer festen Teigpaste zusammenkneten. Achten Sie darauf, den Teig nicht zu wäßrig bzw. zu weich zu machen. Die Konsistenz sollte so sein, daß Sie damit die Miniatur„behälter" herstellen können, die, wie oben beschrieben, um die Augen herum gelegt werden, um das arzneiliche Ghee aufnehmen zu können. Bevor Sie die „Behälter" herstellen, verreiben Sie einige Tropfen Sesamöl in Ihren Händen, um die Paste leichter verarbeiten zu können.

Tikta Ghrita (bittere Kräuter und Ghee)
Wie alle arzneiliche Ghees, so wird auch Tikta Ghrita von erfahrenen und gut ausgebildeten ayurwedischen Pharmakologen hergestellt. Arzneiliche Ghees sind in Ihrer Gegend erhältlich; einige der Bezugsquellen sind in Anhang G aufgeführt. Der Begriff „Tikta" bezieht sich auf eine bestimmte Mischung bitterer ayurwedischer Kräuter, die allgemein verwendet werden, um überschüssiges Pitta und Kapha zu reduzieren. Ghrita ist die Sanskrit-Bezeichnung für Ghee. Die Ghee-Erzeugung ist ein notwendiges Sadhana, siehe Anhang F.

Um warmes Titka Ghrita für die Akshitarpana-Therapie zuzubereiten, geben Sie zwei Eßlöffel Titka Ghrita in einen kleinen Tontopf. Bringen Sie das Wasser in einem kleinen Topf aus rostfreiem Stahl zum Kochen. Nehmen Sie den Topf vom Herd, und stellen Sie die Teekanne mit dem Ghee in das kochende Wasser. Decken Sie den Topf zu, und bringen Sie ihn in den Behandlungsraum.

Karna Purana – Das Einölen der Ohren

Karna Purana ist der Prozeß, bei dem warmes Öl oder arzneiliche Flüssigkeit in die Ohren gegossen wird. Diese Behandlung wird gewöhnlich einmal im Jahr entweder im Herbst oder im Spätfrühjahr durchgeführt. Spezifische Probleme, bei denen Karna Purana durchgeführt wird, sind zum Beispiel übermäßiges Ohrenschmalz, Kopfschmerzen, Nacken- und Kieferschmerzen. Diese Behandlung wird darüber hinaus für die meisten Vata-Störungen, die mit körperlichen Schmerzen einhergehen, verwendet.

***Jahreszeit**: ganzjährig*
***Körpertyp**: alle Typen*

Beschwerden
Ohrenschmerzen, Nervosität, Schmerzen in Kiefer, Nacken oder Kopf, Verlust des Hörsinns, übermäßiges Ohrenschmalz; Ohrgeräusche.

Wirkung
Über die Linderung der obengenannten Beschwerden hinaus verbessert diese Behandlung das Hören und regt die Sinnesorgane an. Sie beruhigt außerdem den Geist und trägt dazu bei, Vata-Störungen auszugleichen.

Notwendige Hilfsmittel
- ein sauberes Baumwolltuch
- eine Ohrpipette
- eine kleine Schüssel, die das Öl oder die arzneiliche Flüssigkeit enthält

Anweisungen für Karna Purana
- Befreien Sie den Geist von anstrengenden Gedanken, indem Sie eine Weile meditieren.
- Legen Sie den Behälter mit Öl oder anderer Flüssigkeit in die Ohrpipette und ein sauberes Baumwolltuch in Reichweite.
- Breiten Sie eine Matte auf dem sauberen Boden aus, und legen Sie sich hin.
- Drehen Sie sich auf Ihre linke Seite, und nehmen Sie die Embryolage ein, wobei der Kopf leicht nach unten geneigt ist.
- Füllen Sie mit Ihrer rechten Hand die Ohrpipette mit Öl.
- Drücken Sie etwa zehn Tropfen (die halbe Pipettenfüllung) in das rechte Ohr. Lassen Sie den Tropfen Zeit, den Ohrkanal hinunterzusickern.
- Ziehen Sie sanft Ihr linkes Ohrläppchen nach unten.
- Bleiben Sie fünf Minuten lang in derselben Position.
- Bedecken Sie das Ohr mit dem Baumwolltuch, und drehen Sie sich sanft auf Ihre rechte Seite, wo Sie erneut die Embryolage einnehmen.

rungen und den Gebrauch von sehr scharfen Abkochungen oder Pulvern, um die Ausscheidung überschüssiger Doshas aus dem Körper anzuregen. Beide Prozesse können regelmäßig als Mittel zur Gesundheitserhaltung durchgeführt werden.

Das zweite Nasya-Verfahren, das im Ayurweda Anwendung findet, heißt *Avapeda Nasya.* Hierbei wird eine glatte, zusammenziehende Paste in die Nasengänge eingeführt, um Störungen wie Blutungen und Bronchialbeschwerden, giftige Schlangenbisse und verschiedene Arten von Phobien zu lindern.

Bei dem dritten Nasya-Verfahren, das *Dhmapana* heißt, werden arzneiliche Pulver durch einen Strohhalm oder ein Rohr in die Nasengänge eingeführt. Diese Therapie wird im allgemeinen bei schweren geistigen Störungen wie Geisteskrankheit und Epilepsie angewendet, ebenso wie für die Neutralisierung der Wirkungen von Giften im Körper.

Bei dem vierten Nasya-Verfahren, das *Dhoma Nasya* heißt, werden arzneiliche Kräuterdämpfe, die in einer Abkochung gekocht wurden, inhaliert. Diese Therapie wird allgemein bei Kapha-Störungen wie Erkältungen, Grippe und Kongestion angewendet.

Schließlich wird auch noch die Einführung von arzneilichen Ölen in die Nasengänge, die als *Marsha Nasya* bekannt ist, verwendet, um Störungen bei Kindern und bei älteren Menschen zu behandeln, und bei denjenigen, die unter Abmagerung und extremer Gebrechlichkeit leiden. Je nach Stärke der arzneilichen Öle kann diese Therapie auch als Routinemittel zur Erhaltung der Gesundheit verwendet werden.

Die Nasya-Therapie regt das Gehirn an, indem Sie dem Schädel einen gesunden Schock versetzt. Die Einführung von Arzneien in die Nase beeinflußt das Tarpaka-Wasser des Kopfes, was zur Linderung von kranialen Störungen wie halbseitigem Kopfschmerz, Kopfgrippe, Kopfschmerzen, Kiefersperre, Gesichtslähmung, Neuralgie, zervikaler Spondylitis, Schiefhals usw. führt. Außer bei der täglichen oder gelegentlichen Anwendung der unten beschriebenen Nasya-Behandlungen zu Hause sollte diese Therapie als Bestandteil von Pancha Karma nur von ausgebildeten Pancha-Karma-Begleitern durchgeführt werden.

Navana Nasya

Jahreszeit: *ganzjährig*
Körpertyp: *alle Typen*

Jahreszeitliche Richtlinien

Frühling, Herbst, Winter:	*morgens*
Sommer:	*mittags*
Regenzeit (nur Vata-Typen):	*Morgengrauen*

Zeit der Anwendung

Pitta-Typen:	*12.00 – 12.30*
Vata-Typen:	*15.00 – 16.00*
Kapha-Typen:	*8.00 – 10.00*

Beschwerden

Kopfschmerzen, Zahnfleischerkrankungen, Ohrenschmerzen, Trockenheit der Gesichtshaut, vorzeitige Faltenbildung, Gesichtsbeschwerden, Gelbsucht, Stirnhöhlenkatarrh.

Wirkung

Über die Linderung der oben aufgeführten Beschwerden hinaus hat diese Therapie die zusätzliche Wirkung, daß sie Kopf, Gesicht, Hals, Schultern und Brust stärkt und das rhythmische Atmen verbessert. Sie regt darüber hinaus das Gehirn an, harmonisiert das Sehvermögen, lindert Angst und Besorgnis und verbessert den Schlaf.

Beschwerden, bei denen Navana Nasya nicht durchgeführt werden sollte

- während der Kindheit und im Alter
- während der Schwangerschaft oder nach der Entbindung
- nach Geschlechtsverkehr
- bei Fieber
- unmittelbar nach dem Baden
- unmittelbar nach den Mahlzeiten oder nach Alkoholgenuß
- bei inneren Blutungen oder während der Menstruation
- bei chronischer Schlaflosigkeit
- bei chronischem Stirnhöhlenkatarrh

Notwendige Hilfsmittel

- eine kleine Keramikschüssel für die Nasya-Substanz
- eine kleine Keramikschüssel für das Massageöl
- eine Augenpipette (um die Tropfen in die Nasengänge einzuführen)
- ein sauberes nasses, heißes Handtuch
- ein sauberes Baumwolltuch

Anweisungen

- Stellen Sie die Schüsseln mit der Nasya-Substanz und dem Massageöl zusammen mit der bereits gefüllten Augenpipette, dem sauberen Baumwolltuch und dem nassen Handtuch in Reichweite.
- Befreien Sie Ihren Geist von anstrengenden Gedanken, indem Sie vor der Behandlung eine Weile meditieren.
- Waschen Sie sich Gesicht und Hände, und legen Sie sich dann auf eine Matte auf den sauberen Boden oder auf ein saubere feste Liege.
- Verwenden Sie eine Kissenrolle (vergleichen Sie Abb. 39), um den Nacken abzustützen, während Sie den Kopf so weit zurückneigen, wie es Ihnen noch angenehm ist (die Öffnungen der Nasengänge sollten gerade zur Decke weisen).
- Gießen Sie eine kleine Menge Öl in beide Hände, und reiben Sie das gesamte Gesicht damit ein.
- Konzentrieren Sie sich dann darauf, den Bereich um Augen und Nase herum zu massieren.
- Drücken Sie mit beiden Daumen auf die Seiten der Nase und den Bereich der Nebenhöhlen.
- Beugen Sie die Finger, und drücken Sie sie sanft in die Höhlen direkt unter den Augen und dann auch darüber. Arbeiten Sie mit beiden Händen gleichzeitig.
- Drücken Sie mit den Handballen sanft auf die geschlossenen Augen.
- Nehmen Sie ein paar tiefe Atemzüge durch die Nase, und lösen Sie die Hände.
- Greifen Sie mit einer Hand nach der Augenpipette und drücken Sie acht Tropfen Flüssigkeit oder vier Prisen Pulver in das rechte Nasenloch (vergleichen Sie „Erhöhen der Dosis“ auf S. 90.)
- Es wird zu einer sofortigen Empfindung oder einem „Schlag“ an der obersten Stelle des Kopfes kommen (ähnlich derjenigen, die Sie nach dem Verzehr von rohem Meerrettich erleben). Diese Behandlung läßt im allgemeinen die Augen und manchmal auch die Nase tränen, da sie emotionale Überschüsse freisetzt. Wischen Sie die Absonderungen mit dem sauberen Tuch ab.
- Lassen Sie einige Minuten für den Seitenwechsel verstreichen, bevor Sie die Substanz in das linke Nasenloch einführen.
- Wiederholen Sie denselben Ablauf, und nehmen Sie dazu dieselbe Menge Flüssigkeit oder Puder.
- Ruhen Sie ein paar Minuten lang aus, bevor Sie aufstehen.
- Als tägliche Maßnahme und/oder letztem Schritt waschen Sie sich die Hände, und gießen Sie ein paar Tropfen Sesamöl auf den kleinen Finger. Führen Sie Ihn in jedes Nasenloch ein, und drehen Sie den Finger darin herum, um die Nasengänge sanft zu schmieren.

Setzen Sie Ihren Kopf für einige Stunden nach der Behandlung keiner extremen Kälte aus.

Erhöhen der Dosis
Die ursprüngliche Dosis wird in den nächsten sechs Tagen um je einen Tropfen Flüssigkeit oder eine halbe Prise Pulver pro Tag erhöht. Dieser Ablauf wird jede Woche wiederholt.

Zum Beispiel:

Tag	*Tropfen*	*Prisen*
1	8	4 Prisen
2	9	4 ½ Prisen
3	10	5 Prisen
4	11	5 ½ Prisen
5	12	6 Prisen
6	13	6 ½ Prisen
7	14	7 Prisen

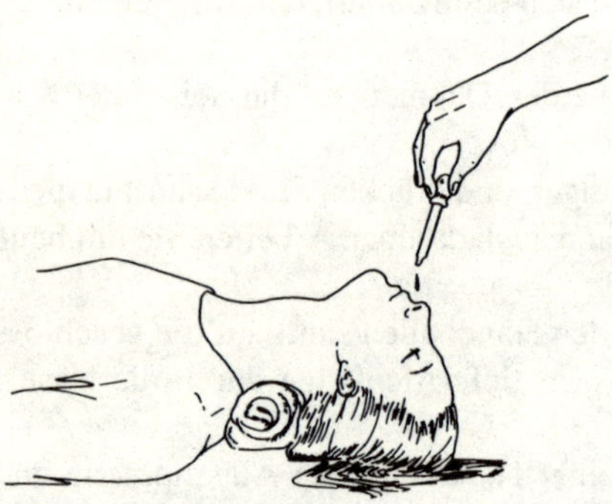

Abb. 39: Navana Nasya

NASENÖLE UND -ABKOCHUNGEN

***Jahreszeit**: ganzjährig*
***Körpertyp**: alle Typen*
***Zeit der Anwendung**:*
Vata: zwischen 15.00 und 16.00 Uhr
Kapha: zwischen 8.00 und 10.00 Uhr
Pitta: zwischen 12.00 und 12.30 Uhr

Anu Taila (Öl)

Anu Taila kann regelmäßig verwendet werden, um geistige Klarheit und Balance aufrechtzuerhalten.

Gießen Sie genug Öl für Ihre tägliche Nasya-Behandlung in eine kleine Schüssel. Füllen Sie die Augenpipette mit der vorgeschriebenen Menge Öl, bevor Sie sie in die Nasenlöcher einführen.

Sesam-/Ingwer-Öl

Beschwerden

Nervosität, Gedächtnisverlust, geistige Stumpfheit, Erkältungen, Besorgnis, Angst, Trockenheit der Gesichtshaut, Kopfschmerzen, Ohrenschmerzen, Stirnhöhlenkatarrh, Schmerzen im Gesicht, Verlust des Geruchssinns.

1 Eßlöffel Sesamöl
oder
1 Eßlöffel Ghee
½ Stück frische Ingwerpflaume

Erwärmen Sie das Öl oder Ghee in einer kleinen Pfanne aus rostfreiem Stahl. Nehmen Sie sie vom Herd, und gießen Sie das Öl in eine kleine Schüssel. Schälen Sie den Ingwer, und raspeln Sie ihn auf einer feinen Reibe. Sammeln Sie den geriebenen Ingwer in Ihrer Handfläche, ballen Sie die Hand zur Faust, und drücken Sie den Ingwersaft in das Öl. Decken Sie die Schüssel zu, und lassen Sie die Mischung dreißig Minuten lang ziehen. Vergewissern Sie sich, daß sich vor Gebrauch keine Ingwerreste mehr in dem Öl befinden. Füllen Sie die Augenpipette, bevor Sie sich hinlegen, um das Öl einzuführen.

Bereiten Sie nur die Menge Ölabkochung zu, die Sie für jeden Tag benötigen. Benutzen Sie Nasya-Substanzen nie mehrmals, und frieren Sie sie nicht ein.

Ingwer-Abkochung

Beschwerden

Kopfschmerzen, Stirnhöhlenkatarrh, Erkältungen, Grippe, Nervosität, Besorgnis, Angst, Ruhelosigkeit, Sehschwäche, Schmerzen im Nacken, in den Schultern oder der Brust.

1 Teelöffel gehackter frischer Ingwer
oder
½ Teelöffel
gehackte Meerrettichwurzel
4 Eßlöffel Wasser

Legen Sie den gehackten Ingwer oder Meerrettich in die Mitte eines sauberen Baumwollhandtuchs oder in einen kleinen Baumwollsack. Fassen Sie das Taschentuch an den Enden, und drücken Sie den Saft aus der gehackten Wurzel mit Ihrer Hand durch das Tuch in eine kleine Keramikschüssel. Fügen Sie das Wasser hinzu. Bevor Sie die Abkochung verwenden, vergewissern Sie sich, daß sich keine Wurzelreste mehr darin befinden. Füllen Sie Ihre Augenpipette, bevor Sie sich hinlegen, um sie zu benutzen.

Bereiten Sie nur die Menge Abkochung zu, die Sie für Ihren eigenen Gebrauch benötigen. Benutzen Sie Nasya-Substanzen nie mehrmals, und frieren Sie sie nicht ein.

Nasya-Pulver

Traditionellerweise werden die Pulver *Virekan Churna* und *Nasika Churna* für die Einführung von Arzneien in die Nase verwendet. Andere Pulver, die verwendet werden, sind Kalmus-Wurzel, Gotu Kola, Ingwer, Knoblauch, schwarzer Pfeffer und Cayennepfeffer.

Eine Nasya-Behandlung, die Pudersubstanzen enthält, wird besser von einer Begleitperson durchgeführt. Ein Strohhalm bzw. ein Rohr mit einem Durchmesser von 0,25 cm und 8 cm Länge wird verwendet, um das Pulver in die Nasengänge einzuführen. Das Pulver wird durch einen Trichter in den Strohhalm geschüttet. Das andere Ende des Strohhalms wird mit dem Daumen zugekorkt, um zu verhindern, daß das Pulver hindurchfällt. Der Nasya-Begleiter führt die Therapie durch, indem er das eine Ende des Strohhalms in den Nasengang des Patienten einführt und dann vorsichtig das Pulver in die Nase bläst.

Abb. 40: Dhmapana Nasya

Wenn Sie sich selbst Pulversubstanzen einführen, dann setzen Sie sich dazu aufrecht auf einen Stuhl, und neigen Sie Ihren Kopf, indem Sie ihn an der Stuhllehne abstützen. Verwenden Sie eine vorher gefüllte Augenpipette, um die Pulver in Ihren Nasengang einzuführen, oder geben Sie die genaue Pulvermenge in eine Schüssel, und verwenden Sie einen Strohhalm, um sie tief in den Nasengang zu inhalieren.

Nasya-Säfte

Die erwärmten Säfte frischer Spargelwurzel, von Aloe Vera und Gotu Kola werden verwendet, um Pitta-Störungen wie Haarausfall, Klingeln in den Ohren, Wut, Eifersucht und überschüssige Hitze im Kopf zu lindern. Warme Milch oder arzneiliche Milchabkochungen werden ebenfalls bei Pitta-Störungen verwendet. Diese Behandlungsform beruhigt das überschüssige Pitta.

Um einen Saft oder eine Milchabkochung zuzubereiten, werden zwei Teelöffel Saft leicht in einer kleinen Pfanne aus rostfreiem Stahl erwärmt. Wahlweise kann ein halber Teelöffel Ghee zu der warmen Mischung hinzugefügt werden. Die Abkochung wird dann gebrauchsfertig in eine Augenpipette gegeben.

Kapitel sechs

Swedana – Ayurwedische Schwitztherapie

Die Swedana-Therapie ist eine rudimentäre Form der Naturmeditation, bei der alle lebenden Dinge durch den Wind, den Regen, das Licht und die Erde besänftigt, massiert und angeregt werden. Selbst die Stille der Natur ist von einem mächtigen, unveränderlichen Rhythmus durchdrungen, wie es etwa beim Wispern des Windes in der Wüste der Fall ist, bei dem tröpfelnden, schimmernden Regen auf den Blättern der Bäume in einem Wald oder dem Gluckern des tiefliegenden Wassers, das die Erde kräftigt, wenn es durch sie hindurchfließt.

Wenn die Elefanten und ihre Jungen sich im Sand eingraben und die Mineralien aus der Erde einatmen, dann führen sie die Nasya-Therapie durch. Wenn die kleinen Schweine sich tief in den Schlamm eingraben und fröhlich quiekend ihre kleinen Körper mit Schlamm bespritzen, dann führen Sie die Swedana- und Snehana-Therapien aus. Wenn der dahineilende Wind die Blätter durchfegt und das Wasser unsere Haut liebkost, dann nimmt die gesamte Natur an dem kosmischen Abhyanga teil. In ähnlicher Weise ahmen alle ayurwedischen Verjüngungstherapien die essentiellen Rhythmen, Heilsalben, Klänge und Berührungen nach, die in der Natur vorkommen.

Die Swedana-Therapie, das Thema dieses Kapitels, dient dazu, Schwitzen herbeizuführen. Dieses Schwitzen geschieht durch die Haarfollikel der Haut und durch die Fettgewebe des Körpers. Als Ergebnis davon erhöht sich der feurige Inhalt des Körpers und regt Agni an, was dann die Anhäufung und Ausscheidung von Ama aus dem System erleichtert. Appetit und Geschmackssinn verbessern sich durch die Ausscheidung von Ama aus dem Körper. Die Swedana-Therapie arbeitet auch mit dem Wasser, das alles Wasser im Körper reguliert. Dieses regulierende Wasser, Kledaka, wird regelmäßig gereinigt, wenn Schweiß durch die Haut ausgeschieden wird. Schweiß ist einer der Abfälle, die durch die Fettgewebe des Körpers produziert werden.

Der Ayurweda sieht Körperabfälle als nährend für den Organismus an, wenn sie sich ihren Weg zu den Ausgangspunkten des Körpers bahnen. Sobald sie aus dem Körper ausgeschieden sind, dienen sie natürlicherweise dazu, die Erde zu ernähren, damit sie die Vegetation und andere Lebensformen aufrechterhalten kann. In vielen ayurwedischen Therapien wird Kuhdung und Dung von anderen Tieren verwendet, um die verjüngenden pulverisierten Heilmittel zu verbrennen, die „Bhamsa“ genannt werden und Edelsteine und Metalle wie Perlen, Gold und Silber enthalten. Ein noch fundamentalerer Gebrauch der Körperabfälle wird von den Yogis praktiziert, die ihren Urin am frühen Morgen trinken, um den gesamten Organismus zu stimulieren. Urin ist der flüssige Restabfall, der aus den Nahrungsmitteln gewonnen wird, die bereits die Gewebekette genährt haben. Die Aufnahme dieses latenten Abfallmaterials ist für das System von medizinischem Wert, da es mit dem Körper in vertrauensvollem Einklang steht, aus dem es vor so kurzer Zeit ausgeschieden wurde. Anstatt fauliger Abfall zu sein, kann Urin dem Organismus als Essenzrückstand dienen. Natürlich halten die Yogis, die ihren Urin trinken, auch eine gesunde Ernährung und eine gesunde Lebensweise ein, die beide die Natur achten; daher hat ihr Restabfall die gleichen hervorragenden Eigenschaften wie ihre Nahrung und der Zustand ihrer Gewebe.

Da Schweiß eine Reaktion auf Hitze darstellt, werden die Swedana-Therapien durchgeführt, um das Fettgewebe zu stimulieren und dadurch überschüssigen Schweiß aus dem System herauszubringen. Swedana ist genau wie Snehana ein vorbereitendes Verfahren für Pancha Karma und eine unabhängige Behandlungsform.

Im Pancha Karma wird Swedana nach Snehana und vor Vamana, der Brechtherapie, durchgeführt. Swedana verflüssigt die verschlimmerten Doshas, die im allgemeinen durch die vorhergehende Snehana-Therapie entwurzelt werden und so bereit sind, den Körper zu verlassen. Die übrigen Pancha-Karma-Therapien, nämlich die Brech-, Purgier- und/oder Klistiertherapie, vervollständigen den Prozeß der Entwurzelung von überschüssigen Doshas und des Ausstoßens von Flüssigkeit aus dem System.

Die Swedana-Therapie beinhaltet verschiedene Formen der Schwitzbehandlung, die gegen Steifheit, Schwere und Kälte des Körpers wirkt. Obwohl diese Behandlungen angewendet werden, um Überschüsse aus allen drei Doshas zu eliminieren, sind sie am besten für Vata- und Kapha-Störungen geeignet. Swedana ist hervorragend für Beschwerden wie Appetitverlust, Giftstoffe im Körper, Rheumatismus, Arthritis, Schweregefühl im Körper und geringes Verdauungsfeuer geeignet.

Durch die Produktion von Schweiß werden die Körperkanäle gereinigt und Vata wird reguliert. Als Folge davon werden die Körperabfälle – Urin, Kot, Winde und Schweiß – wirksam eliminiert. Vata wird außerdem durch die beruhigenden Aktionen von Swedana an den Gelenken gelindert. Aufgrund der regulierten Schweißproduktion im Körper bei Swedana wird außerdem Kapha reduziert und somit erleichtert sowie Beschwerden wie übermäßiger Schlaf, Lethargie und Übergewicht bekämpft.

Es gibt dreizehn klassische Arten von Swedana-Therapien und innerhalb dieser noch Dutzende von Variationen. Die dreizehn Therapien sind: *Sankara, Prasthara, Nadi, Parisheka, Avagahana, Jentaka, Kuti, Ashmaghna, Bhu, Kumbhika, Karshu, Kupa und Holaka*. Diese dreizehn Therapien werden in drei Hauptgruppen unterteilt: die nassen Therapien Sankara, Prasthara, Parisheka und Kumbhika; die trockenen, saunaähnlichen Therapien Jentaka, Karshu, Kuti, Bhu, Kupa, Holaka und Ashmaghna; und schließlich die Therapien, die für einen bestimmten Körperteil spezifisch sind, nämlich Nadi und Avaghana.

Die Sankara-Therapieform, auch als *Upanaha* bekannt, wird mit einem großen Ball, der als Säckchen oder Pinda bezeichnet wird, durchgeführt. Das Säckchen hat die Größe einer Orange und enthält eine arzneiliche Paste, die in Stoff eingewickelt ist und kräftig über den Körper gerieben wird, um Schwitzen zu verursachen. Upanaha ist ein Oberbegriff, der die Verwendung eines Umschlags anzeigt. Der Begriff wird verwendet, wenn bestimmte Gliedmaßen oder Körperteile mit einem Umschlag umwickelt werden. Die Sankara- oder Upanaha-Therapiemethode umfaßt eine ganze Reihe von Behandlungsformen wie zum Beispiel *Pinda, Bandhana, Sthambana, Anna Lepa* und *Paca Kizhi*.

Pinda Sweda, die gebräuchlichste Form der Säckchen-Therapie, ist ein Prozeß, bei dem ein Umschlag aus Reis, Milch und Kräutern hergestellt wird und zu einem großen Ball geformt wird, der mit einem Tuch umwikkelt wird. Nach einem detaillierten Verfahren, das die Massage des Körpers mit Öl und die Anwendung einer Paste am Kopf beinhaltet, nimmt der Patient verschiedene sitzende und liegende Positionen ein, während er mit den warmen Säckchen abgerieben wird. Im allgemeinen wenden zwei Begleiter, jeweils einer auf jeder Seite, die Säckchen gleichzeitig an. Je nach Art der Krankheit werden viele Umschläge verwendet.

Bei Prasthara Sweda wird ein „Umschlagsbett", das Körner, Kräuter und Gewürze zum Erhitzen enthält und in ein seidenes oder wollenes Tuch eingehüllt ist, verwendet, um das Schwitzen zu erzeugen.

Bei Nadi Sweda wird ein langer, gekrümmter und perforierter Schlauch an einem Krug mit heißer Pflanzenabkochung angebracht, um damit verschiedene Körperteile mit Dampf zu bearbeiten. Die Perforierungen an dem Schlauch werden im allgemeinen mit Blättern bedeckt, die für Vata nährend sind. Bei Parisheka Sweda wird ein Krug mit Löchern am Boden, an denen Bambusrohre angebracht sind, verwendet, um warme Abkochungen niederregnen zu lassen, die im allgemeinen aus Wurzeln gemacht sind, die Vata lindern.

Jentaka Sweda soll schon in der Zeit vor Buddhas Geburt praktiziert worden sein. Diese Form des Schwitzens wird in einer spezifisch für diesen Zweck entworfenen runden Hütte durchgeführt, die von Wasser umgeben ist. In der Mitte der Schwitzhütte befindet sich ein runder Lehmofen, der große Öffnungen enthält, in die das Holz gelegt wird. Jentaka Sweda ist eine ebenso intensive wie alte Methode, die heute selbst in Indien nur noch selten praktiziert wird, da großes technisches Verständnis für den Bau der Hütte erforderlich ist.

Ashmaghna Sweda ist der Prozeß, bei dem eine große Steinplatte erhitzt wird und verschiedene Kräuter auf ihrer Oberfläche verbrannt werden. Nachdem die Asche entfernt worden ist, wird Wasser auf den Stein gespritzt, um ihn bis zu einer erträglichen Temperatur abzukühlen. Dann wird ein Seiden- oder ein Wolltuch auf der Steinoberfläche ausgebreitet. Der Patient, der in Baumwolle eingewickelt oder mit einem Tierfell bekleidet ist, legt sich dann eine Zeitlang auf den Stein.

Bei Karshu Sweda wird eine längliche Grube in die Erde gegraben und es wird ein Feuer aus bestimmten Hölzern und Kräutern gemacht. Wenn das Feuer keinen Rauch mehr entwickelt, dann wird eine Schlafliege, die reichlich mit Tierfellen und Baumwolldecken bedeckt ist, über die schwelende Glut in der Grube gelegt. Der Patient, der vollständig in Baumwolle gekleidet ist, legt sich dann auf die Liege.

Bei Kuti Sweda wird eine runde Schwitzhütte mit dicken Wänden und ohne Fenster gebaut. Die inneren Wände der Hütte werden mit verschiedenen Kräutern und Kuhdung und/oder Lehm ausgekleidet. Will man der Tradition entsprechen, dann wird die Sweda-Liege mit Tierfellen, Baumwolldecken und Khuskhusgras bedeckt und in die Mitte des Raumes gestellt, umgeben von brennenden Öfen. Der Patient liegt in voller Bekleidung auf der Liege.

Bei Bhu Sweda wird ein bestimmter, windgeschützter Bereich auf der Erde freigemacht, und es werden dort bestimmte Kräuter und Holz verbrannt. Dann wird die Asche entfernt, die Erde wird mit Wasser bespritzt und dann mit Tierfellen oder Wolldecken bedeckt. Der Patient, der ebenfalls mit ausreichend vielen Wolldecken zugedeckt ist, legt sich zum Schwitzen auf die bedeckte und erhitzte Erde.

Bei Kumbhika Sweda wird eine Schlafliege über einen Krug mit heißer Abkochung gelegt, der halb in die Erde eingegraben ist. Heiße Eisenbälle werden in die Abkochung geworfen, um eine dampfende Temperatur beizubehalten. Dann wird die Liege mit einem dünnen Seiden- oder Baumwolltuch bedeckt, und der Patient trägt dicke, lose Kleidung.

Kupa Sweda beinhaltet ähnlich wie Karshu Sweda, daß der Patient auf einer bedeckten Liege über einer glühenden Grube mit nicht mehr rauchenden Flammen liegt. Bei Kupa Sweda wird die Grube mit dem getrockneten Dung von Elefanten, Kamelen, Pferden und Kühen anstatt mit Holz und Kräutern ausgelegt und dann angezündet.

Bei Holaka Sweda wird der Dung von Elefanten, Pferden, Kühen und Kamelen direkt auf der Erdoberfläche in einem Umkreis von 1,80 qm verbrannt. Eine Liege, die mit dünnen Baumwollaken bedeckt ist, wird direkt über die nicht mehr rauchende Asche gelegt. Der Patient, der lockere Baumwollkleidung trägt, liegt auf der Liege und beginnt zu schwitzen.

Avagahana Sweda, auch eine sehr alte Technik, wird ebenfalls verwendet, um Beschwerden des Unterleibs, wie zum Beispiel Hämorrhoiden zu behandeln. Es wird eine Wanne mit einer warmen Pflanzenabkochung zubereitet und der Patient setzt sich hinein. Vor der Behandlung wird arzneiliches Öl lokal auf die Problemzone aufgetragen, und der Patient sitzt dann in der warmen Abkochung, bis er anfängt zu schwitzen.

Weiche, nasse und trockene Wirkungen der Swedana-Behandlung

Es gibt im wesentlichen drei Arten, in denen Swedana-Behandlungen angewendet werden können. Durch Reduzierung des verwendeten Drucks und der Hitzeintensität, ebenso wie der Potenz der verwendeten arzneilichen Substanzen und Kräuter, kann eine nasse oder trockene Behandlung in ein weiches oder mildes Swedana umgewandelt werden. Im allgemeinen wird ein weiches Sweda bei Beschwerden eingesetzt, die eine feinfühlige Handhabung erfordern, zum Beispiel bei Pitta-Beschwerden, wo das Verdauungsfeuer verletzlich ist, und bei Beschwerden, die vor allem ältere oder extrem geschwächte Menschen befallen. Weiches Sweda wird auch für Störungen verwendet, die bei übermäßig kaltem Wetter auftreten.

Das natürlicherweise nasse Sweda, wie etwa die Behandlungsformen, die Umschläge oder Dampf verwenden, wird im allgemeinen bei Vata-Störungen empfohlen. Je nach Art der Störung kann eine nasse Therapie zu einer weichen oder scharfen umgewandelt werden. Swedanas, die mit trockener Hitze durchgeführt werden, wie sauna-ähnliche Therapien wie etwa Bhu und Jentaka, werden meistens zur Linderung von Kapha-Beschwerden verwendet. Behandlungen, die bei Kapha-Störungen eingesetzt werden, sind im allgemeinen scharf und stark, aber auch hier können sie je nach Art der Störung in mild oder weich umgewandelt werden.

Die Therapie, die für jedes Dosha empfohlen wird, und die verschiedenen Beschwerden, auf die sich die Therapien beziehen, sind vor der Beschreibung jeder einzelnen Therapie aufgeführt.

Die zehn natürlichen lebendigen Formen des Schwitzens

Der Swedana-Prozeß vollzieht sich bei gewissen menschlichen Aktivitäten natürlich. Diese Aktivitäten sind:

- Sport oder körperliche Aktivitäten
- sich in einem warmen Raum aufhalten
- schwere oder warme Kleidung tragen
- Hunger
- übermäßiger Gebrauch von Alkohol oder Drogen
- Angst
- Zorn oder Wut
- die Anwendung von Umschlägen oder heilenden Kräften am Körper
- Intensive Sportarten wie zum Beispiel Ringen, Sparring, Laufen, Springen
- Sonneneinstrahlung

Wie alle ayurwedischen Verjüngungsbehandlungen darf Swedana nur zu bestimmten Zeiten und bei bestimmten Beschwerden durchgeführt werden.

REGELN FÜR DIE SWEDANA-THERAPIE

Günstige Voraussetzungen für die Swedana-Therapie

- Als vorbereitende Behandlung vor Pancha Karma.
- Als unabhängige Verjüngungstherapie für alle Typen, aber in erster Linie bei Vata- und Kapha-Störungen.
- Bei Vata-Störungen wie Arthritis, doppelseitiger Lähmung, Trockenheit der Haut, Nervosität, Ohrenschmerzen, Gedächtnisverlust, Schlaflosigkeit, geistigem Streß, Steifheit der Gelenke und Verstopfung.
- Kapha-Störungen wie Erkältungen, Husten, phlegmatischen Beschwerden, rheumatischer Arthritis, Kopfschmerzen, Harnverhaltung, Anämie, Fettsucht; Körperschwere; Lethargie und Magersucht.
- Bei Gallenbeschwerden.
- Wenn Sie während und für kurze Zeit vor und nach der Behandlung keusch leben.
- Solange der Körper ziemlich stark ist.
- Wenn Sie während und für kurze Zeit vor und nach der Behandlung von kalten Getränken, kalten Nahrungsmitteln, kalten Bädern und äußerer Kälte Abstand nehmen. Kühle Flüssigkeiten und ölige Nahrung können vor der Behandlung während der Sommersaison eingenommen werden.
- Wenn der Kopf des Patienten nach Osten weist, wenn die Behandlung am Morgen beginnt und nach Westen, wenn die Behandlung am späten Nachmittag oder am frühen Abend gegeben wird.

Wenn Swedana zur falschen Jahreszeit oder für die falschen Beschwerden angewendet wird, dann hat es nachteilige Wirkungen wie Kopfschmerzen, Ohnmachtsanfälle, Müdigkeit, Schwäche und Abmagerung des Körpers; brennende Empfindungen oder Kälte in den Gliedmaßen, Magenverstimmung; Durchfall oder Verstopfung, Gelbsucht, Gallenbeschwerden und Erbrechen.

Ein Plan für eine beruhigende Diät und beruhigende Aktivitäten wird während der Swedana-Therapie und für einige Zeit danach eingehalten. Eine detaillierte Darstellung der heilenden Diät und Aktivitäten finden Sie in den Kapiteln acht und neun. Auch reinigende Waschungen werden von dem Behandelnden und seinem Patienten vor Beginn der Therapie durchgeführt (vergleiche Kapitel neun).

Auch eine vorbereitende Ölmassage und Schwitzbehandlung sollten von dem Praktizierenden und dem Patienten vor den folgenden Swedana-Therapien durchgeführt werden. Für Details über Massagen und geeignete Massageöle für jeden Typ vergleichen Sie Kapitel vier.

Ungünstige Voraussetzungen für die Swedana-Therapie

- Schwangerschaft (oder direkt nach der Entbindung)
- Menstruation
- Blutungen
- Geschwüre
- Durchfall
- Verdauungsstörungen (Beschwerden wie hohes Magen-Agni, Magenverstimmung, übermäßiger Durst oder Hunger)
- Gelbsucht oder ähnliches
- Verletzungen an der Brust
- Schweres Asthma
- Gicht und Lepra
- Herzkrankheit
- Augenkrankheiten oder geschwächtes Sehvermögen
- Krankheiten des Hodensacks
- Zustand von Trunkenheit
- Vor oder nach sexueller Aktivität

Jahreszeitlicher Swedana-Plan für jeden Körpertyp

Plan für gemäßigte und tropische Klimate

Pitta-Störungen:	*frühes Frühjahr und spätes Frühjahr (15. März bis 15. Mai):*	*früher Abend*
	Sommer:	*früher Abend*
	Herbst:	*Mitte des Morgens*
Vata-Störungen:	*Regenzeit (früher Teil – 15. Juli bis 15. August):*	*früher Abend*
	Spätfrühling (15. April bis 15. Mai):	*Mitte des Morgens oder früher Abend*
	Sommer:	*früher Abend*
	Herbst:	*Mitte des Morgens*
Kapha-Störungen:	*spätes Frühjahr (15. April bis 15. Mai):*	*Mitte des Morgens*
	Sommer:	*früher Abend*
	Früh- und Spätwinter (15. November bis 15. März):	*Mitte des Tages*

Swedana-Therapie: Richtige Zeiten und Jahreszeiten

- Während der kalten Jahreszeit wird im allgemeinen die weiche Form der Swedana-Therapien verwendet.
- Während der warmen und kühlen Jahreszeit wird im allgemeinen die scharfe Form der Swedana-Therapien verwendet.

Swedana-Therapie: Unpassende Zeiten und Jahreszeiten

- Als allgemeine Regel gilt, daß Swedana nicht an übermäßig heißen oder kalten Tagen durchgeführt werden sollte, wenn sich alle drei Doshas im allgemeinen leicht verschärfen.

Beobachten des Patienten während der Therapie

Es ist äußerst wichtig, bei den Swedana-Therapien auf die Anzeichen und Symptome des schwitzenden Patienten zu achten. Der Begleiter muß während der ganzen Schwitzphase in der Nähe bleiben. Wenn der Patient während der Therapie bestimmte negative Symptome erlebt, muß die Behandlung sofort gestoppt werden. Diese Symptome sind: keinerlei Anzeichen von Schweißbildung; der Patient erlebt Kälte; Verstärkung der körperlichen Schmerzen; und jegliche Anzeichen von Unbehagen oder Unverträglichkeit. Warme, fettige Nahrungsmittel sollten mit wärmenden Tees wie Kardamom, Zimt, Ginseng und Ingwer serviert werden. Wenn starke Pitta-Symptome vorhanden sind wie Ohnmacht, Gefühle von Brennen, unkontrollierbarer Durst, Schwäche in der Stimme oder den Gliedmaßen, eine bläuliche Färbung der Haut oder Fieber, dann servieren Sie süße, kühlende und ölige Nahrungsmittel wie zum Beispiel Gersten- oder Weizenporridge, Früchte, Wasser und kühlende Tees wie Safran, Koriander und Fenchel.

Bei schweren negativen Pitta-Symptomen, die als Folge der Swedana-Therapie auftreten, kann die zusammenziehende Therapie (Sthambana) durchgeführt werden.

Wenn die Swedana-Therapien erfolgreich durchgeführt worden sind, dann kommt es zu starkem Schwitzen, jegliche Kälte im Körper verschwindet, körperliche Schmerzen werden beseitigt oder beträchtlich reduziert, der Körper fühlt sich weich an, und es besteht ein Bedürfnis nach kalten Flüssigkeiten.

Eigenschaften der Swedana-Substanzen

Wie die Snehana-Therapien, so wird auch Swedana von einem reichhaltigen ayurwedischen Arzneienschatz von Kräutern, Ölen und Substanzen begleitet, die verwendet werden, um den Körper durch Schwitzen zu beleben und zu kräftigen. Die Eigenschaften der Substanzen, die für Swedana verwendet werden, sind heiß, scharf, beweglich, fettig, trocken, flüssig, stabil, schwer und subtil; die Bestandteile weisen eine starke Feuer- und Wasserkomponente auf.

Die fettige Qualität der bei dieser Therapie verwendeten Bestandteile gibt dem Körper Feuchtigkeit und Weichheit, erlaubt es ihm zu entspannen und seine vitalen Poren zu öffnen. Die schwere Eigenschaft der Bestandteile gibt dem Körper zusätzlich Stärke und bricht durch äußere – trockene oder feuchte – Hitze Abfallstoffe auf. Die heiße Qualität durchdringt die Haut und regt das Kledaka-Wasser dazu an, seinen Abfall durch das Fettgewebe freizusetzen. Hitze ist für alle Gewebe essentiell und ist für das Vata- und Kapha-Dosha ebenfalls lebenserhaltend.

Die scharfe Qualität der Swedana-Substanzen dringt tief in die konzentrischen Schichten des Körpergewebes ein und verändert den Organismus zu einem Zustand der Motilität hin, die notwendig ist, um Körperwasser und Giftstoffe auszuscheiden. Die Schärfe erzeugt darüber hinaus eine brennende Empfindung im Körper, was die Ausscheidung von überschüssigem Kapha erleichtert. Die flüssige Eigenschaft erlaubt es den überschüssigen Doshas, sich mit den Abfallstoffen zu verbinden, die den Körper verlassen. Die Verflüssigung der Körperabfälle ist für den Organismus, der der Belastung des Schwitzens ausgesetzt ist, essentiell. Sie hilft Körper und Geist, flexibel und wachsam zu bleiben.

Die Trockenheit der Swedana-Substanzen wirkt der Feuchtigkeit entgegen, die von der vorangehenden Snehana-Therapie übriggeblieben ist, und reduziert so die Feuchtigkeit im Organismus, bevor überhaupt mit der Swedana-Therapie begonnen wird. Wenn der Körper übermäßig viel Wasser enthält, kann sich die durch die Swedana-Therapie erzeugte Hitze schädlich auf die Gewebe auswirken, da Wasser ein guter Hitze- und Kälteleiter ist. Die feste Qualität erlaubt es dem Körper, während des erhöhten Zustands der Unruhe, der durch die Swedana-Therapie verursacht wird, seine Stabilität zu behalten. Stabilität ist während dieser Reinigungsphase für den Organismus außerordentlich wichtig. Weil die Pancha-Karma-Therapien im wesentlichen die Ausscheidung von Stoffen beinhalten, benötigt der Körper während der Behandlung sehr stark die beruhigenden Gefühle von Wärme, Wohlbefinden usw. Der feste Faktor der Bestandteile trägt dazu bei, diese Gefühle im Patienten zu schaffen.

Die subtile, atomare, feine und durchdringende Eigenschaft der Swedana-Substanzen (die als *Suksma* bezeichnet wird), hält das intrinsische Gleichgewicht innerhalb der winzigsten Partikel des Körpers aufrecht. Suksma, ein Prinzip, das jeglichem Leben innewohnt, ist ein Prinzip des subtilen Körperfeuers, das *Tejas* genannt wird. Diese subtilste Eigenschaft der bei der erläuterten Therapiemethode verwendeten Bestandteile wirkt durch die subtilsten Kanäle des Körpers, die *Nadis*. Tejas hilft dem Körper, seinen Stoffwechsel aufrechtzuerhalten, während er verbrennt. Es trägt die vitalen Essenzen des Glanzes, der Farbe und des Leuchtens in jede Körperzelle hinein. Die Essenz von Tejas wird dann am aktivsten, wenn die subtile Eigenschaft eines Bestandteils die atomaren Partikel des Körpers erreicht und durch unser zelluläres Gedächtnis die Selbst-Erkenntnis entfacht.

Vorsichtsmaßnahmen

Aufgrund der großen Hitze, die bei den meisten Swedana-Therapien erzeugt wird, sollten Vorsichtsmaßnahmen getroffen werden, um diejenigen Bereiche des Körpers zu schützen, die übermäßige Hitze nicht vertragen können, nämlich der Bereich um das Herz, die Augen, die Lenden beim Mann und die Vagina bei der Frau.

Traditionellerweise wurden eine Perlenkette, die in einen Baumwollbeutel* gelegt wurde, oder eine frische nasse Lotosblume* während des Schwitzverfahrens direkt über das Herz des Patienten gelegt. Diese Gegenstände, die den besten Schutz für das Herz darstellen, sollten, wenn irgend möglich, weiterhin verwendet werden. Wenn jedoch weder das eine noch das andere verfügbar sind, dann sollte ein kalter nasser 10 cm großer Baumwollbeutel, der mit Sandelholzpaste* gefüllt ist, direkt über das Herz gelegt werden und für die gesamte Behandlungszeit dort bleiben.

Um die Augen zu schützen, werden zwei kleine Beutel in der Größe von Tischtennisbällen, die mit einem weichen Teig aus Vollkornweizen gefüllt sind*, während der Behandlung auf die geschlossenen Augenlider gelegt. Diese Vorsichtsmaßnahme ist absolut notwendig, besonders bei den Sauna- oder Dampf-Swedanas, um die Augen vor der großen Hitze zu schützen. Vergleichen Sie die Illustration in Anhang D.

Ein althergebrachtes Kleidungsstück, das heute immer noch verwendet wird, ist das Leintuch*, das loser und flexibler ist als Unterwäsche. Das Leintuch wird männlichen und weiblichen Patienten empfohlen, um den empfindlichen Lenden- und Vaginalbereich während der Schwitztherapie zu schützen.

**Anmerkung:*

Da diese Gegenstände bei den meisten Swedana-Therapien verwendet werden, sind weitere Hinweise und Illustrationen in Anhang D zu finden.

Nach dieser allgemeinen Einführung in die Schwitztherapie wird jetzt jede Behandlungsmethode im einzelnen besprochen. Die Rezepturen, auf die ich mich unten beziehen werde, werden am Ende dieses Kapitels erläutert.

Teil zwei

Die Anwendung der Swedana-Therapien

Upanaha – Umschlagtherapie

Pinda Sweda – Ganzkörperumschlag

Upanaha Sweda ist der Oberbegriff für diejenigen Swedana-Therapien, die Breiumschläge und feuchte Umschläge verwenden. Wie an früherer Stelle erwähnt, ist Pinda Sweda eine jüngere Adaptation der Sankaraform der Sweda-Therapie, bei der ein Säckchen (Pinda) von der Größe einer großen Orange aus Getreiden, Kräutern und Milch verwendet wird, um damit kräftig den gesamten Körper zu massieren. Wie die meisten Swedana-Therapien, so trägt auch Pinda Sweda durch die intensive Stimulierung, die durch das Schwitzen herbeigeführt wird, dazu bei, das zelluläre Gedächtnis zu erwecken. Es ist außerdem ein hervorragendes Heilmittel gegen viele Krankheiten und wird als besonders wirksam für Krankheiten wie beidseitige Lähmung und Kinderlähmung, die zu einer Rückbildung der Muskelgewebe führen, angesehen.

Vor der eigentlichen Pinda-Behandlung werden Kopf und Körper des Patienten gründlich mit dem passenden arzneilichen Öl massiert. Eine Zubereitung aus Kräuterbuttermilch wird dann am Kopf angewendet, wobei man dasselbe Verfahren anwendet, das bei der Masthiskya-Behandlung beschrieben ist. (vergleichen Sie S.159). Vor der Anwendung von Pinda Sweda wird der Kopf des Patienten rasiert, vorzugsweise am Abend vor dem Vollmond, und die Behandlung beginnt dann am nächsten Morgen. Diese Therapie, die wie die meisten Verjüngungsbehandlungen im Ayurweda das System vollkommen kräftigt, ist für den Behandelnden und den Patienten von Nutzen, da ihre methodische Anwendung ein Gefühl großer Harmonie schafft.

Baumrinde und Blätter wurden von den Alten als Massagezutaten verwendet, um Zahnfleisch, Haut und Haare gesund zu erhalten. Entsprechend werden auch in Pinda Sweda die Blätter der Kokospalme oder der Rizinuspflanze verwendet, um den Umschlag von der Haut zu entfernen. Einige Blätter werden wegen ihrer flüchtigen Eigenschaften verwendet, andere wegen ihrer zusammenziehenden Wirkung; die antiseptische Qualität aller arzneilichen Blätter fördert bei äußerlicher Anwendung die Schließung der Poren. Die frischen Blätter, die in der ayurwedischen Therapie verwendet werden, sind mehr als nur körperlich heilend: auf einem Bett aus Khaskhasgras zu liegen, zum Beispiel, ist eine absolut himmlische Erfahrung!

Pinda Sweda ist eine hervorragende Therapie gegen Vata- und Kapha-Störungen, da beide Doshas ihrem inneren Wesen nach kalt sind und die übermäßige Hitze die Fettgewebe anregt und Schweiß durch die Haut austreten läßt, was dem gesamten Organismus ein Hochgefühl wohliger Wärme verschafft. Aufgrund der hitzeerzeugenden Eigenschaft von Pinda Sweda können auch Vata-Störungen damit behandelt werden. Pinda Sweda sollte bei Kapha- und Pitta-Störungen am frühen Morgen durchgeführt werden und bei Vata-Störungen am frühen Abend.

PINDA SWEDA

Jahreszeit: *Folgen Sie den jahreszeitlichen Richtlinien*
Körpertyp: *alle Typen*
Dauer der Behandlung: *sieben bis vierzehn Tage; eineinviertel Stunden pro Tag*
Zeit: *früher Morgen oder früher Abend; beginnen Sie am ersten Tag des Vollmondes*

Beschwerden

Vata-Störungen:*

Arthritis, Abmagerung, Schwäche der Muskelfunktionen, Gesichtslähmung, Trockenheit der Haut, Gedächtnisverlust, Schlaflosigkeit, geistiger Streß, Steifheit der Gelenke, beidseitige Lähmungen, Kinderlähmung.

Kapha-Störungen:
phlegmatische Beschwerden (Erkältungen, Husten, Kongestion, Bronchialasthma, Kopfschmerzen, rheumatische Arthritis, Anämie, Fettsucht,* Verhaltung von Urin, Magersucht, Schwere des Körpers, Blutkrankheiten.

Pitta-Störungen:*
Gallenbeschwerden, Blutkrankheiten.

**Anmerkung:* Wenden Sie bei diesen Beschwerden milden bis mäßigen Druck an.

Wirkungen
Über die Linderung der oben aufgeführten Beschwerden hinaus hat diese Therapie die zusätzliche Wirkung, daß sie den gesamten Körper neu belebt und ihm Energie und Beweglichkeit verleiht. Sie lindert darüber hinaus Streß und stellt den Appetit und das normale Schlafverhalten wieder her.

Notwendige Hilfsmittel
- zwei Begleiter
- vier saubere Baumwollservietten (45 qcm groß), um den Umschlag in einen mittelgroßen Tontopf einzuwickeln, der fest verschlossen ist und die heiße Bala-Abkochung und vier Säckchen* enthält
- eine kleine Schüssel aus rostfreiem Stahl, die mit einem heißen Dampfhandtuch zugedeckt ist und die warme Amalaki-Buttermilchpaste für die Kopfbehandlung enthält
- eine kleine Schüssel aus rostfreiem Stahl, die mit einem heißen Dampfhandtuch zugedeckt ist und die wärmende Kräuterpaste für die Kopfbehandlung enthält
- eine kleine Keramikschüssel mit Deckel, die ein passendes Massageöl enthält
- Augenpads*
- vier Blätter von der Rizinuspflanze oder Kokospalme
- zwei Stücke Baumwollgaze (gut 1,2 m lang und 10 cm breit), um den Kopf zu bandagieren
- fünf saubere, feuchte Baumwollhandtücher
- drei saubere Baumwollaken (zwei, um sie auf dem Behandlungstisch auszubreiten und eines, um den Patienten damit zuzudecken).
- drei trockene Handtücher für die Begleiter
- ein Leintuch*
- ein sauberes Badetuch
- eine große Schüssel aus rostfreiem Stahl, um die Säckchen zu leeren
- ein großer Wassereimer, in dem sich die Begleiter die Hände waschen können
- ein großer leerer Eimer, in dem gebrauchte Behandlungsgegenstände entsorgt werden können
- ein Gasherd mit einer Platte, um die Bala-Abkochung warmzuhalten
- eine Badewanne

**Anmerkung:* Vergleichen Sie Anhang D

Anmerkung: Treffen Sie alle notwendigen Vorbereitungen für die Kopfbehandlung, die Körpermassage und Pinda Sweda, bevor Sie mit der Therapie beginnen.

Vorbereitende Massnahmen für Pinda Sweda

Ganzkörpermassage

Um bestmögliche Ergebnisse zu erzielen, sollte Pinda Sweda eine Ganzkörpermassage mit dem passenden Öl vorangestellt werden. Der Patient sollte dann eine Viertelstunde lang ruhen, bevor Sie weiterbehandeln.

Kopfbehandlung

- Breiten Sie ein sauberes Baumwollaken auf dem Behandlungstisch aus. Bitten Sie den Patienten, sich auszuziehen und sich auf den Rücken zu legen.
- Breiten Sie ein sauberes Baumwolltuch über dem Patienten aus.
- Massieren Sie das passende Öl kräftig in den Kopf ein.
- Ein Begleiter verteilt dann die Amalaki-Buttermilch mit den Händen gleichmäßig auf dem Kopf des Patienten (etwa 0,75 cm dick).
- Heben Sie sanft den Kopf an, um die Buttermilch auf der Rückseite des Kopfes aufzutragen.
- Legen Sie ein Stück Stoff unter den Kopf des Patienten, und legen Sie ihn zurück auf den Tisch.
- Der zweite Begleiter verteilt die warme Kräuterpaste gleichmäßig auf einem Streifen Gaze (etwa 0,30 cm dick).
- Nachdem sich der erste Begleiter die Buttermilch von den Händen gewaschen hat, wickelt er die Gaze um den Kopf des Patienten, wobei die Buttermilch an ihrem Platz bleiben sollte (vergleichen Sie Abb. 26, Kapitel fünf).
- Bandagieren Sie den Kopf locker mit einem weiteren Stück Gaze, um zu verhindern, daß die Paste durchsickert.
- Lassen Sie den Patienten einige Minuten lang ruhen. Während dieser Zeit können die Begleiter die Pastenbehälter usw. reinigen.

Pinda-Behandlung

Der Patient nimmt im Verlauf der Behandlung sieben Positionen ein:

1. Sitzende Position

- Bitten Sie den Patienten, eine sitzende Position einzunehmen und die Beine auszustrecken.
- Bedecken Sie die Lenden- oder Vaginalgegend mit dem Leintuch.
- Beide Begleiter koordinieren Ihre Bewegungen zu beiden Seiten des Patienten und nehmen ein frisch erhitztes Säckchen. Beginnen Sie damit, die Säckchen von den Händen an mit langen Aufwärtsstrichen gegen die Haut zu reiben, und fahren Sie dann mit Armen und Schultern fort.

- Bitten Sie den Patienten, seine Arme während des Abreibens locker hängen zu lassen.
- Dann „schrubben" Sie mit kürzeren Auf- und Abwärtsstrichen an beiden Armen entlang, bis sie vollständig massiert sind. Sie sollten sich hierfür insgesamt fünf Minuten Zeit nehmen.
- Sobald die Säckchen anfangen abzukühlen, legen Sie sie in die heiße Abkochung zurück, und nehmen Sie die erhitzten heraus. Bevor Sie sie an den Armen des Patienten anwenden, überprüfen Sie die Temperatur an Ihren eigenen Händen, um sich zu vergewissern, daß sie erträglich ist.

2. Auf dem Rücken liegend

- Bitten Sie den Patienten, sich auf den Rücken zu legen.
- Dann beginnen beide Begleiter mit flüssigen und gut koordinierten Bewegungen, die Brust von der Taille an aufwärts mit langen Aufwärtsstrichen abzureiben. Bei Frauen sollten Sie sanft und ohne Druck um die Brüste herummassieren.
- Dann reiben Sie mit kurzen Auf- und Abwärtsstrichen (so, als wollten Sie die Haut abbürsten), den gesamten Brustbereich ab, und gehen Sie bei Frauen wieder vorsichtig um die Brust herum.
- Gehen Sie dann zu den Beinen und den Hüften. Ersetzen Sie die Säckchen durch frische; überprüfen Sie die Temperatur, und beginnen Sie von der Oberseite der Zehen aus mit langen Aufwärtsstrichen die gesamte Vorderseite bis zu den Knien hinaus abzureiben.
- Dann reiben Sie mit kurzen Auf- und Abwärtsstrichen (so, als wollten Sie die Haut abbürsten), die gesamte Vorderseite des Unterschenkels gründlich ab.
- Wiederholen Sie denselben Ablauf von den Knien bis zum Lenden- bzw. Vaginalbereich, ohne jedoch letztere abzureiben.

3. Auf der linken Seite liegend

- Helfen Sie dem Patienten sanft, sich auf die linke Seite zu legen. Bewegen Sie den rechten Arm leicht nach vorne, damit die rechte Körperseite offenliegt. Bitten Sie den Patienten, die Knie leicht zu beugen, damit diese Position bequemer ist.
- Mit frisch erhitzten Säckchen beginnt dann einer der Begleiter an der rechten Fußseite und reibt die Wade bis zum rechten Knie ab, während der zweite Begleiter am Knie beginnt und am rechten Oberschenkel hoch reibt, über die Hüfte und bis zur Taille hoch.
- Beginnen Sie mit einem langen Aufwärtsgleiten, und fahren Sie dann mit kurzen bürstenden Auf- und Abwärtsbewegungen fort.
- Dann reibt der eine Begleiter mit einem frischen Säckchen die rechte Körperseite von der Taille bis zur Achsel ab. Verwenden Sie kreisende Bewegungen in der Achsel, und reiben Sie dort nur einige Sekunden lang.
- Gleichzeitig reibt der zweite Begleiter mit einem frischen Säckchen den Bereich um die rechte Schulter ab und an der Halsseite hoch. Verwenden

Sie für diesen Körperbereich kleine, kreisende Bewegungen und beim Abreiben des Nackens sanfte, streichelnde Bewegungen.

4. Auf der rechten Seite liegend

- Helfen Sie dem Patienten sanft, sich auf die rechte Seite zu legen, und bitten Sie ihn, die Knie leicht zu beugen, um bequemer zu liegen.
- Wiederholen Sie den Ablauf wie auf der linken Seite mit frischen Säckchen.

5. Auf dem Bauch liegend

- Bitten Sie den Patienten, sich auf den Bauch zu legen.
- Die Begleiter stehen zu beiden Seiten des Patienten, koordinieren Ihre Bewegungen und reiben den gesamten Rücken wie folgt ab:
- An der Rückseite der Fersen beginnend, reiben Sie die Waden bis zu den Rückseiten der Knie mit langen Aufwärtsstrichen ab; dann reiben Sie denselben Bereich mit kurzen Auf- und Abwärtsstrichen ab.
- Fahren Sie mit demselben Streichverfahren von der Rückseite der Knie bis zum Gesäß fort.
- Heben Sie das Leintuch, und reiben Sie den Gesäßbereich mit kräftigen Kreisbewegungen im Uhrzeigersinn ab. Reiben Sie auch die Seiten der Hüften mit derselben Bewegung ab. Denken Sie daran, daß Sie, wenn notwendig, frische Säckchen benutzen.
- Dann reibt ein Begleiter den Nierenbereich zwischen Gesäß und Taille mit kurzen Auf- und Abwärtsbewegungen etwa drei Minuten lang ab. Gleichzeitig reibt der andere Begleiter einige Minuten lang den Nacken mit kurzen, sanften Strichen bis zur Mitte des Schulterblattes hinunter.
- Mit frisch erhitzten Säckchen in den Händen setzen die beiden Begleiter die Symphonie der reibenden Striche den Rücken entlang fort. Verwenden Sie lange Aufwärtsstriche, wenn Sie an der Taille beginnen und die Schultern hinaufgehen, und lassen Sie diesen Strichen kurze bürstende Auf- und Abwärtsbewegungen folgen.

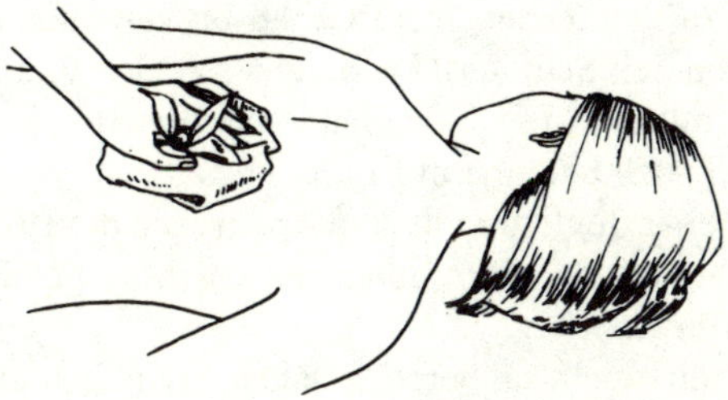

Abb. 41: Anwendung der Säckchen am Rücken

- Reiben Sie einige Minuten lang die Schultern mit kleinen Strichen vor und zurück; beginnen Sie dabei in der Mitte der Schulterblätter, und reiben Sie dann nach außen zu den Armen hin.
- Legen Sie die Säckchen zurück in den Topf mit der heißen Abkochung. Decken Sie den Patienten mit einem Laken zu, und lassen Sie ihn einige Minuten lang ruhen.

6. Auf dem Rücken liegend
- Helfen Sie dem Patienten sanft, sich auf den Rücken zu legen. Entfernen Sie das Laken.
- Wiederholen Sie den Ablauf wie 2. (Auf dem Rücken liegend)

7. Sitzende Position
- Helfen Sie dem Patienten sanft, sich aufzusetzen und die Beine auszustrecken.
- Wiederholen Sie den Ablauf wie unter 1 (Sitzende Position) oben, und reiben Sie eine Minute lang die Arme ab.
- Reiben Sie dann Brust, Rücken und Beine ab, und halten Sie sich an jedem Bereich nicht länger als ein bis zwei Minuten auf. Verwenden Sie dieselben Verfahren wie in 2 und 5 oben, außer, daß der Patient dabei sitzenbleibt.
- Reiben Sie schließlich mit frisch erhitzten Säckchen die Handflächen sanft mit kleinen Kreisbewegungen ab und die Fußflächen kräftig sowohl mit kreisförmigen Bewegungen als auch mit kurzen Auf- und Abwärtsstrichen.
- Legen Sie alle vier Säckchen in die heiße Abkochung, und lassen Sie sich einige Minuten lang aufheizen.
- Entfernen Sie die Säckchen aus dem Topf, und wikkeln Sie sie aus. Geben Sie den Inhalt des Umschlags in eine große Schüssel aus rostfreiem Stahl, und stellen Sie sie in Reichweite.
- Tragen Sie mit Ihren Händen eine dünne Schicht Brei auf dem Kopf des immer noch sitzenden Patienten auf.
- Dann kratzen Sie mit einem Kokosnuß- oder Rizinusblatt sanft den Brei mit langen Strichen nach unten ab, etwa so, als ob Sie den Patienten rasieren wollten. Beginnen Sie im Nacken und „rasieren" Sie den Rücken hinunter; rasieren Sie dann vom Hals bis hinunter zur Brust; von den Oberschenkeln bis hinunter zu den Zehen, vom Gesäß bis hinunter zu den Fersen und schließlich von den Schultern bis hinunter zu den Fingerspitzen.

Abb. 42: Bolus

- Wischen Sie mit dem feuchten Handtuch alle Breireste mit einem allgemeinen Strich nach unten vom Körper ab.
- Während der eine Begleiter mit dem Abwischen der Breireste anfängt, entfernt der andere die doppelte Bandagenschicht mit einer einzigen raschen Bewegung vom Kopf.
- Wischen Sie mit einem sauberen, feuchten Handtuch die Reste der Buttermilch und der Paste vom Kopf des Patienten. Dann tupfen Sie mit leichten Bewegungen den Kopf mit einem Handtuch trocken.

- Lassen Sie ein warmes Bad einlaufen, und gießen Sie die restliche Bala-Abkochung, die die Säckchen warmgehalten hat, in das Badewasser.
- Lassen Sie den Patienten zehn Minuten lang in dem Bad entspannen, während er den Brei, die Paste und das Öl vom Körper wischt. Verwenden Sie keine Seife.
- Geben Sie dem Patienten zum Abtrocknen ein sauberes Badetuch.
- Legen Sie ein sauberes Laken auf den Behandlungstisch.
- Lassen Sie den Patienten fünfzehn Minuten lang auf dem Rücken ausruhen.
- Legen Sie kühlende Augenpads über jedes Auge.
- Entfernen Sie alle Behandlungsgeräte, und halten Sie dabei eine Atmosphäre von Ruhe aufrecht.
- Wickeln Sie den Kopf des Patienten ein (vergleichen Sie das Verfahren in Anhang D), und sprechen Sie über die Notwendigkeit, den Kopf draußen umwickelt zu lassen, um sich vor Kälte und Nässe zu schützen. Diese Praxis sollte während der Behandlungsphase und für die gleiche Zeitdauer nach Beendigung der Behandlung beibehalten werden.
- Bitten Sie den Patienten, nach Beendigung der Behandlung für die gleiche Zeitdauer, wie diese gedauert hat, keine kalten Nahrungsmittel oder Getränke zu sich zu nehmen und nicht kalt zu baden oder zu duschen.

Pinda Sweda-Massageöle, -pasten und -breie

Bei jedem der folgenden Rezepte ist es wichtig, sich daran zu erinnern, nur eine ausreichende Menge Öl oder Brei für den Gebrauch an jenem Tag zuzubereiten. So kann Verschwendung vermieden werden, denn altes Öl oder alter Brei sollte nicht für Behandlungen verwendet werden, und es sollten auch niemals Öle oder Breie mehrmals gebraucht werden.

Jahreszeit: *Folgen Sie den jahreszeitlichen Richtlinien*

Narayana-Öl

Körpertyp: *Vata-Störungen*

Für die Kopfmassage:
2 Eßlöffel Narayana-Öl (oder die gleiche Menge Pinda-, Dhanvantari- oder Dashamula-Ö)

Erwärmen Sie das Öl in einem kleinen Topf aus rostfreiem Stahl. Gießen Sie es in ein kleines Tongefäß und decken Sie es gut zu, um es warmzuhalten.

Sandelholzöl

Körpertyp: *Pitta-Störungen*

Für die Kopfmassage:
2 Eßlöffel Sandelholz-Öl (oder die gleiche Menge Ksheerabalaa-Öl)

Gießen Sie das Öl in ein kleines Tongefäß, und lagern Sie es bei Zimmertemperatur.

Amavathahara-Öl

***Körpertyp**: Kapha-Störungen*

Für die Kopfmassage:
2 Eßlöffel Amavathahara-Öl
(oder die gleiche Menge Kottumcukadi-Öl)

Erwärmen Sie das Öl in einem kleinen Topf aus rostfreiem Stahl. Gießen Sie es dann in ein kleines Tongefäß, und decken Sie es gut zu, um es warmzuhalten.

Sesamöl

***Körpertyp**: Vata-Störungen*

Für die Körpermassage:
1 Tasse Sesamöl

Erwärmen Sie das Öl in einem kleinen Topf aus rostfreiem Stahl etwa zwei Minuten lang bei niedriger Hitze. Gießen Sie es in ein kleines Tongefäß, und decken Sie es zu, um es warmzuhalten.

Ghee-Öl

***Körpertyp**: Pitta-Störungen*

Für die Körpermassage:
½ Tasse reines Ghee
½ Tasse Sesamöl

Schmelzen Sie das Ghee in einem kleinen Topf aus rostfreiem Stahl bei niedriger Hitze. Nehmen Sie es vom Herd, und gießen Sie das Sesamöl hinein. Lassen Sie die Mischung abkühlen, und gießen Sie sie dann in ein kleines Tongefäß. Decken Sie das Gefäß gut zu, um die Kühle zu erhalten.

Sesamöl-Ghee

***Körpertyp**: Kapha-Störungen*

Für die Körpermassage:
¾ Tasse Sesamöl
¼ Tasse reines Ghee

Schmelzen Sie das Ghee in einem kleinen Topf aus rostfreiem Stahl bei niedriger Hitze. Fügen Sie das Sesamöl hinzu, lassen Sie es fünf Minuten erwärmen, nehmen Sie es vom Herd, und gießen Sie die Mischung in ein Tongefäß. Decken Sie es zu, um die Hitze zu erhalten.

Amalaki-Buttermilchpaste

***Körpertyp**: alle Typen*

Zum Gebrauch für die erste Behandlungsphase am Kopf.

Verwenden Sie für alle Körpertypen frisch hergestellte, warme Paste. Für das Rezept vergleichen Sie die Rezepte für Milchprodukterezepte, Anhang F.

Die für die Behandlung verwendete Buttermilchpaste sollte nicht älter als drei Tage sein. Gebrauchen Sie dieselbe Paste immer nur für eine einzige Behandlung.

Warme Pinda-Sweda-Kräuterpaste

***Körpertyp**: alle Typen*

Zur Umwicklung des Kopfes:
1 ¼ Tassen Sesamsaat
2 Teelöffel Zimt-Pulver
½ Tasse und 3 Eßlöffel Bala-Pulver
1 Eßlöffel Shatavari-Pulver
2 Teelöffel Purnarnava-Pulver
1 Eßlöffel Senfsamen
1 Eßlöffel Kardamomsamen
¼ Tasse heißes Wasser

Rösten Sie die Sesamsaat bei mittlerer bis geringer Hitze in einer mittelgroßen gußeisernen Bratpfanne fünf Minuten lang. Wenden Sie die Samen gelegentlich mit einem flachen Holzlöffel, um zu verhindern, daß sie anbrennen. Mahlen Sie sie in einem Suribachi zu einem groben Pulver, und geben Sie sie in eine mittelgroße Schüssel aus rostfreiem Stahl.

Entfernen Sie das gesamte Pulver mit einer kleinen Bürste oder einer sauberen Serviette aus den Ritzen des Suribachi. Rösten Sie in derselben Pfanne Kardamom- und Senfsamen bei niedriger Hitze einige Minuten lang. Nehmen Sie sie vom Herd, und mahlen Sie sie in einem Suribachi zu einem groben Pulver. Mischen Sie sie dann mit dem Sesampulver und fügen Sie Bala-, Shatavari-, Zimt- und Purnarnava-Pulver hinzu. Fügen Sie das heiße Wasser hinzu, und mischen Sie das Ganze mit einem Spachtel zu einer weichen Paste, die dick genug ist, um auf der Gaze ausgebreitet zu werden. Bedecken Sie die Paste mit einem heißen, feuchten Tuch, um sie warmzuhalten. Stellen Sie für jede Behandlung frische Paste her.

Pinda-Sweda-Umschlag

***Körpertyp**: alle Typen*

2 Tassen getrocknete Bala-Wurzel
4,5 l Wasser
2 Tassen Rohmilch
¾ Tasse ungeschälter Rundkornreis* (ersetzen Sie diesen bei Kapha-Störungen durch geschälte Gerste und bei Pitta-Störungen durch Bulgur)
4 saubere Baumwollservietten (45 qcm groß)

**Anmerkung:* Für diese Behandlung wird sechzig Tage alter brauner Reis empfohlen, das heißt, es sind sechzig Tage vergangen, seit der Reis geerntet wurde.

Bringen Sie das Wasser in einem großen Topf aus rostfreiem Stahl zum Kochen, und fügen Sie die Bala-Wurzeln hinzu. Decken Sie den Topf zu, köcheln Sie die Mischung bei mittlerer Hitze etwa vier Stunden lang, oder solange, bis dreiviertel der Flüssigkeit verdunstet ist, und gießen Sie die heiße Flüssigkeit vorsichtig durch ein großes Sieb in einen mittelgroßen Topf aus rostfreiem Stahl. Geben Sie die verwendeten Wurzeln der Erde zurück. Die gewonnene Flüssigkeitsmenge sollte etwa vier Tassen ergeben. Gießen Sie zwei Tassen in einen schweren Topf, decken Sie ihn zu, und lassen Sie ihn auf einem Heizstövchen ziehen, während Sie den Porridgebrei zubereiten.

Fügen Sie die Milch zu der übrigen Abkochung hinzu. Bringen Sie die Mischung zum Kochen, und fügen Sie dann den ungeschälten Reis hinzu. Decken Sie zu, und köcheln Sie das Ganze bei niedriger Hitze eineinhalb Stunden lang oder solange, bis es die Konsistenz von einem dickem Porridge hat.

Breiten Sie die vier Servietten auf einer Theke aus, wenn der Porridge immer noch kochendheiß ist, geben Sie einen Suppenlöffel voll (etwa zweidrittel Tasse) in die Mitte jeder Serviette. Nehmen Sie vorsichtig die beiden gegenüberliegenden Enden einer jeden Serviette auf, und knoten Sie sie zu einem möglichst festen Knoten zusammen, wobei der Porridge darin bleiben sollte. Dann nehmen Sie die beiden Enden des ersten Knotens und verknoten sie sicher zu einem abschließenden zweiten Knoten. Wiederholen Sie das mit den übrigen beiden Enden. Das Endergebnis sollten vier festverknotete Porridgebälle oder -säckchen sein, deren verknotete oberen Enden Ihnen als Griffe dienen können, während Sie den Patienten massieren. Jedes Säckchen sollte etwa acht cm Durchmesser, also die Größe einer großen Orange haben.

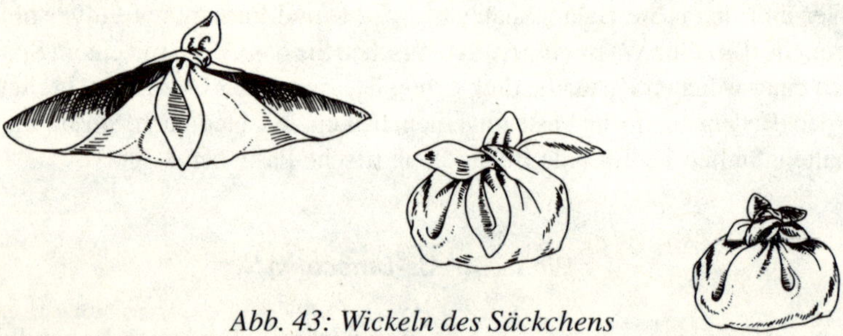

Abb. 43: Wickeln des Säckchens

Fügen Sie alles übriggebliebene Porridge zu der heißen Bala-Abkochung hinzu, und gießen Sie es in ein schweres Keramikgefäß. Legen Sie die vier Säckchen in den Behälter, und decken Sie sie gut zu, um sie für die Pinda Sweda-Behandlung möglichst heiß zu halten. Nehmen Sie zusammen mit dem Keramikgefäß einen großen Suppenlöffel mit in den Behandlungsraum, um die Säckchen, wenn nötig, aus dem Topf zu heben. Da sie sehr heiß gehalten werden, sind sie wahrscheinlich zu heiß, um sie mit bloßen Händen anzufassen.

Lassen Sie sie einige Minuten ziehen, und überprüfen Sie sie vor der Anwendung. Fassen Sie das Säckchen an seinem zusammengeknoteten Ende an, und verwenden Sie die Portion, die die Größe eines Balls hat, um sie auf den Körper des Patienten zu reiben.

Bandhana Sweda – Örtliche Umschlaganwend

Bandhana Sweda ist eine Kurzform der Swedana-Therapie, bei d
lich angewendeter Umschlag aus Kräutern auf den betroffenen Kör
gebunden wird. Traditionellerweise wird ein Stück Leder oder Seide als Bandage benutzt. Keines der beiden Materialien atmet gut und erleichtert so das richtige Schwitzen des betroffenen Bereiches. Diese Therapie wird angewendet, um Schmerzen, Schwere und Steifheit in bestimmten Bereichen des Körpers zu lindern, ebenso wie auch örtliche Schmerzen, Schwellungen, Zysten, Geschwüre und Fettansammlungen. Umschläge werden niemals bei den Bereichen angewendet, die den Hodensack, die Vagina, die Augen oder das Herz umgeben.

Jahreszeit*: Folgen Sie den jahreszeitlichen Richtlinien*
Körpertyp*: alle Typen*
Zeit*: früher Morgen oder früher Abend*
Dauer der Behandlung*: sieben oder vierzehn Tage; eineinhalb Stunden täglich*

Beschwerden
Vata-Störungen:
Schmerzen oder Steifheit in den Gelenken, arthritische Beschwerden in verschiedenen Gelenken, trockene, harte Zysten.

Pitta-Störungen:
Geschwüre auf/Entzündungen der Haut, Hautausschläge (Ekzem, Schuppenflechte usw.), Akne, entzündete Zysten und Schwellungen, Steifheit im Kiefer oder den Gliedmaßen.

Kapha-Störungen:
rheumatische Arthritis, Schwellungen, Schwere in den Gliedmaßen, Verhaltung von Urin, Akne, Fettablagerungen.

Wirkungen
Über die Linderung der oben aufgeführten Beschwerden hinaus hat diese Therapie die allgemeine Wirkung, daß sie Steifheit und Entzündungen im Körper lindert und verfaultes Fleisch und Fettablagerungen beseitigt.

Notwendige Hilfsmittel
- eine kleine sterilisierte Schüssel aus rostfreiem Stahl, die das Kräuterpflaster enthält
- ein sterilisierter Spachtel aus rostfreiem Stahl
- eine mittelgroße, sterilisierte Schüssel aus rostfreiem Stahl, die Hamamelislösung enthält

Stücke Baumwollgaze (10 qcm) auf einem Tablett aus rostfreiem Stahl
- eine scharfe, sterilisierte Schere
- chirurgische Wundgaze, wenn die Behandlung am Gesicht oder am Gesäß erfolgt
- ein Paar sterilisierte Gummihandschuhe
- ein 15 cm großes Stück weiches Leder (am besten Rehhaut) oder Seide (Länge je nach der Größe des zu bandagierenden Bereichs) zum Umwickeln

Bandhana-Behandlung
- Wenn sich der betroffene Bereich im oberen Teil des Körpers befindet, dann bitten Sie den Patienten, sich aufrecht auf einen Stuhl zu setzen.
- Wenn sich der betroffene Bereich im Gesicht oder im unteren Teil des Körpers befindet, dann bitten Sie den Patienten, sich auf den Behandlungstisch zu legen.
- Nehmen Sie das saubere Stück Baumwollgaze, das Sie zuvor in der Hamamelislösung getränkt haben, und schrubben Sie damit den betroffenen Körperbereich. Wenn die Stelle sehr entzündet ist oder stark schmerzt, dann berühren Sie sie sanft, um sie zu reinigen.
- Tragen Sie mit kurzen Aufwärtsstrichen eine Kräuterpaste auf den betroffenen Bereich auf, und verwenden Sie dazu einen sterilisierten Spachtel aus rostfreiem Stahl. Verteilen Sie die Paste gleichmäßig etwa 1,25 cm dick.
- Wickeln Sie das vorher geschnittene Stück Seide oder Leder im Uhrzeigersinn um den betroffenen Bereich, und vergewissern Sie sich, daß die Bandage mindestens vier Lagen dick ist.
- Teilen Sie mit einer scharfen Schere die letzten 25 cm der Bandage in der Mitte, um sie an Ort und Stelle zu befestigen.
- Wenn sich der betroffene Bereich um den Kiefer herum befindet, dann binden Sie die Bandage unter dem Kinn fest, und zwar so weit zurück, daß sie den betroffenen Bereich abdeckt, und wickeln Sie sie anschließend um den Kopf herum, um sie festzubinden.
- Lassen Sie den Patienten eineinhalb Stunden lang an einem ruhigen, warmen Ort ruhen, und schauen Sie gelegentlich nach ihm.
- Helfen Sie dem Patienten, die günstigste Position einzunehmen, um die Bandage abzuwickeln.
- Verwenden Sie ein sauberes, feuchtes Gesichtstuch, um den Brei abzuschöpfen, und werfen Sie ihn in den Eimer.
- Wischen Sie den Bereich mit der in der Hamamelislösung eingetauchten Gaze sauber; passen Sie den Druck an den Grad der Schmerzen oder der Entzündung an.
- Umwickeln Sie den Bereich mit einem sauberen Stück Gaze, bevor der Patient geht.

Bevor Sie die folgenden Rezepturen zubereiten, folgen Sie den Sterilisierungsverfahren in Anhang E. Diese Maßnahmen sollten bei allen Snehana- und Swedana-Therapien Anwendung finden, die das Auftragen von Pasten,

Umschlägen oder Pflastern direkt auf entzündete, geschwürige oder offene Wunden beinhalten; bzw. bei anderen physischen Beschwerden, bei denen es leicht zu Verunreinigungen kommen könnte. Bevor Sie die Paste oder den Brei herstellen, sterilisieren Sie alle Utensilien, die Sie zu ihrer Herstellung und Anwendung benötigen, ebenso wie alle Gefäße, in denen die Zutaten aufbewahrt werden.

Hamamelislösung

ca. 60 ml Hamamelis
4 Tassen Wasser

Bringen Sie das Wasser in einem kleinen sterilisierten Topf zum Kochen. Decken Sie ihn zu, und köcheln Sie das Wasser bei mittlerer Hitze solange, bis die Hälfte des Wassers verdunstet ist. Nehmen Sie den Topf vom Herd, und lassen Sie den Inhalt zehn Minuten lang ziehen. Fügen Sie die Hamamelis hinzu, solange das Wasser noch warm ist. Verwenden Sie es, um sich vor der Behandlung die Hände zu waschen, und säubern Sie die betroffenen Bereiche des Körpers Ihres Patienten damit, bevor Sie die Paste auftragen.

BANDHANA-SWEDA-REZEPTUREN

***Jahreszeit**: Folgen Sie den jahreszeitlichen Richtlinien*

Bandhana Sweda – Vata- und Kapha-Paste

***Körpertyp**: Vata- und Kapha-Störungen*

¼ Tasse Amalaki-Buttermilch (Vergleichen Sie das Rezept für Takra Dhara auf S.160)
¼ Tasse Dashamula-Pulver
¼ Tasse Rizinuswurzel-Pulver
¼ Tasse Sesamsaat
¼ Tasse Sesamöl
4 Eßlöffel zerkleinertes Steinsalz
10 Tropfen Koriander- oder Sandelholz-Essenz

Gießen Sie die frisch hergestellte Amalaki-Buttermilch in eine kleine sterilisierte Schüssel. Erwärmen Sie Ghee in einem kleinen sterilisierten Topf, und fügen Sie die Buttermilch hinzu. Fügen Sie die Kräuterpulver, das Salz und das ätherische Öl hinzu.

Erwärmen Sie das Sesamöl in einer kleinen, sterilisierten Pfanne, und gießen Sie die Buttermilch-Mischung hinein. Mischen Sie die Buttermilch mit Hilfe eines sterilisierten Spachtels gründlich mit den Pulvern, dem Salz und dem Öl, bis eine glatte, dicke Paste entsteht. Decken Sie die Schüssel mit einem sterilisierten Teller zu und bringen Sie sie sofort in den Behandlungsraum.

Bandhana Sweda – Pitta-Paste

***Körpertyp**: Pitta-Störungen*

¼ Tasse Amalaki-Buttermilch (Vergleichen Sie das Rezept auf S.160)
¼ Tasse reines Ghee
2 Eßlöffel Kalmuswurzel-Pulver
2 Eßlöffel Koriander-Pulver
2 Eßlöffel Rizinuswurzel-Pulver
2 Eßlöffel Jatamansi-Pulver
2 Eßlöffel zerkleinertes Steinsalz
10 Tropfen Koriander- oder Sandelholz-Essenz

Gießen Sie die frisch hergestellte Amalaki-Buttermilch in eine kleine sterilisierte Schüssel, erwärmen Sie das Ghee, und fügen Sie die Buttermilch hinzu.

Fügen Sie die Kräuter-Pulver und das Steinsalz hinzu, und vermischen Sie sämtliche Zutaten mit Hilfe eines sterilisierten Spachtels zu einer glatten Paste. Mischen Sie das ätherische Öl hinein, und decken Sie die Schüssel mit einem sterilisierten Teller zu. Bringen Sie sie sofort in den Behandlungsraum.

Prasthara Sweda – Schwitzen im Umschlagbett

Ein Umschlagbett aus Brei, das aus Mais, Mungo-Bohnen, Milch und Kräutern hergestellt wird, wird mit Arka-Blättern und Weizengras zugedeckt. Der Patient liegt auf dem mit Blättern bedeckten Brei und wird mit Seidentüchern und Wolldecken zugedeckt. Ein Gefäß, das das kochende Kräuterwasser enthält und mit einem Baumwolltuch zugedeckt ist, wird neben den ruhenden Patienten gelegt.

Vor der Prasthara-Sweda-Behandlung ist eine Ganzkörpermassage erforderlich. Um bestmögliche Ergebnisse zu erzielen, sollten die geeigneten Öle für jeden Körpertyp und jede Beschwerde verwendet werden. Lassen Sie den Patienten nach der Massage fünfzehn Minuten lang ruhen, während Sie sich die Hände waschen und sich auf die Haupttherapie vorbereiten.

***Jahreszeit**: Folgen Sie den jahreszeitlichen Richtlinien*
***Körpertyp**: alle Typen*
***Zeit der Anwendung**: früher Morgen und früher Abend*
***Dauer der Behandlung**: sieben Tage; eine Stunde täglich*

Beschwerden
Vata-Störungen:
Arthritis, Abmagerung, Trockenheit der Haut, Schwäche der Muskelfunktion, Nervosität, Gesichtslähmung, Gedächtnisverlust, Schlaflosigkeit, geistiger Streß, Gelenksteifheit.

Kapha-Störungen:
phlegmatische Störungen (Erkältungen, Husten, Kongestion), Bronchialasthma, Kopfschmerzen, rheumatische Arthritis, Fettsucht, Verhaltung von Urin, Magersucht, Schwere des Körpers, Lethargie.

Wirkungen
Über die Linderung der oben aufgeführten Beschwerden hinaus hat diese Behandlung die zusätzliche Wirkung, daß sie den gesamten Körper neu belebt, das normale Schlafverhalten wiederherstellt und Streß lindert. Sie reduziert außerdem Körperfett und überschüssiges Wasser und verleiht Energie und Mobilität.

Notwendige Hilfsmittel
- ein großer Topf aus rostfreiem Stahl mit Deckel, der etwa 23 l Brei fassen kann
- ein großer Topf aus rostfreiem Stahl (mit 45 cm Durchmesser und 30 cm Höhe), der die kochende Amla-Abkochung enthält und mit einem Baumwolltuch (gut 60 qcm groß) zugedeckt ist
- Ein Tasche von der Größe eines Kopfkissens, die mit frischem oder getrocknetem Weizengras gefüllt ist
- eine kleine Keramikschüssel mit Deckel, die das Massageöl enthält
- 2 saubere Baumwollhandtücher für die Begleiter
- ein sauberes Baumwollaken, um es auf dem Behandlungstisch unter dem Brei auszubreiten
- ein sauberes Seidenlaken
- 2 saubere Wolldecken (etwa 1,80 qm groß)
- ein sauberes Badetuch
- ein Leintuch*
- ein Herzpad*
- ein Augenpad
- eine Badewanne
- ein tragbarer Tischgasofen mit einer Flamme
- eine Fläche zum Säubern und ein großes Waschbecken
- 2 große Holz- oder Metallschaufeln (10 cm breit und 76 cm lang), um den aufgebrauchten Brei von der Oberfläche des Behandlungstisches abzukratzen
- ein großer Plastikbehälter (etwa 60 cm im Durchmesser und 76 cm in der Höhe), um die gebrauchten Laken und Tücher zu entsorgen

**Anmerkung:* Vergleichen Sie Anhang D.

Vorbereitung für die Prasthara-Behandlung
Um den Brei auf dem Behandlungstisch zu verwenden:
- Breiten Sie ein sauberes Baumwollaken auf dem Behandlungstisch aus.
- Gießen Sie den Inhalt des Breis aus dem großen Topf auf die Mitte des Behandlungstisches.
- Verteilen Sie den heißen Brei mit den hölzernen Schaufeln gleichmäßig auf der Tischoberfläche. Das Breibett sollte mindestens 5 cm dick sein.
- Legen Sie die Schaufeln in den leeren Topf. Sie werden sie später noch benötigen, um den gebrauchten Brei nach der Behandlung zu entfernen.

- Verteilen Sie das Gras über dem Breibett, und vergewissern Sie sich, daß die Oberfläche des Breis vollkommen bedeckt ist. Wahlweise kann dann ein Seidenlaken über die Blätter gelegt werden, bevor sich der Patient hinlegt. Wenn kein Gras zur Verfügung steht, dann breiten Sie das Seidenlaken direkt über den Brei.
- Bis zu dem Zeitpunkt, zu dem Sie den Brei verteilt haben, sollte er ausreichend abgekühlt sein, um ein angenehmes und erträgliches Schwitzen beim Patienten herbeizuführen.

Prasthara-Sweda-Behandlung

- Bitten Sie den Patienten, sich mit dem Rücken auf das Breibett zu legen. (Der Patient sollte immer noch nur das Leintuch tragen, das er für die vorhergehende Massagebehandlung umgelegt hatte.
- Decken Sie den Patienten mit einem Seidentuch zu, und lassen Sie nur den Kopf frei.
- Legen Sie zwei Wolldecken über das Seidentuch, und vergewissern Sie sich, daß der Patient gut damit zugedeckt ist.
- Legen Sie die kühlenden Augenpads über die Augen, um sie vor der Hitze zu schützen.
- Legen Sie das schützende Herzpad direkt auf das Herz.
- Stellen Sie das Gefäß mit der dampfenden Amla-Abkochung auf einen kleinen Tisch zu Füßen des Patienten.
- Legen Sie die Schwitzzeit auf eine Stunde fest, und sehen Sie in regelmäßigen Abständen nach dem Patienten, um sich zu vergewissern, daß er es relativ bequem hat.
- Kurz bevor die Behandlungszeit vorbei ist, lassen Sie ein warmes Bad einlaufen, und gießen Sie die Amla-Abkochung hinein. Geben Sie eine Handvoll Weizengras in das Badewasser. Vergewissern Sie sich, daß Sie das Gras vollständig wieder entfernt haben, bevor der Patient in das Badewasser steigt. Verwenden Sie keine Seife zum Baden.
- Geben Sie dem Patienten ein sauberes Badetuch zum Abtrocknen.
- Lassen Sie den Patienten warme Kleidung anziehen.
- Lassen Sie ihn fünfzehn Minuten lang auf einem sauberen Behandlungstisch auf dem Rücken ruhen.
- Legen Sie die kühlenden Augenpads wieder auf die Augen.
- Entfernen Sie alle Behandlungsgegenstände und das Breibett aus dem Behandlungsraum, und verbreiten Sie dabei möglichst viel Ruhe.
- Raten Sie dem Patienten, bevor er geht, sich möglichst warm anzuziehen und draußen eine Kopfbedeckung zu tragen, um den Körper vor Kälte oder Nässe zu schützen. Diese Praxis sollte während der Behandlungsphase und für die gleiche Zeitdauer nach Beendigung der Behandlung beibehalten werden.
- Bitten Sie den Patienten, für die gleiche Zeitdauer keine kalten Nahrungsmittel oder Getränke zu sich zu nehmen und nicht kalt zu baden oder zu duschen.

Den Behandlungstisch säubern

- Nachdem die Behandlung durchgeführt worden ist, entfernen Sie das Baumwollaken, aber lassen den Brei liegen.
- Kratzen Sie dann vorsichtig mit den Schaufeln den gebrauchten Brei von dem Laken in den großen Breitopf ab. Legen Sie die gebrauchten Laken und Handtücher in den Plastikbehälter, und entfernen Sie alle Behandlungsgegenstände und -materialien aus dem Therapieraum.

Prasthara-Rezepturen

***Jahreszeit**: Folgen Sie den jahreszeitlichen Richtlinien*

Prasthara-Brei

***Körpertyp**: alle Typen*

15 l Milch
15 l Wasser
7 Pfund getrocknete, aufgebrochene Maiskörner
4 Pfund Urad Dhal
7 Pfund Hirse
½ Tasse getrocknetes Ingwer-Pulver
½ Tasse schwarzes Pfeffer-Pulver
½ Tasse Pippali-Pulver

In einem 37 l Flüssigkeit fassenden Topf aus rostfreiem Stahl mischen Sie Milch und Wasser, und bringen Sie sie bei mittlerer Hitze zum Kochen. Fügen Sie den aufgebrochenen Mais, Urad Dhal, Hirse, die pulverisierten Gewürze und den braunen Zucker hinzu. Decken Sie den Topf zu, und köcheln Sie die Mischung bei mittlerer bis niedriger Hitze drei Stunden lang oder solange, bis ein Viertel der Flüssigkeit verdunstet ist (die Konsistenz wird wie diejenige von dickem Porridge sein). Verwenden Sie keinen dünnen oder flüssigen Porridge für diese Behandlung. Wenn der Porridge nach dem Kochen etwas dünn ist, dann mischen Sie genug Buchweizenmehl hinein, um ihm eine dicke, teigige Konsistenz zu geben.

Lassen Sie den Porridge bei sehr niedriger Temperatur ziehen, bis Sie ihn gebrauchen. Der Porridge sollte kochendheiß sein, wenn Sie anfangen, ihn auf dem Behandlungstisch auszubreiten. Bereiten Sie täglich frischen Porridge für diese Behandlung zu.

Amla-Abkochung

***Körpertyp**: alle Typen*

19 l Wasser
150 g getrocknetes Weizengras
1 Tasse Amla-Pulver

Bringen Sie das Wasser in einem großen Topf aus rostfreiem Stahl bei mittlerer Hitze zum Kochen. Binden Sie das Weizengras fest zu einem kleinen Bündel zusammen. Geben Sie Weizengras und Amla-Pulver in das kochende Wasser. Decken Sie den Topf zu, und köcheln Sie die Mischung bei niedriger Hitze eineinhalb Stunden lang, oder solange, bis ein Viertel des Wassers verdunstet ist. Nehmen Sie den Topf vom Herd, und decken Sie ein Stück Baumwollstoff von etwa 61 qcm Größe darüber, damit der Dampf hindurchströmen kann. Bringen Sie den Topf sofort in den Behandlungsraum, und stellen Sie ihn auf einen tragbaren Herd mit niedriger Hitze. Bereiten Sie für die Anwendung jeden Tages eine frische Abkochung zu.

Prasthara-Massageöl für Vata

***Körpertyp**: Vata-Störungen*

Für die Körpermassage:
1 Tasse Sesamöl
20 Tropfen Mandel-Essenz

Erwärmen Sie das Öl ungefähr fünf Minuten lang in einem kleinen Topf aus rostfreiem Stahl bei niedriger Hitze. Gießen Sie es in einen Keramikbehälter, und fügen Sie die Essenz hinzu. Decken Sie den Behälter fest zu, um das Öl warmzuhalten. Massieren Sie den ganzen Körper unmittelbar vor der Prasthara- Behandlung mit dem warmen Öl.

Prasthara-Massageöl für Kapha

***Körpertyp**: Kapha-Störungen*

Für die Körpermassage:
¾ Tasse Sesamöl
¼ Tasse Ghee
10 Tropfen Geranium-Essenz

Schmelzen Sie das Ghee in einem kleinen Topf aus rostfreiem Stahl bei niedriger Hitze. Fügen Sie das Sesamöl hinzu, und lassen Sie es fünf Minuten erwärmen. Nehmen Sie die Mischung vom Herd, und gießen Sie sie in einen Keramikbehälter. Fügen Sie die Essenz hinzu, und decken Sie den Behälter fest zu, um das Öl warmzuhalten. Verwenden Sie es, um den ganzen Körper zu massieren.

Weizengras, um den Brei zu bedecken

¼ Ballen getrocknetes oder frisches Weizengras (genug, um ein Kopfkissen zu füllen)

Sammeln Sie Gras in einer großen Tasche von der Größe eines Kopfkissens, und bringen Sie es direkt in den Behandlungsraum. Arka- und Urbaka-Blätter können ebenfalls verwendet werden, um das Breibett zu bedecken. Wenn diese Zutaten nicht erhältlich sind, dann können Sie ein Tuch aus reiner Seide benutzen, um stattdessen den Brei zu bedecken.

Sthambana Sweda **– Kühlende Breitherapie**

Die Sthambana-Therapie wird hauptsächlich als Gegenmittel bei zu starkem Schwitzen und bei Pitta-Störungen wie Fieber, Geschwüren, Entzündungen der Haut und der Gewebe, übermäßigem Durst usw. verwendet. Diese Therapie kühlt den Körper und zieht ihn zusammen; gleichzeitig verteilt sie den Hitzefluß und stellt so allmählich die normale Körpertemperatur wieder her und lindert verschiedene Beschwerden. Die Charakteristika der bei der Sthambana-Therapie verwendeten Zutaten sind süß, zusammenziehend und bitter, mit kalten, weichen, rauhen, glatten, trägen, flüssigen, stabilen, leichten und subtilen Eigenschaften.

Sthambana-Therapie

> ***Jahreszeit**: Folgen Sie den jahreszeitlichen Richtlinien*
> ***Körpertyp**: Pitta-Störungen*
> ***Zeit**: früher Morgen oder unmittelbar, nachdem das übermäßige Schwitzen auftritt*
> ***Dauer der Behandlung**: drei Tage; eineinviertel Stunden pro Tag*

Beschwerden

Übermäßiges Schwitzen, Gefühle von Brennen, übermäßiger Durst, bläuliche Hautausschläge, Entzündungen auf der Haut, Geschwürbildung, zu leise Stimme, Schwäche der Gliedmaßen und Gelenke, Fieber, Steifheit des Körpers, Steifheit im Kiefer.

Wirkungen

Diese Behandlung lindert die oben aufgeführten Beschwerden und beseitigt Durst und Fieber, indem sie die normale Körpertemperatur wiederherstellt. Darüber hinaus hat sie die Wirkung, daß sie überschüssiges Pitta mildert.

Notwendige Hilfsmittel

- eine große Schüssel aus rostfreiem Stahl, die das zusammenziehende Sthambana-Pflaster enthält
- eine kleine Schüssel, die das Sandelholz-Pulver enthält
- 12 kalte, nasse Handtücher
- 2 saubere, leichte Baumwollaken
- ein Badetuch
- ein Stuhl mit Lehne
- eine Dusche

Sthambana-Behandlung: Kühlende Breitherapie

Gegenmittel bei übermäßigem Schwitzen

- Bringen Sie den Patienten schnell von der Hitzequelle weg. Entfernen Sie jegliche Kleidung und Laken.

- Bitten Sie den Patienten, sich auf einen Stuhl zu setzen, und legen Sie dann nasse, kalte Tücher auf seinen Körper.
- Bitten Sie den Patienten, sich auf den Behandlungstisch zu legen.
- Bitten Sie den Patienten, die unten beschriebenen Positionen einzunehmen, während Sie den Körper vollkommen mit der kühlenden Kräuterpaste bedecken.
- Lassen Sie den Patienten einen leichten Behandlungskittel aus Baumwolle anziehen. Weisen Sie ihn an, sich an einen kühlen, schattigen Ort neben natürliches, fließendes Wasser zu setzen. Wenn sich kein solcher Ort in der Nähe befindet, dann raten Sie dem Patienten, täglich einige Stunden lang neben einer Wassermasse zu sitzen (gut für alle übermäßigen Pitta-Zustände).

1. Mit ausgestreckten Beinen sitzend
- Beginnen Sie mit Ihren Händen die Packung am unteren Rücken aufzutragen; verwenden Sie dazu kurze bürstende Striche nach oben. Bedecken Sie den gesamten Rücken.
- Gehen Sie zum rechten Arm, und benutzen Sie denselben Aufwärtsstrich, um von den Fingern ausgehend den gesamten Arm einzukleistern; lassen Sie die Achselhöhlen und die Handinnenflächen frei. Heben Sie, falls notwendig, sanft den Arm, um die Paste gleichmäßig aufzutragen.
- Gehen Sie dann schnell zur linken Seite, und wiederholen Sie den gleichen Ablauf am linken Arm.

2. *Auf dem Rücken liegend*
- Bitten Sie den Patienten, sich vorsichtig auf seinen eingekleisterten Rükken zu legen.
- Sie können ein leichtes Laken verwenden, um den Patienten bis zur Taille zuzudecken, während Sie die übrige Packung auftragen.
- Tragen Sie die Packung vom Nabel ausgehend auf die Brust auf, und verwenden Sie dazu dieselben gleichmäßigen Aufwärtsstriche.
- Bedecken Sie bei Frauen leicht die Brüste mit Ausnahme der Brustwarzen.
- Fahren Sie fort, die Packung aufzutragen, bis die gesamte Brust und der Hals bedeckt sind.

3. Auf der linken Seite liegend
- Entfernen Sie das Laken zum Zudecken, und bitten Sie den Patienten, sich auf die linke Seite zu drehen und dabei der Bequemlichkeit halber die Knie leicht zu beugen und nach vorne zu bringen.
- Beginnen Sie an den Zehen, das exponierte Bein mit langen Aufwärtsstrichen einzukleistern, und heben Sie das Bein leicht an, um die Packung gleichmäßig zu verteilen.
- Machen Sie mit den Oberschenkeln und der rechten Hüfte weiter.
- Heben Sie sanft den rechten Arm des Patienten, breiten Sie die Packung gleichmäßig auf der rechten Seite des Brustkorbs aus, und vergewissern Sie sich, daß der ganze Bereich bedeckt ist.

4. Auf der rechten Seite liegend

- Bitten Sie den Patienten, sich auf die rechte Seite zu drehen und dabei der Bequemlichkeit halber die Knie leicht zu beugen und nach vorne zu bringen.
- Bringen Sie die Packung an der linken Seite des Patienten genauso an wie vorher an der rechten.

5. Auf dem Bauch liegend

- Bitten Sie den Patienten, sich auf den Bauch zu drehen.
- Suchen Sie mit Ihren Händen die Bereiche des Rückens, die eine Packung benötigen.
- Beginnen Sie an den Oberschenkeln, mit kurzen Aufwärtsstrichen die Packung über das Gesäß aufzutragen, um bis zu den eingekleisterten Bereichen des unteren Rückens zu gelangen.
- Bitten Sie den Patienten, sich noch einmal auf den Rücken zu drehen.

6. Auf dem Rücken liegend

- Breiten Sie das Laken über den Patienten aus, und lassen Sie ihn fünfzehn Minuten lang ruhen.
- Öffnen Sie das Fenster, um frische Luft hineinzulassen.
- Verlassen Sie den Raum für eine kurze Weile, um sich zu waschen.

7. Mit ausgestreckten Beinen sitzend

- Nach der Ruhepause bitten Sie den Patienten , sich auf dem Behandlungstisch aufzusetzen und die Beine auszustrecken.
- Wischen Sie mit einem kalten, nassen Handtuch mit festem Druck und nach unten gerichteter Streichbewegung die getrocknete Paste vom Körper; beginnen Sie damit am Rücken.
- Nehmen Sie ein frisches kaltes, nasses Handtuch, um die Packung vom rechten und dann vom linken Arm zu entfernen, und benutzen Sie dazu eine konsequente Bewegung nach unten.
- Wechseln Sie, wenn nötig, die Handtücher.
- Bitten Sie den Patienten, dieselbe Position einzunehmen wie während der Anwendung, und wischen Sie die Packung mit konsequenten Strichen nach unten vollkommen von seinem Körper ab.
- Nachdem die gesamte Packung entfernt worden ist, erlauben Sie dem Patienten, sich kalt, jedoch ohne Seife, zu duschen.
- Geben Sie ihm ein Badetuch, mit dem er seinen Körper nach dem Duschen abtrocknen kann.
- Bitten Sie den Patienten, sich in einen Stuhl zu setzen, und sprenkeln Sie mit Ihren Händen eine reichliche Menge Sandelholz-Pulver über seinen gesamten Körper.
- Bitten Sie den Patienten. sich anzuziehen.
- Bevor er geht, raten Sie ihm, übermäßige Hitze zu meiden und kühlende, süße, ölige und bittere Nahrungsmittel und Getränke zu verwenden.

Sthambana-Rezeptur (bei übermässigem Schwitzen)

***Jahreszeit**: Folgen Sie den jahreszeitlichen Richtlinien*
***Körpertyp**: Pitta-Störungen*

Zusammenziehendes Sthambana-Pflaster

2 Pfund ganze Mungo-Bohnen
4 Tassen Wasser
¼ Tasse Wildkirschenrinde (withania somnifera, getrocknet)
1 Eßlöffel Brahmi-Pulver
1 Eßlöffel Bala-Pulver
1 Eßlöffel Bambus-Pulver
56 g Hamamelis

Mahlen Sie die Bohnen mit einer Handmühle zu einem feinen Pulver. Bringen Sie in einem mittelgroßen Topf aus rostfreiem Stahl Wasser zum Kochen, und fügen Sie die Wildkirschenrinde hinzu. Decken Sie den Topf zu, und köcheln Sie die Mischung vierzig Minuten lang bei niedriger Hitze, oder solange, bis die Hälfte des Wassers verdunstet ist. Gießen Sie die Flüssigkeit durch ein kleines Sieb in eine mittelgroße Schüssel aus rostfreiem Stahl. Fügen Sie die gemahlenen Mungo-Bohnen, Kräuter-Pulver und Hamamelis zu dem Rindenwasser hinzu. Vermischen Sie das Ganze mit einem Gummispachtel zu einer weichen, glatten Paste.

Anna Lepa Sweda – Direkte Breibehandlung

Die Anwendung von warmen Breien direkt auf dem Körper ohne die Verwendung von Säckchen heißt Anna Lepa, eine Therapie, die so zeitlos ist wie Pinda Sweda. Es wird empfohlen, den Körper mit dem passenden Öl einzureiben, bevor der Brei aufgetragen wird.

***Jahreszeit**: Folgen Sie den jahreszeitlichen Richtlinien*
***Körpertyp**: alle Typen*
***Zeit der Anwendung**: früher Morgen oder früher Abend*
***Dauer der Behandlung**: sieben oder vierzehn Tage*

Beschwerden
Körperliche Schmerzen, Arthritis, rheumatische Arthritis, Schwindsucht, schwere Kongestion, Schwäche der Muskelfunktionen, Gicht (verwenden Sie weichen bis mäßigen Druck beim Auftragen des Breis).

Wirkungen
Über die Linderung der oben aufgeführten Beschwerden hinaus hat Anna Lepa die zusätzliche Wirkung, daß es Muskeln und Gliedmaßen stärkt, die Haut nährt und den gesamten Körper kräftigt.

Notwendige Hilfsmittel

- 2 Begleiter
- 2 mittelgroße Keramikbehälter, die den Brei enthalten und fest zugedeckt sind, um die Hitze zu halten. (Bei dieser Behandlung verwendet jeder Begleiter seinen eigenen Breibehälter, um die schnelle und harmonische Anwendung zu erleichtern.)
- ein mittelgroßer Keramikbehälter, der die heiße Pflanzenabkochung für das Bad enthält und fest zugedeckt ist, um die Hitze zu halten.
- 2 mittelgroße Keramikschüsseln, die die warmen Massageöle enthalten und zugedeckt sind, um das Öl warmzuhalten. (Jeder Begleiter verwendet seinen eigenen Breibehälter, um die schnelle und harmonische Anwendung zu erleichtern.)
- 2 saubere Baumwollaken
- 2 schwere Wolldecken
- ein Badetuch
- 2 trockene Handtücher (für die Begleiter)
- ein großer Wassereimer (damit die Begleiter ihre Hände darin waschen können)
- Augenpads*
- Herzpad*
- Leintuch*

**Anmerkung:* Vergleichen Sie Anhang D.

Anna-Lepa-Behandlung

- Ein Begleiter steht jeweils links, der andere rechts vom Patienten, und beide tragen eine Handvoll Brei auf die Füße auf.
- Die Begleiter koordinieren ihre Handbewegungen und beginnen, kräftig, aber schnell den Brei mit kurzen Aufwärtsstrichen auf Füße und Beine zu reiben, bis die Oberflächen beider Beine eingerieben sind.
- Fahren Sie fort, den Brei von den Oberschenkeln aufwärts und über die Brust zu verteilen, und verwenden Sie dazu stetige einreibende Striche.
- Tragen Sie bei Frauen den Brei leicht um die Brüste herum auf, reiben Sie nicht, und üben Sie auch sonst keinen Druck in diesem Bereich aus.
- Wenn Brust und Hals vollständig mit Brei bedeckt sind, beginnen Sie damit, die Arme einzuschmieren; beide Begleiter beginnen damit, an den Händen einzuschmieren und gehen dann nach oben; ihre Bewegungen sollten dabei immer synchron sein.
- Wenn die Arme vollständig mit Brei bedeckt sind, bitten Sie den Patienten, sich auf den Bauch zu legen.
- Wiederholen Sie den Einschmierprozeß; beginnen Sie mit kurzen Aufwärtsstrichen zunächst an den Fersen; bewegen Sie sich dann zu den Waden, den Oberschenkeln, zum Gesäß und weiter zum Nacken hoch.
- Während ein Begleiter diesen Teil beendet, indem er den Nacken des Patienten mit dem Brei abreibt, wäscht der andere ab und bereitet sich darauf vor, den Patienten zuzudecken.

- Bitten Sie den Patienten, sich auf den Rücken umzudrehen. Legen Sie das kühlende Pad auf das Herz und die kühlenden Augenpads über die Augen.
- Breiten Sie ein frischgewaschenes Baumwollaken über den Patienten und dann drei schwere Wolldecken über das Laken.
- Ein Begleiter entfernt dann schnell die Behandlungsgegenstände aus dem Raum, während der andere Begleiter im Zimmer bleibt, um den Patienten beim Schwitzen zu beobachten.
- Schalten Sie das Licht aus oder lassen Sie die Jalousie herunter, während der Patient ins Schwitzen kommt.
- Lassen Sie ihn eine Stunde lang schwitzen.
- Bereiten Sie ein heißes Bad vor, gießen Sie die Pflanzenabkochung hinein.
- Schalten Sie das Licht ein oder lassen Sie die Jalousie hoch.
- Entfernen Sie die Wolldecken, die Laken, die Augenpads und das Herzpad.
- Geleiten Sie den Patienten schnell in das heiße Bad. Prüfen Sie das Badewasser, um sicherzugehen, daß die Temperatur erträglich ist.
- Alle Türen und Fenster im Bad sollten fest verschlossen sein.
- Lassen Sie den Patienten fünfzehn bis zwanzig Minuten lang im Bad sitzen oder solange, bis das Wasser lauwarm wird. Verwenden Sie keine Seife.
- Raten Sie dem Patienten, den Brei abzuwaschen, bevor er aus dem Bad kommt.
- Geben Sie ihm ein frisches Badetuch.
- Lassen Sie den Patienten warme Kleidung anziehen.
- Lassen Sie den Patienten fünfzehn Minuten lang auf dem Rücken ruhen. Legen Sie wieder die kühlenden Augenpads über die Augen.
- Raten Sie dem Patienten, Körper und Kopf möglichst bedeckt zu halten, um sie vor Kälte oder Nässe zu schützen. Diese Praxis sollte während der Behandlungsphase und für die gleiche Zeitdauer nach Beendigung der Behandlung beibehalten werden.
- Raten Sie dem Patienten, keine kalten Nahrungsmittel oder Getränke zu sich zu nehmen und nicht kalt zu baden oder zu duschen.

ANNA-LEPA-REZEPTUREN

***Jahreszeit**: Folgen Sie den jahreszeitlichen Richtlinien*
***Körpertyp**: alle Typen*

Anna-Lepa-Massageöl (Sesam-Bala-Öl)

1 Tasse Sesamöl
¼ Tasse getrocknete Bala-Wurzeln
4 Tassen Wasser

Bringen Sie das Wasser in einem mittelgroßen Topf aus rostfreiem Stahl zum Kochen. Fügen Sie die Bala-Wurzeln und das Sesamöl hinzu. Decken Sie den Topf zu, und lassen Sie die Mischung bei niedriger Hitze etwa eine Stunde lang köcheln, oder solange, bis das Wasser verdunstet ist. Geben Sie die verwendeten Wurzeln der Erde zurück. Teilen Sie das heiße Öl auf zwei kleine Keramikschüsseln auf, eine für jeden Begleiter. Verschließen Sie sie fest, um die Hitze zu halten. Wenden Sie das Öl an, solange es noch warm ist.

Anna-Lepa-Brei

3,8 l Wasser
2 Tassen Rohmilch
½ Tasse geschälte Gerste
¼ Tasse ganze Urad-Bohnen
¼ Tasse ganze Pferdebohnen
1 Tasse gemahlener Sandstein
¼ Tasse Eisen-Pulver

Bringen Sie das Wasser in einem großen Topf aus rostfreiem Stahl zum Kochen, und fügen Sie Sandstein und Eisen-Pulver hinzu. Decken Sie den Topf zu, und lassen Sie die Mischung bei mittlerer Hitze etwa drei Stunden lang köcheln, oder solange, bis dreiviertel der Flüssigkeit verdunstet ist. Kleiden Sie ein großes Sieb mit einem sauberen Baumwolltuch aus, und setzen Sie es über einen mittelgroßen Topf, wobei der Rand des Siebes über dem Topfrand liegen sollte. Gießen Sie vorsichtig die heiße Abkochung in das Sieb, und lassen Sie die Flüssigkeiten hindurchsickern, während die Pulverreste im Tuch bleiben. Die gesammelte Flüssigkeit sollte vier Tassen ergeben. Die Reste können der Erde zurückgegeben werden.

Spülen Sie den Topf aus und gießen Sie zwei Tassen heiße Abkochung wieder hinein. Fügen Sie die Milch hinzu, und bringen Sie das Ganze zum Kochen. Mischen Sie Gerste und Hülsenfrüchte, und fügen Sie sie zu der Milchabkochung hinzu. Decken Sie den Topf zu, und lassen Sie die Mischung bei mittlerer Hitze eineinhalb Stunden lang köcheln oder solange, bis die Gerste und die Hülsenfrüchte zu einem dicken Porridge eingekocht sind. Decken Sie den Topf mit der restlichen Abkochung zu, und stellen Sie ihn auf ein Heizstövchen, bis der Porridgebrei fertig ist.

Unmittelbar, bevor die Therapie beginnt, gießen Sie die heiße Abkochung in ein Keramikgefäß. Verschließen Sie sie fest, um die Hitze zu bewahren, und nehmen Sie sie für das Bad am Ende der Behandlung mit in den Behandlungsraum.

Nehmen Sie den Porridge vom Herd, und schöpfen Sie ihn mit einem großen Suppenlöffel vorsichtig in zwei mittelgroße Keramikgefäße, deren Öffnungen groß genug sind, um während der Therapie einen leichten Zugang zu ermöglichen. Decken Sie die Gefäße zu, und bringen Sie sie sofort in den Behandlungsraum. Lassen Sie den Brei etwas abkühlen, um die Temperatur für die Anwendung erträglich zu machen.

Paca Kizhi Sweda – Breianwendung mit grünen Blättern

Paca Kizhi, eine sanfte Variante von Pinda Sweda, beinhaltet die Anwendung eines warmen Säckchens aus grünen Blättern. Wie bei den meisten Sweda-Behandlungen, so ist es auch vor der Anwendung von Paka Kizhi notwendig, den Körper einzuölen. Paka Kizhi ist ein besonders geeignetes Mittel gegen Kapha-Störungen wie Asthma, Bronchitis und phlegmatische Beschwerden.

Paca Kizhi

> ***Jahreszeit***: *Folgen Sie den jahreszeitlichen Richtlinien*
> ***Körpertyp***: *Kapha-Störungen*
> ***Zeit der Anwendung***: *früher Morgen*
> ***Dauer der Behandlung***: *sieben Tage für eine halbe Stunde pro Tag*

Beschwerden
Bronchitis, Asthma, rheumatische Arthritis, Schleimauswurf, Erkältungen, Husten, Grippe, Magenverstimmung, Unterdrückung des Verdauungsfeuers, Fettsucht, Schwere des Körpers.

Wirkungen
Über die Linderung der oben aufgeführten Beschwerden hinaus hat diese Behandlung die zusätzliche Wirkung, daß sie den Körper kräftigt und wärmt und Körper und Geist Leichtigkeit verleiht.

Notwendige Hilfsmittel
- ein schwerer gußeiserner, reichlich mit Neem- oder Rizinusöl eingeölter Topf.
- ein mittelgroßer Keramikbehälter mit Deckel, der das warme Massageöl enthält.
- 4 saubere Baumwollservietten (45 qcm groß)
- Augenpads*
- Herzpad*
- Leintuch*
- 2 saubere Baumwollaken
- 5 saubere, feuchte Baumwollhandtücher
- 3 trockene Handtücher (für die Begleiter)
- eine große Schüssel aus rostfreiem Stahl, um die Säckchen dorthinein zu leeren
- ein großer Wassereimer (so daß sich die Begleiter schnell die Hände waschen können)
- ein sauberes Badetuch
- ein großer leerer Eimer für gebrauchte Behandlungsgegenstände
- ein tragbarer Gasherd mit einer Flamme
- eine Badewanne

Anmerkung: Vergleichen Sie Anhang D.

Paka-Kizhi-Behandlung
Folgen Sie demselben Ablauf wie bei der Pinda-Sweda-Behandlung, aber lassen Sie die Kopfbehandlung aus.

Paca-Kizhi-Rezepturen

Paca-Kizhi-Massageöl

¾ Tasse Sesamöl
¼ Tasse reines Ghee
4 Eßlöffel Eladi-Kardamom-Öl

Schmelzen Sie das Ghee in einem kleinen Topf aus rostfreiem Stahl bei niedriger Hitze. Fügen Sie das Sesamöl hinzu, und lassen Sie es fünf Minuten erwärmen. Nehmen Sie die Mischung vom Herd, und fügen Sie das Eladi-Öl hinzu.. Gießen Sie die Mischung in einen mittelgroßen Keramikbehälter mit fest schließendem Deckel, um die Hitze zu halten. Wenden Sie es am Körper an, solange es noch warm ist.

Paca-Kizhi-Brei

4 Eßlöffel Sesamöl
½ Pfund frische Blätter von der Rizinuspflanze
½ Pfund frisch geraspelte Kokosnuß
56 g Tamarinden-Mark (oder -paste)
56 g Dillsamen
56 g Samen von griechischem Heu
½ Tasse Rizinusöl oder Neem-Öl

Erhitzen Sie das Öl in einer gußeisernen Pfanne. Zerkleinern Sie die Rizinus-Blätter, und fügen Sie sie zusammen mit der geraspelten Kokosnuß zu dem warmen Öl hinzu. Mischen Sie die Tamarinden-Paste hinein. Decken Sie die Pfanne zu, und köcheln Sie die Mischung bei niedriger Hitze. Mahlen Sie die Dill- und die griechischen Heusamen in einem Suribachi zu einem feinen Pulver. Mischen Sie sie zu der erhitzten Paste. Lassen Sie sie weitere fünf Minuten lang erwärmen.

Gießen Sie das Rizinus- oder Neem-Öl in einen zusätzlichen gußeisernen Topf mit Deckel. Verteilen Sie das Öl mit einem sauberen Tuch um den Topf herum. Erwärmen Sie es bei mittlerer Hitze. Drehen Sie die Hitze zurück, decken Sie den Topf zu, und lassen Sie den Inhalt auf dem Herd ziehen. Nehmen Sie die Breimischung vom Herd. Breiten Sie die vier Servietten auf einer sauberen Theke aus, teilen Sie den Brei mit einem großen Löffel in vier gleichgroße Portionen und legen Sie jede Portion in die Mitte einer Serviette. Wickeln Sie sie ein wie in Pinda Sweda (vergleichen Sie S. 212). Legen Sie die vier Säckchen in den heißen, öligen gußeisernen Topf. Decken Sie ihn zu, und nehmen Sie ihn sofort in den Behandlungsraum mit. Stellen Sie ihn auf einen kleinen tragbaren Herd, um die Säckchen während der Behandlung warmzuhalten.

AYURWEDISCHE DAMPFTHERAPIEN

PARISHEKA SWEDA – WARME DUSCHE MIT ABKOCHUNG

Parisheka Sweda, ein einzigartiges System, um meist wärmende und in manchen Fällen kühlende Flüssigkeiten auf den Körper niederregnen zu lassen, wird in Indien seit mehr als 5000 Jahren praktiziert. Das Gefäß, das traditionellerweise für die Parisheka-Therapie verwendet wurde, ist ein großer Krug aus Metall, der Löcher am Boden hat, in die Bambusröhrchen eingelassen wurden. Wie die Shirodhara-Behandlung, so erfordert auch diese Behandlung zwei gründlich ausgebildete Swedana-Begleiter, die Geduld ausstrahlen und geschickte Hände und einen kräftigen Körper haben. Die Begleiter lassen die Flüssigkeit aus den zahlreichen Röhrchen auf dem Grund des Krugs auf den Körper des Patienten fließen; sie halten dabei einen Abstand von 25 bis 30 cm ein und stellen sicher, daß die Abkochung während der ganzen Therapie gleichmäßig und ohne Unterbrechung fließt. Bei Vata-Störungen kann diese Behandlung bis zu zwei Stunden dauern.

Die traditionelle Form des Behandlungstisches, der unter dem Namen *Droni* bekannt ist, hat mehrere Schrägen, um dem Patienten größtmögliche Bequemlichkeit zu geben, während überschüssige Abkochung von dem Tisch in einen Behälter abfließt. Das Droni besteht aus dem Holz eines geeigneten Baumes wie z. B. Sandelholz, Nimba, Bilva, Kahdira, Arjuna, Pippali, Ashoka usw., da die Energie bestimmter Metalle und Bäume außerordentlich wichtig für die Wiederherstellung größtmöglicher Gesundheit sind.

Die Parisheka-Therapie ist ein effektives Heilmittel für Krankheiten wie doppelseitige Lähmungen, Nervosität, Tumore, vergrößerte Milz und Prostata, ebenso wie Unterleibsschmerzen, Magengeschwüre, Verstopfung und Lethargie. Wie alle Swedana-Behandlungen führt Parisheka zu größerer Leichtigkeit des Körpers und zur Ruhe des Geistes.

Folgende Bedingungen sollten beachtet werden, während diese Therapie durchgeführt wird. Ein stetiger Fluß der Abkochung über dem Körper des Patienten aus einer Entfernung von 25 bis 30 cm ist essentiell. Die verwendete Flüssigkeit sollte weder zu heiß noch zu kalt sein. Wenn diese Therapie nicht richtig angewendet wird, können Beschwerden wie innere und äußere Blutungen, ein Gefühl von Brennen, Übelkeit, Heiserkeit, große körperliche Schwäche und Fieber auftreten. Sollten während der Therapie irgendwelche negativen Reaktionen auftreten, dann stoppen Sie die Therapie sofort. Bei milden Formen von Fieber, einem Gefühl von Brennen, Übelkeit, Heiserkeit und körperlicher Schwäche wenden Sie die kühlende Gegentherapie an (vergleichen Sie S.224).

Traditionellerweise wurden negative Folgen der Swedana-Therapie mit einer milden Form von Pancha Karma behandelt, beginnend mit dem Gurgeln

(Gandusa), gefolgt von der Einführung von Arzneien in die Nase (Nasya), Brechttherapie (Vasti) und schließlich der Parisheka-Therapie.
Anmerkung: Traditionellerweise ist die Parisheka-Therapie von sechs Swedana-Begleitern durchgeführt worden: einem, der die Krüge während der Behandlung wieder auffüllte; einem, der Parisheka am Kopf durchführte, und vieren, die Parisheka gleichzeitig am gesamten Körper durchführten, wobei jeweils zwei Begleiter auf jeder Seite standen. Hier wird eine mildere Form der Parisheka-Behandlung eingeführt, die für die Anwendung im Westen passender ist und nur drei Begleiter erfordert.

***Jahreszeit**: Folgen Sie den jahreszeitlichen Richtlinien*
***Körpertyp**: alle Typen*
***Zeit**:*

Pitta- und Kapha-Störungen:	*früher Morgen*
Vata-Störungen:	*früher Abend*

***Dauer der Behandlung**: sieben Tage*

Vata-Störungen:	*zwei Stunden pro Tag*
Pitta-Störungen:	*vier Stunden pro Tag*
Kapha-Störungen:	*sechsunddreißig Minuten pro Tag*

Beschwerden
Vata-Störungen: Nervosität, Verstopfung, Zysten und Tumore, Schwäche der Muskelfunktionen, körperliche Schmerzen, doppelseitige Lähmung, Arthritis, Schlaflosigkeit, durch Unfälle verursachte Verletzungen.

Pitta-Störungen: Zysten und Tumore, Geschwüre, Unterleibsschmerzen, vergrößerte Prostata, vergrößerte Milz, Abszesse, stechender Schmerz im Körper, durch Unfälle verursachte Verletzungen.

Kapha-Störungen: Zysten und Tumore, Magersucht, Lethargie, phlegmatische Störungen, Fettleibigkeit, durch Unfälle verursachte Verletzungen.

Wirkung
Über die Linderung der oben aufgeführten Beschwerden hinaus hat diese Therapie den zusätzlichen Effekt, daß sie einen gesunden Appetit gibt, Stärke fördert, die Männlichkeit erhöht und den Alterungsprozeß umkehrt. Sie beruhigt darüber hinaus Geist und Körper, erhöht die Ojas und gibt dem Körper Leichtigkeit. Wegen der Genauigkeit, die bei Parisheka Sweda erforderlich ist, wird auf der nächsten Seite eine Tabelle mit den genauen Behandlungszeiten für jeden Körpertyp gegeben.

	Vata	*Pitta*	*Kapha*
Gesamtzeit (in Minuten)	120	45	36
Vorderseite des Kopfes	15	5	1
Solarplexus	2	1	1
Schultern, Arme, Brust	15	7	10
Vorderseite des Unterleibs	15	7	5
Knie	5	2	1
Rückseite des Kopfes	15	2	3
Mitte des (unteren) Rückens	15	3	1
Oberer Rücken	15	10	7
Rückseite des Unterleibs	20	7	3

Tab. 13: Parisheka-Tabelle der Behandlungszeiten

Notwendige Hilfsmittel

- drei Begleiter
- ein großer Topf aus rostfreiem Stahl mit Deckel, der die Parisheka-Abkochung enthält
- eine kleine Keramikschüssel, die das passende Massageöl enthält
- zwei große Parisheka-Krüge* mit zwei großen Schüsseln aus rostfreiem Stahl
- ein kleiner Parisheka-Krug* mit einer kleinen Schüssel aus rostfreiem Stahl
- fünf saubere, feuchte Baumwollhandtücher
- ein sauberes Badetuch aus Baumwolle
- vier saubere, trockene Handtücher (3 davon für die Begleiter)
- ein frisches, kühles und feuchtes Baumwollgesichtstuch
- Augenpads*
- ein Herzpad*
- ein Leintuch*
- eine Badewanne
- ein tragbarer Gasherd mit einer Flamme
- eine Fläche zum Säubern mit einem großen Waschbecken
- Wenn möglich, ein traditionelles Droni*

Parisheka-Krug

**Anmerkung:* Vergleichen Sie Anhang D.

Säubern des Behandlungstisches

Wischen Sie mit einem sauberen, warmen und feuchten Tuch gründlich die Öle und die Abkochung von dem Droni ab. Legen Sie es nach der Reinigung zwei Stunden lang in direktes Sonnenlicht.

Säubern des Parisheka-Kruges und der -schüsseln

Entleeren Sie die Krüge von der restlichen Abkochung und dem Öl, indem Sie sie fünfzehn Minuten lang umgekehrt in das Waschbecken stellen. Waschen Sie die Krüge und Schüsseln gründlich in warmem Wasser, dem Sie zuvor einen Eßlöffel Hamamelis und einen Teelöffel Zitronensaft zugesetzt haben. Trocknen Sie die Krüge gründlich mit einem sauberen Tuch, und lagern Sie sie in einem Schrank für zukünftigen Gebrauch.

Parisheka-Sweda-Behandlung

- Bitten Sie den Patienten, sich mit dem Rücken auf den Behandlungstisch zu legen.
- Der Patient sollte nicht mehr als das Leintuch tragen.
- Legen Sie das schützende Herzpad direkt über das Herz des Patienten.
- Legen Sie die kühlenden Augenpads auf die Augen.
- Ein Begleiter füllt die Krüge auf, während die anderen beiden Begleiter zu beiden Seiten des Patienten arbeiten und gleichzeitig die Behandlung durchführen.
- Der Begleiter, der die Krüge auffüllt, sollte auf die Bedürfnisse der behandelnden Begleiter Rücksicht nehmen. Die aufgefüllten Krüge werden den behandelnden Begleitern einer nach dem anderen gereicht; die Schüssel bleibt unter den Röhrchen, bis der Krug herumgereicht worden ist. Die Schüssel sollte schnell unter dem Krug weggezogen und bereitgehalten werden, während die behandelnden Begleiter den gleichmäßigen, kontinuierlichen Fluß der Abkochung über den Körper des Patienten leiten.

Schultern, Arme und Brust

- Die beiden behandelnden Begleiter beginnen an den Schultern des Patienten und arbeiten zu den Füßen hin. Beide Begleiter halten zu jeder Zeit einen Abstand von etwa 25 cm zwischen der Körperoberfläche des Patienten und der Unterseite des Kruges ein.
- Gießen Sie die Flüssigkeit über Schultern, Arme und Brust. Bewegen Sie sich gleichzeitig, und vergewissern Sie sich, daß der Körper gründlich übergossen wird, wenn Sie sich allmählich immer weiter nach unten bewegen (beziehen Sie sich für die Länge der Behandlungszeit auf die Parisheka-Zeittabelle).
- Nachdem der Oberkörper durchtränkt ist, gehen Sie zum unteren Teil des Körpers.

Das Hara (Solarplexus)

- *Bei Pitta-Störungen* bereitet sich der Begleiter auf der linken Seite darauf vor, den Bereich um den Nabel (*Hara*) herum zu übergießen, während der

Begleiter, der dafür verantwortlich ist, die Krüge zu füllen, den kleinen Krug, der mit der Abkochung gefüllt ist, in die Hand nimmt und sich direkt hinter den Kopf des Patienten stellt.

- Beide Begleiter beginnen dann mit größtmöglicher Synchronizität Kopf und Hara gleichzeitig zu übergießen. Weil die Kopfbehandlung länger dauert als die Harabehandlung, wartet der Harabegleiter, bis der Kopfbegleiter fertig ist, und erst dann gehen beide Begleiter zum Unterleib weiter.
- Halten Sie, um das Hara zu übergießen, den Krug 30 cm über das Hara, und verwenden Sie um den Nabel herum kleine, langsame, kreisförmige Bewegungen gegen den Uhrzeigersinn (beziehen Sie sich für die Länge der Behandlungszeit auf die Parisheka-Zeittabelle).
- *Bei Vata- und Kapha-Störungen* bekommt der Begleiter auf der rechten Seite des Patienten einen gefüllten Krug und fängt an, das Hara zu übergießen. Der Krug wird 30 cm über das Hara gehalten, aber die kleinen, langsamen, kreisförmigen Bewegungen sind im Uhrzeigersinn auszuführen.

Der Kopf

- Legen Sie ein sauberes, trockenes Tuch über die kühlenden Augenpads, um überschüssige Abkochung, die während der Behandlung vom Kopf fließt, aufzufangen.
- Übergießen Sie den Kopf bei Pitta-Störungen mit kleinen, kreisförmigen Bewegungen gegen den Uhrzeigersinn und bei Vata- und Kapha-Störungen im Uhrzeigersinn.
- Die Stelle, die sich 5 cm hinter der Mitte der Stirn befindet, sollte das Epizentrum der Kreisbewegung sein, die bei dieser Behandlung verwendet wird (beziehen Sie sich für die Länge der Behandlungszeit auf die Parisheka-Zeittabelle).
- Entfernen Sie das durchtränkte Tuch, das die Augen bedeckt. Ersetzen Sie die Augenpads durch frische.

Der Unterleib (Vorderseite)

- Beide Begleiter nehmen ihre Position zu beiden Seiten des Patienten ein, nehmen die frisch gefüllten großen Krüge entgegen und fahren fort, den Unterleib zu übergießen, wobei sie einen 25-cm-Abstand vom Körper beibehalten.
- Stecken Sie vorsichtig das Leintuch zwischen die Beine des Patienten, um während der Dusche den Lenden- und Vaginalbereich zu schützen.
- Die Krüge werden gleichzeitig mit einer langsamen Bewegung im Uhrzeigersinn über Hüften und Oberschenkel bewegt, sie kreisen direkt über den Knien, bewegen sich dann über Waden und Füße nach unten, und durch dieses Vorgehen wird die Vorderseite des gesamten Unterleibs gründlich beregnet.

Schultern, Arme und Rücken

- Entfernen Sie die Augen- und Herzpads, und lassen Sie den Patienten sich sanft auf den Bauch legen, wobei der Nacken über der Holzrolle des Droni ruht, und das Gesicht bequem nach unten zeigt.

- Bedecken Sie die Augen mit einem kühlen feuchten Tuch, und befestigen Sie es am Behandlungstisch.
- Übergießen Sie die Schultern, die Arme, den oberen und mittleren Rücken mit einer steten und gleichzeitigen, langsamen Bewegung nach unten. Denken Sie daran, den Krug 25 cm von der Körperoberfläche entfernt zu halten und das Übergießen des Körpers mit der Entgegennahme der frisch gefüllten Krüge zu koordinieren.

Die Mitte des unteren Rückens und die Rückseite des Kopfes
- Halten Sie den Krug 25 cm über der Mitte des unteren Rückens, und übergießen Sie, indem Sie bei Pitta-Störungen eine kreisförmige Bewegung gegen den Uhrzeigersinn verwenden und bei Vata- und Kapha-Störungen eine Bewegung im Uhrzeigersinn, langsam die Mitte des unteren Rückens (beziehen Sie sich für die Länge der Behandlungszeit auf die Parisheka-Zeittabelle).
- Bereiten Sie sich, nachdem der Rücken gründlich begossen worden ist, auf die Parisheka-Behandlung am unteren Rücken und am Kopf vor.
- Bevor der untere Rücken begossen wird, bekommt der freie Begleiter einen kleinen gefüllten Krug für den Kopf, und er stellt sich direkt hinter den Kopf des Patienten. Bei Pitta-Störungen bekommt der Begleiter auf der linken Seite einen frisch gefüllten Krug, und er begießt damit die Mitte des unteren Rückens. Bei Vata- und Kapha-Störungen tut das der Begleiter auf der rechten Seite.
- Beide Begleiter beginnen gleichzeitig und synchron, die Rückseite des Kopfes und die Mitte des unteren Rückens zu übergießen.

Die Rückseite des Kopfes
- Übergießen Sie den Kopf, indem Sie den kleinen Krug für den Kopf in einem Abstand von 30 cm halten; verwenden Sie dazu kleine, kreisförmige Bewegungen, die bei Pitta-Störungen im Uhrzeigersinn und bei Vata- und Kapha-Störungen gegen den Uhrzeigersinn verlaufen.
- Übergießen Sie den Kopf langsam und ruhig (beziehen Sie sich für die Länge der Behandlungszeit auf die Parisheka-Zeittabelle). Wenn Sie mit der Begießung des Kopfes fertig sind, ersetzen Sie das durchnäßte Handtuch unter dem Gesicht des Patienten durch ein frisches, trockenes.

Der untere Rücken (Rückseite)
- Wieder einmal nehmen die beiden Begleiter ihre Position zu beiden Seiten des Patienten ein, sie nehmen die großen Krüge entgegen und fahren fort, den Unterleib aus einer gleichmäßigen Entfernung von 25 cm über dem Körper zu übergießen.
- Stecken Sie vorsichtig das Leintuch zwischen die Beine des Patienten, um während der Dusche den Lenden- und Vaginalbereich zu schützen.
- Bewegen Sie die Krüge gleichzeitig in einer langsamen Bewegung nach unten, und übergießen Sie auf diese Weise leicht das Gesäß, die Oberschen-

kel und Fersen, um die Behandlung abzuschließen.

- Während die überschüssige Abkochung aus dem Droni fließt, entfernen Sie das Tuch unter dem Gesicht des Patienten und bitten ihn, sich auf den Rücken zu drehen. Nehmen Sie saubere, feuchte Tücher, und wischen Sie rasch überschüssige Feuchtigkeit und überschüssiges Öl vom Körper ab. (Verwenden Sie kühle Handtücher für kühle Abkochungen und warme Handtücher für warme Abkochungen).
- Der Begleiter, der für das Füllen der Krüge verantwortlich ist, bereitet dann das Bad vor (kühl oder warm, je nach Art der Behandlung) und gießt den Rest der Abkochung hinein.
- Lassen Sie den Patienten zehn Minuten lang ohne Seife darin baden.
- Während der Patient badet, sollte der Begleiter, der für das Füllen der Krüge zuständig ist, den Behandlungsraum und die Geräte säubern; der andere Begleiter kann sich in dieser Zeit kurz ausruhen. Geben Sie dem Patienten ein sauberes Badetuch.
- Bitten Sie den Patienten, sich anzuziehen und für kurze Zeit auszuruhen, bevor er geht.
- Bevor der Patient geht, raten Sie ihm, passende Kleidung zu tragen (je nach Art der Behandlung warme oder kühle) und, wenn die Behandlung wärmend war, eine Kopfbedeckung zu tragen, um sich vor Kälte und Nässe zu schützen. Diese Vorsichtsmaßnahme sollte während der Behandlung und für einen ebenso langen Zeitraum danach beibehalten werden.

Parisheka-Rezepturen

***Jahreszeit**: Folgen Sie den jahreszeitlichen Richtlinien*

Parisheka-Sesamöl-Ghee-Abkochung

***Körpertyp**: Vata-Störungen*

1 l Sesamöl
1 Goldstück von 28 g
1 l reines Ghee

Gießen Sie Öl in einen Topf aus rostfreiem Stahl. Fügen Sie ein Goldstück von 28 g Gewicht hinzu (wird nach der Behandlung wieder entfernt, und bringen Sie Öl und Gold bei mittlerer Hitze zum Kochen. Nehmen Sie den Topf vom Herd, und fügen Sie Ghee hinzu. Wenn das Ghee geschmolzen ist, decken Sie den Topf zu, und bringen Sie ihn sofort in den Behandlungsraum. Lassen Sie die Mischung fünfzehn Minuten lang ziehen oder solange, bis sie lauwarm ist. Bei Vata-Störungen können 2 l Narayana-Öl anstelle der Öl-Ghee-Abkochung verwendet werden. Normalerweise wird bei Vata-Störungen eine warme Abkochung verwendet.

Parisheka-Sandelholz-Öl-Abkochung

***Körpertyp**: Pitta-Störungen*

½ l Rohmilch
½ l Wasser
½ l Sonnenblumenöl
¼ Tasse Sandelholz-Pulver

Bringen Sie Wasser und Milch in einem Topf aus rostfreiem Stahl zum Kochen. Fügen Sie Öl hinzu, und rühren Sie das Pulver hinein. Decken Sie den Topf zu, lassen Sie die Mischung eineinhalb Stunden lang ziehen, oder solange, bis ein Drittel der Flüssigkeit verdunstet ist. Lassen Sie sie abkühlen, bis sie lauwarm ist, gießen Sie sie in ein großes Gefäß aus rostfreiem Stahl und lassen das Sediment im Topf zurück. Das Sediment kann für das Bad, nach der Behandlung verwendet werden. Verschließen Sie das Gefäß fest, um die Temperatur zu halten, und nehmen Sie es sofort in den Behandlungsraum. Parisheka Sweda-Flüssigkeiten sollten lauwarm verabreicht werden.

Parisheka-Pflanzenabkochung (Vata)

***Körpertyp**: Vata-Störungen*

3,7 l Wasser
1 l Sesamöl
½ Tasse Dashamula-Pulver

Bringen Sie das Wasser in einem Topf aus rostfreiem Stahl zum Kochen. Fügen Sie Öl und Pflanzen-Pulver hinzu, und rühren Sie kurz um. Reduzieren Sie die Hitzezufuhr, decken Sie den Topf zu, lassen Sie die Mischung zwei Stunden lang köcheln, oder solange, bis die Hälfte des Wassers verdunstet ist. Lassen Sie es abkühlen, bis es lauwarm ist. Dann gießen Sie die Flüssigkeit vorsichtig in ein großes Gefäß aus rostfreiem Stahl und lassen das Pulversediment im Topf zurück. Das Sediment kann für das Bad nach der Behandlung verwendet werden. Verschließen Sie das Gefäß fest, um die Temperatur zu halten, und nehmen Sie es sofort in den Behandlungsraum.

Parisheka-Ghee-Abkochung

***Körpertyp**: Pitta-Störungen*

1 l reines Ghee

Gießen Sie das Ghee in einen großen Silbertopf oder einen versilberten Topf.* Bringen Sie es zum Kochen, nehmen Sie es vom Herd, lassen Sie es abkühlen, bis es lauwarm ist. Verschließen Sie den Topf fest, um die Temperatur zu halten, und nehmen Sie ihn sofort in den Behandlungsraum. Das Öl oder Ghee, das bei Parisheka Sweda meist für Pitta-Störungen verwendet wird, sollte lauwarm verabreicht werden. Gleiche Mengen Ksheerabala- oder Chandana-(Sandelholz-)Öl können bei Pitta-Störungen ebenfalls für Ghee verwendet werden.

**Anmerkung:* Wenn keiner von beiden verfügbar ist, dann legen Sie zehn Silbermünzen in den Topf, während Sie das Ghee erhitzen. Diese Münzen werden nach der Behandlung entfernt.

Parisheka-Sesamöl-Abkochung

Körpertyp: *Kapha-Störungen*

¾ l Sesamöl (ersatzweise können Eladi- oder Panchavalkala-Öl verwendet werden.

Gießen Sie das Öl in eine große Kupferpfanne,* und bringen Sie es zum Kochen. Reduzieren Sie die Hitze, und köcheln Sie das Öl fünf Minuten lang. Nehmen Sie die Pfanne vom Herd, und lassen Sie das Öl abkühlen, bis es lauwarm ist. Nehmen Sie es sofort in den Behandlungsraum mit. Öle, die für Kapha-Störungen verwendet werden, können auch lauwarm verabreicht werden.

**Anmerkung:* Wenn kein Gefäß aus Kupfer zur Verfügung steht, dann legen Sie zwanzig Kupferpfennige in die Pfanne, während Sie das Öl erhitzen. Diese Münzen sollten nach der Behandlung entfernt werden.

Parisheka-Pflanzenabkochung (Kapha)

Körpertyp: *Kapha-Störungen*

1,5 l Wasser
0,4 l Sesamöl
⅛ Tasse Kardamom-Pulver
⅛ Tasse Zimt-Pulver
4 Teelöffel Jatamansi-Pulver
4 Teelöffel Baldrian-Pulver

Bringen Sie Wasser in einem großen Topf aus rostfreiem Stahl zum Kochen. Fügen Sie das Öl und die verschiedenen Pulversorten hinzu, und rühren Sie um, bis sich die Pulver aufgelöst haben. Reduzieren Sie die Hitzezufuhr, decken Sie den Topf zu, und lassen Sie die Mischung eineinhalb Stunden lang köcheln oder solange, bis ein Drittel der Flüssigkeit verdunstet ist. Lassen Sie die Mischung abkühlen, bis sie lauwarm ist, und nehmen Sie sie sofort in den Behandlungsraum mit. Wenn Sie den Parisheka-Krug füllen, dann lassen Sie das Pulversediment auf dem Boden des Topfes zurück, ohne es aufzuwirbeln.

Anmerkung: Die Abkochungen, die bei Parisheka Sweda für Kapha-Störungen verwendet werden, sind im allgemeinen warm.

Abkochung als Gegenmittel für Parisheka

Dauer der Behandlung: *fünfundvierzig Minuten*

Körpertyp: *alle Typen*

1 l Rohmilch
1 l Wasser
½ l Sonnenblumenöl
¼ Tasse Sandelholz-Pulver
⅛ Tasse Süßholz-Pulver
⅛ Tasse Purnarnava-Pulver
⅛ Tasse Shatavari-Pulver

Beschwerden

Fieber, äußere und innere Blutungen, Gefühle von Brennen, Heiserkeit und Erbrechen (als bereits vorhandenes Leiden oder als Folge einer falschen oder übermäßigen Swedana-Behandlung.)

Bringen Sie die Milch und das Wasser in einem großen Topf aus rostfreiem

Stahl zum Kochen. Fügen Sie das Öl hinzu, und rühren Sie das Pulver hinein. Reduzieren Sie die Hitzezufuhr, decken Sie den Topf zu, und lassen Sie die Mischung eine Stunde lang köcheln oder solange, bis ein Viertel der Flüssigkeit verdunstet ist. Lassen Sie die Mischung vollkommen abkühlen. Decken Sie den Topf zu, und bringen Sie ihn sofort in den Behandlungsraum. Wenn Sie die Parisheka-Krüge füllen, dann lassen Sie das Pulversediment am Boden des Topfes.

Anmerkung: Die Flüssigkeit, die als Gegenmittel für die oben aufgeführten Beschwerden verwendet wird, sollte eine Temperatur von 23°C bis 27°C haben, wenn sie verabreicht wird.

Samvahana Sweda – Den Rücken mit warmer Abkochung übergiessen

Die Samvahana-Behandlung ist eine Abwandlung der Parisheka-Behandlung, bei der nur der Rücken des Patienten übergossen wird. Samvahana wird hauptsächlich eingesetzt, um Vata-Beschwerden zu lindern, wie zum Beispiel Nervosität, Schlaflosigkeit, Spannunng im Lendenbereich, Steifheit und Schmerzen im unteren Rücken, und um den Geist zu beruhigen. Verwenden Sie dieselben Verfahren, Körpertypanweisungen und passenden Abkochungen wie bei Parisheka. Die Behandlungszeit für Samvahana beträgt zwanzig Minuten.

Für diese Behandlungsform ist nur ein Begleiter vonnöten. Stellen Sie den Topf mit der Abkochung in Reichweite, um das erneute Füllen Ihres Kruges zu erleichtern, sofern das notwendig sein sollte. Bitten Sie den Patienten, sich auf den Bauch zu legen, und übergießen Sie den Rücken gründlich. Folgen Sie dabei den Anweisungen für Schultern, Arme und Rücken, wie sie unter Parisheka Sweda beschrieben sind.

Nadi Sweda – Örtliche Behandlung mit Dampf

Sie können selbst einen einfachen Apparat für Nadi Sweda konstruieren, indem Sie einen Gummi- oder Plastikschlauch am Ausguß eines Kessels anbringen. Der Kessel wird dann mit einer heißen Abkochung gefüllt, die aus Blättern wie Bambus, Arka und Karanja hergestellt ist. Der Dampf, der durch den Schlauch gesammelt wird, wird dann auf den verletzten oder schmerzenden Körperteil geleitet.

In alten Zeiten wurde ein Verfahren namens *Baspa Sweda* verwendet, um den gesamten Körper mit Dampf zu behandeln. Ein riesiger Holzbottich mit einem geschlitzten Brett für den Kopf wurde verwendet, um den Kopf des Patienten außerhalb des Dampfbereichs zu halten. Ein riesiger Schlauch von mehr als zwei Meter Länge und einem Durchmesser von 90 cm wurde verwendet, um den Körper des Patienten zum Schwitzen zu bringen. Sofern verfügbar, kann für Nadi Sweda auch ein Destillierapparat verwendet werden, mit dem man ätherische Öle herstellt.

Diese Therapie sollte nicht direkt um Gesicht, über dem Herzen oder in der Vaginal- und Lendengegend durchgeführt werden. Nadi Sweda wird hauptsächlich lokal angewendet, um schmerzhafte Schwellungen der Gelenke zu lindern, ebenso wie Rückenschmerzen, Steifheit oder Schwere des Nackens und der Gliedmaßen, arthritische Schmerzen, Muskelkrämpfe, Atrophie der Gliedmaßen, Verstauchung der Gelenke und andere ähnliche Beschwerden.

***Jahreszeit**: ganzjährig*
***Körpertyp**: alle Typen*
***Zeit**: früher Morgen und früher Abend*
***Dauer der Behandlung**:*
sieben Tage (bei leichten Beschwerden)
vierzehn Tage (bei starken Beschwerden)

Anmerkung: Bei Kopf- und Gesichtsleiden wird Nadi Sweda an den Seiten der Füße für jeweils siebeneinhalb Minuten auf jeder Seite angewendet.

Leichte Beschwerden
Leichte körperliche Schmerzen, Steifheit oder Schwere von Gelenken und Gliedmaßen, Muskelkrämpfe, Rückenschmerzen, leichte Kopfschmerzen, Spannungen im Kopf, Spannungen in Gesicht und Augen.

Starke Beschwerden
Chronische körperliche Schmerzen, chronische Rückenschmerzen, sehr starke Schmerzen in Gelenken und Gliedmaßen, geschwollene Gelenke, Gliedmaßen und Körpergewebe, sehr starke Muskelkrämpfe, arthritische Schmerzen, Atrophie der Gliedmaßen, Zerrungen.

Wirkung
Über die Linderung der oben aufgeführten Beschwerden hinaus hat Nadi Sweda den zusätzlichen Effekt, daß es ein Gefühl von Leichtigkeit in Körper und Geist herbeiführt.

Notwendige Hilfsmittel
- Ein Nadi-Gefäß*, das die heiße Karanja- und Arka-Abkochung enthält
- Massageöl für die vorbereitende Ganzkörpermassage
- 2 saubere Baumwollaken
- 2 saubere Baumwollhandtücher für die Begleiter
- ein tragbarer Gasherd

**Anmerkung:* Vergleichen Sie Anhang D

Nadi-Sweda-Behandlung

- Stellen Sie das Nadi-Gefäß auf den tragbaren Herd etwa 60 cm von dem zu behandelnden Körperbereich weg.
- Bitten Sie den Patienten sich entweder mit dem Bauch oder mit dem Rükken auf den Behandlungstisch zu legen, damit der betroffene Bereich zur Behandlung offenliegt.
- Decken Sie den Patienten mit einem sauberen Zudecklaken zu, und lassen Sie nur den zu behandelnden Bereich frei.
- Lassen Sie den Nadi-Schlauch sich krümmen, während Sie den betroffenen Körperbereich mit Dampf behandeln. Je mehr der Schlauch gekrümmt ist, um so weniger stark ist der Dampf.
- Entfernen Sie, bevor Sie weitermachen, den Korken von dem Schlauchende, mit dem Sie behandeln, und überprüfen Sie die Temperatur des Dampfes auf dem betroffenen Körperbereich, um sicher zu sein, daß sie erträglich ist.
- Halten Sie den ausströmenden Dampf 15 cm von dem betroffenen Bereich weg, behandeln Sie den Bereich mit Dampf, und verwenden Sie dazu Bewegungen im Uhrzeigersinn.
- Wenden Sie den Dampf in einem Bereich an, der etwa 20 cm vom Epizentrum des betroffenen Bereiches entfernt ist.
- Behandeln Sie den betroffenen Bereich dreißig Minuten lang.
- Dann entfernen Sie das Nadi-Gefäß und bitten sie den Patienten, sich auf den Rücken zu legen und fünfzehn Minuten lang auszuruhen.

NADI SWEDA-REZEPTUREN

***Jahreszeit**: ganzjährig*
***Körpertyp**: alle Typen*

Starke Abkochung

Ernsthafte Beschwerden:

15 l Wasser
4 Tassen Sesamöl
4 Tassen Milch
1 Tasse Dashamula-Pulver
28 g getrocknete Bambus-Blätter
28 g getrocknete Arka-Blätter
28 g getrocknete Karanja-Blätter (Indische Buche)

Mischen Sie Wasser und Öl in einem großen Topf aus rostfreiem Stahl, und bringen Sie die Mischung bei mittlerer Hitze zum Kochen. Fügen Sie das Dashamula-Pulver und die Milch hinzu. Decken Sie den Topf zu, und köcheln Sie die Mischung bei niedriger Hitze zwei Stunden lang oder solange, bis ein Viertel der Flüssigkeit verdunstet ist. Fügen Sie die getrockneten Blätter hinzu, decken Sie den Topf zu, und köcheln Sie die Mischung weitere eineinhalb Stunden lang.

Bevor Sie das Nadi-Gefäß mit der heißen Abkochung füllen, bereiten Sie es vor, indem Sie den Gummischlauch am Ausguß anbringen und das offene

Ende mit einem Korken verschließen. Gießen Sie die heiße Abkochung mitsamt Blättern in das Nadi- Gefäß. Decken Sie es zu, und bringen Sie es vorsichtig in den Behandlungsraum. Stellen Sie es auf den tragbaren Herd auf sehr niedrige Hitze. Legen Sie den verlängerten Gummischlauch so hin, daß Sie nicht in direkten Kontakt mit der Hitze kommen.

Milde Abkochung

Leichte Beschwerden

gut 13 l Wasser
28 g getrocknete Bambus-Blätter
28 g getrocknete Arka-Blätter
28 g getrocknete Karanja-Blätter (Indische Buche)

Bringen Sie das Wasser in einem großen Topf aus rostfreiem Stahl bei mittlerer Hitze zum Kochen. Fügen Sie die getrockneten Blätter hinzu, decken Sie den Topf zu, und köcheln Sie die Mischung bei niedriger bis mittlerer Hitze eine Stunde lang oder solange, bis ein Drittel der Flüssigkeit verdunstet ist. Bevor Sie das Nadi-Gefäß mit der heißen Abkochung füllen, bereiten Sie es vor, indem Sie den Gummischlauch am Ausguß anbringen und das offene Ende mit einem Korken verschließen. Gießen Sie die heiße Abkochung mitsamt Blättern in das Nadi-Gefäß. Decken Sie es zu, und bringen Sie es vorsichtig in den Behandlungsraum. Stellen Sie es auf den tragbaren Herd auf sehr niedrige Hitze. Legen Sie den verlängerten Gummischlauch so hin, daß Sie nicht in direkten Kontakt mit der Hitze kommen.

TEIL VIER

AYURWEDISCHE ERDSAUNA-THERAPIEN

JENTAKA SWEDA – SCHWITZEN IN DER SCHWITZHÜTTE

Es gibt verschiedene Formen von Swedana-Therapien, die die Verwendung von trockener Hitze beinhalten und dem Schwitzen in der Sauna ähneln. Diese Therapien werden im allgemeinen bei Kapha-Körpertypen angewendet, und zwar meistens bei Kapha-Störungen wie phlegmatischen Störungen und Fettsucht. Vata- und Pitta-Typen können jedoch, unter der Voraussetzung, daß sie körperlich gesund sind, ebenfalls die Erd-Swedas gelegentlich zur Kräftigung verwenden.

Viele dieser Therapien sind verlorengegangen, weil sie nicht mehr angewendet wurden. Vedische Therapien sind dafür bekannt, daß sie genaue und technisch detaillierte Anweisungen enthalten, die harmonisch in der Energiematrix der Natur verwurzelt sind. Als die Erde modern wurde und die Menschen begannen, mit Transportmitteln zu reisen, anstatt sich mit den Füßen fortzubewegen, haben sie die Natur hinter sich gelassen und die Erinnerung an viele numinose alte Praktiken aufgegeben. Diese Künste wiederzugewinnen ist ein wesentliches Mittel, um das kognitive Gedächtnis wiederzuerlangen. Durch die Ausübung der grundlegenden heilenden Sadhanas, die in diesem Buch erläutert werden, können wir damit beginnen, diejenigen Kügelchen des irdischen Gedächtnisses anzusammeln, die so überaus notwendig und wesentlich sind, wenn wir die heilige Größe wiedergewinnen wollen, die uns von den Sehern, die uns vorausgegangen sind, geschenkt worden ist.

Die Alten lebten in Harmonie mit der Natur und sahen die Götter und Kinder als die wahren Helden der Natur an. Sie streiften frei auf den Ebenen und Plateaus hin und her, die ihre Dörfer umgaben und auf denen auch der Büffel ungehindert am Horizont entlangzog. Sie badeten in sauberen, klaren Gewässern und lebten in einem Dorf, das sich als Familie verstand und in dem das gesamte Dorf jedes Kind erzog. Im Herbst versammelten sich die Dorfbewohner in kleinen Gruppen in der Schwitzhütte, um sich gemeinsam ihres Körperabfalls zu entledigen; zur Zeit des Erntemondes versammelten sie sich, um ekstatisch zu feiern.

In einem Universum, wo nichts konstant ist, sind Veränderungen unvermeidlich. Veränderungen müssen sich jedoch nicht schädlich auf die reinen, einfachen und idyllischen Freuden auswirken, die wir Menschen erleben können. Wenn wir uns als Gemeinschaft versammeln und eine der Jentaka-Struktur entsprechende gemeinsame Schwitzhütte bauen können, dann können wir vielleicht wieder den leuchtenden Geist der Kräftigung anzünden, der ursprünglich von der menschlichen Familie gemeinsam erlebt wurde. Eine Familie, die zusammen schwitzt, *ist* zusammen.

Die *Jentaka*- und die *Kuti*-Methode des Swedana sind zwei Beispiele dessen, was wir verloren haben und noch wiedergewinnen könnten. Sowohl Jentaka Sweda als auch Kuti Sweda wurden bereits vor Buddhas Zeit praktiziert.

Die klassische Einladung, die ein ayurwedischer Arzt gemäß der Charaka Samhita (Sutra 14/46) ausspricht, lautete folgendermaßen:

Oh Edler und Freundlicher.
Betritt den Raum um Deines Wohlergehens willen.
Heile Deine Krankheit.
Komme herein und lege Dich bequem auf die Bank.
Dreh Dich, wenn nötig, von einer Seite auf die andere.
Selbst wenn Du Dich schwach fühlst, verlasse die Bank nicht.
Vielleicht bist Du nicht fähig, die Tür zu erreichen
Und stirbst im Raum.
Wenn Du ohne Hindernisse bist, und Schweiß
Aus Deinem Körper fließt, dann werden alle Kanäle
Leicht und frei.
Wenn Du frei von Steifheit, Taubheit, Schmerz
Und Schwere bist,
Dann darfst Du die Bank verlassen und durch die Tür gehen.
Gieß Dir kein kaltes Wasser über den Körper oder das Gesicht,
Wenn Du die Hütte verläßt.
Wenn Du es tust, dann kann das schädlich für Deine Augen sein.

Jentaka Schwitzhütte – Traditionelle Struktur

Die Jentaka Schwitzhütte, die kreisrund ist, einen Durchmesser von 36 m und eine Höhe von 3,65 m hat, wurde ursprünglich an einem heiligen Ort erbaut. Sie zeigte nach Osten oder Norden, wo die Erde so schwarz wie die Krähe oder goldrot wie ein Dammhirsch war. Da Wasser die Quelle der kühlenden Energie ist, wurde die Hütte am eingeebneten Ufer eines Teichs oder Wasserreservoirs, das sich südlich oder östlich der Hütte befand, errichtet. Die Wände waren 80 cm vom Ufer des Gewässers entfernt und hatten kreisrunde Öffnungen von 45 cm Durchmesser, die gleichmäßig über die Hütte verteilt waren und die Funktion von Fenstern hatten. Die Wände waren 2,5 cm dick und von innen und von außen mit Lehm ausgekleidet. Ein 1,20 m hoher, säulenförmiger Lehmofen mit einem Durchmesser von 1,50 m stand im Zentrum der Schwitzhütte. Er hatte vier runde Öffnungen von je 15 cm Durchmesser, die gleichmäßig über die Säule verteilt waren und sich etwas unter ihrer Mittellinie befanden.

Dieser Ofen hatte eine 45 cm große Hauptöffnung, die sich 45 cm über der Oberfläche des Steinbodens befand. Während des Jentaka Sweda wurde darin mit Holz ein Feuer am Brennen gehalten. Ein 2,5 cm tiefer Ölbehälter hing von der oberen Öffnung in den Ofen herab. Der Behälter hatte einen großen Rand, der auf dem vorstehenden kreisförmigen Rand des Ofens ruhte.

Als Vorbereitung für die Behandlung wurden 0,5 l Khadira-Öl, das mit Asvakarna-Öl vermischt war, in den Ölbehälter gegossen und angezündet. Nachdem das Öl vollständig verbrannt war und der Rauch sich verflüchtigt hatte, wurde ein Feuer aus Khadira-Brennholz in dem Lehmofen abgebrannt.

Sobald das Feuer im Lehmofen brannte, wurde der Patient eingeladen, die Schwitzhütte zu betreten.

Jentaka-Schwitzhütte – Die heutige Alternative

Obwohl die richtige Positionierung ausschlaggebend dafür ist, ein Jentaka-Schwitzen zu erzielen, kann eine zeitgenössische Alternative wie folgt erreicht werden:

Machen Sie einen Schreiner ausfindig, der Erfahrung darin hat, die hölzernen Schwitzhütten zu bauen, die von den amerikanischen Ureinwohnern verwendet wurden oder der im Sauna-Bau versiert ist. Die Fenster können Schlitzöffnungen zwischen den Holzblöcken oder -brettern sein. Eine schwere Zeltleinwand kann verwendet werden, um den Eingang der Hütte während des Schwitzens zu verschließen. Eine konventionelle Tür sollte nicht verwendet werden. Die Verfahren, die Innen- und Außenwände mit Lehm zu verkleiden, können außer acht gelassen werden. Stattdessen sollten große Wasserkübel während des Schwitzprozesses in der Hütte stehen.

Eine zeitgenössische Feuerstätte kann im Zentrum der Hütte errichtet und durch einen Kamin, der durch den höchsten Punkt der Hütte nach außen führt, ausreichend belüftet werden. Der Ölbehälter kann auf die Feuerstätte gestellt werden, während das Feuer brennt.

Jahreszeit: *Folgen Sie den jahreszeitlichen Richtlinien*
Körpertyp: *Kapha; Vata-Typen nur zum Gebrauch als gelegentliche Kräftigungstherapie, wenn leichte Beschwerden vorhanden sind (vergleichen Sie die Liste unten). Wenden Sie die Therapie nicht an, wenn ernste Pitta-Störungen vorliegen.*
Dauer der Behandlung: *sieben Tage*

Zeit:	*Kapha-Typen:*	*früher Morgen, fünfundzwanzig Minuten pro Tag*
	Vata-Typen:	*früher Morgen oder früher Abend, fünfzehn Minuten pro Tag*
	Pitta-Typen:	*früher Morgen, zehn Minuten pro Tag*

Beschwerden

Kapha-Störungen: Phlegmatische Störungen (Erkältungen, Husten, Schleim usw.), Bronchialasthma, Kopfschmerzen, rheumatische Arthritis, Fettsucht, Verhaltung von Urin, Magersucht, Schwere des Körpers, Lethargie, Magenverstimmung, Unterdrückung des Verdauungsfeuers.

Vata-Störungen: Arthritis, Steifheit der Gelenke, körperliche Schmerzen, Magenverstimmung, Unterdrückung des Verdauungsfeuers, Nervosität, (als jahreszeitliche Reinigungs-Therapie, wenn der Patient bei guter Gesundheit ist).

Pitta-Störungen: (nur leichte Beschwerden) Kopfschmerzen, körperliche Schmerzen, übermäßige Körperöle, Magenverstimmung, Unterdrückung des Verdauungsfeuers, Nervosität.

Wirkung

Diese Therapie hat darüber hinaus die zusätzliche Wirkung, daß sie Geist und Körper beruhigt und gleichzeitig Geist und Seele belebt.

Notwendige Hilfsmittel

- eine vollständig ausgestattete Jentaka Schwitzhütte (vergleichen Sie oben)
- Khadira-Öl und Asvakarna-Öl
- eine kleine Keramikschüssel mit Deckel, die das passende Massageöl für jeden Körpertyp enthält
- genügend Khadira-Brennholz oder Ersatz (vergleichen Sie oben) für die Dauer der Behandlungszeit (zwei Bündel Brennholz reichen etwa fünfundvierzig Minuten lang)
- eine Schachtel große Streichhölzer (20 bis 25 cm lang)
- 2 saubere Baumwollbadetücher
- ein Leintuch*
- Augenpads*
- Herzpad*
- Streifenbandagen*

**Anmerkung:* Vergleichen Sie die Abbildungen in Anhang D.

Jentaka-Behandlung

- Lassen Sie den Patienten nach der Massage zwanzig Minuten lang ruhen, bevor Sie ihn in die Schwitzhütte einladen.
- Solange der Patient ruht, bereiten Sie die Hütte vor, indem Sie die Öle in dem Lehmofen abbrennen und den Rauch sich verflüchtigen lassen.
- Legen Sie ein halbes Bündel Brennholz in den Ofen, und zünden Sie es mit einem langen Streichholz an.
- Breiten Sie ein sauberes Handtuch auf der Schwitzbank aus, und laden Sie den Patienten in die Schwitzhütte ein, um darin die Schwitzbehandlung zu empfangen.
- Bitten Sie den Patienten, sich auf die vorbereitete Bank zu legen. Er sollte nur das Leintuch tragen, das er während der vorhergehenden Massage getragen hat. Bitten Sie ihn, das Leintuch zwischen den Beinen zu befestigen, um den Vaginal- oder Lendenbereich vor Hitze zu schützen.
- Legen Sie die kühlenden Augenpads über die Augen des Patienten, und das schützende Herzpad über den Herzbereich, indem Sie die Streifenbandage verwenden, um die Augenpads und das Herzpad bequem und Kopf und Brust herum festzubinden. Das wird sie an ihrem Platz halten, wenn sich der Patient während des Schwitzens von einer Seite auf die andere dreht.
- Verlassen Sie die Hütte, während der Patient schwitzt, und kehren Sie in fünfzehnminütigen Abständen zurück, um das Brennholz aufzufüllen und sich zu vergewissern, daß das Feuer noch brennt.
- Schauen Sie, wenn Sie in der Hütte sind, nach dem Patienten, um Zeichen für abnorme Störungen oder exzessives Schwitzen wahrzunehmen.
- Nachdem die angemessene Zeit für das Schwitzen abgelaufen ist, gehen Sie in die Hütte, entfernen Sie sanft die Augenpads und das Herzpad, und helfen Sie dem Patienten aufzustehen und die Hütte zu verlassen.
- Führen Sie ihn zu der Dusche oder dem Bad, so daß er sich kurz mit lauwarmem Wasser waschen kann.
- Geben Sie dem Patienten ein sauberes Handtuch.
- Der Patient darf sich dann anziehen.

Reinigungshilfen

Nachdem die Asche vollkommen abgekühlt ist, werden eine große metallene Kehrschaufel und ein Besen benötigt, um die Asche aus dem Ofen zu entfernen. Sie sollte direkt auf die Erde außerhalb der Schwitzhütte geworfen werden.

Ein Vorbereitungsbereich mit einem Waschbecken außerhalb der Schwitzhütte ist für Jentaka Sweda unerläßlich. Eine Dusche oder ein Bad außerhalb der Schwitzhütte sind ebenfalls notwendig.

Saubere Tücher sind notwendig, um den Ruß und das Öl von dem Ölbehälter abzuwischen, der sich im Lehmofen befindet. Der Ölbehälter kann danach mit warmem Wasser ausgespült werden.

Ashmaghna Sweda – Schwitzen mit Asche auf einer Steinplatte

Eine der ältesten Swedana-Therapien. Eine Steinplatte, die 1,80 m lang und 1,20 m breit ist, wird erhitzt, indem man ein Feuer auf ihr errichtet. Einige Stapel Brennholz und Sweda-Kräuter werden in bestimmter Anordnung auf der Oberfläche der Platte verteilt. Dann werden die Stapel angezündet und zu Asche verbrannt. Danach wird die heiße Asche sorgfältig von der Platte entfernt, und der restliche Aschenstaub wird abgebürstet. Kühles Wasser oder eine pflanzliche Abkochung, in diesem Fall Amla-Abkochung, wird auf die Oberfläche der Platte gespritzt, um die Hitze des Steins zu verringern. Dann werden Wolldecken auf dem Stein ausgelegt, und der Patient legt sich auf den Stein, und wird mit Tüchern aus Seide oder Wolle zugedeckt. Die Häute von Tieren wie von Hirschen und Antilopen (die Tiere sollten eines natürlichen Todes gestorben sein) wurden traditionellerweise verwendet, um den Stein und den Patienten während Ashmaghna Sweda zuzudecken.

Die Therapie wird im allgemeinen in einer einfachen hölzernen Schwitzhütte oder einer Lehmhütte durchgeführt. Sie kann bei warmem Wetter auch an einem entlegenen Ort in der freien Natur durchgeführt werden.

Wie alle Swedana-Therapien, die die Verwendung trockener Hitze, das heißt den Sauna-Effekt beinhalten, ist Ashmaghna Sweda am besten für Kapha-Typen und -beschwerden geeignet. Kurze Behandlungen können auch von Pitta- und Vata-Typen wahrgenommen werden, wenn sie gesund sind oder unter leichten Beschwerden wie körperlichen Schmerzen, Nervosität und niedrigem Verdauungsfeuer leiden.

***Jahreszeit**: Folgen Sie den jahreszeitlichen Richtlinien*
***Körpertyp**: Kapha, Vata-Typen nur für die spezifischen Beschwerden, die unten aufgeführt sind, Pitta-Typen nur zum Gebrauch als gelegentliche Kräftigungstherapie, wenn leichte Beschwerden vorhanden sind (vergleichen Sie die Liste unten). Verwenden Sie die Therapie nicht, wenn ernste Pitta-Störungen vorliegen.*
***Dauer der Behandlung**: sieben Tage*

***Zeit**:*	*Kapha-Typen:*	*früher Morgen, fünfundzwanzig Minuten pro Tag*
	Vata-Typen:	*früher Morgen oder früher Abend, fünfzehn Minuten pro Tag*
	Pitta-Typen:	*früher Morgen, zehn Minuten pro Tag*

Beschwerden

Kapha-Störungen: Phlegmatische Störungen (Kongestion, Husten, Schleimansammlung), Bronchialasthma, Kopfschmerzen, Magenverstimmung, rheumatische Arthritis, Fettsucht, Verhaltung von Urin, Magersucht, Schwere des Körpers, Lethargie, Unterdrückung des Verdauungsfeuers, (als jahreszeitliche Reinigungs-Therapie, wenn der Patient bei guter Gesundheit ist).

Vata-Störungen: Arthritis, Steifheit der Gelenke, körperliche Schmerzen, Magenverstimmung, Unterdrückung des Verdauungsfeuers, Nervosität, (als jahreszeitliche Reinigungs-Therapie, wenn der Patient bei guter Gesundheit ist).

Pitta-Störungen: (nur leichte Störungen) Kopfschmerzen, körperliche Schmerzen, Magenverstimmung, Unterdrückung des Verdauungsfeuers, Nervosität, übermäßige Körperöle, (als jahreszeitliche Reinigungs-Therapie, wenn der Patient bei guter Gesundheit ist).

Wirkung

Über die Linderung der oben aufgeführten Beschwerden hinaus hat diese Therapie die zusätzliche Wirkung, daß sie den Körper geschmeidig macht und ihm Energie verleiht. Außerdem hat sie den Effekt, daß sie Geist und Seele belebt, während sie Geist und Körper beruhigt.

Notwendige Hilfsmittel

- eine kleine einfache Holzstruktur oder Schwitzhütte, die etwa 3,65 qm groß ist
- eine Steinplatte, die 1,80 m lang, 1,20 m breit und mindestens 5 cm dick ist. Schiefer ist ein idealer Stein für diese Behandlung, obwohl jeder große Stein mit einer relativ glatten Oberfläche ausreichend ist. Die Steinplatte sollte dann auf einen Stein-, Zement- oder Ziegelfußboden in die Mitte des Raumes gelegt werden und mit einem Ende nach Osten weisen. (Wenn der Boden aus Holz besteht, dann sollte er mit einer Lage Steine oder Ziegel geschützt werden, die 2,40 m lang und 1,55 m breit ist und die unter die Mitte der Steinplatte gelegt wird.)
- Drei Bündel Khadira-Brennholz (oder Ersatz, vergleichen Sie S. 449-450)
- ein paar Brombeerzweige
- Frische oder getrocknete Kräuter: 28 g Mistel, 28 g Raute, 28 g Zitronenmelisse und 28 g Salbei
- eine kleine Keramikschüssel mit Deckel, die die passenden Massageöle enthält
- eine Schachtel Streichhölzer für die Feuerstätte (20 bis 25 cm lang)
- vier Wolldecken
- ein sauberes Baumwollbadetuch
- ein sauberes, nasses Tuch (um das Gesicht des Begleiters zu befeuchten, während er sich um das Feuer kümmert)
- ein Leintuch*
- Augenpads*
- Herzpad*
- Streifenbandagen*

**Anmerkung:* Vergleichen Sie Anhang D.

Ashmaghna-Behandlung

- Lassen Sie den Patienten nach der Massage zwanzig Minuten lang ruhen, bevor Sie ihn auf den erhitzten Stein einladen.

- Bereiten Sie den erhitzten Stein vor, während der Patient ruht.
- Mischen Sie die frischen oder getrockneten Kräuter zusammen, und breiten Sie sie auf der Oberfläche des Steins aus. Vergewissern Sie sich, daß die Fläche, auf der der Patient liegen wird, mit Kräutern bedeckt ist.
- Bilden Sie drei Stöße aus dem Brennholz, und schichten Sie die Brombeerzweige und die Holzstücke in Form einer Pyramide an. Legen Sie das Brennholz nicht zu nah an die Kante des Steins. Lassen Sie auf allen Seiten etwa 20 cm Platz.
- Entzünden Sie jeden Stoß und kümmern Sie sich um die Glut, damit kein heißes Holz über den Rand des Steines fällt.

Abb. 44: Auf einer Steinplatte angehäuftes Brennholz

- Verwenden Sie das nasse, kühle Handtuch, um über Gesicht, Arme usw. zu wischen, während Sie auf das Feuer aufpassen. Während Sie dies tun, stellen Sie sich so nahe wie möglich an den Eingang, um ein Dehydrieren zu vermeiden.
- Wenn das Holz zu Asche verbrannt ist, entfernen Sie diese Asche sanft mit der langen Kehrschaufel mit Griff und der langen Bürste oder dem Besen.
- Schütten Sie die Asche in den großen Eimer oder die Aluminium-Waschwanne, und stellen Sie sie beiseite, um sie abkühlen zu lassen.
- Bürsten Sie den restlichen Aschenstaub von dem Stein ab, und sammeln Sie ihn in der Kehrschaufel.
- Spritzen Sie etwa fünf Tassen kaltes Wasser auf die Oberfläche des Steine, bevor Sie die Decken darauf ausbreiten.
- Breiten Sie zwei Wolldecken auf dem erhitzten Stein aus.
- Laden Sie den Patienten in die Schwitzhütte ein, und bitten Sie ihn, sich mit dem Kopf nach Osten auf den zugedeckten Stein zu legen. Wenn die Temperatur des Steins für den Patienten zu hoch ist, dann lassen Sie ihn aufstehen, entfernen Sie die Decken, und spritzen Sie mehr kaltes Wasser auf den Stein.
- Wenn der Stein eine erträgliche Temperatur hat, dann fahren Sie mit der Schwitzbehandlung fort.
- Der Patient sollte nur das Leintuch tragen, das er bei der vorhergehenden Massage getragen hat. Bitten Sie den Patienten, es zwischen den Beinen festzuhalten, um den Vaginal- oder Lendenbereich zu bedecken.

- Sichern Sie die kühlenden Augenpads über den Augen des Patienten mit der Streifenbandage.
- Sichern Sie das schützende Herzpad über dem Herzbereich mit der Streifenbandage.
- Decken Sie den Patienten zunächst mit dem Seidenlaken und danach mit den beiden zusätzlichen Decken zu, und vergewissern Sie sich, daß Kopf und Gesicht frei sind.
- Schlagen Sie die Ecken der Decken gut ein, und lassen Sie dabei dem Patienten viel Platz, um sich zu jeder Seite zu drehen.
- Bitten Sie den Patienten, sich, wenn notwendig, von einer Seite auf die andere zu drehen, um bequem am ganzen Körper zu schwitzen.
- Verlassen Sie die Hütte, und lassen Sie den Patienten friedlich schwitzen.
- Kehren Sie in fünfzehnminütigen Abständen zurück, um nach dem Patienten zu sehen. Vergewissern Sie sich, daß keine Anzeichen für abnorme Störungen oder exzessives Schwitzen wahrzunehmen sind.
- Nachdem die angemessene Zeit für das Schwitzen abgelaufen ist, gehen Sie in die Hütte, entfernen Sie die Decken und die Pads, und helfen Sie freundlich dem Patienten aufzustehen.
- Führen Sie ihn zu der Dusche oder dem Bad, so daß er sich kurz mit lauwarmem Wasser waschen kann.
- Geben Sie dem Patienten ein sauberes Handtuch.
- Der Patient darf sich dann anziehen und wenn er möchte, eine Weile ausruhen.

Reinigungshilfen

Die heiße Asche muß sorgfältig von der Steinplatte entfernt werden. Verwenden Sie zu diesem Zweck eine lange metallene Kehrschaufel und einen Besen mit langem Stil. Schütten Sie die heiße Asche in große Eimer oder Aluminium-Waschwannen, und lassen Sie sie abkühlen, bevor Sie sie direkt auf die Erde außerhalb der Schwitzhütte streuen.

Verwenden Sie einen weichen Besen und eine Kehrschaufel aus Metall, um den restlichen Aschenstaub von der Oberfläche des Steins abzubürsten.

Ein Waschbecken, das sich außerhalb der Schwitzhütte befindet, ist für eine Ashmaghna-Schwitzhütte unerläßlich. Eine Dusche oder ein Bad außerhalb der Schwitzhütte sind ebenfalls notwendig, genau wie ein Behandlungstisch, der sich in einem separaten Bereich oder Raum befindet.

Kumbhika Sweda – Schwitzen aus einem Krug mit Pflanzenabkochung

Zu den traditionellen Swedana-Praktiken gehört auch Kumbhika Swedana, ein einfaches Verfahren, bei dem ein großer Krug mit kochendheißer Pflanzenabkochung halb in der Erde begraben wird, und eine kleine Behandlungsliege, die aus Seilen oder Leinwand besteht, wird darüber gelegt. Der Patient ruht dann auf der Liege, um zu schwitzen. An einer nahegelegenen Feuerstelle werden Eisenbälle oder -kugeln erhitzt, bis sie glühendheiß sind, und dann in den Krug gelegt, um die Hitze der Abkochung im Laufe der Behandlung zu halten.

Diese Therapie kann auch leicht zu Hause in einem sauberen, schlichten Behandlungsraum durchgeführt werden, wobei der Krug dann halb in eine Schachtel mit Sand unter einer Liege versenkt wird. Anstatt heiße Steine oder Eisenbälle zu verwenden, kann die Abkochung auf einem Herd warmgehalten werden und der Krug, wenn nötig, neu gefüllt werden.

***Jahreszeit**: ganzjährig*
***Körpertyp**: alle Typen*
***Dauer der Behandlung**: sieben Tage*
***Zeit**:*

Kapha-Typen:	*frühmorgens fünfundzwanzig Minuten*
Pitta-Typen:	*frühmorgens zehn Minuten*
Vata-Typen:	*frühmorgens oder frühabends fünfzehn Minuten*

Beschwerden
Nervosität, nervöse Spannung, Kopfschmerzen, Angst oder Furcht, phlegmatische Störungen, Erkältungen, Husten, Grippe, Kongestion, Schleimansammlung, Bronchialasthma, Lethargie.

Wirkung
Über die Linderung der oben aufgeführten Beschwerden hinaus hat Kumbhika Sweda die zusätzliche Wirkung, daß es die Ruhe des Geistes wiederherstellt.

Notwendige Hilfsmittel
- ein freier Bereich auf der Erde von etwa 3,65 qm.
- Leinwand oder eine Liege aus Seilstricken* (2,15 m lang, 1,25 m breit und 1,25 m hoch)
- eine kleine Keramikschüssel mit Deckel, die die passenden Massageöle enthält
- ein Krug aus rostfreiem Stahl für 3,5 l Flüssigkeit (30 cm hoch), der die heiße Pflanzenabkochung enthält
- ein sauberes Baumwollaken
- ein sauberes feuchtes Baumwollbadetuch

- ein sauberes Seidentuch
- zwei Bündel kleingehacktes Holz
- ein Massagetisch
- eine Schachtel Streichhölzer (20 bis 25 cm lang)
- zehn Eisenbälle (2,5 cm Durchmesser) oder 10 Steine (etwa 2,5 cm Durchmesser)
- eine kleine Schaufel
- eine große Zange mit langen Griffen
- ein Leintuch*
- Augenpads*
- Herzpad*
- Streifenbandagen*

**Anmerkung:*
Vergleichen Sie Anhang D.

Kumbhika-Behandlung

- Lassen Sie den Patienten zwanzig Minuten lang ruhen, während Sie sich auf die Swedana-Behandlung vorbereiten.
- Errichten Sie mit dem Holz ein großes Feuer auf einem gereinigten Stück Erde in der Nähe des Kumbhika-Behandlungsbereiches. Legen Sie die Eisenbälle oder die Steine direkt in das Feuer, und lassen Sie sie glühend heiß werden.
- Graben Sie auf dem gereinigten Stück Erde, das für Kumbhika Sweda vorgesehen ist, mit der Schaufel ein Loch von 30 cm Durchmesser und 15 cm Tiefe.
- Stellen Sie den Krug mit der Pflanzenabkochung in das Loch.
- Häufen Sie mit Ihren Händen ordentlich Erde um den halb exponierten Krug herum an.
- Waschen Sie sich die Hände, und stellen Sie die Behandlungsliege direkt über den Krug, so daß der Krug unter der Mitte der Liege steht.
- Falten Sie das Baumwollaken, und breiten Sie es über der Liege aus, so daß die Seiten des Lakens nicht den leichten Zugang zu dem Krug verhindern.
- Laden Sie den Patienten, der nur mit dem Leintuch bekleidet ist, dazu ein, sich auf die Liege zu legen.
- Sichern Sie die kühlenden Augenpads und das Herzpad mit den Streifenbandagen.
- Decken Sie den Patienten mit dem Seidenlaken zu.
- Schlagen Sie die Enden des Lakens fest ein, und lassen Sie soviel Platz, daß sich der Patient von einer Seite auf die andere drehen kann.
- Lassen Sie Kopf und Gesicht frei.
- Nehmen Sie die Eisenbälle oder Steine mit der Zange mit dem langen Griff nach und nach aus dem Feuer. Tragen Sie in der Zange, und halten Sie ihren Arm vom Körper weg.
- Legen Sie nacheinander fünf heiße Bälle oder Steine in den Krug, und lassen Sie die übrigen fünf Bälle oder Steine im Feuer.

- Sobald der Dampf aus der Abkochung sich auszubreiten beginnt, entfernen Sie die die Bälle oder Steine mit der Zange aus dem Krug und legen sie in das Feuer zurück.
- Nehmen Sie die anderen fünf Bälle oder Steine aus dem Feuer, und legen Sie sie nacheinander in die Abkochung.
- Fahren Sie so während der gesamten Behandlung fort.
- Sobald die erforderliche Behandlungszeit abgelaufen ist, helfen Sie sanft dem Patienten aufzustehen.
- Entfernen Sie die Augen- und das Herzpad und führen Sie den Patienten zu dem tragbaren Massagetisch oder einer Decke an einem gemütlichen, schattigen Platz im Gras oder auf dem Boden.
- Geben Sie dem Patienten die feuchten und trockenen Tücher, um sich den Schweiß vom Körper zu wischen (Sie können ihm hierbei helfen).
- Der Patient kann für kurze Zeit ruhen, bevor er sich anzieht. (Wenn die Behandlung weit entfernt von einem Innenraum stattfindet, dann machen Sie eine entlegene Stelle, zum Beispiel hinter einem Baum, ausfindig, wo sich der Patient anziehen kann.)

Die Kumbhika-Abkochung

12 l Wasser
15 g getrocknete Bala-Wurzel
7,5 g getrocknete Pfefferminz blätter
7,5 g getrocknete Lotos-Wurzel
15 g getrocknete Salbeiblätter
15 g getrocknete Eukalyptus blätter

Bringen Sie das Wasser in einem großen Topf aus rostfreiem Stahl zum Kochen. Fügen Sie die getrockneten Wurzeln und Blätter hinzu, decken Sie den Topf zu, und köcheln Sie die Mischung bei niedriger Hitze eineinhalb Stunden lang oder solange, bis ein Drittel des Wassers verdunstet ist. Nehmen Sie den Topf vom Herd, und gießen Sie die Abkochung, solange sie noch heiß ist, vorsichtig durch ein großes Sieb in einen großen Topf. Decken Sie den Topf zu, und nehmen Sie die Abkochung sofort in den Behandlungsbereich mit.

Wenn die Behandlung draußen auf der Erde durchgeführt wird, dann bereiten Sie diese Kumbhika-Abkochung über dem Holzfeuer zu, und zwar auf einem 90 cm hohen Eisenrost-Tisch, der direkt über dem Feuer steht. Reduzieren Sie die Zeit, in der Sie die Abkochung köcheln, auf fünfundvierzig Minuten.

Bhu Sweda – ein Erdsweda

Entsprechend der Bedeutung des Wortes *Bhu*, „zur Erde gehörig", wird dieses Sweda direkt auf der Erde ausgeführt. Wie Kumbhika, Holaka, Kupa und Karshu, ist Bhu Sweda eine uralte ayurwedische Kunst.

Es gibt keinen Ersatz für die Therapien, die Lehm verwenden oder die auf der Erde ausgeführt werden. Die magnetischen und heilenden Kräfte der Erde stellen sich uneingeschränkt der Verjüngung der Person zur Verfügung, die Swedana empfängt. Therapien, die direkt auf der Erde ausgeführt werden, rufen Gefühle von Verbundenheit mit Mutter Erde wach und sind ein lebenswichtiges Stimulans für die Erweckung des kognitiven Gedächtnisses.

Obwohl das, was für die Erd-Swedanas an grundlegenden Dingen vonnöten ist, in der westlichen Hemisphäre bisher noch nicht leicht erhältlich ist, gibt es Tausende von hervorragenden Plätzen und Dutzende von Kräutern und Hölzern, die kleinen Gruppen von Ayurweda-Begeisterten zur Verfügung stehen, um diese Swedas durchzuführen. Ein abgeschiedenes Privatgrundstück oder die Plätze, die zum Camping oder Wandern genutzt werden, können für die Durchführung von Erd-Swedas ausreichend sein. Dabei ist es natürlich selbstverständlich, daß die geltenden Regeln bezüglich Privateigentum und Brandschutz beachtet werden.

Ähnlich wie die Ahsmaghna-Therapie wird Bu Sweda auf der erhitzten Oberfläche der Erde durchgeführt. Eine entlegene Fläche von 3,65 qm, die frei von Staub und Wind ist, wird dafür ausgewählt. In der ayurwedischen Praxis wird für alle Erd-Swedas eine glückverheißende Fläche ausgewählt, was bedeutet, daß sie frei von starken Winden und Staub sein muß, sie könnte sich in der Nähe eines Baches oder heiligen Flusses befinden oder auf dem geweihten Boden eines Tempels. In der westlichen Hemisphäre können Wünschelruten dazu benutzt werden, um Hinweise auf heiligen und kraftvollen Boden zu bekommen, das heißt auf Flächen, an denen sich die Matrix von Energien konzentriert. Die Flächen, die die Einheimischen in der Vergangenheit für ihre Zeremonien genutzt haben, sind für diese Praktiken ideal. Ein einfacher, freigeräumter Privatplatz, der saubere Luft und reichen, fruchtbaren Boden hat, kann ebenfalls für diese Erd-Swedas genutzt werden.

Bestimmte Reinigungspraktiken, die auf der Erdoberfläche angewendet werden, sind wesentlich, bevor mit der Therapie begonnen werden kann. Die ausgewählte Fläche muß flach, kompakt und sauber sein und von Büschen und Unterholz gereinigt werden. Dann kann eine Lage Lehm auf der Oberfläche aufgetragen werden und als Vorbereitung für die Behandlung in der Sonne trocknen.

Brennholz und Sweda-Kräuter werden in kleinen Stößen auf einer Länge von 1,80 m auf der Erdoberfläche verteilt. Dann werden die Stöße angezündet und zu Asche verbrannt. Die heiße Asche wird sodann sorgfältig von dem erhitzten Boden entfernt, und die Oberfläche wird mit einer Pflanzenabkochung bespritzt, damit sie etwas abkühlt. Die erhitzte Oberfläche wird danach mit Wolldecken und/oder Tierfellen wie denen des Hirsches (die erworben wurden, nachdem das Tier eines natürlichen Todes gestorben ist) bedeckt, bevor sich der Patient dort hinlegt. Der Patient wird ebenfalls mit mehreren Lagen Decken zugedeckt, bevor er anfängt zu schwitzen.

Wie bei Ashmaghna Sweda, so ist auch bei Bhu Sweda die austrocknende Wirkung am besten für Kapha-Störungen geeignet. Pitta- und Vata-Typen können sich kurzen Behandlungen unterziehen, wenn Sie bei guter Gesundheit sind oder nur leichte Beschwerden, wie körperliche Schmerzen, Nervosität oder niedriges Verdauungsfeuer haben.

***Jahreszeit**: Folgen Sie den jahreszeitlichen Richtlinien*
***Körpertyp**: Kapha; Vata-Typen nur für die spezifischen Beschwerden, die unten aufgeführt sind; Pitta-Typen nur zum Gebrauch als gelegentliche Kräftigungstherapie, wenn leichte Beschwerden vorhanden sind (vergleichen Sie die Liste unten). Verwenden Sie die Therapie nicht, wenn ernste Pitta-Störungen vorliegen.*
***Dauer der Behandlung**: sieben Tage*

***Zeit**:*	*Kapha-Typen:*	*früher Morgen, fünfundzwanzig Minuten pro Tag*
	Pitta-Typen:	*früher Morgen, zehn Minuten pro Tag*
	Vata-Typen:	*füher Morgen oder früher Abend, fünfzehn Minuten pro Tag*

Beschwerden

Kapha-Störungen: Phlegmatische Störungen (Kongestion, Husten, Schleimansammlung etc.), Bronchialasthma, Kopfschmerzen, Magenverstimmung, rheumatische Arthritis, Fettsucht, Verhaltung von Urin, Magersucht, Schwere des Körpers, Lethargie, Unterdrückung des Verdauungsfeuers, (als jahreszeitliche Therapie, wenn der Patient bei guter Gesundheit ist).

Pitta-Störungen: (nur leichte Störungen) Kopfschmerzen, körperliche Schmerzen, Magenverstimmung, Unterdrückung des Verdauungsfeuers, Nervosität, übermäßige Körperöle, (als jahreszeitliche Reinigungs-Therapie, wenn der Patient bei guter Gesundheit ist).

Vata-Störungen: Arthritis, Steifheit der Gelenke, körperliche Schmerzen, Magenverstimmung, Unterdrückung des Verdauungsfeuers, Nervosität, (als jahreszeitliche Reinigungs-Therapie, wenn der Patient bei guter Gesundheit ist).

Wirkung

Über die Linderung der oben aufgeführten Beschwerden hinaus hat diese Therapie die zusätzliche Wirkung, daß sie Energie und Beweglichkeit verleiht, gleichzeitig Geist und Seele belebt und Geist und Körper des Patienten beruhigt .

Notwendige Hilfsmittel

- ein freier Bereich auf der Erde von etwa 3,65 qm, der nach Möglichkeit mit drei Eimern sauberen weichen Lehms verschmiert wurde
- 4 Bündel Khadira-Brennholz (vergleichen Sie S. 449-450 für andere passende Brennhölzer)
- ein paar Brombeerzweige
- getrocknete Kräuter: 28 g Salbei, 28 g Rosmarin, 28 g Basilikum, 28 g Oregano, 28 g Beifuß
- ein großer Eimer aus rostfreiem Stahl, der mit der kühlen Amla-Abkochung gefüllt ist (vergleichen Sie die Rezeptur auf S. 219)
- eine kleine Keramikschüssel mit Deckel, die das passende Massageöl enthält
- eine Schachtel Streichhölzer (20 bis 25 cm lang)
- vier saubere Wolldecken
- ein sauberes Seidentuch
- ein tragbarer Massagetisch
- ein Leintuch*
- Augenpads*
- Herzpad*
- Streifenbandagen*
- ein sauberes, feuchtes Baumwollbadetuch
- ein sauberes, trockenes Baumwollbadetuch

**Anmerkung:* Vergleichen Sie Anhang D

Bhu-Behandlung

- Bitten Sie den Patienten, sich nach der vorbereitenden Massage zwanzig Minuten lang auszuruhen, während Sie den heißen Sweda-Boden vorbereiten.
- Der vorgesehene Boden muß gesäubert (und wahlweise mit Lehm verschmiert und an der Sonne getrocknet werden), bevor der Patient zur Behandlung kommt.
- Mischen Sie die getrockneten Kräuter auf dem gereinigten Boden zusammen und verteilen Sie sie auf einer Fläche von 1,80 m mal 1,20 m.
- Ordnen Sie das Brennholz in vier kleinen pyramidenförmigen Stapeln auf den verteilten Kräutern an, und schichten Sie die Brombeerzweige und die Holzstücke in bestimmter Anordnung auf, bis sie eine Länge von 1,80 m bedecken.
- Entzünden Sie die Stöße, und kümmern Sie sich um das Feuer, bis das Brennholz zu Asche geworden ist.
- Entfernen Sie die Asche, solange sie noch heiß ist, vorsichtig mit dem langstieligen Besen und der Kehrschaufel vom Boden.
- Schütten Sie die heiße Asche in die große Aluminiumwanne.
- Stellen Sie die Wanne beiseite, und lassen Sie die Asche abkühlen, bevor Sie sie direkt auf der Erde verteilen.
- Spritzen Sie die Amla-Abkochung direkt auf den erhitzten Boden.
- Warten Sie, bis der vom Boden aufsteigende Dampf nachläßt, und breiten Sie dann zwei der Decken auf dem erhitzten Boden aus.

- Überprüfen Sie die Temperatur am Boden, um sich zu vergewissern, daß sie erträglich ist, bevor Sie den Patienten einladen, sich hinzulegen.
- Der Patient sollte nur das Leintuch tragen, das er bei der vorhergehenden Massage getragen hat.
- Bitten Sie den Patienten, es zwischen den Beinen zu befestigen, um den Vaginal- oder Lendenbereich vor zu großer Hitze zu schützen.
- Sichern Sie die kühlenden Augenpads und das Herzpad mit der Streifenbandage.
- Decken Sie den Patienten zunächst mit dem Seidenlaken und dann mit den beiden Decken zu.
- Schlagen Sie die Ecken der Decken gut ein, und lassen Sie dabei dem Patienten viel Platz, um sich zu jeder Seite zu drehen.
- Lassen Sie den Kopf und das Gesicht des Patienten frei (mit Ausnahme der kühlenden Augenpads.)
- Lassen Sie den Patienten allein, damit er bequem und in Ruhe schwitzen kann.
- Bleiben Sie in der Nähe, um sich zu vergewissern, daß keine Anzeichen für abnorme Störungen oder exzessives Schwitzen wahrzunehmen sind.
- Nachdem die angemessene Behandlungszeit abgelaufen ist, entfernen Sie die Decken und Laken.
- Helfen Sie dem Patienten dabei, sich zu setzen, und entfernen Sie schnell die Augenpads und das Herzpad.
- Führen Sie den Patienten zu dem tragbaren Massagetisch oder zu einer Decke, die in der Nähe auf flachem Untergrund ausgebreitet ist, und fordern Sie ihn auf, sich hinzulegen.
- Wischen Sie mit einem feuchten Baumwollhandtuch den Schweiß vom Körper des Patienten ab.
- Klopfen Sie seinen Körper mit einem trockenen Handtuch ab. (Wenn der Patient dazu in der Lage ist, dann können Sie ihm selbst die Handtücher geben, um sich abzuwischen und abzutrocknen.)
- Der Patient darf kurze Zeit ruhen, bevor er sich anzieht. (Wenn die Behandlung weit entfernt von einem Innenraum stattfindet, dann finden Sie eine abgelegene Stelle, zum Beispiel hinter einem Baum, wo sich der Patient anziehen kann.)
- Bevor der Patient geht, bitten Sie ihn, draußen warme Kleidung anzuziehen und eine Kopfbedeckung zu tragen, um den Körper vor Kälte und Nässe zu schützen. Diese Vorsichtsmaßnahme sollte während der gesamten Behandlungsdauer eingehalten werden.

Reinigungshilfen

- Die heiße Asche muß sorgfältig von dem erhitzten Boden entfernt werden. Verwenden Sie zu diesem Zweck eine lange metallene Kehrschaufel und einen Besen mit langem Stil.
- eine große Aluminium-Badewanne
- ein weicher Besen

Karshu Sweda – ein weiteres Erd-Sweda

Diese Behandlungsform ist sehr kraftvoll, sie führt uns zurück in den Schoß der Erde, wo wir unsere vitalen Energien wieder auffüllen und die Synchronizität mit unserer Erdmutter wiederherstellen können. Den Alten war die Erde teuer und kostbar als fruchtbare Gebärmutter, die alle Tierarten, die Menschen, Pflanzen, Vögel, usw. gebar. Sie übten, sich über Nacht lebendig in der Erde begraben zu lassen, um den physischen Körper und den Geist von allen Ängsten zu befreien und die Erinnerung an die Unsterblichkeit des Menschen wachzuhalten.

Auf der schwitzenden Erdoberfläche zu liegen, regt unsere kosmische Erinnerung an unsere Reisen durch die Zeit an. In der Erde zu liegen bedeutet, in den ursprünglichen Erdboden zurückzugehen, in dem es noch embryonische Stille und ein dynamisches Fließen gibt. So werden all unsere Sinne und Gliedmaßen in stummer Einheit versammelt. Das bedeutet, daß wir wieder zum Samen werden, beschützt von der kompakten Erde, bis er zu neuem Leben hervorsprießt; so erlernen wir von neuem den wahren menschlichen Geist der vollen Erkenntnis. In der Erde zu liegen ist im wesentlichen ein kraftvolles Mittel der Wiedergeburt, Verjüngung und Wiederbelebung.

Bei Karshu Sweda wird an einem glückverheißenden Ort, der frei von Wind und Staub ist, eine Grube gegraben. Die Standardgrube ist 2 m lang, 80 cm breit und 45 cm tief. In ihr wird aus Brennholz ein Feuer errichtet, das zu Asche heruntergebrannt wird. Dann wird die Asche entfernt, und die Erde wird mit einer Pflanzenabkochung bespritzt, die mit Milch oder Wasser hergestellt wurde. Frische oder getrocknete Pflanzenblätter werden dann auf der erhitzten Erde ausgebreitet. Eine Decke wird über den Kräutern ausgebreitet, und der Patient legt sich in die erhitzte Grube.

Diese Therapie kann auch in einer kleineren, aber tieferen Grube durchgeführt werden, in der das Brennholz zu einem rauchlosen Feuer abbrennt. Dann wird eine Behandlungsliege über die Grube gespannt, und der Patient erhält die Schwitzbehandlung, während er auf der Liege liegt.

***Jahreszeit**: Folgen Sie den jahreszeitlichen Richtlinien*
***Körpertyp**: Kapha; Vata-Typen nur für die spezifischen Beschwerden, die unten aufgeführt sind; Pitta-Typen nur zum Gebrauch als gelegentliche Kräftigungstherapie, wenn leichte Beschwerden vorhanden sind (vergleichen Sie die Liste unten). Verwenden Sie die Therapie nicht, wenn ernste Pitta-Störungen vorliegen.*
***Dauer der Behandlung**: sieben Tage*
***Zeit**:*

Kapha-Typen:	*früher Morgen, fünfundzwanzig Minuten pro Tag*
Pitta-Typen:	*früher Morgen, zehn Minuten pro Tag*
Vata-Typen:	*früher Morgen oder früher Abend, fünfzehn Minuten pro Tag*

Beschwerden

Kapha-Störungen: Phlegmatische Störungen (Kongestion, Erkältungen, Husten, Schleimansammlung), Bronchialasthma, Kopfschmerzen, Magenverstimmung, rheumatische Arthritis, Fettsucht, Verhaltung von Urin, Magersucht, Schwere des Körpers, Lethargie, Unterdrückung des Verdauungsfeuers, (als jahreszeitliche Reinigungs-Therapie, wenn der Patient bei guter Gesundheit ist).

Pitta-Störungen: (nur leichte Störungen) Kopfschmerzen, körperliche Schmerzen, Magenverstimmung, Unterdrückung des Verdauungsfeuers, Nervosität, übermäßige Körperöle, (als jahreszeitliche Reinigungs-Therapie, wenn der Patient bei guter Gesundheit ist).

Vata-Störungen: Arthritis, Steifheit der Gelenke, körperliche Schmerzen, Magenverstimmung, Unterdrückung des Verdauungsfeuers, Nervosität, (als jahreszeitliche Reinigungs-Therapie, wenn der Patient bei guter Gesundheit ist).

Wirkung

Über die Linderung der oben aufgeführten Beschwerden hinaus hat diese Therapie die zusätzliche Wirkung, daß sie Energie und Beweglichkeit verleiht und gleichzeitig Geist und Seele belebt. Darüber hinaus beruhigt sie Geist und Körper des Patienten.

Notwendige Hilfsmittel

- ein passender freier Bereich auf dem Boden von etwa 3,65 qm (beziehen Sie sich auf die Ortsanweisungen in der Einführung zu Bhu Sweda), eine vorher gegrabene Grube: 2 m lang, 80 cm breit und 45 cm tief.
- 3 Bündel Khadira-Brennholz (vergleichen Sie S. 449-450 für andere passende Brennhölzer)
- ein Eimer aus rostfreiem Stahl, der mit der kühlen Amla-Abkochung gefüllt ist (vergleichen Sie die Rezeptur auf S. 219)
- getrocknete oder frische Kräuter: 85 g Bilva-Blätter, 85 g Bala-Blätter, 85 g Pfefferminzblätter, 85 g Salbeiblätter (vergleichen Sie S. 450-451 in Anhang A, für andere passende Kräuter)
- eine kleine Keramikschüssel (mit Deckel), die das passende Massageöl enthält
- 4 Wolldecken
- ein sauberes Seidenlaken
- ein tragbarer Massagetisch
- ein Leintuch*
- Augenpads*
- Herzpad*
- Streifenbandagen*
- ein sauberes, feuchtes Baumwollbadetuch
- ein sauberes, trockenes Baumwollbadetuch

**Anmerkung: Vergleichen Sie Anhang D*

Das Graben der Karshu-Sweda-Grube

Notwendige Hilfsmittel

- zwei starke Männer
- zwei Schaufeln
- eine Stein-oder Eisenwalze
- ein Maßband
- eine ebene Fläche, die 3,65 qm groß ist

Anweisungen

- Graben Sie die Grube 2 m lang, 80 cm breit und 45 cm tief.
- Räumen Sie das ausgegrabene Erdreich weg.
- Ebnen Sie den Grund der Grube mit einer schweren Eisenwalze ein.

Zusätzliche Hilfsmittel

- eine Schachtel Streichhölzer (20 bis 25 cm lang)
- eine große Aluminiumwanne, um die heiße Asche einzusammeln

Das Anstecken der Grube

- Häufen Sie das Brennholz in drei pyramidenförmigen Stößen auf, und zünden Sie jeden Stoß an.
- Verbrennen Sie das Brennholz zu Asche.
- Entfernen Sie sorgfältig mit der Schaufel jegliche Asche aus der Grube.
- Die Asche kann in eine große Wanne geschüttet und abgekühlt werden, bevor Sie sie der Erde übergeben.
- Spritzen Sie die Amla-Abkochung in die heiße Grube, und warten Sie, bis sich der Dampf setzt.
- Streuen Sie die Pflanzenblätter auf dem Boden der heißen Grube aus, so daß sie dünn die gesamte Oberfläche bedecken.
- Breiten Sie eine Decke auf der Schicht Pflanzenblätter aus.

Die Grube ist jetzt soweit vorbereitet, daß der Patient seine Schwitzbehandlung darin empfangen kann.

Anweisungen für Karshu

- Bitten Sie den Patienten, sich nach der vorbereitenden Massage zwanzig Minuten lang auszuruhen, während die Sweda-Srube vorbereitet wird.
- Überprüfen Sie die Grube, um sich zu vergewissern, daß die Temperatur erträglich ist, bevor Sie den Patienten einladen, sich hinzulegen.
- Der Patient sollte nur das Leintuch tragen, das er bei der vorhergehenden Massage getragen hat.
- Sichern Sie die kühlenden Augenpads und das Herzpad mit der Streifenbandage.
- Lassen Sie den Patienten in die Grube klettern, ohne daß Sie selbst mit hineingehen, und decken Sie ihn zunächst mit dem Seidentuch und dann mit den beiden Decken zu.

- Lassen Sie den Kopf und das Gesicht des Patienten frei.
- Lassen Sie den Patienten allein, damit er bequem und in Ruhe schwitzen kann.
- Bleiben Sie in der Nähe, um sich zu vergewissern, daß keine Anzeichen für abnorme Störungen oder exzessives Schwitzen wahrzunehmen sind.
- Nachdem die angemessene Behandlungszeit abgelaufen ist, entfernen Sie die Decken und führen Sie den Patienten aus der Grube heraus.
- Entfernen Sie die Augenpads und das Herzpad, und führen Sie den Patienten zu dem tragbaren Massagetisch oder zu einer Decke, die in der Nähe auf flachem Untergrund ausgebreitet ist, und fordern Sie den Patienten auf, sich hinzulegen.
- Wischen Sie mit dem feuchten Baumwollhandtuch den Schweiß vom Körper des Patienten ab.
- Klopfen Sie seinen Körper mit einem trockenen Handtuch ab. (Wenn der Patient dazu in der Lage ist, können Sie ihm selbst die Handtücher geben, um sich abzuwischen und abzutrocknen).
- Der Patient darf kurze Zeit ruhen, bevor er sich anzieht. (Wenn die Behandlung weit entfernt von einem Innenraum stattfindet, dann finden Sie eine abgelegene Stelle, zum Beispiel hinter einem Baum, wo sich der Patient anziehen kann.)
- Bevor der Patient geht, bitten Sie ihn, draußen warme Kleidung anzuziehen und eine Kopfbedeckung zu tragen, um den Körper vor Kälte und Nässe zu schützen. Diese Vorsichtsmaßnahme sollte während der gesamten Behandlungsdauer eingehalten werden.

Erhalten der Karshu-Grube
Wie der Bhu-Sweda-Boden, so kann auch die Karshu-Sweda-Grube entfernt werden, nachdem die Behandlung beendet ist. Die Pflanzenblätter können zurück in die Erde geworfen werden.

Damit die Karshu-Sweda-Grube dauerhaft verwendet werden kann, sollte sie bei Regen mit einer Plane zugedeckt werden; ansonsten sollte sie den natürlichen Elementen ausgesetzt werden, um ihre volle Erdkraft zu behalten. Man kann ein Netz über die Grube spannen, um zu verhindern, daß sich Blätter und Abfälle darin sammeln.

Kuti Sweda – eine weitere Schwitzhütten-Behandlung

Wie Jentaka Sweda, so ist auch Kuti Sweda eine trockene, saunaähnliche Form der Schwitztherapie. Die Kuti-Schwitzhütte ist der Jentaka-Struktur ähnlich, außer, daß sie sich nicht notwendigerweise in der Nähe eines Gewässers befinden muß. Diese Art von Hütte hat eine Kuppel; sie hat einen Durchmesser von 2,20 m und eine Höhe von 3,65 m und ist nach Osten ausgerichtet. Sie hat eine kleine, 1,50 m hohe und 90 cm breite Tür, deren obere

Enden gebogen anstatt quadratisch sind. Die Wände der Hütte sind 2,5 cm dick. Die Innenwand ist mit Lehm verkleidet, der mit getrockneten Kushta-Wurzelstücken oder -Pulver vermischt ist. Wenn kein Lehm zur Verfügung steht, können die getrockneten Kräuter während des Schwitzens in jedem Brennofen zusammen mit dem Brennholz verbrannt werden.

Vier kleine Brennöfen zum Verbrennen von Holz werden etwa 1,80 m voneinander entfernt im Kreis aufgestellt. Jeder Ofen ist 60 cm hoch und etwa 60 cm breit. Die Öffnungen der Öfen werden geschlossen gehalten, solange das Holz darin in einem schwelenden Feuer verbrennt. Wie alle Brennöfen, so müssen auch diese entsprechend den städtischen oder lokalen Regeln belüftet werden. Es können auch moderne Holzbrennöfen verwendet werden.

Eine Bank, die aus Hölzern wie Mahanimba oder Khadira hergestellt wurde, wird in die Mitte des Raumes gestellt. Ein Ende der Bank weist nach Osten. Die Bank ist 45 cm breit, 45 cm hoch und 2,10 m lang und mit drei Lagen Baumwoll- oder Seidentüchern bedeckt. Sie befindet sich etwa 1,80 m von den sie umgebenden Öfen entfernt.

Jahreszeit: *Folgen Sie den jahreszeitlichen Richtlinien*
Körpertyp: *Kapha; Vata-Typen nur für die spezifischen Beschwerden, die unten aufgeführt sind; Pitta-Typen nur zum Gebrauch als gelegentliche Kräftigungstherapie, wenn leichte Beschwerden vorhanden sind (vergleichen Sie die Liste unten). Verwenden Sie die Therapie nicht, wenn ernste Pitta-Störungen vorliegen.*
Dauer der Behandlung: *sieben Tage*

Zeit:	*Kapha-Typen:*	*früher Morgen, fünfundzwanzig Minuten pro Tag*
	Pitta-Typen:	*früher Morgen, zehn Minuten pro Tag*
	Vata-Typen:	*Früher Morgen oder früher Abend, fünfzehn Minuten pro Tag*

Beschwerden
Kapha-Störungen: Phlegmatische Störungen (Kongestion, Erkältungen, Husten, Schleimansammlung), Bronchialasthma, Kopfschmerzen, Magenverstimmung, rheumatische Arthritis, Fettsucht, Verhaltung von Urin, Magersucht, Schwere des Körpers, Lethargie, Unterdrückung des Verdauungsfeuers, (als jahreszeitliche Reinigungs-Therapie, wenn der Patient bei guter Gesundheit ist).

Pitta-Störungen: (nur leichte Störungen) Kopfschmerzen, körperliche Schmerzen, Magenverstimmung, Unterdrückung des Verdauungsfeuers, Nervosität, übermäßige Körperöle, (als jahreszeitliche Reinigungs-Therapie, wenn der Patient bei guter Gesundheit ist).

Vata-Störungen: Arthritis, Steifheit der Gelenke, körperliche Schmerzen, Magenverstimmung, Unterdrückung des Verdauungsfeuers, Nervosität, (als jahreszeitliche Reinigungs-Therapie, wenn der Patient bei guter Gesundheit ist).

Wirkung

Über die Linderung der oben aufgeführten Beschwerden hinaus hat diese Therapie die zusätzliche Wirkung, daß sie Energie und Beweglichkeit verleiht und gleichzeitig Geist und Seele belebt. Darüber hinaus beruhigt sie Geist und Körper des Patienten.

Notwendige Hilfsmittel

- Eine vollständig ausgestattete Sweda-Schwitzhütte (Beziehen Sie sich für die Details auf die Einführung in Kuti)
- 340 g getrocknete Kushta-Kräuter
- eine kleine Keramikschüssel mit Deckel, die das passende Massageöl enthält
- genügend Khadira-Brennholz für jede Behandlung (zwei Bündel reichen bei jeder Feuerstätte für etwa fünfundvierzig Minuten. Vergleichen Sie S. 449-450 für andere passende Brennhölzer)
- eine Schachtel Streichhölzer (20 bis 25 cm lang)
- drei saubere Baumwoll- oder Seidenlaken
- ein sauberes Baumwollbadetuch
- ein Leintuch*
- Augenpads*
- Herzpad*
- Streifenbandagen*

Anmerkung: Vergleichen Sie Anhang D

Anweisungen für Kuti

- Lassen Sie den Patienten nach der vorbereitenden Massage zwanzig Minuten lang ruhen, bevor Sie ihn in die Schwitzhütte einladen.
- Bereiten Sie, solange der Patient ruht, die Hütte vor, indem Sie 85 g Kushta-Kräuter an jeder Feuerstätte verbrennen.
- Legen Sie, nachdem die Kräuter zu Asche verbrannt sind, ein halbes Bündel Brennholz in jede Feuerstätte.
- Breiten Sie drei Laken auf der Behandlungsbank aus.
- Zünden Sie in jeder Feuerstätte Feuer an, und laden Sie den Patienten in die Hütte ein.
- Bitten Sie den Patienten, sich mit dem Rücken auf den Behandlungstisch zu legen.
- Sichern Sie die kühlenden Augenpads und das Herzpad mit den Streifenbandagen.
- Der Patient sollte nur das Leintuch tragen, das er bei der vorhergehenden Massage getragen hat.
- Bitten Sie den Patienten, das Leintuch zwischen den Beinen zu befestigen, um den Vaginal- oder Lendenbereich vor übermäßiger Hitze zu schützen.
- Bitten Sie den Patienten, sich von einer Seite auf die andere zu drehen, damit er bequem schwitzen kann.

- Lassen Sie den Patienten allein, damit er bequem und in Ruhe schwitzen kann.
- Kommen Sie in fünfzehnminütigen Abständen zurück, um das Brennholz zu ersetzen und sich zu vergewissern, daß das Feuer in allen Feuerstätten brennt.
- Wenn Sie in der Hütte sind, dann vergewissern Sie sich, daß keine Anzeichen für abnorme Störungen oder exzessives Schwitzen wahrzunehmen sind.
- Nachdem die angemessene Behandlungszeit abgelaufen ist, gehen Sie in die Hütte, und helfen Sie dem Patienten sanft, sich zu erheben. Entfernen Sie die Augenpads und das Herzpad.
- Führen Sie den Patienten zu einer Dusche oder einem Bad, wo er sich mit lauwarmem Wasser waschen kann.
- Geben sie dem Patienten ein sauberes Handtuch, damit er sich abtrocknen kann.
- Der Patient darf sich dann anziehen und kurze Zeit ruhen.
- Bevor der Patient geht, sprechen Sie mit ihm über die Notwendigkeit, draußen warme Kleidung anzuziehen und eine Kopfbedeckung zu tragen, um den Körper vor Kälte und Nässe zu schützen. Diese Vorsichtsmaßnahme sollte während der gesamten Behandlungsdauer eingehalten werden.

Reinigungshilfen
- Waschbecken außerhalb der Schwitzhütte
- Dusche oder Bad außerhalb der Schwitzhütte. Nachdem die Asche vollkommen abgekühlt ist, muß sie nach der Behandlung mit einer großen Kehrschaufel und einem Besen von der Feuerstätte entfernt werden. Diese Asche sollte außerhalb der Schwitzhütte direkt auf die Erde geworfen werden.

Kupa und *Holaka Sweda* – Schwitzen in der Dung- und Lehmhütte

Seit uralter Zeit ist der Dung von Tieren wie Kühen und Elefanten verwendet worden, um den Wohnraum und den Lebensstil der Einheimischen zu schützen. Noch heute bauen die Menschen in den ländlichen Gegenden Indiens, Afrikas und Südamerikas ihre Hütten aus Gras und Lehm, und sie verschmieren mineralreichen, nicht verunreinigten Dung an den Wänden ihrer heiteren Wohnstätten, um ihnen ein einfache, matte Oberfläche zu geben.

Getrockneter Dung ist für seine antiseptischen Eigenschaften bekannt, und er gibt in der Hitze des Sommers eine kühlende Atmosphäre. Er wird auch als Brennmaterial verwendet, um das Kochfeuer am Brennen zu halten und das Heim zu wärmen. Der Dung, der die poröse Struktur der Gras- und Lehmhäuser schützt, erhöht die Sauerstoffwerte im Innern und wehrt darüber hinaus Bakterien und Keime ab. Der Fußboden dieser Häuser ist der natürliche Erdboden, der mit dem lebensbereichernden Dung bedeckt und verschmiert wurde.

Als Teil des täglichen Reinigungsrituals werden die Innenwände der Hütte ebenso wie der Lehmofen mit frischem Dung ausgekleidet. Diese einfachen Menschen, die die Natur gut kennen, breiten Mutter Erde auf dem Boden aus und leben in ihrem warmen, nährenden Schoß.

Durch die ayurwedische Praxis der Kupa und Holaka Swedas ist die weise Praxis der Eingeborenen erhalten geblieben, gesunden Tierdung zu verwenden, um das Gleichgewicht im menschlichen Körper wiederherzustellen. Der Ayurweda ist der Ansicht, daß die Körperabfälle (Malas) aller biologischen Arten Mineralien enthalten. Wenn die sogenannten Abfallprodukte ihren Weg durch den Körper nehmen, dann synthetisieren sie essentielle Elemente in den Geweben. Im wesentlichen produzieren gesunde Gewebe einen gesunden Körper, der seinerseits gesunde Abfälle produziert, die außerordentlich wichtig dafür sind, um Swedas wie Kupa und Holaka aufzufüllen. Gesunde Abfälle sind heute selten. Aufgrund der enormen Verschmutzung unserer natürlichen Ressourcen, die die Nahrungsmittel von Menschen und Tieren gleichermaßen beeinflussen, verschmutzen unsere Körperabfälle genau wie unsere Gewebe immer stärker. Heute wird der Dung von Tieren durch die absichtliche Hinzufügung von giftigen Chemikalien und krebserregenden Wachstumshormonen verunreinigt. Vergifteter und verunreinigter Dung kann bei diesen Therapien nicht verwendet werden.

Es gibt jedoch immer noch Grund zur Hoffnung, denn in letzter Zeit hat in verschiedenen Regionen der westlichen Hemisphäre eine kleine, aber signifikante Zahl von Menschen begonnen, sich wieder der Ausübung natürlicher Vieh- und Landwirtschaft zu widmen. Dank der Wiederbelebung solcher Bauernhöfe und der gesunden Behandlung der Tiere, besonders der Kühe, könnte wir wieder in der Lage sein, uns der Therapien zu bedienen, die vom Dung gesunder Tiere abhängig sind.

Bei Kupa Sweda wird eine tiefe Grube, die einem Brunnen ähnelt, an einem glückverheißenden Ort, der frei von Wind und Staub ist, und für Erd-Swedas geeignet ist, gegraben. Die Grube wird mit dem getrockneten Dung solcher Tiere wie Elefant, Kuh, Kamel, Pferd und Esel gefüllt und in Brand gesteckt. Dann werden Zutaten wie Getreideschalen, roher Reis, feiner Sand und die Blätter, Wurzeln und Samen von Kräutern wie Hibiskus, Kassia und Koriander in den brennenden Dunghaufen geworfen.

Nachdem die Hälfte des Dungs verbrannt ist, und der Rauch nachläßt, wird eine Liege über die Feuergrube gespannt, und der Patient legt sich hinein, um zu schwitzen.

Bei Holaka Sweda wird getrockneter Dung direkt auf den gereinigten ebenen Boden gelegt, genau wie in Bhu Sweda. Dieselben Zutaten und Kräuter wie oben erwähnt werden auf den Dunghaufen gestreut, der dann angezündet wird. Nachdem der Dung zu Asche verbrannt ist, wird eine Pflanzenabkochung auf die Asche gespritzt und man wartet, bis die Dampfbildung nachläßt. Mehrere Lagen Decken oder Tierfelle werden auf die warme Asche gelegt, und der Patient legt sich auf sie, um zu schwitzen.

***Jahreszeit**: Folgen Sie den jahreszeitlichen Richtlinien*
***Körpertyp**: Kapha; Vata-Typen nur für die spezifischen Beschwerden, die unten aufgeführt sind; Pitta-Typen nur zum Gebrauch als gelegentliche Kräftigungstherapie, wenn leichte Beschwerden vorhanden sind (vergleichen Sie die Liste unten). Verwenden Sie die Therapie nicht, wenn ernste Pitta-Störungen vorliegen.*
***Dauer der Behandlung**: sieben Tage*
***Zeit**: Kapha-Typen: früher Morgen, fünfundzwanzig Minuten pro Tag*
Pitta-Typen: früher Morgen, zehn Minuten pro Tag
Vata-Typen: früher Morgen oder früher Abend, fünfzehn Minuten pro Tag

Beschwerden

Kapha-Störungen: Phlegmatische Störungen (Kongestion, Erkältungen, Husten, Schleimansammlung), Bronchialasthma, Kopfschmerzen, Magenverstimmung, rheumatische Arthritis, Fettsucht, Verhaltung von Urin, Magersucht, Schwere des Körpers, Lethargie, Unterdrückung des Verdauungsfeuers, (als jahreszeitliche Reinigungs-Therapie, wenn der Patient bei guter Gesundheit ist).

Pitta-Störungen: (nur leichte Störungen) Kopfschmerzen, körperliche Schmerzen, Magenverstimmung, Unterdrückung des Verdauungsfeuers, Nervosität, übermäßige Körperöle, (als jahreszeitliche Reinigungs-Therapie, wenn der Patient bei guter Gesundheit ist).

Vata-Störungen: Arthritis, Steifheit der Gelenke, körperliche Schmerzen, Magenverstimmung, Unterdrückung des Verdauungsfeuers, Nervosität, (als jahreszeitliche Reinigungs-Therapie, wenn der Patient bei guter Gesundheit ist).

Wirkung

Über die Linderung der oben aufgeführten Beschwerden hinaus hat diese Therapie die zusätzliche Wirkung, daß sie das Verdauungsfeuer reguliert, Energie und Beweglichkeit verleiht, und gleichzeitig Geist und Seele belebt. Darüber hinaus beruhigt sie Geist und Körper des Patienten.

Notwendige Hilfsmittel

- eine passende freie Fläche auf dem Boden von etwa 3,65 qm Größe (beziehen Sie sich auf die Ortsvorschriften in der Einführung zu Bhu Sweda)
- eine Grube, die folgende Maße hat: 1,25 m lang, 1,25 m breit, 2,45 m tief
- ausreichend organischer Tierdung, um die Grube zu zwei Dritteln zu füllen
- ein 3,5 l Eimer mit Schalen von ungeschältem Reis
- ein 3,5 l Eimer mit feinem, sauberen Sand
- 115 g frische oder getrocknete Koriander-Blätter, 115 g frische oder getrocknete Kassia-Blätter, 114 g frische oder getrocknete Echinacea-Blüten

oder -Blätter (vergleichen Sie S. 450-451, Anhang A, für andere passende Kräuter)
- eine kleine Keramikschüssel mit Deckel, die das passende Massageöl enthält
- 3 saubere Wolldecken
- ein sauberes Seidentuch
- ein tragbarer Massagetisch
- ein Leintuch*
- Augenpads*
- Herzpad*
- Streifenbandagen*
- ein sauberes, feuchtes Baumwollbadetuch
- ein sauberes, trockenes Baumwollbadetuch

**Anmerkung:*
Vergleichen Sie Anhang D

Vorbereitung der Kupa-Sweda-Grube

Notwendige Hilfsmittel
- vier starke Männer
- vier Schaufeln
- Maßband

Das Graben der Grube
- Eine passende, ebene Fläche von 3,65 qm ist notwendig.
- Graben Sie eine 1,20 m tiefe x 1,20 m breite x 2,40 m lange Grube, und räumen Sie die ausgehobene Erde weg.

Das Anzünden der Grube
- Eine Schachtel Streichhölzer (20 bis 25 cm lang) wird benötigt.
- Häufen Sie den getrockneten Dung in der Grube an, bis sie zu zwei Dritteln gefüllt ist.
- Werfen Sie die Schalen, den Sand und die Blätter oben auf den Dung.
- Zünden Sie den Dunghaufen an.
- Lassen Sie den Dung und die anderen Substanzen brennen. Wenn das Feuer nicht mehr raucht und halb abgebrannt ist, dann kann die Behandlungsliege über die Grube gelegt werden.
- Nachdem die Behandlung beendet ist, kann die kalte Asche aus der Grube entfernt werden und auf die Erde zurückgeschüttet werden.

Anweisungen für Kupa
- Lassen Sie den Patienten nach der vorbereitenden Massage zwanzig Minuten lang ruhen.
- Legen Sie die Behandlungsliege über die brennende Grube.

- Decken Sie sie mit einer Decke zu, die so gefaltet ist, daß sie über die Kanten der Liege hängt.
- Helfen Sie dem Patienten auf die Behandlungsliege.
- Der Patient sollte nur das Leintuch tragen, das er während der vorbereitenden Massage getragen hat.
- Sichern Sie die kühlenden Augenpads und das kühlende Herzpad mit den Streifenbandagen, bevor er sich in die Grube legt.
- Lassen Sie den Kopf und das Gesicht des Patienten frei.
- Lassen Sie den Patienten ungestört, damit er in Ruhe schwitzen kann.
- Schauen Sie in regelmäßigen Abständen nach, um sich zu vergewissern, daß keine Anzeichen für abnorme Störungen oder exzessives Schwitzen bei dem Patienten wahrzunehmen sind.
- Nachdem die angemessene Behandlungszeit abgelaufen ist, entfernen Sie die Decken, und helfen Sie dem Patienten aus der Grube.
- Entfernen Sie die Augenpads und das Herzpad, und führen Sie den Patienten zu einem tragbaren Massagetisch oder einer Decke, die in der Nähe auf flachem Untergrund ausgebreitet ist, und fordern Sie den Patienten auf, sich hinzulegen.
- Geben Sie dem Patienten die sauberen Handtücher, und bitten Sie ihn, sich mit dem feuchten Handtuch den Schweiß abzuwischen und sich mit dem trockenen Handtuch abzutrocknen. (Falls notwendig, können Sie dem Patienten hierbei helfen.)
- Der Patient darf dann kurze Zeit ruhen, bevor er sich anzieht. Wenn die Behandlung weit entfernt von einem Innenraum stattfindet, dann finden Sie eine abgelegene Stelle, zum Beispiel hinter einem Baum, wo sich der Patient anziehen kann.)
- Bevor der Patient geht, sprechen Sie mit ihm über die Notwendigkeit, draußen warme Kleidung anzuziehen und eine Kopfbedeckung zu tragen, um den Körper vor Kälte und Nässe zu schützen. Diese Vorsichtsmaßnahme sollte während der gesamten Behandlungsdauer eingehalten werden.

Erhalten der Kupa-Grube

Damit die Kupa Grube dauerhaft genutzt werden kann, sollte sie bei Regen mit einer Plane bedeckt werden, bei anderen Witterungsverhältnissen sollte sie den natürlichen Elementen ausgesetzt sein, um ihre volle Erdkraft zu behalten. Es kann jedoch ein Netz über die Grube gespannt werden, um zu verhindern, daß sich Blätter und Abfall darin sammeln.

***Jahreszeit**: Folgen Sie den jahreszeitlichen Richtlinien*
***Körpertyp**: Kapha, Vata-Typen nur für die spezifischen Beschwerden, die unten aufgeführt sind; Pitta-Typen nur zum Gebrauch als gelegentliche Kräftigungstherapie, wenn leichte Beschwerden vorhanden sind (vergleichen Sie die Liste unten). Verwenden Sie die Therapie nicht, wenn ernste Pitta-Störungen vorliegen.*
***Dauer der Behandlung**: sieben Tage*

***Zeit**: Kapha-Typen: früher Morgen, fünfundzwanzig Minuten pro Tag*
Pitta-Typen: früher Morgen, zehn Minuten pro Tag
Vata-Typen: früher Morgen oder früher Abend, fünfzehn Minuten pro Tag

Beschwerden

Kapha-Störungen: Phlegmatische Störungen (Kongestion, Erkältungen, Husten, Schleimansammlung), Bronchialasthma, Kopfschmerzen, Magenverstimmung, rheumatische Arthritis, Fettsucht, Verhaltung von Urin, Magersucht, Schwere des Körpers, Lethargie, Unterdrückung des Verdauungsfeuers, (als jahreszeitliche Reinigungs-Therapie, wenn der Patient bei guter Gesundheit ist).

Pitta-Störungen: (nur leichte Störungen) Kopfschmerzen, körperliche Schmerzen, Magenverstimmung, Unterdrückung des Verdauungsfeuers, Nervosität, übermäßige Körperöle, (als jahreszeitliche Reinigungs-Therapie, wenn der Patient bei guter Gesundheit ist).

Vata-Störungen: Arthritis, Steifheit der Gelenke, körperliche Schmerzen, Magenverstimmung, Unterdrückung des Verdauungsfeuers, Nervosität, (als jahreszeitliche Reinigungs-Therapie, wenn der Patient bei guter Gesundheit ist).

Wirkung

Über die Linderung der oben aufgeführten Beschwerden hinaus hat diese Therapie die zusätzliche Wirkung, daß sie Geist und Körper des Patienten beruhigt. Sie gibt darüber hinaus Energie und Beweglichkeit und belebt Geist und Seele.

Notwendige Hilfsmittel

- eine passende freie Fläche auf dem Boden von etwa 3,65 qm Größe (beziehen Sie sich auf die Ortsvorschriften in der Einführung zu Bhu Sweda)
- eine Grube, die folgende Maße hat: 1,20 m lang, 1,20 m breit, 2,40 m tief
- 40 Pfund getrockneter, organischer Tierdung
- ein 3,7 l Eimer mit Schalen von ungeschältem Reis
- ein 3,7 l Eimer mit feinem, sauberen Sand
- 113 g frische oder getrocknete Koriander-Blätter, 113 g frische oder getrocknete Kassia-Blätter, 113 g frische oder getrocknete Echinacea-Blüten oder -Blätter (vergleichen Sie S. 450-451, Anhang A, für andere passende Kräuter)
- Eine kleine Keramikschüssel mit Deckel, die das passende Massageöl enthält
- 3 Wolldecken
- ein sauberes Seidentuch
- ein tragbarer Massagetisch, der in der Nähe steht
- ein Leintuch*
- Augenpads*

- Herzpad*
- Streifenbandagen*
- ein sauberes, feuchtes Baumwollbadetuch
- ein sauberes, trockenes Baumwollbadetuch

**Anmerkungen: Vergleichen Sie Anhang D*

Vorbereitung des Holaka-Sweda-Bodens

Notwendige Hilfsmittel
- eine Schachtel Streichhölzer (20 bis 25 cm lang)
- ein Besen
- ein Haufen Dung, der eine Fläche von 1,80 m Länge und 90 cm Breite bedeckt

Anweisungen
- Verteilen Sie die Schalen, den Sand und die Kräuterblätter über dem Dung.
- Zünden Sie den Dunghaufen an, und lassen Sie ihn zu Asche verbrennen.

Holaka-Behandlung
- Lassen Sie den Patienten nach der vorbereitenden Massage zwanzig Minuten lang ruhen.
- Breiten Sie die Decke über der Asche aus, solange sie noch warm ist.
- Vergewissern Sie sich, daß die Asche für den Patienten nicht zu heiß ist.
- Bitten Sie den Patienten, sich auf die zugedeckte Asche zu legen.
- Der Patient sollte nur das Leintuch tragen, das er während der vorbereitenden Massage getragen hat.
- Bitten Sie den Patienten, das Leintuch zwischen den Beine zu befestigen, um den Vaginal- oder Lendenbereich vor übermäßiger Hitze zu schützen.
- Wickeln Sie den Patienten fest in die Decken ein, aber lassen Sie genug Platz, damit er sich von einer Seite auf die andere drehen kann.
- Lassen Sie den Kopf und das Gesicht des Patienten frei.
- Bleiben Sie in der Nähe, um sich zu vergewissern, daß keine Anzeichen für abnorme Störungen oder exzessives Schwitzen wahrzunehmen sind.
- Nachdem die angemessene Behandlungszeit abgelaufen ist, entfernen Sie die Decken und das Laken von dem Patienten.
- Helfen Sie dem Patienten, sich aufzusetzen, und entfernen Sie schnell die Augenpads und das Herzpad.
- Führen Sie den Patienten zu einem tragbaren Massagetisch oder einer Decke, die auf dem Boden ausgebreitet ist.
- Geben sie dem Patienten die Handtücher, und weisen Sie ihn an, sich den Schweiß vom Körper abzuwischen und sich danach abzutrocknen. (Falls notwendig, können Sie dem Patienten hierbei helfen.)
- Der Patient darf dann kurze Zeit ruhen, bevor er sich anzieht. (Wenn die Behandlung weit entfernt von einem Innenraum stattfindet, dann finden

Sie eine abgelegene Stelle, zum Beispiel hinter einem Baum, wo sich der Patient anziehen kann.)

- Bevor der Patient geht, sprechen Sie mit ihm über die Notwendigkeit, draußen warme Kleidung anzuziehen und eine Kopfbedeckung zu tragen, um den Körper vor Kälte und Nässe zu schützen. Diese Vorsichtsmaßnahme sollte während der gesamten Behandlungsdauer eingehalten werden.

Avagana Sweda – Schwitzen im heissen Bottich

Im Ayurweda sind eine Reihe von Bädern im heißen Bottich entwickelt worden, um körperliche Schmerzen zu lindern und die Körpergewebe zu regenerieren. Die Avaghana-Methode des Swedana, ein ayurwedisches Hüftbad, wird seit mehr als 4000 Jahren praktiziert und wird bei Beschwerden wie Hämorrhoiden, Infektionen des Harntraktes, Blasen- und Nierenbeschwerden, Nervosität und Schlaflosigkeit verschrieben.

Der Körper wird gründlich mit ayurwedischen Ölen, wie zum Beispiel Ksheerabala- oder Sesamöl abgerieben, bevor er in eine warme Abkochung getaucht wird, die im allgemeinen aus Dashamula hergestellt wird, einer Rezeptur, die aus zehn Kräuterwurzeln besteht, die besonders bei nervösen Störungen beruhigend wirken. Außerdem können verschiedene ätherische Öle zu der Abkochung hinzugefügt werden. Die Badelösung kann bei Pitta-Typen mit Ghee und/oder Milch gemildert werden.

Obwohl diese Therapie mild ist, ist es wesentlich, daß Sie für die Dauer der Behandlung frei von Ihrem normalen, mit Aktivitäten ausgefüllten Tagesplan sind, um es Körper, Geist und Seele zu erlauben, sich zu erholen.

***Jahreszeit**: ganzjährig*
***Körpertyp**: alle Typen*
***Dauer der Behandlung**: sieben Tage lang zweimal täglich*
***Zeit**: am frühen Morgen für zwanzig Minuten pro Tag am frühen Abend für zwanzig Minuten pro Tag*

Beschwerden
Hämorrhoiden, Krämpfe in den Beinen, Spannung in den Lenden, Schmerzen im Hodensack, Verstopfung, Schmerzen in den Hüften oder Oberschenkeln, Steifheit im Rücken, Blasenbeschwerden Infektionen des Harntraktes), Vaginalinfektionen, Niereninfektionen, Nervosität, Schlaflosigkeit.

Wirkung
Über die Linderung der oben aufgeführten Beschwerden hinaus hat diese Therapie die zusätzliche Wirkung, daß sie die Nerven beruhigt, den Schlaf fördert und Geist und Körper beruhigt.

Notwendige Hilfsmittel

- eine kleine Keramikschüssel mit Deckel, die das warme Öl enthält
- eine kleine Keramikschüssel mit Deckel, die das Öl enthält, das örtlich bei Hämorrhoiden verwendet werden kann
- ein großer Topf aus rostfreiem Stahl, der die warme Abkochung für das Bad enthält
- ein sauberes Baumwollbadetuch
- ein sauberes, fließendes Baumwollgewand
- eine saubere Bodenmatte
- eine Badewanne

Vorbereitende Körperabreibung

Zur Erzielung bestmöglicher Ergebnisse sollte die Selbstabreibung des gesamten Körpers mit Ksheerabala-Öl durchgeführt werden, bevor Sie in das Avagahana-Hüftbad steigen. Tragen Sie bei Hämorrhoiden mit sauberen Händen zwei Eßlöffel warmes Kaseesadi-Öl auf die Hämorrhoiden auf, bevor Sie mit dem Baden beginnen.

Avaghana-Sweda-Behandlung

Füllen Sie die Badewanne in einem sauberen, schlichten Bad zur Hälfte mit heißem Wasser. Schließen Sie die Badezimmertür, um die Hitze im Raum zu halten. Breiten Sie eine saubere Bodenmatte oder ein sauberes Badetuch auf dem Boden aus. Ziehen Sie sich vollkommen aus, und setzen Sie sich in bequemer Position auf die Matte. Breiten Sie das Öl reichlich auf Ihrer gesamten Körperoberfläche aus. Gießen Sie die heiße Abkochung in das Badewasser, unmittelbar bevor Sie in das Bad steigen. Prüfen Sie die Temperatur mit der Hand, um sicherzugehen, daß sie erträglich ist, bevor Sie hineinsteigen. Setzen Sie sich in der Wanne zurück, und lassen Sie Ihren Geist sich von Gedanken leeren. Schließen Sie die Augen, und ruhen Sie in der Badewanne, während sich Ihre Schmerzen und Ihre Spannungen auflösen.

Nach fünfzehn oder zwanzig Minuten, wenn sich das Badewasser abgekühlt hat, steigen Sie aus der Wanne, und wischen Sie sich mit einem Badetuch trocken. Schlüpfen Sie in ein bequemes, fließendes Gewand, und halten Sie bis zu Ihrem Abendbad eine Phase der Ruhe ein. Wiederholen Sie denselben Ablauf wie oben, einschließlich der vorbereitenden Körperabreibung und der Einhaltung von Ruhe nach dem Bad.

Jahreszeit: *ganzjährig*

Avagahana-Vata-und-Kapha-Badeabkochung

3,7 l Wasser
1 Tasse Dashamula
(getrocknete Wurzeln) bzw.
¼ Tasse Dashamula-Pulver

Bringen Sie das Wasser in einem großen Topf aus rostfreiem Stahl bei mittlerer Hitze zum Kochen. Fügen Sie die getrockneten Wurzeln bzw. das Pulver hinzu, decken Sie den Topf zu und köcheln Sie das Ganze bei geringer Hitze eine Stunde lang bzw. solange, bis ein Viertel der Abkochung verdunstet ist. Nehmen Sie den Topf vom Herd.

Die Abkochung abseihen oder ziehen lassen: Wenn getrocknete Kräuter verwendet werden, dann seihen Sie die heiße Abkochung vorsichtig durch ein großes Sieb ab, das Sie auf einen großen Topf gelegt haben. Decken Sie den Topf zu und stellen Sie ihn vorsichtig in die Nähe der Badewanne. Wenn pulverisierte Wurzeln verwendet wurden, dann bringen Sie den zugedeckten Topf sofort ins Badezimmer und lassen Sie das Pulversediment dort ziehen. Gießen Sie die Abkochung unmittelbar, bevor Sie in die Wanne steigen, ins Badewasser. Achten Sie darauf, daß ein Großteil des Sediments im Topf zurückbleibt.

Für das an diesem Tag erforderliche zweite Bad können Sie die getrockneten Wurzeln bzw. das Pulver erneut verwenden, wenn Sie eine Viertel Tasse ungebrauchter getrockneter Wurzeln bzw. zwei Eßlöffel frisches Pulver hinzufügen, um die Abkochung aufzufrischen.

Avagahana-Pitta-Badeabkochung

gut 2 l Wasser
gut 2 l Rohmilch
1 Tasse Dashamula
(getrocknete Wurzeln) bzw.
¼ Tasse Dashamula-Pulver

Bringen Sie Wasser und Milch in einem großen Topf aus rostfreiem Stahl zum Kochen. Fügen Sie die getrockneten Wurzeln bzw. das Pulver hinzu, decken Sie den Topf zu und köcheln Sie das Ganze bei geringer Hitze eine Stunde lang bzw. solange, bis ein Viertel der Abkochung verdunstet ist. Nehmen Sie den Topf vom Herd.

Gehen Sie beim Abseihen bzw. Ziehenlassen nach dem oben beschriebenen Verfahren vor.

Öl gegen Hämorrhoiden

2 Eßlöffel Kaseesadi-Öl

Erwärmen Sie das Öl bei geringer Hitze in einem kleinen Topf aus rostfreiem Stahl. Gießen Sie es in eine kleine Tonschüssel und decken Sie es zu, um die Wärme zu halten. Bringen Sie es sofort ins Badezimmer. Waschen Sie sich mit warmem Wasser gründlich die Hände und tragen Sie das Öl manuell direkt auf die Hämorrhoiden auf, nachdem Sie Ihren Körper abgerieben haben und unmittelbar bevor Sie ins Bad steigen.

Avagahana-Öl zum Abreiben

Körpertyp: *alle Typen*

1/2 Tasse Ksheerabala-Öl

Erwärmen Sie das Öl bei geringer Hitze in einem kleinen Topf aus rostfreiem Stahl. Gießen Sie es in eine kleine Tonschüssel und decken Sie es zu, um die Wärme zu halten. Bringen Sie es sofort ins Badezimmer, um Ihren Körper damit abzureiben.

Abschnitt IV

Pancha Karma – Ayurwedische Reinigungstherapien

KAPITEL SIEBEN

EINFÜHRUNG IN PANCHA KARMA

SHODHANA – DIE HAUPTAKTIONEN VON PANCHA KARMA

Die Funktion von Pancha Karma besteht darin,
Das Gleichgewicht zwischen den Doshas zu erhalten,
Die Verminderung der Doshas herbeizuführen,
Verschlimmerte Doshas zu beruhigen
Und gealterte Doshas zu eliminieren.

Sushruta

Heutzutage sehen wir uns nicht nur in Indien, sondern auf der ganzen Welt einem Wiederaufleben dieser einzigartigen Heiltherapie in großem Stil gegenüber. Pancha Karma wird als Quelle angesehen, die uns alle wieder vollkommen ins Leben zurückbringen kann. Diese zentrale Wissenschaft der Verjüngung wird von einer Unzahl von Heilpraktiken begleitet.

Die Ausübung von Pancha Karma erfordert ein profundes Wissen um die Wahl des richtigen Zeitpunktes, die Anwendung der Techniken und Verfahren, um die Überschüsse und Gifte des Körpers zu eliminieren. Die fünf Phasen von Pancha Karma sind darauf ausgerichtet, die vitalen Gewebe des Körpers zu durchdringen, um der Quelle der Verschlimmerung die Wurzel herauszuziehen und unerwünschte Ansammlungen zu lösen. Die Hauptintention von Pancha Karma – die natürlichen Prozesse des Körpers wiederherzustellen mittels der vitalen Kräfte, deren Aufgabe es ist, den Körper von seinen Abfällen zu befreien – sollte zu jeder Zeit im Auge behalten werden. Der Körper muß zunächst mit vorbereitenden Verfahren wie Massagen und Schwitzkuren genährt werden, so daß sein Fluß an natürlichem „Valium" aktiviert werden kann. Im wesentlichen wird der Körper durch die Pancha Karma-Therapien dazu gebracht, gleichzeitig seine Überschüsse loszulassen und das für ihn Wesentliche wiederzugewinnen.

Pancha Karma gehört zu der Shodana-Therapiegruppe, die fünf wesentliche Teile umfaßt: *Vamana*, die Brechtherapie; *Virechana*, das Purgieren; *Niruha Vasti*, arzneiliche Einläufe; *Anuvasana Vasti*, Öleinläufe und *Nasya*, das Einbringen von Arzneien in den Nasen-Rachen-Raum. In der antiken Praxis wurden die beiden Einlaufverfahren, das arzneiliche und dasjenige mit Öl, als zwei Phasen innerhalb einer Aktion betrachtet, und *Rakta Mokshana*, der Aderlaß, wurde als fünfter Teil der Pancha Karma-Therapie anerkannt, besonders dort, wo chirurgische Ayurweda-Verfahren eine Rolle spielten. Zu einem späteren Zeitpunkt sahen Charakas Nachfolger die beiden Einlaufverfahren als zwei separate Aktionen innerhalb des Pancha Karma an; und Rakta Mokshana wurde als vollkommen unabhängige Therapie außerhalb der Pancha Karma-Gruppe praktiziert. Diese Einteilung gilt heute noch.

Vier selektive Aktionen in den Arzneien von Pancha Karma

Die ayurwedische Pharmakologie ist von den drei vorhersagbaren Aktionen einer Substanz durchdrungen: *Rasa*, *Virya* und *Vipaka*. Obwohl „Rasa" in der ayurwedischen Medizin viele Bedeutungen hat, wollen wir es für unsere Zwecke einfach als ursprünglichen Geschmack einer Substanz definieren; zum Beispiel die Schärfe des ersten Geschmacks der Ingwerwurzel. „Virya" bezieht sich auf die Energie einer Substanz hinsichtlich ihrer innewohnenden wärmenden oder kühlenden Eigenschaften – um das gleiche Beispiel zu verwenden: Die Ingwerwurzel ist wärmend. „Vipaka" wiederum ist der Geschmack nach dem Verzehr, der sich vom anfänglichen Geschmack unterscheiden kann; der Nachgeschmack der Ingwerwurzel ist süß und nicht scharf.

Der Ayurweda ist dafür bekannt, daß es viele Ausnahmen zu den allgemeinen Regeln gibt, und bei den in den Pancha Karma-Therapien verwendeten Substanzen ist das nicht anders. Zum Beispiel besagt die allgemeine Regel für die sechs Geschmacksrichtungen im Ayurweda, daß süße Substanzen im allgemeinen kühlend sind und nach dem Verzehr süß bleiben; saure Substanzen sind im allgemeinen erhitzend und bleiben nach dem Verzehr sauer; scharfe Substanzen sind erhitzend und bleiben nach dem Verzehr scharf; salzige Substanzen sind erhitzend, werden aber nach dem Verzehr süß; bittere Substanzen sind kühlend und werden nach dem Verzehr scharf, und zusammenziehende Substanzen sind kühlend und werden ebenfalls nach dem Verzehr scharf. Ausnahmen von dieser allgemeinen Regel heißen Prabhava.

In der ayurwedischen Pharmakologie spielt *Prabhava* oder das Variieren einer Aktion innerhalb einer Substanz ebenfalls eine wesentliche Rolle. Rasa, Virya, Vipaka und Prabhava, die Begriffe, die sich auf die selektiven Aktionen einer arzneilichen Substanz beziehen, geben dem Arzt die notwendigen Mittel in die Hand, um eine spezifische Behandlung zu verschreiben. Prabhava ist im Spiel, wenn die Folgen von Rasa, Virya und Vipaka bei den sechs Geschmacksrichtungen anders sind, als normalerweise vorhersagbar wäre, oder wenn Arzneien, die im Hinblick auf Rasa, Virya und Vipaka ähnlich sind, in ihren Aktionen differieren. Ein Beispiel für die erste Art von Prabhava ist die Sesamsaat:

Sesamsamen, die im Pancha Karma ausgiebig verwendet werden, haben ein süßes Rasa und Vipaka, aber ihr Virya ist erhitzend anstatt kühlend und stellt so einen Gegensatz zu der Energie dar, die gewöhnlich durch ihren süßen Geschmack vermittelt wird. Die Pfefferminze, die ebenfalls in ayurwedischen Heilmitteln sehr häufig verwendet wird, ist scharf im Geschmack, aber kühlend anstatt erhitzend. Daher weisen beide Substanzen Eigenschaften von Prabhava auf.

Obwohl die meisten Brechreiz anregenden und purgierenden Arzneien dieselben Rasa, Virya und Vipaka haben, unterscheiden sich ihre Prabhava-Aktionen, und so verursacht eine Gruppe bei der Einnahme Brechreiz, und die andere hat eine purgierende Wirkung. Ein Beispiel für die zweite Art von Prabhava kann in der Verwendung von Chitraka und Danti gefunden werden; diese beiden Arzneien haben dieselben Rasa, Virya und Vipaka, aber Chitraka regt den Brechimpuls an, während Danti purgierende Wirkung hat.

Über ihre intrinsischen Eigenschaften hinaus werden arzneiliche Substanzen vom Zustand des physischen Organismus beeinflußt, von dem sie aufgenommen werden, ebenso wie vom Zeitpunkt und der Art der Anwendung. Das Virya oder Energiepotential einer Arznei kann sich radikal ändern, wenn die Arznei nicht zu der Krankheit paßt oder wenn die Anwendungsart unangemessen ist.

Der richtige Zeitpunkt

Die Wahl des Zeitpunktes für die Pancha Karma-Behandlung muß in Feinabstimmung zu der Krankheit desjenigen erfolgen, der die Behandlung bekommt, ebenso wie in Abstimmung zu den Jahreszeiten. Bei verschlimmerten Doshas kommt es zu einer Phase der Anhäufung, bevor sie sich über ihren Ursprungsort hinaus ausbreiten. Der einzige angemessene Zeitpunkt, um die Ausscheidungstherapien anzuwenden, ist derjenige, zu dem sich die beeinträchtigten Doshas im Körper verflüssigen, was normalerweise gegen Ende der Jahreszeit der Fall ist, in der ein bestimmtes Dosha dazu neigt, Störungen aufzuweisen. Oder, um mit Charaka zu sprechen, „nur dann, wenn sich die Doshas verflüssigen, können sie zu dem ohnmächtigen Zustand von körperlichem Abfall reduziert werden, der dann aus dem Körper ausgeschieden werden kann." Die Störung des Doshas muß in einem fortgeschrittenen Zustand sein, bevor es entfernt werden kann.

In ähnlicher Weise muß man sich auch den Körpergeweben nähern, nämlich dann, wenn sie am entspanntesten sind und bereit sind, die Überschüsse und Gifte, die sich in ihnen festgesetzt haben, loszulassen, was normalerweise an den Übergängen zwischen den Jahreszeiten der Fall ist. Im wesentlichen sind die gestörten Doshas dann, wenn sie in ihren flüssigsten Zustand übergegangen sind, und kurz bevor sie sich als Krankheit in den Geweben verwurzelt haben, bereit, um ausgerupft und ausgeschieden zu werden. Die Gewebe reifen gleichzeitig, das heißt an den Übergängen zwischen den Jahreszeiten, wenn eines der gestörten Doshas bereit ist, entfernt zu werden.

Die Körperabfälle, die bei der Pancha Karma-Therapie aus dem Körper entfernt werden, heißen Malas. Wenn die Doshas nicht richtig funktionieren, dann werden sie ebenfalls als Körperabfälle angesehen. Der Ayurweda glaubt nicht, daß Malas nutzlos sind. Es ist sogar so, daß sich die Bezeichnung „Mala" aus der Sanskritwurzel des Verbs *Dharane* ableitet, was „aufrechterhalten" bedeutet. Obwohl Körperabfälle nur eine bestimmte Zeit im Organismus verweilen, werden sie als hilfreich für die Ernährung des Körpers angesehen. Das Ausmaß der im Körper vorhandenen Malas wird im Körper durch sein

Feuer, *Agni*, und seine Luft, *Vayu*, geregelt. Wenn Agni und Vayu richtig funktionieren, dann werden die Dhatus reichlich mit den Essenzen aus der Nahrung ernährt, und sie hinterlassen gerade genügend Malas, um essentielle Gewebeelemente zu synthetisieren, bis sie den Körper wieder verlassen. Wenn Agni und Vayu nicht richtig funktionieren, dann erhöht sich die Produktion von Malas im Körper und beginnt, lebende Gewebe aufzuzehren, was dann zur Degeneration dieser Gewebe führt. Gemäß dem Prinzip des natürlichen Endes werden die durch übermäßige Körperabfälle gestörten Gewebe, die nicht wieder zu lebenden Geweben werden können, als Malas aus dem Körper ausgeschieden. Pancha Karma ist darauf ausgerichtet, den Körper beim Ausscheiden von Gewebe- und Dosha-Abfällen zu unterstützen, um die natürliche Regeneration von vitalen Geweben in einer Umgebung von gesunden Doshas zu ermöglichen.

Der klassische Pancha-Karma-Behandlungszeitplan

Die Reihenfolge, in der die Pancha-Karma-Behandlungen durchgeführt werden, ist ebenfalls von entscheidender Bedeutung. Wenn das Therapienmandala als Ganzes durchgeführt wird, dann würde dieser Prozeß etwa einen Monat dauern. Der klassische Zeitplan, der im folgenden dargestellt wird, wird empfohlen, wenn alle fünf Aktionen von Pancha Karma erforderlich sind; je nach Art der zu behandelnden Krankheit können auch weniger Therapien verabreicht werden. Jedoch wird jede vorgeschriebene Behandlung nur dann durchgeführt, nachdem vorher die vorbereitenden Verfahren von Snehana und Swedana durchgeführt worden sind; außerdem werden sämtliche Maßnahmen von der Einhaltung einer heilenden Diät während der gesamten Behandlungszeit und für kurze Zeit danach begleitet.

Der klassische Behandlungszeitplan sollte eingehalten werden, egal, ob nur eine Pancha-Karma-Behandlung durchgeführt wird oder die gesamte Palette von Pancha-Karma-Behandlungen. Wenn zum Beispiel nur Vamana und Virechana vorgeschrieben sind, dann ist die Reihenfolge der Verfahren folgende: Snehana, Swedana, Vamana, Virechana; außerdem die Einhaltung einer heilenden Diät, die der Jahreszeit und dem Zustand der Doshas angepaßt ist.

Der klassische Pancha-Karma-Behandlungszeitplan

Tage	***Behandlung***
1 bis 3	*Abhyanga und Snehana*
3 bis 6	*Swedana*
7	*Vamana*
8 bis 10	*Einhaltung von Ruhe und einer heilenden Diät*
10 bis 14	*Snehapana (innere Ölung)*
15	*Virechana*
16 bis 23	*Vasti (Niruha und Anuvasana)*
24 bis 26	*Einhaltung von Ruhe und einer heilenden Diät*
27 bis 30	*Nasya*

Im folgenden eine Kurzbeschreibung der fünf Pancha-Karma-Therapien.

Vamana – Brechtherapie

Überschüssiges Kapha wird durch zwei vorbereitende Verfahren, die ayurwedische Ölmassage und die Schwitztherapie in den Magen zur Ausscheidung gebracht. Dann wird Erbrechen herbeigeführt, um die oberen Kanäle des Körpers zu reinigen. Über ihren generischen Gebrauch im Rahmen von Pancha Karma hinaus wird Vamana spezifisch dazu verwendet, um den Körper von Kapha-Störungen zu reinigen. Diese Therapie sollte nur als Bestandteil der Pancha-Karma-Therapien und unter fachkundiger Anleitung durchgeführt werden. Eine ausführliche Beschreibung der Vamana-Therapien wird im Abschnitt über Pancha Karma in diesem Kapitel gegeben.

Virechana – Purgiertherapie

Die Ausscheidung von überschüssigem Pitta wird durch den Gebrauch von ayurwedischen Purgiermitteln gefördert. Auf diese Weise werden Pitta-Überschüsse wie Blut- und Gallestörungen aus dem Magen herausgezogen (dem Hauptsitz von Pitta im Körper), in den Dickdarm befördert und dann in Form von Kot ausgeschieden. Die Virechana-Therapie wird bei Pancha Karma eigens für Pitta-Störungen verwendet und erst dann, wenn die notwendigen vorbereitenden Verfahren, d. h. die ayurwedische Ölmassage und die schweißtreibende Therapie durchgeführt worden sind. Virechana kann in milderer Form auch unabhängig von der Pancha Karma-Therapiegruppe angewendet werden. Eine ausführliche Beschreibung der Virechana-Therapien wird im Abschnitt über Pancha Karma in diesem Kapitel gegeben.

Niruha und Anuvasana Vasti – Einlauftherapie

Bei den beiden Haupttypen von Einläufen, die im Ayurweda verwendet werden, werden entweder Öle oder Pflanzen-Abkochungen verwendet. In den meisten Fällen werden sie während der Vasti-Therapie nacheinander benutzt; in manchen Fällen wird jedoch der Einlauf mit der Pflanzen-Abkochung allein verwendet. Der Öleinlauf, der auch *Anuvasana* heißt, besteht im allgemeinen aus einer öligen Substanz, wie zum Beispiel Sesamöl, der gelegentlich ayurwedische Kräuter zugesetzt werden, während die Pflanzen-Abkochung, die unter dem Namen *Niruha* bekannt ist, aus einem Tee besteht, der mit bestimmten ayurwedischen Kräutern aufgebrüht wurde. Die Abkochung oder die ölige Substanz wird in den Dickdarm eingeführt, dem Hauptsitz von Vata im Körper, um überschüssiges Vata herauszuziehen. Vasti ist die hauptsächliche Reinigungstherapie bei Vata-Störungen und kann gelegentlich ohne das vollständige Mandala der Pancha-Karma-Therapien angewendet werden. Eine ausführliche Beschreibung der Vasti-Therapien wird im Abschnitt über Pancha Karma in diesem Kapitel gegeben.

Nasya – Einführung von Arzneien in die Nase

Bei diesem Verfahren wird eine arzneiliche Flüssigkeit oder ein arzneiliches Puder durch die Nasengänge in den Körper gebracht. Wenn die Pulverform der Substanz zum Schnupfen verschrieben und verwendet wird, dann heißt diese Therapie Sirovirechana. Den Gebrauch von fettigen Substanzen – Ghee mit Salz zum Beispiel – bezeichnet man als nährendes Nasya. Diese Form von Nasya wird bei Vata-Störungen verabreicht. Arzneiliches Öl-Nasya kann von Vata-, Pitta- und Kapha-Typen verwendet werden, wobei die als Arznei verwendete Substanz von dem spezifischen Dosha abhängt, das behandelt wird und von dem Wesen der Störung. Heilende Wurzeln wie Ingwer und Kalmus werden allgemein verwendet. Nasya kann auch außerhalb von Pancha Karma durchgeführt werden.

Die Nasya-Therapie gehört auf der einen Seite zu Snehana oder der fettigen Gruppe von vorbereitenden Therapien; auf der anderen Seite stellt sie die abschließende Behandlung der Pancha-Karma-Therapien dar.

Ein Wort der Warnung: Die in diesem Buch enthaltenen Pancha-Karma-Therapien sollten ausschließlich unter der Leitung von qualifizierten Ayurweda-Ärzten bzw. Begleitern durchgeführt werden, mit Ausnahme derjenigen, die für den Hausgebrauch angepaßt und als solche kenntlich gemacht worden sind.

Die Anwendung und die Verfahren von vier der fünf Pancha-Karma-Therapien werden auf den übrigen Seiten dieses Kapitels detailliert vorgestellt. Das fünfte Pancha Karma, Nasya, ist nicht in diesem Kapitel enthalten, da es ausführlich in Kapitel fünf besprochen wird.

Teil eins

Vamana – Therapie mittels Erbrechen

Die Brechtherapie, deren eigentliche Bezeichnung Vamana ist, ist die erste von fünf Haupttherapien im Mandala von Pancha Karma. Vamana wird als hervorragende Therapie für Pitta- und Kapha-Überschüsse angesehen und kann auch gelegentlich zur Behandlung von Vata-Störungen verwendet werden. Vamana ist der Prozeß, bei dem Abfallstoffe durch die oberen Kanäle ausgeschieden werden. Bevor der Begleiter die Wirksamkeit der Brechbehandlung bestimmt, muß er den Grad der Stärke oder Schwäche der physischen und geistigen Disposition des Patienten feststellen, das Wesen und den Zustand der Krankheit, die Konstitution des Patienten, die betroffenen Doshas, das Klima, das Alter des Patienten, den kulturellen Hintergrund usw. Einen geschwächten Patienten mit einer ernsthaften Störung mit Pancha Karma zu behandeln ist nicht ratsam, weil zum Beispiel die extrahierende Wirkung von Vamana den Körper eine Zeitlang schwächt. So ist Pancha Karma, das hauptsächlich aus einer Reihe von entleerenden Therapien besteht, für den Einsatz unter spezifischen Bedingungen gedacht; wenn diese Forderung verletzt wird, dann könnten sich sowohl die Krankheit als auch das physische Unvermögen des Patienten verschlimmern.

Das Vata-Dosha ist aufgrund seines temperamentvollen Wesens im allgemeinen während dieser Therapien in Gefahr; daher ist ein behutsames und von Sachkenntnis bestimmtes Vorgehen bei der Durchführung dieser reinigenden Verfahren vonnöten. Die Brechtherapie wird selten verabreicht, um überschüssiges Vata zu lindern. Es gibt viele verjüngende Verfahren, bei denen keine Entleerung erfolgt und die nicht zu den Pancha-Karma-Therapien gehören, die im Ayurweda für die Beschwichtigung von empfindlichen Zuständen wie verschlimmerten Doshas, physischer Schwäche, Schwangerschaft, traumatischen Krankheiten wie extremer Fettsucht oder Auszehrung, bösartigen Tumoren, schweren Herzkrankheiten, AIDS, Entzündungen oder Schwellungen der Vorsteherdrüse und der Milz, Blutungen aus den oberen Körperkanälen verwendet werden, ebenso wie für die Behandlung von sehr alten oder sehr jungen Patienten. All diese Zustände bzw. Krankheiten sind Kontraindikationen gegen die Brechtherapie.

Das Fasten, das im Ayurweda als sehr wichtige Medizin angesehen wird, ist eines der alternativen Verfahren, die anstelle der Brechtherapie Anwendung finden können. Das Fasten ermöglicht es dem Körper, angehäufte Giftstoffe zu verdauen, es schürt das Verdauungsfeuer von neuem, reinigt die Körperkanäle und entfernt überschüssige Feuchtigkeit aus den Geweben, indem es sie austrocknet. Der richtige Zeitpunkt für das Fasten ergibt sich aus der jeweiligen Störung und/oder dem Körpertyp. Andere lindernde Methoden, um die Stärke des Körpers wiederherzustellen und ihn gleichzeitig zu reinigen, sind die Kräuter- und die Mineraltherapie; die Abhyanga-, Snehana- und Swedana-Therapie; Akupressur und/oder Akupunktur, Aromatherapie, Blüten- und Edelstein-Essenzen; Heilmittel in hohen Potenzen wie diejenigen, die in der Homöopathie Anwendung finden, und Therapien zur körperlichen Ertüchtigung wie Yoga und Tai Chi, die zusammen mit spirituellen Praktiken wie dem Üben von Barmherzigkeit und dem Beten verwendet werden. Diese Maßnahmen dienen dazu, das Verdauungsfeuer zu regulieren und Gifte aufzulösen. Sie können darüber hinaus auch dazu verwendet werden, um Störungen zu behandeln, die in Jahreszeiten auftreten, die für die Pancha-Karma-Reinigung nicht geeignet sind.

Das Erbrechen, das aufgrund der Entleerung, die es herbeiführt, als Reinigungstherapie angesehen wird, ist die Reinigung von Körperabfällen durch einen Prozeß des therapeutischen Erbrechens. Wenn Beschwerden wie Lungenkongestion, Bronchitis, Husten, Erkältung und Asthma vorliegen, wird die Brechtherapie verabreicht, um überschüssiges Kapha aus dem Magen und den oberen Körperkanälen zu lindern. Diese Therapie kann auch zur Linderung vieler Pitta-Störungen verwendet werden. Wie alle Pancha-Karma-Therapien, so ist es auch bei der Brechtherapie unerläßlich, sie für spezifische Beschwerden in der richtigen Jahreszeit, zur richtigen Tageszeit und nach ausreichender Berücksichtigung des Körpertyps zu verabreichen.

Vorbereitung für die Vamana-Therapie

Bevor mit der Brechtherapie begonnen wird, ist eine Ölmassage, auf die die Schwitztherapie folgt, absolut wesentlich. Der Tradition zufolge wird der Patient drei Tage lang massiert, eingeölt und zum Schwitzen gebracht, bis er vollkommen ruhig wird. Erst dann wird die Brechtherapie verabreicht. Diese notwendigen Vorsichtsmaßnahmen schützen den Patienten während des therapeutischen Erbrechens vor traumatischen Reaktionen und machen darüber hinaus den inneren und den äußeren Körper flexibel. Von den Pancha-Karma-Therapien ist die Brechtherapie diejenige, an die das menschliche System am wenigsten gewöhnt ist. Daher sollte der Behandelnde äußerst geduldig sein und das notwendige Wissen und die notwendige Bereitschaft mitbringen, um dem Patienten vor der Behandlung zu nähren und zu beruhigen, damit sich ruhige Schwingungen in den Körpergeweben und im Geist des Patienten ausbreiten können.

Bevor mit irgendeinem Aspekt von Pancha Karma begonnen wird, werden die traditionellen reinigenden Waschungen – ein Bad, das Rezitieren von Mantren, das Tragen sauberer Kleidung und Gebete zu Gott – sowohl vom Behandelnden als auch vom Patienten durchgeführt (vergleichen Sie Kapitel neun). Viele dieser Regeln werden von zeitgenössischen Ayurweda-Ärzten in Indien und im Westen nicht länger eingehalten, zum einen aufgrund des Fehlens von Zeit und Raum in der modernen Gesellschaft, zum anderen – und dieser Grund wiegt schwerer – weil das kognitive Gedächtnis beim Menschen nicht mehr wirksam ist, was zu einem Mangel an Vertrauen in den Schöpfer und die natürliche Harmonie der Natur geführt hat. Es ist wichtig, zu erkennen bzw. wiederzuerkennen, daß diese Regeln kostbar und für die heilenden Kräfte dieser Therapien notwendig sind, und daß sie im wesentlichen den numinosen und leuchtenden Kern jeglicher Heilung darstellen.

Geeignete Voraussetzungen für die Vamana-Therapie

- Der Patient muß sich in einem ruhigen Zustand befinden.
- Diese Behandlung muß von einem ausgebildeten Pancha-Karma-Therapeuten durchgeführt werden.
- Die richtigen jahreszeitlichen und zeitlichen Pläne für die Durchführung der Brechtherapie müssen eingehalten werden.
- Dem Patienten gegenüber muß die Warnung ausgesprochen werden, während der gesamten Behandlungsdauer und für einen Monat vor und nach der Behandlung Keuschheit zu wahren.
- Der Patient muß ermahnt werden, die heilende Diät und heilende Aktivitäten während der Therapie und für dieselbe Zeitdauer danach einzuhalten (für Details vergleichen Sie die Kapitel acht und neun).
- Die vorbereitenden Ölmassage- und Schwitzbehandlungen müssen vor Beginn der Brechtherapie durchgeführt werden (für Details vergleichen Sie Kapitel vier). Die passenden Massageöle für jeden Körpertyp werden ebenfalls in Kapitel vier erwähnt.

- Halten Sie bei spezifischen Pitta- und Kapha-Störungen den „jahreszeitlichen Brechtherapie-Plan“ unten ein.
- Wenn der Patient ausruht, dann sollte sein Kopf nach Osten zeigen.
- Reinigende Waschungen sollten sowohl vom Begleiter als auch vom Patienten vor Beginn der Therapie durchgeführt werden (vergleichen Sie Kapitel neun).

Anmerkung: Der Patient muß vollständig über das Wesen und die Absicht der Brechtherapie informiert sein und sich mit der Vorstellung angefreundet haben, bevor solche Verfahren durchgeführt werden.

Voraussetzungen, unter denen die Vamana-Therapie nicht durchgeführt werden sollte

- Kindheit, hohes Alter, Hunger sowie physische oder geistige Schwäche
- während der Menstruation oder der Schwangerschaft
- in Phasen des Studierens
- wenn die entsprechende Person trauert
- Durst und Hunger
- vor oder nach sexueller Aktivität
- Fettsucht
- Abmagerung oder Erschöpfung
- schwere Magersucht
- eine unangemessene Ernährung oder Diät
- übermäßiges Essen
- die Unterdrückung eines natürlichen Drangs
- lautes oder übermäßiges Reden
- körperliche Verletzungen
- Verstopfung (umgekehrte Peristaltik)
- Herzkrankheit
- Schmerzen im Brustkorb
- Würmer in den Eingeweiden
- Krankheiten des Unterleibs
- bösartige Tumore
- Schwellungen der Vorsteherdrüse oder der Milz
- Hämorrhoiden
- Blasenstörungen, die zur Verhaltung von Urin führen
- Kopfschmerzen
- Schmerzen in den Augen
- Brennender Schmerz
- AIDS
- alle Blutungen in den oberen Kanälen
- Schlafen während des Tages
- Wachbleiben in der Nacht
- Schwindelgefühle oder Ohnmacht
- Heiserkeit
- nach der Vasti-Behandlung

- übermäßige Trockenheit des Körpers
- ein geringes Verdauungsfeuer

Zeichen von unzureichendem Erbrechen
- Nur die Abkochung wird erbrochen (der Nahrungsinhalt und die überschüssigen Doshas verbleiben im Magen)
- Der Drang zu erbrechen ist unregelmäßig und schwach.
- Behinderung des Brechflusses (die Kanäle sind blockiert)
- ein Schweregefühl im Herzen und im Körper
- Fieber, das während oder nach dem Erbrechen auftritt

Zeichen von übermäßigem Erbrechen
- Schaumbildung während des Erbrechens
- Blut im Erbrochenen
- übermäßiger Durst
- starke Schmerzen im Magen oder den Eingeweiden
- Verlust an körperlicher Stärke
- Schlaflosigkeit
- dunkle Ringe unter den Augen
- Schmerzen im Hals
- Herzschmerzen
- Schwindelgefühle
- brennende Empfindungen
- Blutungen als Folge der Behandlung

Vamana-Therapieplan

Ausschließlich dann einzuhalten, wenn die Brechtherapie empfohlen wurde.

Gemäßigte und tropische Klimate:
Pitta- und Kapha-Störungen:
Gegen Ende des Herbstes: 20. Oktober bis 20. November
Gegen Ende des Winters/
zum Beginn des Frühlings: 21. März bis 21. April
***Behandlungszeit:** früher Morgen*
Klassischer Zeitplan

1) Ölmassage: 1. bis 3. Tag
2) Schwitzkur: 3. bis 6. Tag
3) Vamana-Therapie: 7. Tag
4) Einhaltung der posttherapeutischen Maßnahmen, das heißt der heilenden Diät, des Rauchens von Kräutern und der beruhigenden Aktivitäten: drei bis sieben Tage lang im Anschluß an die Brechtherapie.

Regeln während der Therapie

Anmerkung: Die Rezepturen, auf die ich mich unten beziehe, sind am Ende dieses Kapitels erläutert.

Während der Brechbehandlung ist es äußerst wichtig, die volle Aufmerksamkeit auf den Patienten zu richten und seine Fortschritte zu beobachten. Er sollte sich wohlfühlen und bereit sein, sich zu dem Prozeß des Erbrechens zu verpflichten. Im Laufe dieses Verfahrens treten im allgemeinen bestimmte natürliche Reaktionen auf und dauern an. Zunächst könnte es sein, daß der Patient anfängt zu schwitzen und zu frösteln. Dann wird sich der Unterleib aufblähen und der Brechreiz wird auftreten. Wenn es während der Therapie zu Komplikationen beim Patienten kommt, dann muß sie sofort abgebrochen werden.

Symptome von Komplikationen

- unregelmäßiger oder unzeitgemäßer Brechreiz
- Die Masse, die erbrochen werden soll, steckt fest, während der Brechreiz fortbesteht
- Körperliche Schwäche oder Schweregefühl
- Frösteln während des Erbrechens
- starke Schmerzen oder Krämpfe im Magen oder in den Eingeweiden
- Ohnmacht oder Schweregefühl im Kopf
- Symptome, die auf eine Vata-Störung hinweisen, wie Ängste, Schlaflosigkeit und Ziellosigkeit
- Gefühle von Brennen
- Blut im Erbrochenen

Sollte irgendeine der oben genannten Beschwerden auftreten, dann wischen Sie die Hände und das Gesicht des Patienten mit einem sauberen Baumwollhandtuch ab, und bitten Sie ihn, sich hinzulegen. Geben Sie dem Patienten warmen Reisbrei und verdauungsfördernden Tee, um das Verdauungsfeuer anzuregen und die gestörten Impulse im Magen ins Gleichgewicht zu bringen. Eine Sprühflasche mit warmem Wasser, dem einige Tropfen Koriander- oder Pfefferminz-Essenz zugesetzt sind, kann neben den liegenden Patienten gestellt werden, um den Geist zu beruhigen. Reiben Sie die Füße des Patienten mit einem warmen, feuchten Tuch, dann massieren Sie leicht seine Füße, während sich der Patient ausruht. Beobachten Sie den Patienten behutsam, bis er zum Normalzustand zurückgekehrt ist.

Dosierung für angemessenes Erbrechen

Eine maximale, mittlere oder minimale Therapie erfordert eine spezifische Dosierung der Abkochung: knapp 1 l für die maximale, knapp 0,75 l für die mittlere, und knapp 0,5 l für die minimale Therapie. Als hervorragendes Ergebnis wird achtmaliges Erbrechen bei der maximalen, sechsmaliges Erbrechen bei der mittleren und viermaliges Erbrechen bei der minimalen Therapie angesehen. Sobald die Abkochung eingenommen ist, sollte das Erbrechen in regelmäßigen Abständen erfolgen.

Eigenschaften der Vamanasubstanzen und ihrer Aktionen

Alle Pancha-Karma-Therapien werden von einem umfangreichen ayurwedischen Arzneienschatz an Kräutern, Ölen und Substanzen begleitet, die dazu dienen sollen, den Organismus anzuregen, damit er die gewünschten Ergebnisse produziert. Die Brechtherapie wird durch Substanzen erleichtert, die ihrem Wesen nach heiß, scharf, sich verströmend, krampflösend und subtil sind. Die Absicht dieser spezifischen Eigenschaften ist es, die Körpergewebe mittels Hitze zu durchdringen, durch die kleinen und großen Blutgefäße zu kreisen, um so das Herz zu erreichen und die angehäuften Doshas zunächst aufzubrechen, um sie dann zu verflüssigen.

Die Hauptgeschmacksrichtungen, die bei den Abkochungen für die Brechtherapie verwendet werden, sind scharf und bitter mit den sekundären Geschmacksrichtungen süß und zusammenziehend. Die Kraft der Substanzen, die bei den Abkochungen verwendet werden, ist im allgemeinen erhitzend. Der subtile Charakter der Brechsubstanzen ermöglicht ihren Durchgang durch die winzigen Öffnungen der Kanäle und Poren im Magen, während gleichzeitig das notwendige Gleichgewicht zwischen den winzigsten Partikeln des Körpers aufrechterhalten wird.

Die Hauptaktion der Brechtherapie, die eine ideale Therapie für Pitta- und Kapha-Störungen darstellt, konzentriert sich auf den Magen. Die vorbereitenden Aktionen des Einölens, Massierens und Schwitzens des Körpers tragen dazu bei, die überschüssigen Doshas in den Magen hineinzubewegen. Sobald die Abkochung zum Brechen verabreicht wird, wird die Luft des Körpers, Vyana, die die Funktionen des gesamten Körpers regelt, in den Magen hineingezogen. Diese Luft wird gestört und ermöglicht es so der Abkochung, die schleimige Magenmembran zu durchdringen und zu irritieren. Die Impulse des Unwohlseins werden dann durch die Luft des Halses, Udana, weitergegeben, welche ebenfalls verschlimmert wird und welche dann ihrerseits Signale an die vierte Hirnkammer, die Medulla Oblongata sendet, die das Brechzentrum des Organismus ist. So wird das sympathische und das parasympathische Nervensystem angeregt, und die Verschlimmerung von Udana verstärkt sich, was dazu führt, daß der Mageninhalt ausgestoßen wird. Auf diese Weise entwurzelt das Erbrechen die Ursache der Magenüberschüsse einer Pitta- und besonders einer Kapha-Natur und stellt so den normalen Zustand der Doshas wieder her.

Vamana-Therapie: Anwendung

Jahrzeszeit: *Folgen Sie den jahreszeitlichen Richtlinien*
Körpertyp: *Kapha- und Pitta-Störungen*
Dauer der Behandlung: *eine Behandlung*
Zeit: *zweieinhalb Stunden; später Morgen (nach der Massage und der Schwitzbehandlung).*

Folgen Sie dem Zeitplan für die Brechbehandlung

Beschwerden

Kapha-Störungen: Phlegmatische Störungen (Erkältung, Husten,Schleim), Asthma, chronischer Stirnhöhlenkatarrh, Mandelentzündung (wiederkehrend), Verkrampfungen im Hals, Muskelkrämpfe, Tuberkulose, Übelkeit; Appetitverlust, Anämie, Magersucht (frühe Stadien), Vergiftung, Toxizität, Diabetes (kapha-bezogen), Ödem (anschwellend), Fieber (kapha-bezogen), Behinderung des Lymphflusses, Beeinträchtigung der Muttermilch; Epilepsie; Lethargie; Geistesstörungen.

Pitta-Störungen: Augenkrankheiten (mit Ausnahme von Grauem Star), Fieber (pitta-bezogen), Hautkrankheiten (einschließlich Lepra, Magen-Darm-Entzündung, Durchfall, chronische Magenverstimmung, Blutungen, Diabetes (pitta-bezogen), Epilepsie, Geistesstörungen (pitta-bezogen)

Wirkung

Über die Beseitigung von Problemen mit Kopf, Augen, Ohren, Nase und Hals hinaus reguliert diese Behandlung den Blutzucker und regt angemessen die Verdauung an. Sie lindert Blutungen in den unteren Kanälen, lindert Spannungen im Blut und erweckt das Herz aufs neue. Sie schwemmt darüber hinaus Gifte aus dem System aus und zieht hartnäckige Substanzen aus Körper und Geist. Indem die Ursache der Pitta- und Kapha-Störung beseitigt wird und die körperlichen Lüfte von Samana, Udana und Viyana reguliert werden, bekommen Körper und Geist Leichtigkeit und Energie, und Geist und Sinnen wird Realität und Klarheit zurückgegeben.

Notwendige Hilfsmittel

- zwei qualifizierte Begleiter
- ein großer Krug aus rostfreiem Stahl mit Brech-Abkochung
- ein großer Krug aus rostfreiem Stahl mit warmem Wasser
- ein kleinerer Krug aus rostfreiem Stahl mit kalter Milch
- drei Becher aus rostfreiem Stahl (einen für jede der Flüssigkeiten)
- eine kleinere Schüssel aus rostfreiem Stahl, die die Mischung zum Brechen enthält
- arzneiliche Kräuter zum Rauchen nach der Brechbehandlung
- eine sterilisierte Pfeife zum Rauchen

- Streichhölzer
- 5 saubere, feuchte Baumwollhandtücher
- 3 saubere, trockene Baumwollhandtücher
- ein sauberer Brechumhang aus Baumwolle*
- ein sauberer Behandlungskittel aus Baumwolle*
- ein sauberes, schweres Baumwollaken, um den Patienten nach der Therapie warmzuhalten

**Anmerkung:* Vergleichen Sie Anhang D für Details

Behandlungsraum
- Ein Behandlungstisch, der mit einem sauberen Baumwollaken bedeckt ist, für die vorbereitende Einölungs- und Schwitzbehandlung und damit der Patient sich in den Behandlungspausen ausruhen kann
- ein kniehoher, gut gepolsteter Stuhl, der nach Osten zeigt
- ein niedriger Tisch (30,5 cm hoch), der vor dem Stuhl steht
- ein großes Spucknapf bzw. ein Eimer, um das Erbrochene darin zu sammeln (die Außenseite des Eimers sollte vorher mit Meßlinien markiert werden, die ½ l, 1 l, 1½ l und 2 l markieren, damit das Erbrochene nach der Behandlung gemessen werden kann und sich so die Therapieergebnisse messen lassen)
- ein hoher Stuhl mit Rückenlehne
- ein kniehoher Beistelltisch, der in Reichweite des Patienten stehen sollte (stellen Sie die Krüge und andere Behandlungshilfen auf diesen Tisch)
- eine Sitzbadewanne mit Kommode und Waschbecken

Verfahren, die vor Vamana durchzuführen sind
Anmerkung: Die Rezepte bzw. die unten erwähnte Diät finden sich am Ende dieses Kapitels.
- Eine Ölmassage und Schwitzkur sind nacheinander drei Tage lang vor Beginn der Brechtherapie zu verabreichen (vergleichen Sie den „Klassischen Pancha-Karma-Zeitplan“ auf S. 279), wobei die letzte Behandlung am Morgen, an dem die Therapie beginnt, durchgeführt werden sollte.
- Lassen Sie den Patienten in den ersten beiden Tagen der vorbereitenden Behandlungen zweimal täglich eine Tasse lauwarmen Sesamöls trinken, eine Tasse am frühen Morgen, und die zweite Tasse am frühen Nachmittag. Dieses Verfahren verflüssigt den Stuhl und erleichtert die Ausscheidung von Stoffen aus dem Körper. Außerdem regt es das Brechzentrum im Gehirn an, das Übelkeit hervorruft.
- Um das Kapha-Dosha zu reizen, geben Sie dem Patienten drei Tage vor Beginn der Brechtherapie eine kapha-erhöhende Diät.
- Geben Sie dem Patienten zwei Stunden vor der Brechtherapie ein frühes Frühstück, das aus Reis und gesalzenem Joghurtporridge besteht. Vergewissern Sie sich, daß Sie die Porridgemenge abmessen, die der Patient zu sich nimmt.

Die sieben Phasen der Vamana-Therapie

1. Geben Sie dem Patienten ½ l kalte Milch.
2. Geben Sie dem Patienten zwanzig Minuten später das Präparat zum Brechen zusammen mit einer Tasse Wasser.
3. Warten Sie dreißig Minuten lang. Wenn der Patient nicht bricht, dann verabreichen Sie ihm die Brech-Abkochung, wobei die Menge davon abhängt, ob die Therapie ihrem Wesen nach maximal, gemäßigt oder minimal ist, wie oben angegeben.
4. Geben Sie dem Patienten nach jedem Erbrechen warmes Wasser, damit er sein Gesicht waschen und gurgeln kann.
5. Geben Sie ihm nach 30 Minuten die therapeutische Kräuterpfeife.
6. Vergewissern Sie sich, daß der Patient es bequem hat und sich ausruht.
7. Der Patient sollte mindestens drei Stunden nach der Brechtherapie keine Nahrung zu sich nehmen. (Vergleichen Sie das Vamana-Heilmenü für dietätische Empfehlungen nach der Brechtherapie.)

Die Vamana-Therapie im einzelnen

- Nachdem die entsprechenden Verfahren vor der Brechtherapie ausgeführt worden sind, und der Patient sich ausreichend auf den Brechprozeß vorbereitet fühlt, kann mit der Behandlung begonnen werden.
- Geben Sie dem Patienten einen bequemen Behandlungskittel zum Anziehen.
- Legen Sie dem Patienten den Brechumhang um, und befestigen Sie ihn.
- Legen Sie das schwere Baumwollaken um die Schultern des Patienten, um die während der Therapie wahrscheinlich auftretenden Schüttelfrostsymptome zu mildern.
- Geben Sie dem Patienten den ½ l Milch zu trinken.
- Lassen Sie ihn zwanzig Minuten lang ausruhen.
- Verabreichen Sie ihm das Brechpräparat zusammen mit einer Tasse warmem Wasser.
- Lassen Sie den Patienten dreißig Minuten lang ausruhen. Falls an diesem Punkt noch kein Erbrechen erfolgt, verabreichen Sie dem Patienten die Brech-Abkochung. Sie muß nach den Bedürfnissen des Patienten abgemessen sein, bevor Sie sie verabreichen.
- Ermuntern Sie den Patienten, nacheinander soviele Gläser von der Abkochung zu trinken, bis nichts mehr übrig ist.
- Stellen Sie den Stuhl in Richtung Osten. Stellen Sie den Spucknapf oder den Eimer direkt vor den Patienten auf den Tisch.
- Stellen Sie die große Kanne mit dem warmem Wasser, dem Glas und den Handtüchern auf den Beistelltisch in die Nähe des Patienten.
- Bevor der Patient zu brechen beginnt, raten Sie ihm, sein Gesicht mit warmem Wasser zu waschen und nach jedem Brechanfall zu gurgeln.
- Nachdem Sie die Abkochung verabreicht haben, bitten Sie den Patienten, sich mit Zeige- und Mittelfinger der rechten Hand die Zunge zu reiben, um ein schnelleres Entleeren des Mageninhalts herbeizuführen.

- Wenn es dem Patienten schwerfällt, im Sitzen zu brechen, dann reiben Sie kräftig seinen Rücken, während der andere Begleiter die Stirn des Patienten hält und den Bereich um den Bauchnabel herum reibt.
- Nachdem der Drang zu erbrechen abflaut, entfernen Sie den Umhang und bitten den Patienten, sich noch einmal abzuwaschen und dann für kurze Zeit auszuruhen.
- Messen Sie das Erbrochene in dem Eimer ab, um den Erfolg der Therapie beurteilen zu können. (Der Inhalt des Eimers sollte der Menge entsprechen, die der Patient an Abkochung, Milch und Morgenbrei zu sich genommen hat.)
- Wischen Sie in der Phase nach der Therapie sanft die Hände und Füße des Patienten mit einem warmen, feuchten Tuch ab. Dann reiben Sie seine Füße, so daß sich der Patient enspannt und sicher fühlt.
- Nachdem sich der Patient zwanzig Minuten lang ausgeruht hat, bitten Sie ihn, sich in einen Stuhl mit Rückenlehne zu setzen.
- Füllen Sie die Pfeife mit den Kräutern, geben Sie sie dem Patienten, und zünden Sie sie an. Weisen Sie den Patienten an, mit leichten Inhalationen zu beginnen und diese zu vertiefen, wenn er sich daran gewöhnt hat. Nachdem der Patient eine Pfeife vollständig aufgeraucht hat, kann er sich noch einmal für kurze Zeit ausruhen.
- Bevor der Patient geht, sprechen Sie mit ihm über die heilende Diät und die beruhigenden Aktivitäten, die für die festgelegte Zeit nach der Behandlung eingehalten werden sollten.

Vamana-Rezepturen

Die folgende Liste wenig gebräuchlicher ayurwedischer Zutaten, die in den unten näher ausgeführten Rezepturen verwendet werden, sind hier mit ihren deutschen Namen wiedergegeben. Bitten Sie Ihre Lieferanten (Anhang G), vergleichbare Kräuter zu liefern, falls diese nicht verfügbar sein sollten.

Sanskrit	***Deutsch***
Aguru	*Aguru-Holz (Aquilaria agallocha)*
Dokshi	*Flaschenkürbis*
Jatamansi	*Indische Narde, indischer Speik*
Madana	*Brechnuß*
Musta	*Cyperngras*

Jahreszeit: *Folgen Sie den jahreszeitlichen Richtlinien*
Körpertyp: *Pitta und Kapha*

Kalmus-Wurzeltee (mild)

gut 1 l Wasser
gut 1 l Milch
1 Tasse Kalmus-Wurzel (getrocknet)
½ l kalte Milch

Bringen Sie das Wasser und gut einen Liter Milch in einem großen Topf aus rostfreiem Stahl zum Kochen. Fügen Sie die Kalmus-Wurzel hinzu, decken Sie den Topf zu, und köcheln Sie das Ganze bei mittlerer Hitze dreißig Minuten lang oder solange, bis ein Drittel der Flüssigkeit verdunstet ist. Gießen Sie die Flüssigkeit durch ein Sieb. Lassen Sie die Abkochung abkühlen, und gießen Sie sie dann in einen großen Krug. Die kalte Milch sollte vor der Abkochung getrunken werden.

Süßholz- und Honigtee (mild)

1 ½ l Wasser
1 Tasse Süßholzpulver
1 Teelöffel Honig

Bringen Sie das Wasser in einem großen Topf aus rostfreiem Stahl zum Kochen. Fügen Sie das Pulver hinzu, dekken Sie den Topf zu, und köcheln Sie das Ganze bei mittlerer Hitze dreißig Minuten lang oder solange, bis ein Drittel der Flüssigkeit verdunstet ist. Nehmen Sie den Topf vom Herd, und lassen Sie die Mischung abkühlen, während sich das Pulver als Sediment am Topfboden absetzt. Gießen Sie die Abkochung vorsichtig in einen großen Krug, und vergewissern Sie sich, daß das Sediment im Topf bleibt. Verrühren Sie gründlich den Honig in der Flüssigkeit, bevor Sie den Tee reichen.

Reisgrütze-Süßholz-Abkochung (mild)

3 ½ l Reisgrütze (vergleichen Sie das Rezept unten)
1 Tasse Süßholz-Wurzel (getrocknet)

Bringen Sie die Reisgrütze zum Kochen. Verwenden Sie einen Mahlstein, um die Wurzeln zu mahlen, bis sie zerkleinert sind. Fügen Sie sie zu der kochenden Grütze hinzu. Decken Sie den Topf zu, und köcheln Sie das Ganze bei mittlerer Hitze dreißig Minuten lang, oder solange, bis ein Drittel der Flüssigkeit verdunstet ist. Lassen Sie die Grütze abkühlen. Verwenden Sie einen Handstampfer (eine Schöpfkelle mit flachem Boden), um den weichen gekochten Reis zu pürieren, bis die Grütze glatt und dickflüssig ist.

Jatamansi- und Baldrian-Abkochung (mild)

1 ½ l Wasser
¼ Tasse Baldrianwurzelpulver
¼ Tasse Jatamansi-Pulver
2 Eßlöffel Steinsalz (in Pulverform)
2 Eßlöffel Kardamompulver
2 Eßlöffel Korianderpulver

Bringen Sie das Wasser in einem großen Topf aus rostfreiem Stahl zum Kochen. Fügen Sie die Pulver hinzu, dekken Sie den Topf zu, und köcheln Sie das Ganze bei mittlerer Hitze dreißig Minuten lang, oder solange, bis ein Drittel der Flüssigkeit verdunstet ist. Nehmen Sie den Topf vom Herd, und lassen Sie die Mischung abkühlen, während sich das Pulver als Sediment am Topfboden absetzt. Bewahren Sie die Abkochung über Nacht an einem kühlen Ort (nicht im Kühlschrank) auf, dann gießen Sie sie vorsichtig in einen großen Krug, und vergewissern Sie sich, daß das Sediment im Topf bleibt. Lösen Sie das Steinsalz in der Abkochung auf, bevor Sie sie zum Trinken reichen.

Anmerkung: Denken Sie, nachdem Sie die folgenden Abkochungen und Tees zubereitet haben, daran, das Pulversediment, die gekochten Wurzeln usw. aufzubewahren, und geben Sie sie dann der Erde zurück, oder geben Sie sie auf einen Komposthaufen.

Warme Salzwasser-Abkochung (mild)

gut 1 l Wasser
¼ Tasse Meersalz*

Bringen Sie das Wasser in einem großen Topf aus rostfreiem Stahl zum Kochen. Fügen Sie das Salz hinzu, und nehmen Sie den Topf vom Herd. Lassen Sie das Wasser abkühlen, bevor Sie es zum Trinken reichen.

**Anmerkung:*
Hierfür kann ersatzweise dieselbe Menge Steinsalz verwendet werden.

Dokshi-Abkochung (kräftig)

gut 1 ½ l Wasser
½ Tasse Kalmus-Wurzel-Pulver
2 Eßlöffel Kardamompulver
1 Eßlöffel Neem-Blätter-Pulver
1 Eßlöffel Dokshi-Samen-Pulver

Bringen Sie das Wasser in einem großen Topf aus rostfreiem Stahl zum Kochen. Nehmen Sie den Topf vom Herd, und lassen Sie ihn fünfzehn Minuten lang abkühlen; rühren Sie dann die Pulver hinein. Decken Sie den Topf mit einem gefalteten Stück Baumwollgaze zu, und lassen Sie die Mischung über Nacht an einem trockenen, kühlen Ort ziehen. Stellen Sie den Topf nicht in den Kühlschrank. Gießen Sie die Abkochung am nächsten Morgen in einen großen Krug, und vergewissern Sie sich, daß das Sediment im Topf bleibt. Folgen Sie beim Trinken den Anweisungen für die Brechtherapie.

Madana-Mischung (mild)

Für zwei Portionen:

2 Eßlöffel Madana-Samen
2 Eßlöffel Sesamsamen
2 Eßlöffel Honig
1 Eßlöffel Ghee

Geben Sie die Samen in eine Schüssel aus rostfreiem Stahl. Decken Sie sie mit einem sauberen Stück Baumwollgaze zu, und sichern Sie sie, indem Sie ein Gummiband um den Rand der Schüssel befestigen. Stellen Sie sie eine Woche lang jeweils drei Stunden pro Tag in direktes Sonnenlicht, solange, bis die Samen vollkommen ausgetrocknet sind. Geben Sie die getrockneten Samen in ein Suribachi, und mahlen Sie sie mit Bewegungen im Uhrzeigersinn zu feinen Körnchen. Decken Sie die gemahlenen Samen zu, und lassen Sie sie einige Stunden lang ziehen, dann mahlen Sie sie noch einmal mit denselben Bewegungen im Uhrzeigersinn, bis die Körnchen zu feinem Pulver geworden sind. Lassen Sie das Pulver eine weitere Stunde lang ziehen, und dann mahlen Sie das Pulver noch ein weiteres Mal.

Bürsten Sie das Pulver mit Hilfe eines sauberen Baumwolltuches aus dem Suribachi in eine Schüssel aus rostfreiem Stahl. Decken Sie die Schüssel noch einmal mit einem sauberen Stück Baumwollgaze zu, und lassen Sie sie über Nacht an einem kühlen, trockenen Ort ruhen. Stellen Sie die Schüssel nicht in den Kühlschrank.

Mischen Sie unmittelbar, bevor Sie die Therapie verabreichen, den Honig, das Ghee und das Pulver zu einer Paste oder Mischung zusammen. Servieren Sie sie mit einem Glas warmem Wasser.

NACH VAMANA ANZUWENDENDE VERFAHREN

Abgesehen von der notwendigen heilenden Diät und den Aktivitäten, die während und nach der Behandlung ausgeübt werden sollten, empfiehlt der Ayurweda die zusätzlichen Verfahren des Inhalierens von Kräutern, das sogenannte *Snehika Dhoomapana*, um den Hals, die Brust und den Verdauungstrakt zu beruhigen. Die Kräuter, die zu diesem Zweck verabreicht werden, besitzen keine der schädigenden Eigenschaften und Nebenwirkungen von Tabakprodukten. Dhoomapana ist eine ayurwedische Rezeptur, die dazu dient, die Schleimmembranen der Lungen zu beruhigen und das Gleichgewicht der Gewebe anzuregen und wiederherzustellen. Gleichzeitig lindert und scheidet sie überschüssiges Kapha Dosha aus dem Körper aus.

Stopfen Sie die Kräuter gemütlich in eine Pfeife, so wie es bei Tabak tun würden. Setzen Sie sich zurück, zünden Sie die Pfeife an, und inhalieren Sie langsam. Patienten, die zum ersten Mal rauchen, sollten zuerst sanft inhalieren und erst allmählich tiefere Züge nehmen, wenn Sie sich an das Rauchen gewöhnt haben. Seien Sie sicher, diese Kräuter besitzen keine der schädigenden Eigenschaften und Nebenwirkungen von Tabakprodukten. Dhoomapana ist eine ayurwedische Rezeptur, die dazu dient, überschüssiges Kapha Dosha zu lindern und aus dem Körper auszuscheiden.

Dhoomapana: Kräuter-Rauchwerk (nach der Brechtherapie zu verwenden)

Körpertyp: *Pitta- und Kapha-Störungen*

Snehika Dhoomapana

Für vier Pfeifenfüllungen mit öligem Kräuter-Rauchwerk:

1 Zimtstange von 1 cm Länge
½ Eßlöffel Kardamom (grüne Schoten)
1 Teelöffel Süßholzwurzel
1 Teelöffel Lotos
1 Teelöffel Musta-Blätter (getrocknet)
¼ Teelöffel reines Ghee
¼ Teelöffel brauner Zucker

Rösten Sie in einer kleinen gußeisernen Pfanne alle Zutaten mit Ausnahme von Ghee und Zucker bei mittlerer Hitze drei bis vier Minuten lang. Zermahlen Sie in einer Handmühle die Zimtstange, die Kardamomschoten und -samen, die Süßholzwurzel, die Lotossamen und die Musta-Blätter zu kleinen Stücken. Bewahren Sie die Mischung in einem luftdichten Behälter an einem kühlen, trockenen Ort auf, der zur Lagerung von Rauchwerk geeignet ist. Verwenden Sie sie nach Bedarf.

Mischen Sie ¼ Teelöffel Ghee und ¼ Teelöffel braunen Zucker und geben Sie diese Mischung zu jeder Kräuterpfeife bzw. zu den Kräutern für eine Zigarette. Fügen Sie die Mischung unmittelbar, bevor die Kräuter geraucht werden sollen, hinzu, um zu verhindern, daß die Ghee-Mischung verdirbt.

Vairechanika Dhoomapana

Für vier Kräuterfüllungen mit Kräuterrauchwerk, das die Ausscheidung begünstigt:

½ Teelöffel Fenchelsamen
1 Eßlöffel Zimtrinde
1 Teelöffel Kalmus-Wurzel (getrocknet)
½ Teelöffel Aguru-Holz-Pulver

Rösten Sie in einer kleinen gußeisernen Pfanne alle Zutaten trocken bei mittlerer Hitze drei Minuten lang. Dann zermahlen Sie in einer kleinen Handmühle sämtliche Zutaten mit Ausnahme des Holzpulvers in kleine Stücke. Mischen Sie das Holzpulver hinzu und bewahren Sie die Mischung in einem luftdichten Behälter an einem kühlen, trockenen Ort auf, der für die Lagerung von Rauchwerk geeignet ist. Stopfen Sie die Kräuter gemütlich in eine Pfeife, so wie Sie es bei Tabak tun würden.

Vamana-Heilmenü (um Erbrechen herbeizuführen; Frühstück vor dem Erbrechen)

Für: *Vamana-Empfänger*

Süßholz-/Reisgrütze

Zwei Portionen:

3 Tassen Wasser
¼ Tasse Arborioreis*
¼ Tasse Süßholzpulver
2 Eßlöffel Steinsalz (in Pulverform)
1 Tasse Milch

Bringen Sie das Wasser in einem schweren, mittelgroßen Topf aus rostfreiem Stahl zum Kochen. Fügen Sie den Reis, das Süßholzpulver und das Salz hinzu. Decken Sie den Topf zu, und köcheln Sie die Mischung bei niedriger Hitze vierzig Minuten lang oder solange, bis der Reis weich ist. Fügen Sie die Milch hinzu, und kochen Sie das Ganze weitere zwanzig Minuten lang. Nehmen Sie den Topf vom Herd, und pürieren Sie den Porridge mit Hilfe eines flachen Schöpflöffels zu einem dicken Brei. Lassen Sie den Brei abkühlen, bevor Sie ihn servieren.

**Anmerkung:*
Ersatzweise kann weißer Basmatireis in gleicher Menge verwendet werden.

Salziger Reis- und Joghurtporridge

Zwei Portionen

4 Tassen Wasser
1 Tasse Basmatireis
3 Eßlöffel Steinsalz (in Pulverform)
1 Tasse Joghurt

Bringen Sie nun das Wasser in einem schweren, mittelgroßen Topf aus rostfreiem Stahl zum Kochen. Fügen Sie den Reis und das Salz hinzu. Decken Sie den Topf zu, und köcheln Sie die Mischung bei niedriger Hitze vierzig Minuten lang oder solange, bis der Reis weich ist. Mischen Sie den Joghurt hinzu, und köcheln Sie das Ganze weitere zwanzig Minuten lang. Nehmen Sie den Topf vom Herd, und lassen Sie den Porridge vollständig abkühlen, bevor Sie ihn zwei Stunden vor Beginn der Brechtherapie als Frühstück servieren.

Warmer Reisporridge

Als Diät nach Vamana zu verwenden
Zwei Portionen:
2 Tassen Wasser
½ Tasse weißen Basmatireis
1 Tasse Kreuzkümmelsamen
1 Eßlöffel Ghee
½ Teelöffel Kardamomsamen
½ Teelöffel Koriandersamen
¼ Teelöffel Steinsalz (in Pulverform)

Bringen Sie das Wasser in einem mittelgroßen Topf aus rostfreiem Stahl zum Kochen. Waschen Sie den Reis, und fügen Sie ihn zusammen mit dem Salz hinzu. Decken Sie den Topf zu, und köcheln Sie die Mischung bei geringer Hitze zwanzig Minuten lang, bis der Reis gekocht ist. Mischen Sie die Samen, und rösten Sie sie einige Minuten lang trokken in einer kleinen gußeisernen Pfanne. Zermahlen Sie die Samen mit Hilfe eines Suribachi zu einem groben Pulver. Erhitzen Sie das Ghee in derselben Pfanne, fügen Sie das Pulver hinzu, rösten Sie die Mischung drei Minuten lang, und gießen Sie sie dann in den gekochten Porridge. Mischen Sie das Ganze gründlich, und servieren Sie ihn warm.

Verdauungstees (als Diät nach Vamana zu verwenden)

Um die Verdauung zu fördern, Agni zu erhöhen, den Körper zu wärmen

Alle Tees: *zwei Portionen*

Nelken-/Ingwer-/Fencheltee

Körpertyp: *Alle Typen*

2 Tassen Wasser
¼ Teelöffel geschälter, feingeriebener frischer Ingwer
3 Nelken
½ Teelöffel Fenchelsamen

Geben Sie den Ingwer mit dem Wasser in einen kleinen Topf aus rostfreiem Stahl. Bringen Sie die Mischung bei niedriger Hitze zum Kochen. Rösten Sie die Nelken und die Fenchelsamen drei Minuten lang bei niedriger Hitze. Zermahlen Sie die Nelken und die Samen mit Hilfe eines Mörsers und Stößels; fügen Sie sie zu dem kochenden Ingwerwasser hinzu. Nehmen Sie den Topf vom Herd, decken Sie ihn zu, und lassen Sie die Mischung zehn Minuten lang ziehen. Gießen Sie den Kräutertee durch ein Teesieb. Servieren Sie ihn warm.

Schwarzer-Pfeffer-/Zitronentee

Körpertyp: *Vata und Pitta*

2 Tassen kochendes Wasser
½ Teelöffel schwarzer Pfeffer (in Pulverform)
¼ frische Zitrone
½ Teelöffel Dattelzucker

Pressen Sie den Saft der Zitrone in das kochende Wasser aus, fügen Sie den schwarzen Pfeffer hinzu. Reiben Sie ⅛ Teelöffel Zitronenschale, geben Sie sie in den Tee, fügen Sie Dattelzucker hinzu, und servieren Sie den Tee warm.

Duft-Sprühwasser

Für eine Behandlung:

1 Tasse warmes Wasser
3 Tropfen Pfefferminz-Essenz
3 Tropfen Koriander-Essenz

Gießen Sie das Wasser zusammen mit den Essenzen in eine Sprühflasche mit einer feinen Sprühkappe. Schütteln Sie die Mischung. Verwenden Sie dieses erfrischende Spray, um damit, falls notwendig, das Gesicht des Patienten zu besprühen.

TEIL ZWEI

VIRECHANA – PURGIERTHERAPIE

Die Purgiertherapie, die zweite der fünf Haupt-Pancha-Karma-Therapien, bezeichnet den Prozeß, bei dem Körperabfälle durch die unteren Körperkanäle ausgeschieden werden. Als wichtigste Therapie für Pitta-Störungen, die mit Blut und Galle zu tun haben, reinigt Virechana den Hauptsitz von Pitta, den Magen und den Dünndarm. Diese Therapie kann außerdem angewendet werden, um überschüssiges Kapha aus dem Magen zu entfernen, da sich eine der Hauptdivisionen von Kapha ebenfalls im Magen befindet. Manchmal wird Virechana auch angewendet, um die vitale Luft von Vata, Samana, wiederherzustellen, die im Magen zirkuliert, obwohl die Hauptbehandlung für Vata-Störungen die Einlauftherapie (Vasti) ist.

VORBEREITUNGEN FÜR DIE VIRECHANA-THERAPIE

Vor der Purgiertherapie sollte eine sorgfältige Untersuchung und Diagnose des Patienten durch einen Ayurweda-Arzt bzw. -Therapeuten erfolgen. Vor der Behandlung müssen körperliche und emotionale Schwächen und Stärken, die Schwere der Krankheit, die Konstitution des Patienten, sein kultureller Hintergrund und sein Alter, die zeitliche Abstimmung der Therapie auf die Jahres- und Tageszeiten sowie die geeigneten Kräuter und Substanzen bestimmt werden. Wie bei der Brechtherapie können Störungen, die in einer Jahreszeit auftreten, in denen Pancha Karma nicht durchgeführt werden darf, mit Linderungsmaßnahmen wie der Therapie mit Kräutern, heilender Diät, den Snehana- und Swedana-Therapien, potenzierten Heilmitteln wie denjenigen, die in der Homöopathie verwendet werden, usw. behandelt werden.

Wie die Brechtherapie, so wird auch die Purgiertherapie als Reinigungstherapie angesehen, da durch die Ausscheidungsprozesse eine Reinigung stattfindet. Bei bestimmten Beschwerden wie zum Beispiel Fieber, Hautkrankheiten, Harnbeschwerden, Toxizität, Magen-Darm-Entzündung, Parasiten im Körperinneren, Blutarmut, Magersucht, Gelbsucht, Magenverstimmung, chronischen Geschwüren, äußeren Verbrennungen, Augenkrankheiten, Gefühlen von Brennen im Körper und Blutungen aus den oberen Kanälen wird die Purgiertherapie durchgeführt, um die Gesundheit des Körpers wiederherzustellen.

Wie bei allen Pancha-Karma-Therapien ist es außerordentlich wichtig, die Purgiertherapie erst dann durchzuführen, wenn die erforderlichen Vorbereitungen in Form von Ölmassage und Schwitzen erfolgt sind. Sushruta hebt hervor, daß die Brechtherapie ebenfalls vor dem Purgieren durchgeführt werden sollte, besonders bei Kapha-Störungen. Andernfalls, so sagt er, könnte sich Kapha im Zwölffingerdarm ansammeln, was dazu führen würde, daß der Patient seinen Körper als sehr schwer empfindet. Der ayurwedische Arzt bestimmt den Verlauf der Behandlung und legt fest, ob als vorbereitende Maßnahme vor dem Purgieren die Brechtherapie durchgeführt werden soll. Je nach Art der Störung können auch nach dem Brechen und vor dem Purgieren fettige Substanzen (*Snehapana*) wie arzneiliches Ghee verabreicht werden (vergleichen Sie die Reihenfolge der Behandlung auf S. 279).

Sobald die Purgiertherapie beginnt, wird der Patient täglich untersucht, wobei diagnostische Verfahren wie die Pulsdiagnose angewendet werden, um festzustellen, ob der Patient in ausreichend guter Verfassung ist, um mit der Behandlung fortzufahren.

Geeignete Bedingungen für die Purgiertherapie

- Diese Behandlung muß von einem Ayurweda-Arzt oder einem ausgebildeten Pancha-Karma-Therapeuten überwacht werden.
- Für die Durchführung der Therapie müssen die entsprechenden jahreszeitlichen Pläne und Zeitpläne eingehalten werden.
- Vergleichen Sie für spezifische Pitta- und Kapha- Störungen die „Bedingungen" unten.
- Der Patient muß relativ kräftig sein, das heißt, er darf durch seine Krankheit nicht übermäßig geschwächt, abgemagert oder verfallen sein.
- Der Patient darf keine der Beschwerden haben, die unten als ungeeignete Bedingungen bzw. Kontraindikationen aufgeführt sind.
- Wenn der Patient ruht, dann sollte sein Kopf nach Osten zeigen.
- Der Patient muß vor Beginn der Purgiertherapie umfassend über das Wesen und den Zweck der Therapie informiert worden sein.
- Der Patient muß während der Therapie die Heildiät und den empfohlenen Aktivitätsplan einhalten, und diese auch für dieselbe Zeit nach Beendigung der Therapie weiterführen. (Vergleichen Sie für Details die Kapitel acht und neun).

- Die vorbereitenden Verfahren der Ölmassage und Schwitztherapie müssen vor der Virechana-Therapie durchgeführt werden. (Vergleichen Sie für Details Kapitel vier).
- Die geeigneten Massageöle für jeden Körpertyp werden in Kapitel vier erwähnt.
- Vor Beginn der Behandlung sollten die traditionellen vorbereitenden Waschungen von dem Behandelnden und dem Patienten durchgeführt werden (vergleichen Sie Kapitel neun).

Ungeeignete Bedingungen für die Purgiertherapie
- Während der Menstruation oder Schwangerschaft
- Schwache Konstitution oder eine geschwächte Person
- Geschwüre
- Mastdarmvorfall
- Blutungen aus den unteren Körperkanälen
- Während des Fastens, wenn der Patient durstig oder hungrig ist
- Übermäßiger Appetit
- Niedriges Verdauungsfeuer
- Zusammen mit oder im Anschluß an Vasti (Einlauftherapie)
- Bei emotionalem Aufruhr
- Bei Magenverstimmung
- Unmittelbar nach Fieberanfällen
- Alkoholismus oder Drogenabhängigkeit
- Aufgeblähter Unterleib
- Körperliche Verletzungen
- Überschüssiges Fett im Körper
- Übermäßige Trockenheit im Körper oder Abmagerung
- Chronische Verstopfung
- Blähungen
- Kinder, alte Menschen, körperliche oder geistige Schwäche
- Unmittelbar vor oder nach dem Geschlechtsverkehr
- Phasen des Lernens
- Ein vollgestopfter Zeitplan
- Durchfall
- Tuberkulose
- Unglücklichsein
- Herzkrankheit

Zeichen für unzureichendes Purgieren
- Verstopfung
- Blockierungen in den unteren Kanälen
- Schwierigkeiten beim Urinieren
- Magenverstimmung
- Übelkeit
- Schläfrigkeit oder Schweregefühl in Herz und Unterleib

- Empfindungen von Brennen
- Magersucht oder Appetitverlust nach dem Purgieren

Zeichen für übermäßiges Purgieren

- Benommenheit
- Körperliche Schmerzen
- Erschöpfung
- Zittern
- Blut, Galle oder wäßrige Flüssigkeit im Stuhl
- Schwindelgefühl oder Schwächegefühl
- Schluckauf
- Geistige Unruhe
- Mastdarmvorfall
- Übermäßiger Durst
- Dunkle Ringe unter den Augen
- Verfärbung der Oberschenkel
- Anschwellen des Körpers
- Wadenkrämpfe

Jahreszeitlicher Zeitplan für Virechana

Gemäßigte und tropische Klimate:

Pitta- und Kapha-Störungen:

Ende des Winters bis zum Frühling: 21. März bis 21. April

Ende des Herbstes: 20. Oktober bis 20. November

Behandlungszeit: *frühmorgens*

Therapiezeitplan für Virechana:

Der folgende Zeitplan ist einzuhalten, wenn nur die Purgiertherapie durchgeführt werden soll.

1) *Ölmassage* *1. bis 3. Tag*
2) *Schwitzen:* *3. bis 6. Tag*
3) *Virechana-Therapie* *7. Tag*
4) *Einhalten der Kuren nach der Therapie, der heilenden Diät und der empfohlenen Aktivitäten für eine Zeit von drei Tagen bis zu einer Woche nach Beendigung der Therapie.*

Beobachtung des Patienten während der Virechana-Therapie

Es ist sehr wichtig, bei der Durchführung der Virechana-Therapie auf die körperlichen Reaktionen des Patienten zu achten. Es ist natürlich, daß sich der Patient durch den Geschmack der Abführmittel abgestoßen fühlt, und es kann sein, daß ihm vorübergehend schlecht wird. Um diese negative Reaktion auszugleichen, können Sie kaltes Wasser auf das Gesicht des Patienten sprühen und ihn anweisen, sich unmittelbar nach Einnahme des Abführmittels den Mund mit warmem Wasser auszuspülen. Stellen Sie frische, duftende Blumen bereit oder ein kleines Gefäß mit ätherischen Ölen, wie zum Beispiel Limone, Orange oder Jasmin, die der Patient dann während der Behandlung inhalieren kann. Geben Sie dem Patienten die Möglichkeit, sich nach Einnahme der Abführmittel an einem warmen, sauberen Ort auszuruhen. Wenn nach einiger Zeit keine abführende Wirkung eintritt, dann sollten Sie dem Patienten heißes Wasser zu trinken geben. Außerdem kann eine warme Kompresse auf den Bauch oder die Hände des Patienten aufgelegt werden. Nachdem die Abführmittel verabreicht worden sind, sollte eine Ausscheidung erfolgen, die zunächst aus Urin, dann aus Kot und Gasen besteht; und schließlich sollte Pitta und Kapha in wäßriger Form ausgeschieden werden. Dann werden die Körperkanäle frei von Blockierungen sein. Es wird ein Gefühl von Leichtigkeit und Belebung entstehen, und das Verdauungsfeuer wird wiederhergestellt werden.

Sollten während der Behandlung Komplikationen auftreten, dann muß sie sofort abgebrochen werden. Komplikationen können Ihre Ursache in einer falschen Diagnose, in der unangemessenen jahreszeitlichen Verwendung der Therapie oder in einer zu geringen oder zu hohen Dosierung haben. Charaka nennt zehn Hauptkomplikationen, die während des Purgierens auftreten können.

Ordnen Sie die Symbole vor jeder Komplikation den unten beschriebenen Behandlungsmethoden zu.

+ Blutungen aus den unteren Kanälen
+ starke Unterleibskrämpfe und -schmerzen
+ Erschöpfung
> Spasmen und Schmerzen in der Brust und im Herzen
> Schluckauf bzw. unkontrollierbarer Husten
> Schmerzen und Irritation in den Augen
> Verkrampfungen in den Gliedmaßen
~ Krämpfe und Schmerzen im Darm
~ Mastdarmvorfall
~ Unbeweglichkeit der Gelenke

Sushruta nennt fünf zusätzliche Komplikationen:

+ Schmerzen in der Gebärmutter
+ Ruhr/übermäßige Stuhlausscheidungen usw.
~ Purgierbehandlung, die zum Erbrechen führt
~ Verstopfung während der Behandlung
~ Einbehaltung der Abkochung

Behandlung bei Komplikationen

Die unten aufgeführten Rezepturen werden am Ende dieses Kapitels ausführlich beschrieben, sofern nicht anders angezeigt.

~ Um die normale Gesundheit wiederherzustellen:

1) Massieren Sie den Körper des Patienten gründlich mit Öl und mit Steinsalz.
2) Wenden Sie bei ernsthaften Komplikationen Pinda oder Prasthara Sweda an (vergleichen Sie Kapitel sechs).
3) Legen Sie bei leichten Komplikationen, zum Beispiel, wenn keine abführende Wirkung erfolgt oder bei Unterleibskrämpfen und Blähungen, eine Wärmflasche auf den Bauch des Patienten.
4) Führen Sie Niruha Vasti mit der Gotu-Kola-Abkochung durch (vergleichen Sie S. 334).
5) Führen Sie eine Vata-Heildiät bei dem Patienten durch (vergleichen Sie Kapitel acht).

+ Um die normale Gesundheit wiederherzustellen:

1) Lassen Sie den Patienten drei Tage lang fasten (vergleichen Sie S. 282).
2) Verabreichen Sie verdauungsfördernde und anregende Tees, wie zum Beispiel Kardamom-Zimttee.
3) Führen Sie die Kapha-Heildiät durch (vergleichen Sie Kapitel acht).

> Um die normale Gesundheit wiederherzustellen:

1) Verabreichen Sie Vata- und Pitta-Körpertypen die sattwische Diät; führen Sie bei Kapha-Körpertypen die energetisierende Diät durch (vergleichen Sie Kapitel acht).
2) Führen Sie Abhyanga mit Ghee durch (vergleichen Sie Kapitel vier).
3) Führen Sie Pinda Sweda durch (vergleichen Sie Kapitel sechs).
4) Führen Sie Anuvasana Vasti mit „arzneilichem Süßholz-Öl“ durch (vergleichen Sie S. 335).
5) Führen Sie die Nasya-Therapie mit „Sesam-Ingwer-Öl“ durch (vergleichen Sie S. 191)
6) Führen Sie die sanfte Brechtherapie mit „Süßholz-Reisgrütze“-Abkochung durch (vergleichen Sie das „Vamana-Heilmenü“ auf S. 296).

Dosierung für angemessenes Purgieren

Eine spezifische Dosierung einer spezifischen Purgiersubstanz ist notwendig, um ein maximales, moderates oder minimales Purgierergebnis zu erzielen. Im allgemeinen werden drei purgierende Substanzen, zum Beispiel eine viertel Tasse einer pflanzlichen Abkochung, zwei Abführpillen und ein Abführöl verabreicht, um maximale Ergebnisse zu erzielen. Wenn man die ersten beiden Ausscheidungswellen nicht mitrechnet, dann werden zwanzig Ausscheidungen als ideal für die maximale Therapie angesehen. In der moderaten Therapie wird nur eine viertel Tasse einer pflanzlichen Abkochung verabreicht. Fünfzehn Ausscheidungen werden als ideal angesehen. Für minimales Purgieren werden entweder das abführende Öl oder zwei Abführpillen gegeben; acht Ausscheidungen werden als ideal angesehen.

Beim angemessenen Purgieren werden die Körperabfälle, überschüssige Doshas und purgierende Substanzen in der folgenden Reihenfolge aus dem System ausgeschieden: Urinieren, gefolgt von Stuhlgang, dann Galle, gefolgt von den abführenden Substanzen und schließlich Schleim.

Eigenschaften der Virechana-Substanzen und ihrer Aktionen

Wie die Eigenschaften der Substanzen, die in der Brechtherapie verwendet werden, so ist auch das Purgieren von den scharfen, verströmenden, krampflösenden und subtilen Eigenschaften der verwendeten Abführmittel abhängig. Durch ihre Eigenschaften sind die Arzneien in der Lage, die Gewebe zu durchdringen und gleichzeitig im Herzen zu zirkulieren, die Kanäle zu öffnen und selbst in die kleinsten Zellen und Organe des Körpers einzudringen. Das scharfe Wesen der Abführmittel spürt die überschüssigen Doshas im Magen auf. Das Vorhandensein aller fünf Elemente, insbesondere des Elementes Erde, in den Arzneien bringt die Körperabfälle dazu, in den Dickdarm abzusteigen. Außerdem regen die erhitzenden, verströmenden und krampflösenden Eigenschaften der purgierenden Substanzen das Herz an.

Virechana-Therapie – Anwendung

Jahreszeit: *Folgen Sie den jahreszeitlichen Richtlinien*
Körpertyp: *Pitta und Kapha*
Zeit: *drei Stunden*

Gehen Sie nach dem Virechana-Behandlungsplan vor.

Beschwerden

Pitta-Störungen: Fieber, Hautkrankheit, Kopfschmerzen, Harnbeschwerden, Bluten aus den oberen Kanälen, Schwellung der Milz, Schwellung der Prostata, Zysten/Tumore in der Brust, Abszesse, Toxizität, Vergiftungen, Parasiten/Würmer im Darm, Schmerzen in der Brust, schmerzhafte Hämorrhoiden, Gelbsucht, Epilepsie, geistige Störungen, Schwächegefühl, Säuremangel, aufgedunsener Unterleib, Mundschleimhautentzündung, Frauenleiden, unzureichender Samen, übermäßige Körperhitze, Magen-Darm-Leiden, Magenverstimmung, Schmerzen in den Eingeweiden, unregelmäßige Peristaltik, Verstopfung, Leberflecke, Übelkeit, Schwellungen, äußere Verbrennungen, chronische Geschwüre, Abszesse, Entzündungen der Augen, Bindehautentzündung, brennende Empfindung im Anus, brennende Empfindung im Penis, brennende Empfindung in der Nase, brennende Empfindung im Ohr, brennende Empfindung in den Augen, Beeinträchtigung der Muttermilch.

Kapha-Störungen: Blutarmut, Kopfschmerzen, Zysten/Tumore in der Brust, Parasiten/Würmer im Darm, schmerzhafte Hämorrhoiden, Schmerzen in der Brust, unregelmäßige Peristaltik, Mundschleimhautentzündung, Magen-Darm-Leiden, Magersucht, Asthma, Husten, Epilepsie, geistige Störungen, Frauenleiden, aufgedunsener Unterleib, Schmerzen in den Eingeweiden, Verstopfung, Ödeme, Schwellungen am Körper, Vergiftung, Toxizität, äußere Verbrennungen, Brennen der Augen, der Ohren, der Nase oder Brennen im Hals, Beeinträchtigung der Muttermilch, Beeinträchtigung der Samenflüssigkeit.

Wirkung

Über die Linderung der obengenannten Beschwerden hinaus hat diese Therapie die zusätzliche Wirkung, daß sie Ojas wiederherstellt, dem Intellekt Klarheit verleiht, vorzeitige Alterung verhindert, die die Pitta und Kapha Doshas wiederherstellt und geistige Störungen lindert.

Notwendige Hilfsmittel

- Beistelltisch
- ein sauberer Krug aus rostfreiem Stahl, der die Purgier-Abkochung enthält, und ein sauberes Glas auf dem Beistelltisch
- ein Kessel mit heißem Wasser und eine Tasse
- Öl oder Tabletten zum Abführen, die, wenn sie verabreicht werden sollen, zusammen mit den notwendigen Hilfsmitteln, zum Beispiel einem Löffel, auf den Beistelltisch gelegt werden
- ein Glas frisch gepreßter Orangensaft, der mit einem Teelöffel Limonensaft vermischt ist
- frische, duftende Blumen oder auch leicht angeritzte frische Zitronen und Orangen
- eine kleine Tonschüssel mit kaltem Wasser, um das Gesicht des Patienten zu benetzen, falls ihm übel wird
- ätherische Öle wie Limone, Orange oder Jasmin
- eine kleine Schüssel mit vorgerösteten Kardamomschoten und Koriandersamen zur Zubereitung eines Tees nach der Therapie
- ein schweres Baumwollaken, um den Patienten während der Therapie warmzuhalten
- ein Behandlungstisch, auf dem sich der Patient zwischen den einzelnen Ausscheidungsphasen ausruhen kann
- ein Behandlungskittel
- ein Badezimmer mit Kommode, Waschbecken und Duschkabine
- saubere Baumwollhandtücher und ausreichend Toilettenpapier
- ein sauberes Gesichtstuch aus Baumwolle
- ein Stück frische Sandelholzseife
- ein tragbarer Gasherd mit einer Flamme zur Zubereitung des Tees nach der Therapie und um, falls notwendig, Wasser für die heiße Kompresse zu kochen

Verfahren, die vor dem Purgieren durchzuführen sind

- Die vorbereitenden Verfahren der Ölmassage, des Schwitzens und, falls notwendig, der Brechtherapie, sollten während der geeigneten Jahreszeiten durchgeführt werden. (Vergleichen Sie für die Brechtherapie das vorhergehende Kapitel.)

Vorbereitungen für die Purgiertherapie

- Machen Sie den Patienten mit den Verfahren, dem Ort, an dem sich das Badezimmer, die Handtücher usw. befinden, vertraut, bevor Sie ihm das Purgiermittel geben.
- Bitten Sie den Patienten, sich den Behandlungskittel anzuziehen.

Purgiertherapie

- Geben Sie dem Patienten zunächst eine viertel Tasse Abführ-Abkochung und danach eine Tasse warmes Wasser zu trinken.
- *Falls notwendig*, können Abführtabletten zusammen mit einer halben Tasse Wasser verabreicht werden, nachdem der Patient das warme Wasser getrunken hat.
- *Falls notwendig*, kann als dritte Maßnahme ein Eßlöffel eines purgierenden Öls verabreicht werden. Um den unangenehmen Geschmack des Öls zu neutralisieren, gibt man dem Patienten eine weitere eine halbe Tasse Wasser.
- Bitten Sie den Patienten, sich auf den Behandlungstisch zu legen, der sich in der Nähe des Badezimmers befindet, und decken Sie ihn mit einem schweren Laken zu.
- Wenn Übelkeit auftritt, geben Sie dem Patienten ein halbes Glas frischen Orangensaft, den Sie mit einem Teelöffel Limonensaft vermischt haben. Lassen Sie den Patienten an den frischen, duftenden Blumen riechen, und besprühen Sie sein Gesicht mit Wasser, dem Sie ein ätherisches Öl, wie zum Beispiel Limone, Orange oder Jasmin, zugesetzt haben. Tun Sie dies während der gesamten Therapie.
- Warten Sie, sobald der Patient die Purgiermittel eingenommen hat, auf ausreichende oder unzureichende Therapieergebnisse.
- Wenn es irgendwelche Anzeichen dafür gibt, daß die Therapieergebnisse unzureichend oder unangemessen sind, dann führen Sie die angemessene Behandlung für die jeweilige Komplikation durch. (Der Drang zur Ausscheidung sollte innerhalb von fünf Minuten nach Einnahme der Abführmittel erfolgen.)
- Raten Sie dem Patienten, zu dem Nachtstuhl zu gehen, sobald der Drang zur Ausscheidung erfolgt, und dort zu bleiben, bis er vollkommen verschwunden ist.
- Untersuchen Sie jede Ausscheidung nach Anzeichen für ausreichendes oder unangemessenes Purgieren, bevor Sie den Inhalt ausleeren.
- Raten Sie dem Patienten, sich nach jeder Ausscheidung die Hände mit der Sandelholzseife zu waschen.

- Lassen Sie den Patienten nach der letzten Ausscheidung dreißig Minuten lang ruhen, und reiben Sie während dieser Zeit sanft seine Füße und Hände, um das Nervensystem zu beruhigen und den Normalzustand des Körpers wiederherzustellen.
- Servieren Sie dem Patienten nach dieser Ruhepause eine Tasse warmen Koriander- und Kardamomtee, um seinen Magen zu beruhigen.
- Besprechen Sie die heilendende Diät und die für die Zeit nach dem Purgieren empfohlenen Aktivitäten mit dem Patienten, bevor er geht.
- Nach Beendigung der Purgiertherapie sollte der Patient zwei Stunden lang keine Nahrung zu sich nehmen.

Virechana-Rezepturen (alle Rezepte für eine Portion)

Jahreszeit: *Folgen Sie den jahreszeitlichen Richtlinien*
Körpertyp: *Pitta und Kapha, sofern nicht anders angegeben*
Bedingungen: *Alle aufgelisteten Beschwerden (außer, wenn anders angegeben)*

Die folgenden unbekannteren ayurwedischen Zutaten, die in den unten beschriebenen Rezepturen ausführlich beschrieben werden, sind hier mit ihren deutschen Namen aufgeführt. Bitten Sie die Lieferanten (Anhang G), Ihnen vergleichbare Kräuter zu liefern, falls diese nicht verfügbar sind.

Sanskrit	***Deutsch***
Aragvadha	*Purgier-Kassie*
Brahma Dandi	*Stachelmohn*
Dadima	*Granatapfel*
Draksha	*Weintraube*
Jati	*Jasmin*
Katuki	*Enzian*
Kurchi	*Konessi-Wurzel*
Musta	*Cyperngras*
Nilini	*Indigo*
Trivrit	*Indische Kalappen-Wurzel*
Vacha	*Kalmus*

Milde Draksha-Abkochung

1 Tasse Wasser
1 Teelöffel Draksha-Pulver
1 Teelöffel Kiritaki-Pulver
1 Teelöffel Katuki-Pulver

Bringen Sie das Wasser in einem kleinen Topf aus rostfreiem Stahl zum Kochen. Rühren Sie die Pulver hinein, decken Sie den Topf zu, und köcheln Sie das Ganze bei geringer Hitze solange, bis ein Drittel des Wassers verdunstet ist. Nehmen Sie den Topf vom Herd, und lassen Sie die Abkochung zehn Minuten lang abkühlen. Rühren Sie sie um, bevor Sie sie verabreichen.

Aromatischer Lecksaft

Beschwerden
Harnbeschwerden, Vergiftungen, Toxizität, Fieber, Husten, Asthma, Säuremangel, übermäßige Körperhitze, Erschöpfung, Blutarmut.

1 ½ Tassen Wasser
1 Teelöffel brauner Zucker
2 Teelöffel Trivrit-Pulver
1 Teelöffel Ingwerpulver
1 Teelöffel Kardamompulver
1 Teelöffel Pippali-Pulver
1 Teelöffel schwarzer Pfeffer (in Pulverform)
½ Teelöffel Zimtpulver
½ Teelöffel Musta-Pulver
½ Teelöffel Vidanga-Pulver
½ Teelöffel Amalaki-Pulver
½ Teelöffel Haritaki-Pulver

Bringen Sie das Wasser in einem mittelgroßen Topf aus rostfreiem Stahl zum Kochen. Rühren Sie den Zucker hinein, und köcheln Sie das Zuckerwasser bei mittlerer Hitze fünf Minuten lang, dann fügen Sie die Pulver hinzu. Rühren Sie um, decken Sie den Topf zu, und köcheln Sie die Mischung bei geringer Hitze zwanzig Minuten lang bzw. solange, bis dreiviertel des Wassers verdunstet ist und das Gebräu zu einem dikken Sirup geworden ist. Lassen Sie den Lecksaft zehn Minuten lang abkühlen, bevor Sie ihn verabreichen.

Trivrit- und Triphala-Tinktur

Beschwerden
Tumore, Milzstörungen, Gelbsucht.

1 ½ Tassen Wasser
¼ Tasse brauner Zucker
2 Teelöffel Trivrit-Pulver
1 Teelöffel Triphala-Pulver
1 Teelöffel Vidanga-Pulver
1 Teelöffel Pippali-Pulver
*5 Tropfen Milch aus der Arkapflanze**

Bringen Sie das Wasser in einem kleinen Topf aus rostfreiem Stahl zum Kochen. Rühren Sie den Zucker hinein, und kochen Sie das Zuckerwasser bei mittlerer Hitze fünf Minuten lang, bis es zu Sirup geworden ist. Mischen Sie das Pflanzenpulver und die Arka-Milch hinein. Decken Sie den Topf zu, und köcheln Sie das Ganze bei nied-

riger Hitze fünfzehn Minuten lang oder solange, bis zwei Drittel des Sirups verdunstet ist. Nehmen Sie den Topf vom Herd, und lassen Sie das Sirup zehn Minuten lang abkühlen. Rühren Sie es um, bevor Sie es verabreichen.
Anmerkung:
Wenn nicht verfügbar, kann man ¼ Teelöffel Steinsalz verwenden.

Kräftige, scharfe Pille

Beschwerden
Hämorrhoiden, Magen-Darm-Störungen, Milzstörungen, Husten, Schluckauf, Unterleibsschmerzen, unregelmäßig Peristaltik.

Körpertyp: *Kapha-Störungen*

¼ Teelöffel Triphala-Pulver
¼ Teelöffel Trikatu-Pulver
¼ Teelöffel Kalmus-Wurzel-Pulver
¼ Teelöffel Korianderpulver
¼ Teelöffel Dadima-Pulver
¼ Teelöffel Chitraka-Pulver

Mischen Sie die Pulver in einer kleinen Keramikschüssel. Geben Sie Honig oder Ghee dazu, und formen Sie einen Klumpen. Bitten Sie den Patienten, sich gründlich die Hände zu waschen und mit beiden Handinnenflächen den Klumpen zu drei oder vier kleinen Bällen zu verkneten. Die richtige Ballgröße für jede Person ist die, die angenehm in den Händen liegt, ohne zerdrückt zu werden. Verabreichen Sie die Pille mit einem Glas warmem Wasser.
**Anmerkung:* Pitta-Typen sollten stattdessen 1 Teelöffel Ghee nehmen.

Trivrit-Paste

Beschwerden
Phlegmatische Störungen, empfindliche körperliche Gesundheit.

½ Teelöffel Ingwerpulver
½ Teelöffel Pippali-Pulver
½ Teelöffel Trivrit-Pulver
1 Teelöffel Honig

Vermischen Sie sämtliche Zutaten, teilen Sie sie in zwei kleine, klebrige Klümpchen auf, verabreichen Sie sie zusammen mit einem Glas warmem Wasser.

Milde Trivrit-Draksha-Paste

½ Teelöffel Trivrit-Pulver
¼ Teelöffel Draksha-Pulver
¼ Teelöffel Dashamula-Pulver
½ Teelöffel Honig

Vermischen Sie sämtliche Zutaten in einer kleinen Tonschüssel zu einer Paste. Verabreichen Sie sie zusammen mit einem Glas warmem Wasser.

Milde Trivrit-Süßholzpaste

1 Teelöffel Trivrit-Pulver
½ Teelöffel Süßholzpulver
½ Teelöffel brauner Zucker
½ Teelöffel Wasser

Vermischen Sie die Pulver und den Zucker in einer kleinen Tonschüssel, dann geben Sie genügend Wasser hinzu, um eine weiche Paste herzustellen. Verabreichen Sie sie zusammen mit einem Glas warmem Wasser.

Milde Trivrit-Steinsalzpille

1 Teelöffel Trivrit-Pulver
¼ Teelöffel gemahlenes Steinsalz
einige Tropfen Wasser

Vermischen Sie die Pulver und das Salz in einer kleinen Tonschüssel, dann geben Sie genügend Wasser hinzu, um eine Pille herzustellen. Verabreichen Sie sie zusammen mit einem Glas warmem Wasser.

Süßer Purgiertrank

Körpertyp: *Pitta-Störungen (besonders solche, in denen Galle eine Rolle spielt)*

¼ Tasse Traubensaft
¼ Tasse Pilu-Saft
¼ Tasse Palasha-Saft*
¼ Tasse Parusha-Saft*
1 Eßlöffel Honig
1 Eßlöffel brauner Zucker

Lösen Sie den Honig und den Zucker in den Säften auf. Fügen Sie die Säfte hinzu, und rühren Sie um. Rühren Sie noch einmal um, und verabreichen Sie die gesamte Menge.

**Anmerkung:*
Statt des Saftes kann jeweils ein Teelöffel der Früchte verwendet werden.

Saures Fruchtgel

2 Eßlöffel Limonensaft
2 Eßlöffel Amalaki-Saft*
2 Eßlöffel Haritaki-Saft*
2 Eßlöffel Badri-Saft*
2 Eßlöffel Granatapfelsaft*
¼ Tasse Wasser
1 Teelöffel Kudzu-Stärke
1 Teelöffel Trivrit-Pulver
½ Teelöffel Zimtpulver
¼ Tasse Fruchtmus von einer unreifen Mango
1 Eßlöffel Honig

Vermischen Sie die Säfte in einer großen Tasse, und lösen Sie die Kudzu-Stärke in der Mischung auf. Erhitzen Sie Wasser in einem kleinen Topf aus rostfreiem Stahl, und geben Sie es zu der Stärke-Saft-Mischung. Rühren Sie sie bei geringer Hitze um, bis sie anfängt, fest zu werden. Nehmen Sie den Topf vom Herd, und rühren Sie das Trivrit- und das Zimtpulver hinein. Pürieren Sie das Mangomus mit einem Pürierstab. Geben Sie das Mus und den Honig zu der Saft-Gelmischung, und rühren Sie gründlich um. Verabreichen Sie sie, solange sie noch warm ist.

Die Virechana-Therapie für zu Hause

ı Gegensatz zur Brechtherapie kann man die milde Purgiertherapie während der geeigneten Jahreszeiten selbst durchführen, um die Gesundheit zu erhalten und Pitta- und Kapha-Überschüsse abzubauen. Es gibt auch bestimmte Fälle, in denen Vata-Störungen, wie zum Beispiel Abmagerung und Erschöpfung, mit der Purgiertherapie behandelt werden können.

Die vorbereitende Ölmassage und die Schwitzverfahren sollten zu Hause vor Beginn der Purgierbehandlung zwei Tage lang durchgeführt werden (vergleichen Sie Kapitel vier). Außerdem sind die heilende Diät und die empfohlenen Aktivitäten während der Therapie und in der Woche nach Beendigung der Therapie durchzuführen (vergleichen Sie Kapitel acht und neun).

Virechana: Anwendung zu Hause

Jahreszeit: *folgen Sie den jahreszeitlichen Richtlinien*
Körpertyp: *alle Typen*

Beschwerden
Leichte Störungen: Kopfschmerzen, Säuremangel, Magenverstimmung, Toxizität, Vergiftungen, Erschöpfung, Verstopfung, Schmerzen in den Eingeweiden, Schwellungen im Körper, brennende Empfindungen im Körper, Schweregefühl im Körper.

Rezepturen für das Purgieren zu Hause

Purgiermittel für die Regenzeit

Körpertyp: *Pitta und Kapha*

¼ Teelöffel Trivrit-Pulver
¼ Teelöffel Kurchi-Pulver
¼ Teelöffel Ingwerpulver
¼ Tasse Traubensaft

Gießen Sie den Traubensaft in ein Glas, und lösen Sie danach die verschiedenen Pulver darin auf. Rühren Sie um, und trinken Sie die Mischung. Nehmen Sie sie einmal am Tag, morgens nach einem frühen, leichten Frühstück, an zwei aufeinanderfolgenden Tagen zu sich.

Purgiermittel für den Frühwinter

Körpertyp: *Pitta und Kapha*

¼ Teelöffel Draksha-Pulver
¼ Teelöffel Musta-Pulver
¼ Teelöffel trockenes Ingwerpulver
1 Teelöffel Honig*

Mischen Sie die verschiedenen Pulver in einer kleinen Tonschüssel. Geben Sie danach Honig (oder Ghee) hinzu, um damit eine Paste herzustellen. Nehmen Sie diese zusammen mit einem Glas warmem Wasser einmal am Tag, zwei Stunden nach dem Frühstück, an zwei aufeinanderfolgenden Tagen zu sich.

**Anmerkung:*
Pitta-Typen können stattdessen 1 Teelöffel Ghee verwenden.

Purgiermittel für den Spätwinter

Körpertyp: *Pitta und Kapha*

¼ Teelöffel Trivrit-Pulver
¼ Teelöffel Chitraka-Pulver
¼ Teelöffel Jasmin-Pulver
¼ Teelöffel Kalmusw.-Pulver
⅛ Teelöffel Brahma-Dandi-Pulver

Mischen Sie die Pulver in einem halben Glas heißem Wasser. Lassen Sie sie vor dem Verzehr zehn Minuten ziehen. Nehmen Sie sie einmal am Tag, zwei Stunden nach einem frühen Frühstück, an zwei aufeinanderfolgenden Tagen zu sich.

Sommer und Herbst

Körpertyp: *alle Typen*

Wählen Sie eine der folgenden ayurwedischen Standardrezepturen aus*

1. *Ayurwedischer Trivrit- und Gerstenwein*
   Nehmen Sie an drei aufeinanderfolgenden Tagen eine viertel Tasse morgens zwei Stunden nach einem frühen Frühstück zu sich.
2. *Trikatu- oder Avipattkar-Pille (nur für Pitta- und Kapha-Störungen)*
   Nehmen Sie morgens an drei aufeinanderfolgenden Tagen eine Pille (250 mg) zusammen mit einem halben Glas warmem Wasser zwei Stunden nach einem frühen Frühstück ein.
3. *Icchabhedhi-Pille, Drakshadi-Pille, Jaloharari-Pille, Triphala-Pille oder Kutajaghana-Pille.*
   Nehmen Sie morgens an drei aufeinanderfolgenden Tagen eine der oben aufgeführten Pillen (250 mg) zusammen mit einem halben Glas warmem Wasser zwei Stunden nach einem frühen Frühstück ein.

**Anmerkung:* Siehe Anhang G, Ayurwedische Bezugsquellen und Lieferanten

Purgiermittel zum Entwässern

***Körpertyp:** alle Typen*

¼ Teelöffel Trivrit-Pulver
¼ Teelöffel Triphala-Pulver
⅛ Teelöffel Pippali-Pulver
⅛ Teelöffel Nilini-Pulver
⅛ Teelöffel Musta-Pulver
⅛ Teelöffel Katuki-Pulver

Mischen Sie die Pulver in einem viertel Glas warmem Wasser, und nehmen Sie sie morgens an drei aufeinanderfolgenden Tagen zwei Stunden nach einem frühen Frühstück zu sich.

Brauner Trivrit-Zucker

1 Teelöffel Trivrit-Pulver
1 Teelöffel brauner Zucker

Mischen Sie das Pulver und den Zucker in einem viertel Glas warmem Wasser. Trinken Sie die Mischung morgens an drei aufeinanderfolgenden Tagen zwei Stunden nach einem frühen Frühstück.

Virechana-Heilmenü

- Bei Komplikationen nach der Purgiertherapie
- Zur Förderung der Verdauung, zur Erhöhung von Agni, zum Wärmen des Körpers

Trikatu-Tee

***Körpertyp:** Vata und Kapha*

1 Tasse kochendes Wasser
½ Teelöffel Trikatu-Pulver
½ Teelöffel Honig

Geben Sie die Pulver in das kochende Wasser. Decken Sie sie zu, und lassen Sie den Tee zehn Minuten lang ziehen. Fügen Sie Honig hinzu, und servieren Sie ihn, solange er noch warm ist.

Zimt-Kardamomtee

***Körpertyp:** alle Typen*

1 Tasse kochendes Wasser
½ Teelöffel Zimtpulver
½ Teelöffel Kardamompulver
5 Fäden Safran

Geben Sie die Pulver und den Safran in das kochende Wasser. Decken Sie sie zu, und lassen Sie den Tee zehn Minuten lang ziehen, bevor Sie ihn servieren.

Tarpana-Paste

Beschwerden

Um das Verdauungsfeuer nach der Virechana-Therapie wiederherzustellen.

Körpertyp: *alle Typen*

1 Eßlöffel Ghee
½ Teelöffel Honig
¼ schwarzer Pfeffer in Pulverform

Erhitzen Sie das Ghee in einer kleinen gußeisernen Pfanne, und fügen Sie den schwarzen Pfeffer hinzu. Nehmen Sie die Pfanne vom Herd, und geben Sie den Honig zu. Servieren Sie diese Paste nach der Purgiertherapie drei Tage lang einmal am Tag.

Aromatisches Sprühfluid

Beschwerden

Um Übelkeit zu lindern und überschüssige Körperhitze während der Therapie abzubauen.

Körpertyp: *alle Typen*

Eine Behandlung:

1 Tasse kühles Wasser
3 Tropfen Zitronen-Essenz
3 Tropfen Jasmin-Essenz

Gießen Sie das Wasser und die Öle in eine kleine Sprühflasche mit einem feinen Zerstäuber. Schütteln Sie, um Wasser und Öle zu vermischen. Besprühen Sie das Gesicht des Patienten während der Therapie mit diesem Sprühfluid, wenn ihm übel wird.

Frischer Orangen-Limonensaft

Beschwerden

Um Übelkeit zu lindern.

Körpertyp: *alle Typen*

Eine Portion:

½ Glas frischgepreßter Orangensaft
1 Teelöffel frischgepreßter Zitronensaft

Mischen Sie die Säfte, und servieren Sie sie. Anstelle des Saftes können Sie dann auch zwei Orangen in Scheiben schneiden und servieren.

ANUVASANA UND NIRUHA VASTI – EINLAUFTHERAPIE

Die Einlauftherapie wird im Ayurweda angewendet, um den Dickdarm gründlich zu reinigen und den Körper zu nähren. Ursprünglich wurde im Ayurweda für die Einlauftherapie der Name *Vasti* verwendet, da er sich auf die Blase eines Tieres bezieht und die Einlauftasche traditionellerweise aus der Blase bestimmter Tiere bestand.

Charaka ist der Meinung, daß sechzig Prozent aller Krankheiten dem Vata-Dosha zuzuschreiben sind, und daß achtzig Prozent dieser Beschwerden durch die Einlauftherapie geheilt werden können. Die Einlauftherapie, die ihre Wirkung hauptsächlich im Dickdarm entfaltet, wird verwendet, um das Gleichgewicht zu erhalten oder wiederherzustellen.

Vasti ist eine Therapie für das Nervensystem. Sie wird durchgeführt, um Magenbeschwerden wie Magengeschwüre, rheumatische Arthritis, Übersäuerung, sexuelle Störungen, chronisches Fieber, Herzschmerzen, Nierensteine usw. zu lindern. Obwohl der Hauptsitz der Aktivität von Vata im Körper der Dickdarm ist, sind auch das Knochen- und Knorpelgewebe wichtige Sitze von Vata. Die Schleimhaut im Dickdarm ernährt die Knochen, da sie mit der Knochenhaut bzw. der äußeren Ummantelung der Knochen verbunden ist. Die bei der Einlauftherapie verwendeten Arzneien dringen in die Darmwände ein und verteilen sich tief im Knochengewebe, wo sie die Ordnung bei Krankheiten, die mit den Knochen zusammenhängen, wie zum Beispiel Arthritis, Rückenschmerzen, Nervosität und Ischias, wiederherstellen.

Vasti wird aufgrund ihrer zweifachen Ausrichtung sowohl als Ausscheidungstherapie als auch als nährende Therapie angesehen. Niruha Vasti bezeichnet die Anwendung von arzneilichen Abkochungen im Dickdarm, um überschüssige Körperabfälle auszuscheiden und verschlimmerte Doshas aus dem Dickdarm durch den Anus zu entfernen. Diese Form von Vasti wird manchmal auch *Ashtapana* genannt.

In Anuvasana Vasti, der zweiten Form der Einlauftherapie, werden Öle, Fette und Honig zusammen mit nährenden Kräutern wie Bala, Bilva, Kashamari und Patala verwendet. Diese nährende Therapie wird zum Aufbau von Körpergewebe angewendet und nicht zur Ausscheidung von überschüssigen Substanzen. Anuvasana ist ein Oberbegriff für fettige Einläufe und Behandlungen, bei denen Öle und fettige Substanzen zusammen mit Pflanzen-Abkochungen verwendet werden. Im allgemeinen wird für einen Anuvasana-Einlauf eine Tasse Öl verwendet. Darüber hinaus gibt es noch zwei weitere Formen der Einlaufbehandlung in der Anuvasana-Gruppe. Wenn nur eine viertel Tasse Öl verwendet wird, dann nennt man die Behandlung

Matra, und wenn eine halbe Tasse Öl oder Fett verwendet wird, dann nennt man sie *Sneha.* Im allgemeinen können alle Anuvasana-Einläufe ohne jahreszeitliche Beschränkungen von Personen durchgeführt werden, die abgemagert, erschöpft oder überarbeitet sind oder die überschüssiges Vata haben, da die Einläufe den Körper nähren und ihn wieder auffüllen.

Die Vasti-Therapie ist von Beginn der Zeit an durchgeführt worden, um den Körper von Menschen und Tieren zu reinigen und zu verjüngen. Im Gegensatz zu der oberflächlichen und oft übertriebenen Anwendung von Darmeinläufen in unseren modernen Kulturen wird Vasti im Ayurweda auf vier Arten verwendet, die alle eine starke Heilwirkung haben. Niruha und Anuvasana werden durch den Mastdarm im Darm verabreicht und als Therapie für den Darm aufgefaßt. Die zweite Methode wirkt durch die Vagina oder den Penis in die Blase hinein. Diese Therapieform kann bei Beschwerden wie Menstruationsstörungen, sexuellen Störungen (einschließlich ungenügendem Samenfluß und Unfruchtbarkeit) sowie bei Entzündungen des Harntrakts oder der Blase angewendet werden. Die dritte Methode, die Irrigation, wird bei Frauenleiden, die mit der Vagina, der Gebärmutter und dem Gebärmutterhals zusammenhängen verwendet, um Gebärmuttersenkung und Scheidenentzündung sowie bestimmte Komplikationen nach der Geburt zu behandeln. Die vierte Behandlungsmethode, die zur Reinigung, Drainage und Heilung von Geschwüren dient, besteht im Öffnen der Geschwüre, was eine recht schmerzhafte Angelegenheit ist.

Vorbereitung für die Vasti-Therapie

In der traditionellen Abfolge der Pancha-Karma-Therapien wird Anuvasana von *Niruha* abgelöst. Vor der Therapie muß der Patient, wie bei allen Pancha-Karma-Therapien, sorgfältig diagnostiziert werden. Bevor die Behandlungsart festgelegt werden kann, müssen die körperliche und emotionale Stärke des Patienten, das spezifische Wesen der Störung, die Konstitution des Patienten, sein kultureller Hintergrund, die angemessene Jahreszeit und Zeit für die Behandlung sowie die passenden Kräuter und Substanzen bestimmt werden. Die vorbereitenden Verfahren der Ölmassage und der Schwitztherapie sind als Vorbereitung für die Einlauftherapie unerläßlich. Je nach dem Wesen der Störung und der individuellen Konstitution können auch die Brech- und Purgiertherapie vor der Einlauftherapie durchgeführt werden.

Obwohl die meisten Rezepte Kräuter und Pflanzen beinhalten, wurden in früherer Zeit auch arzneiliche Weine, Fleischsuppen, Milch und sogar das ungekochte Blut von Tieren verwendet. Bluttransfusionen wurden sowohl oral als auch mit Hilfe von Einläufen durchgeführt, bevor die modernen intravenösen Techniken entstanden. In der früheren Praxis wurde das Blut eines lebendigen Schafes in einer günstigen Mondphase entnommen. Das frische Blut wurde mit „Darbha"-Gras aufgeschlagen und mit Steinsalz vermischt, und anschließend als Einlauf verwendet, um das Blutgewebe des Patienten zu vermehren. Es ist heute nicht mehr ratsam, das Blut oder Fleisch von Tieren zu verwenden.

Bei den zahlreichen Kräutern und Pflanzen, die in der Niruha- und Anuvasana-Vasti-Therapie verwendet werden, sind zwei Eigenschaften vorherrschend, nämlich die bittere/alkalisierende und die süße/nachlassende. Pflanzen wie Trivrit und Vacha werden mit Ghee, Steinsalz und/oder Milch vermischt, um die bittere und alkalisierende Eigenschaft zu bilden. Die süße und nachlassende Eigenschaft in Einlauf-Abkochungen findet sich in Pflanzen wie Udumbara und Süßholz, die mit Öl oder Ghee vermischt werden. Das Wesen der Störung und die Konstitution des Patienten sind die ausschlaggebenden Faktoren bei der Wahl geeigneter Substanzen für die Einläufe.

Geeignete Bedingungen für die Niruha- und die Anuvasana Vasti-Therapie

- Wenn diese Therapien als Bestandteil der Pancha-Karma-Therapien durchgeführt werden, dann müssen Sie von einem ausgebildeten Pancha-Karma-Therapeuten überwacht werden.
- Nachdem man den Patienten vollständig über das Wesen und den Zweck der Vasti-Verfahren aufgeklärt hat.
- Die richtige Zeit und Jahreszeit (außer bei Sneha und Matra Vasti)
- Nach der Brech- und/oder Purgiertherapie, wenn sie als notwendig angesehen werden
- Wenn der Patient während der Behandlungsdauer und für dieselbe Zeitdauer vor und nach der Behandlung keusch lebt.
- Wenn der Patient keine der Beschwerden hat, die als Kontraindikationen oder ungeeignete Bedingungen für die Therapie angesehen werden (siehe unten)
- Wenn der Patient ruht, dann sollte sein Kopf nach Osten zeigen.
- Der Patient muß während der Therapie die Heildiät und den empfohlenen Aktivitätsplan einhalten, und diese auch für dieselbe Zeit nach Beendigung der Therapie weiterführen (vergleichen Sie die Kapitel acht und neun).
- Nachdem die Ölmassage und Schwitztherapie durchgeführt worden sind (vergleichen Sie Kapitel vier).
- Die geeigneten Massageöle für jeden Körpertyp werden in Kapitel vier erwähnt.
- Nachdem der Behandelnde und der Patient die notwendigen vorbereitenden Waschungen durchgeführt haben (vergleichen Sie Kapitel neun).

Ungeeignete Bedingungen für Niruha Vasti (Einlauftherapie mit Abkochungen)

- Schwangerschaft*
- nach dem Geschlechtsverkehr
- Kinder und ältere Menschen
- nach der Nasya-Therapie
- unmittelbar nach der Purgiertherapie
- nach dem Verzehr einer üppigen Mahlzeit

- Magenverstimmung
- Fasten
- Erschöpfung
- Abmagerung
- übermäßiger Hunger und Durst
- unmittelbar nach den Mahlzeiten
- der Verzehr von kalten Nahrungsmitteln oder Getränken (außer, wenn es sich um Pitta-Störungen handelt)
- Durchfall
- Übelkeit
- Hämorrhoiden
- Entzündung des Anus
- Abszesse
- Harnstörungen (wie zum Beispiel Diabetes)
- Trunkenheit
- Wut, Angst, geistige Verwirrung, Sorgen oder Kummer
- Irrsinn
- Schluckauf
- Husten
- Hautkrankheit
- Magersucht
- Trockenheit im Hals
- Brustverletzung
- Schwellungen am Körper
- laute Geräusche oder Aktivitäten
- übermäßige Sonneneinstrahlung

**Anmerkung:*
Niruha Vasti kann während der Schwangerschaft nach den Anweisungen eines ayurwedischen Arztes durchgeführt werden.

Ungeeignete Bedingungen für Anuvasana Vasti (Einlauftherapie mit Fetten und Ölen)
- nach dem Geschlechtsverkehr
- nach dem Verzehr einer üppigen Mahlzeit
- Harnstörungen (einschließlich Diabetes)
- Fettsucht
- akutes Fieber
- Magersucht
- Erkältungen und Grippeerkrankungen
- niedriges Agni
- Vergrößerung der Milz oder Leber
- Irrsinn
- Bewußtlosigkeit
- Durchfall

- innere Vergiftungen
- der Verzehr von kalten Nahrungsmitteln oder Getränken
- Fasten
- laute Geräusche oder Aktivitäten
- Gelbsucht
- übermäßige Hitze im Körper
- direkte Sonneneinstrahlung
- Herzkrankheit
- Krämpfe
- Schweregefühl im Körper
- Schmerzen im Unterleib (besonders im Gesäß)
- Zahnschmerzen oder Schmerzen in den Nägeln
- Schwächegefühl
- Lähmung
- Beeinträchtigung der Muttermilch

Anzeichen für zu starke Einläufe
- Gefühl von Mattheit im Körper
- Verlust des Empfindungsvermögens in den Sinnesorganen
- Schmerzen in den Eingeweiden
- Erschöpfung
- Fieber
- Zittern im Körper
- vorübergehende Lähmungen
- übermäßiger Schlaf
- Schwäche
- verschwommene Sicht
- geistige Verwirrung
- Schluckauf

Anzeichen für zu schwache Einläufe
- Schmerzen und Steifheit im Körper
- Schwellungen
- Kältegefühl
- Harnverhaltung
- Magersucht
- Verstopfung

Anuvasana-Vasti-Therapieplan: ganzjährig

Klassischer Pancha-Karma-Einlaufzeitplan

Der Tradition entsprechend wird je nach dem Wesen der Krankheit einer der drei folgenden Hauptzeitpläne für die Einlauftherapie im Rahmen des Pancha Karma eingehalten. Alle drei Pläne beinhalten die abwechselnde Verwendung von Öl- und Abkochungseinläufen von Tag zu Tag. Vorher sollten die vorbereitenden Aktionen der Ölmassage und der Schwitzbehandlung erfolgen, und nach der Therapie sollten die Heildiät und die empfohlenen Aktivitäten eingehalten werden.

Jahreszeitliche Richtlinien für die Niruha-Vasti-Therapie

Gemäßigte und tropische Klimate:

Regenzeit (Frühherbst):	*22. Juli bis 7. August*
Ende des Herbstes:	*20. Oktober bis 20. November*

Yoga Vasti

Eine Serie von 8 Einläufen: bei leichten Erkrankungen

1. bis 4. Tag:	Öleinlauf
5. bis 7. Tag:	Abkochungseinlauf
8. Tag:	Öleinlauf

Kala Vasti

Eine Serie von 16 Einläufen: bei schweren Erkrankungen

1. Tag:	Öleinlauf
2. bis 15. Tag:	Abwechselnd Abkochungs- und Öleinlaufe, beginnend mit dem Abkochungseinlauf
16. Tag:	Öleinlauf

Karma Vasti

Eine Serie von dreißig Einläufen: bei schweren Erkrankungen

1. Tag:	Sneha-(d. h. mit Ghee- oder Kakaobutter-)Einlauf
2. bis 24. Tag:	Abwechselnd Öl- und Abkochungseinläufe, beginnend mit dem Öleinlauf
25. bis 30. Tag:	Öleinläufe an fünf aufeinanderfolgenden Tagen

Den Patienten während der Vasti-Therapie beobachten

Anmerkung: Sofern nicht anders angegeben, sind die unten erwähnten Rezepturen am Ende dieses Kapitels ausführlich beschrieben.

- Während der Durchführung der Einlauf-Therapie ist es äußerst wichtig, die Symptome des Patienten genau zu beobachten. Die maximale Zeitdauer für die Einbehaltung der Einlaufsubstanz beträgt achtundvierzig Minuten. Wenn die Einlauf-Abkochung während dieser Zeit nicht ausgeschieden wird, sollten folgende Maßnahmen ergriffen werden: Legen Sie eine heiße Ingwerkompresse auf den unteren Rücken und auf den Bauch des Patienten, dann geben Sie ihm einen Einlauf, der aus scharfen und sauren Kräutern besteht. Dafür kann die „Amalaki-Pippali-Schwarzer-Pfeffer-Abkochung" verwendet werden. Wenn der Inhalt des Einlaufs dann immer noch nicht ausgeschieden wird, dann verabreichen Sie zwei bis drei Eßlöffel Rizinusöl, gefolgt von einer halben Tasse warmer Triphala- oder Trivrit-Abkochung.

- Eine weitere Rezeptur, die bei Wiederholung der Einlauftherapie verwendet werden kann, ist die „kräftige Dashamula-Abkochung". Wenden Sie direkt danach die Überraschungstechnik an, daß Sie den Patienten einige Minuten lang kalter Luft aussetzen und dabei kräftig seinen Hals reiben. Helfen Sie dem Patienten, in den Behandlungsraum zurückzugehen, und geben Sie ihm eine Tasse warmen „Khadira-Pasten-Tee" zu trinken. Diese Heilbehandlung kann auch bei Komplikationen verwendet werden, die infolge der Einlauftherapie entstehen, wie zum Beispiel Schmerzen in der Brust oder im Herzen.
- In früheren Zeiten wurde dem Patienten ein angsteinflößendes Objekt, wie zum Beispiel eine Schlange gezeigt, um Angst hervorzurufen, was normalerweise zu einer Entleerung des Darms führt. Eine weniger dramatische Maßnahme, die ebenfalls den Darm anregt, besteht darin, dem Patienten eine Lektüre zu geben, die ein fesselndes Thema behandelt.
- Wenn die Abkochung in den ersten fünfzehn Minuten nach dem Einlauf ausgeschieden wird, dann sollte der Einlauf wiederholt werden. Während einer Behandlungsphase sollten nicht mehr als drei Versuche unternommen werden.
- Bewerten Sie nach jeder Entleerung den Darminhalt, um die Wirksamkeit der Behandlung festzustellen. Die ausgeschiedene Menge sollte der Menge der Abkochung plus derjenigen des verzehrten Frühstücks entsprechen.
- Wenn der Patient als Folge der Therapie Schmerzen im Körper oder im Darm bekommt, dann geben Sie ihm eine Ölmassage mit Ksheerabala-Öl, gefolgt von einer Ingwerkompresse auf dem unteren Rücken und dem Magen (vergleichen Sie Kapitel vier). Servieren Sie ihm zum Abschluß „Warme Milch und Ghee" (vergleichen Sie das Rezept auf S. 339).
- Verabreichen Sie bei Schluckauf oder Husten eine Tasse „Pippali- und Steinsalztee". Es kann auch eine ayurwedische Kräuterpfeife geraucht werden.
- Sollte der Patient während der Therapie bewußtlos werden, dann brechen Sie die Behandlung sofort ab, und spritzen Sie ihm reichlich kaltes Wasser ins Gesicht. Geben Sie ihm eine sanfte Massage an den Flanken und am Unterleib. Sobald er wieder zu sich kommt, geben Sie ihm eine Tasse „Getränk zum Wachwerden".
- Wenn es aufgrund einer zu intensiven Therapie zu Komplikationen kommt, dann brechen Sie die Behandlung sofort ab, und geben Sie dem Patienten das Getränk aus warmer Milch und Ghee. Lassen Sie ihn mehrere Stunden lang an einem warmen Ort ausruhen und geben Sie ihm dann die Pancha-Karma-Heildiät (vergleichen Sie Kapitel acht). Raten Sie ihm, sich eine Woche lang auszuruhen und große Aktivität ebenso zu vermeiden wie Lärm, Reisen, sexuelle Aktivität, Fasten, Kälte, Feuchtigkeit und intensives Son-

nenlicht. Der Patient sollte die Heildiät und die empfohlenen Aktivitäten nach Beendigung der Therapie noch zwei Wochen lang fortsetzen.
- Im allgemeinen hält der Patient nach der Vasti-Therapie eine Ruhephase ein, die in der Regel drei Tage dauert.

Anzeichen für eine angemessene Einlauftherapie
- Natürliche Bewegung von Urin, Kot und Gasen aus dem Körper heraus
- Wiederherstellung des Gleichgewichtes der Doshas
- Der Patient fühlt sich leicht und voll von Energie
- Wiederherstellung des gesunden Appetites
- Im Darm herrscht vorwiegend Ruhe
- Körperliche Stärke und geistige Klarheit nehmen zu
- Krankheitssymptome verschwinden
- Es herrscht ein allgemeines Gefühl guter Gesundheit vor.

Charakteristika der Einlaufsubstanzen und ihrer Aktionen

Die Charakteristika der Kräuter und Substanzen, die für die Abkochungs-Einlauftherapie verwendet werden, ähneln stark denjenigen, die in der Brechtherapie Anwendung finden. Einlauf-Abkochungen sind ihrem Wesen nach hauptsächlich Vata-nährend und bestehen aus Substanzen, die ihrem Wesen nach heiß, scharf, verströmend, krampflösend und subtil sind. Diese Eigenschaften erleichtern das tiefe Eindringen durch die Schleimhaut des Dickdarms, und so verbreitet sich die heilende Schwingung in den umliegenden Geweben. Sofort werden die Gewebe dazu angeregt, angehäufte Giftstoffe freizusetzen, die, zusammen mit den verschlimmerten Doshas, ausgeschieden werden. Die subtile Eigenschaft der Einlaufsubstanzen erlaubt es ihnen, die allerkleinsten Zellen und Poren des Gebärmutterhalses zu durchdringen.

Die in den Abkochungen verwendeten Geschmacksrichtungen sind süß, sauer, salzig mit einer erhitzenden Potenz und einem fettigen Wesen, die im allgemeinen für Vata-Konstitutionen nährend sind. Der scharfe und der bittere Geschmack, begleitet von ihrer alkalisierenden Wirkung und ihrer erhitzenden Energie, werden allgemein in Einlauf-Abkochungen für Kapha-Störungen verwendet. Der süße, bittere und zusammenziehende Geschmack, die ihrem Wesen nach kühlend sind, werden im allgemeinen angewendet, um Pitta-Störungen zu lindern.

Da sich die Einlauftherapie hauptsächlich im Bereich des Dickdarms auswirkt, ist sie eine ideale Therapie für Vata-Störungen. Die vorbereitenden Verfahren der Ölmassage und der Schwitzbehandlung befördern die Dosha-Abfälle in den Verdauungstrakt, wo die nach unten führende Luft (Apana) die Dosha-Abfälle aktiv in den Dickdarm zieht, damit sie mit Hilfe der Einlauftherapie ausgeschieden werden können.

Vasti-Ausrüstung

Die traditionelle Vasti-Ausrüstung bestand aus zwei Teilen, einem Schlauch (Vasti Netra) und einer Tasche, die aus der Blase eines Tieres hergestellt wurde (Vasti Putaka). Der Einlaufschlauch bestand aus Silber, Kupfer, Zinn, Bronze, Holz oder dem Horn einer Kuh. Der Schlauch der Königsfamilie bestand aus Gold. Die klassische Länge des Schlauches betrug 15 cm für Kinder, 20 cm für Teenager und 30 cm für Erwachsene. Die Einlauftasche wurde hergestellt, indem man die ovale Blase von Tieren wie dem Büffel und dem Hirsch gerbte. Dann wurde die Blase mit einer antiseptischen Kräuterlösung erhitzt und mit Öl eingerieben, bis sie glatt, biegsam und keimfrei war. Danach wurde das enge Ende der Tasche erhitzt und fest mit dem einen Ende des Einlaufschlauches verbunden. Das andere Schlauchende, das zum Einführen in den Mastdarm verwendet wurde, wurde bei ausreichend hoher Temperatur erhitzt, um die Öffnung auf die Größe einer gespaltenen Erbse zu reduzieren. Heutzutage bestehen die Taschen aus Gummi und sind um die Hälfte größer, während der Schlauch die dreifache Länge des Originals hat. Außerdem haben die modernen Taschen zusätzlich eine 15 cm lange, perforierte Spritze zur Einführung in den Mastdarm. Die Einlaufausrüstung ist für den heutigen Gebrauch angemessen.

Vasti-Dosierung

Niruha Vasti
Leichte Beschwerden: *½ Tasse – 1 Tasse Abkochung*
Wenn die Abkochung mit Öl vermischt wird, dann mischen Sie ½ Teil Öl mit ½ Teil Abkochung.

Ernsthafte Beschwerden: *2 Tassen Abkochung*
Wenn die Abkochung mit Öl vermischt wird, dann mischen Sie ½ Teil Öl mit 1 ½ Teilen Abkochung.

Anuvasana Vasti
Leichte Beschwerden: *½ Tasse Öl oder fettige Substanz*
Ernsthafte Beschwerden: *1 Tassen Öl oder fettige Substanz*

Niruha-Vasti-Therapie – Anwendung

Jahreszeit: *Folgen Sie den jahreszeitlichen Richtlinien*
Körpertyp: *Vata-Störungen, Pitta- und Kapha-Störungen (gelegentlich)*
Zeit: *2 ½ Stunden; später Morgen (nach der Massage und der Schwitzbehandlung)*

Gehen Sie nach dem Yoga-Vasti-Plan vor.

Beschwerden

Vata-Störungen: körperliche Schmerzen, Nervosität, Verstopfung, Herzkrankheit, Aufgedunsenheit des Unterleibs, Zittern im Körper, Schmerzen im unteren Rücken, Ischias, Krämpfe, Wirbelentzündung, Arthritis, Harnbeschwerden, Gebärmutterleiden, Kopfschmerzen, Ohrenschmerzen, Muskelschwund, Schmerzen im Kiefer, Schmerzen in den Gelenken, Schmerzen im Unterleib, Wadenkrämpfe, Wechselfieber, Würmer oder Parasiten im Darm, Epilepsie, Beeinträchtigung des Samens, Beeinträchtigung der Muttermilch.

Pitta-Störungen: Magen-Darm-Krankheiten, Übersäuerung, aufgedunsener Unterleib, Gebärmutterleiden, Herzkrankheit, Fieber, Schwächegefühl, Verstopfung, Würmer oder Parasiten im Darm, Milzleiden, körperliche Schmerzen, Epilepsie.

Kapha-Störungen: Schweregefühl im Körper, Magen-Darm-Krankheiten, aufgedunsener Unterleib, Gebärmutterleiden, Rheumatismus, Harnbeschwerden, Herzkrankheit, Würmer oder Parasiten im Darm, körperliche Schmerzen.

Wirkung

Über die Linderung der obengenannten Beschwerden hinaus hat diese Therapie die zusätzliche Wirkung, daß sie Fett reduziert und die Beweglichkeit des Körpers erhöht. Sie stellt den gesunden Appetit wieder her und beruhigt die Körperteile, die vorher erkrankt waren. Darüber hinaus gibt sie dem Körper ein Gefühl von Leichtigkeit, stellt Ojas wieder her und beruhigt das Herz.

Notwendige Hilfsmittel

Niruha Vasti

- ein kleiner Topf aus rostfreiem Stahl mit Deckel, der die Einlauf-Abkochung enthält
- eine kleine Tonschüssel mit zwei Eßlöffeln warmem Sesamöl oder Kakaobutter (um die Analgegend des Patienten und die Spritze des Irrigators einzuschmieren)
- ein beweglicher Pfosten mit einem Griff*, um den Irrigator aufzuhängen
- 4 saubere Baumwollhandtücher
- ein sauberes Baumwollbadetuch
- ein sauberes Baumwollaken
- eine saubere Baumwolldecke
- ein sauberer Behandlungskittel aus Baumwolle**
- ein Badezimmer mit Nachttisch, Waschbecken und Badewanne
- ausreichend Toilettenpapier

**Anmerkung:*

Vergleichen Sie Anhang D. Der feste Griff einer Tür kann ebenfalls verwendet werden, um den Irrigator aufzuhängen.

**Vergleichen Sie Anhang D.

Anmerkung: Anweisungen für Niruha Vasti finden Sie auf der nächsten Seite.

Anuvasana-Vasti-Therapie – Anwendung

Jahreszeit: *ganzjährig*
Körpertyp: *alle Typen*
Zeit: *Sommer, Regenzeit (Frühherbst), Herbst: frühmorgens*
Frühwinter, Spätwinter, Frühling: morgens

Beschwerden
Vata-Störungen: Abmagerung, übermäßige Trockenheit des Körpers, Nervosität, Muskelschwund, Erschöpfung, Blockierung von Urin, Kot oder Samen, Arthritis, Hämorrhoiden, Verengung der Harnröhre, Gicht, Kiefersperre, Ohrenschmerzen, Schmerzen in der Brust, Steiheit im Körper.

Wirkung
Über die Linderung der obengenannten Beschwerden hinaus hat diese Therapie die Wirkung, daß sie dem Körper Energie und Stärke verleiht, daß sie das Nervensystem und das Herz beruhigt.

Notwendige Hilfsmittel
Anuvasana Vasti:
- ein kleiner Topf aus rostfreiem Stahl mit Deckel, der das Öl enthält
- alle Hilfsmittel, mit Ausnahme der Abkochung, die oben für Niruha Vasti aufgeführt sind

Vor dem Einlauf durchzuführende Verfahren
Die vorbereitenden Verfahren der Ölmassage, Schwitztherapie, und, falls notwendig, die der Brech- und Purgiertherapie sollten in der geeigneten Jahreszeit durchgeführt werden.

Bitten Sie den Patienten, vor Behandlungsbeginn Darm und Blase zu entleeren. Wenn die Brech- und/oder Purgiertherapie vor der Einlauftherapie durchgeführt wird, dann bitten Sie den Patienten, während der Behandlung die Pancha-Karma-Diät einzuhalten (vergleichen Sie Kapitel acht).

Anweisungen für die Niruha- und die Anuvasana-Vasti-Therapie
- Nachdem der Patient vollständig über das Wesen seiner Störungen informiert worden ist (auf der Grundlage der Untersuchung und Diagnose eines qualifizierten Arztes oder Therapeuten), ebenso wie über die anzuwendenden Verfahren, wird die Ölmassage, die Schwitztherapie und, falls notwendig, die Brech- und die Purgierbehandlung durchgeführt. Erst dann wird die Einlauftherapie eingelcitet.
- Sagen Sie dem Patienten vor Beginn der Einlauftherapie, wo sich das Badezimmer befindet, und bitten Sie ihn, den Behandlungskittel anzuziehen.
- Breiten Sie das saubere Laken auf dem Behandlungstisch oder auf einem sauberen Holzboden aus und laden Sie den Patienten ein, sich auf die linke

Seite zu legen und den Kopf nach Osten weisen zu lassen (nach Westen, wenn die Therapie am späten Nachmittag durchgeführt wird).

- Bringen Sie das rechte Bein des Patienten nach vorne, und beugen Sie sein Knie, so daß es sich nahe am Unterleib befindet.
- Vergewissern Sie sich, daß der Schlauchverschluß geschlossen ist, und gießen Sie die Abkochung und/oder das Öl in den Irrigator.
- Befestigen Sie die Spritze sicher an dem Schlauch und schmieren Sie sie dann mit Sesamöl oder Kakaobutter ein. Befestigen Sie die Spritze immer, bevor Sie sie einölen, um kein Öl auf das Gewindeende der Spritze gelangen zu lassen.
- Verwenden Sie den zusammen mit dem Irrigator gelieferten Haken, um den gefüllten Irrigator an dem beweglichen Pfosten bzw. an dem festen Türgriff aufzuhängen. Der Pfosten sollte sich zur Linken des Patienten befinden, gut 90 cm von dem Gesäß des Patienten entfernt. Der Schlauch sollte von oben bis unten ein Gefälle von 62 cm haben (vergleichen Sie Abb. 45).
- Legen Sie das warme Handtuch über den unteren Rücken des Patienten (über die Nierengegend).
- Schmieren Sie den Bereich um den Anus mit dem warmen Sesamöl oder mit Kakaobutter ein.
- Führen Sie die eingeschmierte Spritze in den Mastdarm des Patienten ein.
- Öffnen Sie den Schlauchverschluß, und lassen Sie die Abkochung bzw. das Öl herausfließen.
- Nehmen Sie das Handtuch unter dem Rücken des Patienten weg, und lassen Sie ihn ausruhen, während die Abkochung in den Dickdarm gelangt.
- Sobald der Irrigator fast leer ist, verschließen Sie den Schlauchverschluß.
- Nehmen Sie ein kleines Handtuch, und ziehen Sie sanft und langsam die Spritze aus dem Anus. Wischen Sie mit einem frischen, warmen Handtuch schnell das Öl oder die Kakaobutter aus der Analgegend ab, und führen Sie das rechte Knie in eine bequeme Position zurück.
- Während der Patient auf der linken Seite liegenbleibt und die Knie leicht gebeugt hat, legen Sie ein kleines Kissen unter seine linke Hüfte.
- Massieren Sie die Pobacken und die Oberschenkel, um die Aufwärtsbewegung der Abkochung in den Dickdarm zu fördern.
- Raten Sie dem Patienten, sich sehr ruhig zu verhalten, solange sich die Abkochung bzw. das Öl in seinen Eingeweiden befindet.
- Decken Sie den Patienten mit einer Decke zu, und bleiben Sie im Behandlungszimmer, um ihn zu beobachten.
- Wenn sich das gewünschte Ergebnis eingestellt hat, lassen Sie ein warmes Bad ein, und lassen Sie den Patienten fünfzehn Minuten darin sitzen.
- Geben Sie dem Patienten ein Badetuch, und bitten Sie ihn, sich anzuziehen.
- Servieren Sie eine oder zwei Tassen warmen Ingwer- und Koriandertee.
- Besprechen Sie mit dem Patienten die Heildiät und die empfohlenen Aktivitäten, bevor er geht, und legen Sie fest, wie lange er diese durchführen soll.

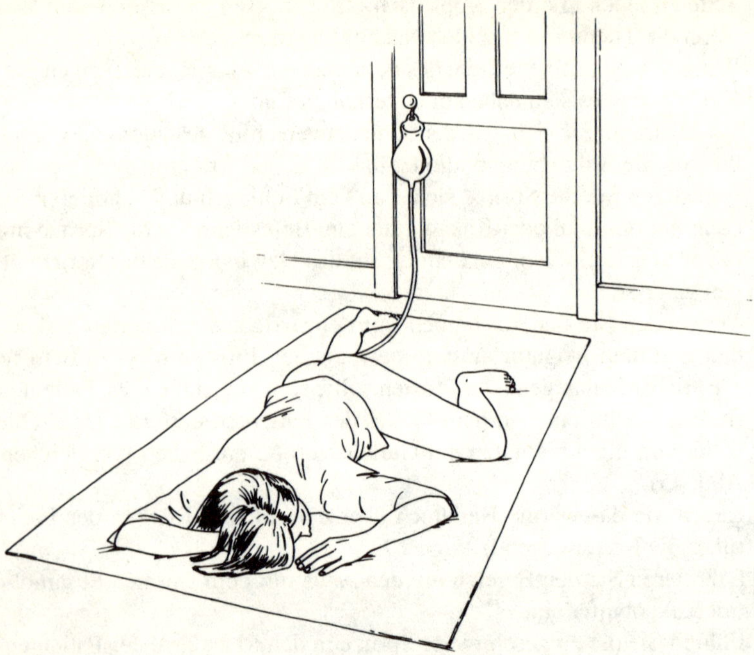

Abb. 45: Vasti-Verfahren

NIRUHA-VASTI-REZEPTUREN

Niruha-Vasti-Abkochungszubereitung

Traditionellerweise wurde ein Turmtopf zur Zubereitung von Abkochungen für Einläufe verwendet. Sie können ebenfalls einen behelfsmäßigen Turmtopf herstellen, indem Sie einen kleineren Topf mit Deckel, in dem sich die Abkochung befindet, in einen größeren Topf stellen, der zu ein Drittel mit Wasser gefüllt ist. In der Einlauftherapie wird die Abkochung immer verabreicht, solange sie noch warm ist, obwohl bei Vata- und Kapha-Störungen auch eine etwas wärmere Abkochung verwendet werden kann.

Die Wirkung der Einlaufbehandlung hängt von der den Kräutern und Pflanzen innewohnenden Stärke ab, die wegen ihrer erhitzenden oder kühlenden Natur verwendet werden, das heißt, kalte Abkochung wird nicht für Beschwerden verwendet, die eine kühlende Wirkung erfordern. Wenn die Abkochung kalt ist, kann sie zu Blähungen im Unterleib, zu Verstopfung oder Steifheit des Körpers führen. Wenn sie andererseits zu heiß ist, dann kann sie Pitta stören, was zu Durchfall und brennenden Empfindungen im Körper führt. Die richtige Temperatur für Vasti-Abkochungen ist warm oder lauwarm.

Niruha-Vasti-Abkochungen

Jahreszeit: *Folgen Sie den jahreszeitlichen Richtlinien*
Alle Abkochungen sind ausreichend für eine Anwendung.

Die folgende Liste ungewöhnlicher ayurwedischer Zutaten, die in den unten genauer beschriebenen Rezepturen verwendet werden, sind hier mit ihren deutschen Namen angegeben. Bitten Sie Ihre Lieferanten (Anhang G), Ihnen vergleichbare Kräuter zu beschaffen, falls diese nicht verfügbar sind.

Sanskrit	***Deutsch***
Agnimantha	*Agni-Mantha-Blätter*
Kashmari	*Kashmari-Blätter*
Khadira	*Betelnußpalme*
Kushta	*Costus-Wurzel*
Madana	*Brechnuß*
Musta	*Cypergras*
Palasha	*Flammenbaum (sarcocephalus esculentus)*
Trivrit	*Trivrit-Wurzel*
Udumbara	*getrocknete Feigen*

Kräftige Gokshura-Abkochung

Körpertyp: *Vata- und Kapha-Störungen*

2 Tassen Wasser
1 Teelöffel Agnimantha-Pulver
1 Teelöffel Patala-Pulver
1 Teelöffel Kashmari-Pulver
2 Teelöffel Gokshura-Pulver
1 Teelöffel Bilva-Pulver
¼ Tasse Rizinusöl

Bringen Sie das Wasser in einem Turmtopf zum Kochen, und fügen Sie die Pulver hinzu. Decken Sie den Topf zu, und köcheln Sie die Mischung bei geringer Hitze fünf Minuten bzw. solange, bis ein Viertel der Abkochung verdunstet ist. Nehmen Sie den Topf vom Herd, und lassen Sie den Inhalt zehn Minuten ziehen, dann seihen Sie die ihn durch ein feines Sieb ab. Bewahren Sie das Sediment auf, um es nach der Behandlung Ihrem warmen Badewasser zuzusetzen. Gießen Sie unmittelbar vor der Anwendung das Rizinusöl hinein. Das Öl/die Abkochung sollte verwendet werden, solange es/sie noch warm ist.

Kräftige Dashamula-Abkochung

Körpertyp: *Vata-Störungen*

2 Tassen Wasser
¼ Tasse Dashamula-Pulver

Wenn Sie keinen Turmtopf besitzen, dann stellen Sie einen mittelgroßen Topf aus rostfreiem Stahl, der zwei Tassen Wasser enthält, in einen größeren Topf, der zu ein Drittel mit Wasser gefüllt ist. Decken Sie den großen Topf zu, und bringen Sie das Wasser zum Kochen. Geben Sie das Dashamula-Pulver in den kleineren Topf mit Wasser. Decken Sie den großen Topf zu, und köcheln Sie die Abkochung bei geringer Hitze acht Minuten lang, bis die Hälfte der Abkochung verdunstet ist. Nehmen Sie den Topf vom Herd, und lassen Sie beide Töpfe zusammen, bis die Abkochung warm wird. Seihen Sie sie durch ein feines Sieb ab, und lassen Sie das Pulversediment im Topf zurück. Wenden Sie die Abkochung als Einlauf an, solange sie noch lauwarm ist. Bewahren Sie das Pulversediment für das warme Bad im Anschluß an die Behandlung auf.

Kräuterpasten-Abkochung

Körpertyp: *Vata- und Kapha-Störungen*

1 Teelöffel Madana-Samen
1 Teelöffel Fenchelsamen
1 Eßlöffel Ajwan-Samen
1 Teelöffel Bilvarinden-Pulver
1 Teelöffel Kalmus-Wurzel-Pulver
1 Teelöffel Kushta-Pulver
1 Teelöffel Musta-Pulver
1 Teelöffel Pippali-Pulver
1 Eßlöffel Steinsalz (in Pulverform)
2 Eßlöffel Honig
½ Tasse Sesamöl
2 Tassen Wasser

Rösten Sie die Madana-, Fenchel- und Ajwan-Samen ohne Öl in einer kleinen gußeisernen Pfanne bei geringer Hitze fünf Minuten lang. Geben Sie sie in ein kleines Suribachi, und vermahlen Sie sie zu einem feinen Pulver. Rösten Sie die Kräuterpulver in derselben Pfanne bei geringer Hitze zwei Minuten lang. Mischen Sie sie mit den gemahlenen Samen in einer kleinen Schüssel aus rostfreiem Stahl. Mischen Sie Honig und Steinsalz in einer größeren Schüssel aus rostfreiem Stahl. Gießen Sie das Sesamöl hinein, und vermischen Sie das Ganze zu einer weichen, flüssigen Paste. Bringen Sie das Wasser in einem Turmtopf zum Kochen. Fügen Sie die Paste hinzu, decken Sie den Topf zu und köcheln Sie die Mischung bei geringer Hitze fünf Minuten lang, bis ein Viertel der Paste/Abkochung verdunstet ist. Nehmen Sie den Turmtopf vom Herd, und lassen Sie die Paste/Abkochung warm werden. Seihen Sie sie mit einem feinen Sieb ab, und bewahren Sie das Pulversediment in dem Sieb auf, um es nach der Behandlung Ihrem warmen Badewasser zuzusetzen. Verwenden Sie die Paste/Abkochung als Einlauf, solange sie noch warm ist.

Bilva-Abkochung

Körpertyp: *Kapha-Störungen*

2 Tassen Wasser
1 Eßlöffel Bilva-Pulver
1 Eßlöffel Trivrit-Pulver
½ Teelöffel schwarzer Pfeffer in Pulverform

Bringen Sie das Wasser für die Abkochung in einem Turmtopf zum Kochen. Fügen Sie die Pulver hinzu, dekken Sie den Topf zu, und köcheln Sie die Mischung bei geringer Hitze acht Minuten bzw. solange, bis die Hälfte der Abkochung verdunstet ist. Nehmen Sie den Topf vom Herd, und lassen Sie den Inhalt zehn Minuten ziehen. Seihen Sie ihn dann durch ein feines Sieb ab, und bewahren Sie das Sediment auf, um es nach der Behandlung Ihrem warmen Badewasser zuzusetzen. Verabreichen Sie die Abkochung, solange sie noch warm ist.

Udumbara-Abkochung

Körpertyp: *Pitta-Störungen*

1 Tasse warmes Wasser
¼ Tasse Udumbara
¼ Tasse reines Ghee
¼ Tasse Sesamöl

Anmerkung: Obwohl sich die Eigenschaften dieser Rezeptur erheblich von denjenigen in Niruha Vasti unterscheiden, kann sie ausnahmsweise für spezifische Pitta-Störungen, nämlich Durchfall, Blutungen aus dem Mastdarm und Dickdarmentzündung mit Geschwürbildung, verwendet werden.

Weichen Sie die Feigen in einer kleinen Schüssel aus rostfreiem Stahl drei Stunden lang in dem warmen Wasser ein. Pürieren Sie sie zusammen mit einer halben Tasse des Einweichwassers mit dem Pürierstab zu einem dicken Saft. Mischen Sie im oberen Teil des Turmtopfes Öl und Ghee, und erwärmen Sie es bei geringer Hitze einige Minuten lang. Rühren Sie den dicken Feigensaft in die Öl-Ghee-Mischung, und vermischen Sie sie gründlich. Verabreichen Sie die Mischung als Einlauf, solange sie noch warm ist.

Süßholz-Ghee-Abkochung

Körpertyp: *Pitta-Störungen*

2 Tassen Wasser
¼ Tasse Süßholzpulver
2 Eßlöffel reines Ghee

Bringen Sie das Wasser für die Abkochung zum Kochen. Fügen Sie das Süßholzpulver hinzu, decken Sie den Topf zu, und köcheln Sie die Mischung bei geringer Hitze etwa zwölf Minuten bzw. solange, bis dreiviertel der Abkochung verdunstet ist. Nehmen Sie den Topf vom Herd, seihen Sie die Abkochung durch ein feines Sieb ab, bewahren Sie das Pulversediment auf, um es nach der Behandlung Ihrem warmen Badewasser zuzusetzen. Mischen Sie die heiße Abkochung in einer großen Tasse mit dem Ghee. Verabreichen Sie sie, solange sie noch warm ist.

Fenchel-Gurken-Abkochung

Körpertyp: *Pitta-Störungen*

1 Tasse Milch
1 ¼ Tassen Wasser
½ Tasse Gurkenstücke (geschält und entkernt)
½ Teelöffel Fenchelpulver
½ Teelöffel Atibala-Pulver

Mischen Sie Milch und eine Tasse Wasser in der oberen Hälfte des Turmtopfes. Bringen Sie sie bei geringer Hitze zum Kochen. Pürieren Sie die Gurke mit einem Pürierstab fein, und geben Sie das übrige Wasser hinzu, um ein saftiges Püree zu gewinnen. Fügen Sie das Gurkenpüree und die Kräuterpulver zu der Milchlösung hinzu. Rühren Sie um, und köcheln Sie die Mischung bei geringer Hitze zehn Minuten. Nehmen Sie den Topf vom Herd, und lassen Sie die Abkochung ziehen, bis sie lauwarm ist. Verabreichen Sie sie, solange sie noch warm ist.

Süße Öl-Abkochung

Körpertyp: *alle Typen*

¼ Tasse Honig
2 Teelöffel Steinsalz (in Pulverform)
½ Tasse Sesamöl
¼ Tasse Rizinusöl (getrocknet)
2 Tassen Wasser

Anmerkung: Obwohl diese Rezeptur nicht der Norm für Niruha Vasti entspricht, wird sie spezifisch bei Diabetes verwendet. Sie vermehrt Hämoglobin, Protein und die roten Blutkörperchen.

Erwärmen Sie das Öl in einer kleinen Pfanne aus rostfreiem Stahl; dann rühren Sie den Honig und das Steinsalz hinein. Bringen Sie das Wasser in der oberen Hälfte des Turmtopfes zum Kochen, dann geben Sie die Rizinuswurzeln hinzu. Decken Sie den Topf zu, und köcheln Sie die Mischung bei geringer Hitze acht Minuten bzw. solange, bis die Hälfte des Wassers verdunstet ist. Nehmen Sie den Turmtopf vom Herd, und lassen Sie den Inhalt zehn Minuten lang ziehen. Seihen Sie die Abkochung durch ein kleines Sieb ab. Die Wurzeln können in die Erde zurückgeworfen werden. Gießen Sie die Abkochung in die Mischung aus Öl, Honig und Salz. Rühren Sie gründlich um, und verabreichen Sie sie, solange sie noch warm ist.

Plan für die Vasti-Therapie zu Hause

Für die allgemeine Aufrechterhaltung der Gesundheit, für die jahreszeitliche Reinigung und für leichte Vata-Störungen wird darüber hinaus der folgende Plan für die „Vasti-Therapie zu Hause“ gegeben. Dieser Plan wird oft anstelle des „Yoga-Vasti“-Plans durchgeführt.

Behandlungszeitplan für die Vasti-Therapie

Eine Serie von 5 Einläufen: bei leichten Erkrankungen

1. Tag:	*Öleinlauf*
2. bis 4. Tag:	*Abkochungseinlauf*
5. Tag:	*Öleinlauf*

Vor der Vasti-Therapie wird die Ölmassage empfohlen. Halten Sie die Pancha-Karma-Heildiät und die empfohlenen Aktivitäten für die Dauer der Behandlung und für ein bis zwei Wochen danach ein.

Vasti-Therapie zu Hause – Anwendung

Die folgenden Abkochungen können Sie sich bei leichten Beschwerden selbst zu Hause verabreichen. Sie können außerdem als allgemeine, jahreszeitliche Reinigungsroutine verwendet werden. Folgen Sie den jahreszeitlichen Richtlinien, die für spezifische Beschwerden gelten, und halten Sie dieselben, Diät und Aktivitäten betreffenden Vorschriften für Niruha Vasti ein. Die Anweisungen auf S. 326-327 gelten auch für die Einlauftherapie zu Hause. Eine bequeme Alternative zu der Position, bei der Sie während des Einlaufs auf der linken Seite liegen und das rechte Bein gegen Ihren Unterleib drücken, besteht darin, daß Sie sich mit Ellbogen und Knien auf ein sauberes Badetuch, das auf dem Boden ausgebreitet ist, hocken. Halten Sie Brust und Kopf so nahe wie möglich am Boden und Ihre Hüften hoch. Auf diese Weise können Sie die Einlaufflüssigkeit besser bei sich behalten.

Es kann an drei aufeinanderfolgenden Tagen eine Behandlung pro Tag durchgeführt werden. Alle Einlauf-Abkochungen sollten mit einem Turmtopf zubereitet werden. Verwenden Sie einen normalen Standardturmtopf aus rostfreiem Stahl oder den provisorischen Turmtopf, der auf S. 328 beschrieben ist.

Anuvasana-Vasti-Rezepturen

Jahreszeit: *Folgen Sie den jahreszeitlichen Richtlinien*
Alle Rezepturen sind ausreichend für eine Anwendung.

Triphala-Abkochung

Körpertyp: *Vata-, Pitta- und Kapha-Störungen*

2 Tassen Wasser
¼ Tasse Triphala-Pulver
¼ Tasse Sesamöl

Bringen Sie das Wasser im oberen Teil des Turmtopfes zum Kochen. Fügen Sie das Triphala-Pulver hinzu, decken Sie den Topf zu, köcheln Sie die Mischung bei geringer Hitze fünf Minuten bzw. solange, bis ein Viertel der Abkochung verdunstet ist. Seihen Sie die Abkochung durch ein feines Sieb ab. Bewahren Sie das Sediment auf, um es nach der Behandlung Ihrem Badewasser zuzusetzen. Geben Sie das heiße Sesamöl zu, decken Sie den Topf zu, und lassen Sie das Ganze vor Gebrauch zehn Minuten ziehen. Verabreichen Sie die Abkochung, solange sie noch warm ist.

Gotu-Kola-Abkochung

Körpertyp: *Vata-, Pitta- und Kapha-Störungen*

2 Tassen Wasser
¼ Tasse Gotu-Kola-Pulver
2 Eßlöffel Sesamöl

Bringen Sie das Wasser im oberen Teil des Turmtopfes zum Kochen. Fügen Sie das Gotu-Kola-Pulver hinzu, decken Sie den Topf zu, köcheln Sie die Mischung bei kleiner Hitze fünf Minuten bzw. solange, bis ein Viertel der Abkochung verdunstet ist. Seihen Sie sie durch ein feines Sieb ab. Bewahren Sie das Sediment auf, um es nach der Behandlung Ihrem warmen Badewasser zuzusetzen. Geben Sie das Sesamöl zu, decken Sie den Topf zu, und lassen Sie das Ganze vor Gebrauch zehn Minuten ziehen. Verabreichen Sie die Abkochung, solange sie noch warm ist.

Anuvasana Vasti-Öle

Körpertyp: *alle Typen*
Bei Beschwerden, die die Anuvasana-Behandlung erfordern.
Alle Rezepturen sind ausreichend für eine Anwendung.

Vata-Typen:	Nehmen Sie 1 Tasse Öl bzw. fettige Substanz pro Einlauf (maximal 9 Einläufe)
Pitta-Typen:	Nehmen Sie ½ Tasse Öl bzw. fettige Substanz pro Einlauf (maximal 5 Einläufe)
Kapha-Typen:	Nehmen Sie ¼ Tasse Öl bzw. fettige Substanz pro Einlauf (maximal 2 Einläufe)

Anmerkung: Sie können sich Anuvasana-Vasti selbst verabreichen. Denken Sie daran, während der Therapie die empfohlene Heildiät einzuhalten.

Anusana-Vasti-Zubereitung
(Die verwendeten Öle oder fettigen Substanzen sollten in einem Turmtopf zubereitet werden).

Warmes Sesam-Bala-Öl

Beschwerden
Abmagerung, Erschöpfung, Nervosität, Arthritis, Steifheit und Schmerzen im Körper, Gicht, Kiefersperre, Brustschmerzen und Hämorrhoiden.

2 Tassen Wasser
¼ Tasse Sesamöl
2 Eßlöffel Bala-Pulver*

Bringen Sie das Wasser in dem Turmtopf zum Kochen, und fügen Sie das Öl hinzu. Fügen Sie das Bala-Pulver hinzu, decken Sie den Topf zu, und köcheln Sie die Mischung bei geringer Hitze etwa zwanzig Minuten bzw. solange, bis das gesamte Wasser verdunstet ist. Nehmen Sie den Topf vom Herd, und lassen Sie das Öl zehn Minuten lang ziehen, dann seihen Sie es durch ein feines Sieb ab. Bewahren Sie das Sediment auf, um es nach der Behandlung Ihrem warmen Badewasser zuzusetzen. Verabreichen Sie das Öl, solange es noch warm ist.
**Anmerkung:* Als Ersatz für Bala-Pulver können Sie die gleiche Menge Bilva, Fenchel oder Punarnava verwenden.

Arzneiliches Süßholzöl

Beschwerden
Abmagerung, Erschöpfung, Nervosität, Muskelschwund, extreme Schmerzen im Körper, Brustschmerzen, Blockierung des Urins, Kots und Samens, Harnröhrenverengung und Kiefersperre.

2 Tassen Wasser
½ Tasse Sesamöl
2 Eßlöffel Süßholzpulver

Bringen Sie das Wasser in dem Turmtopf zum Kochen, und fügen Sie das Öl hinzu. Fügen Sie das Süßholzpulver hinzu, decken Sie den Topf zu, und köcheln Sie die Mischung bei geringer Hitze etwa zwanzig Minuten bzw. solange, bis das gesamte Wasser verdunstet ist. Nehmen Sie den Topf vom Herd, und lassen Sie das Öl zehn Minuten lang ziehen, dann seihen Sie es durch ein feines Sieb ab. Bewahren Sie das Sediment auf, um es nach der Behandlung Ihrem warmen Badewasser zuzusetzen. Verabreichen Sie das Öl, solange es noch warm ist.

Warmes Ghee und Honig

Beschwerden
Abmagerung, Erschöpfung, übermäßige Trockenheit des Körpers, starke körperliche Schmerzen, Muskelschwund, Blockierung des Urins, Kots und Samens, Arthritis und Hämorrhoiden.

5 Eßlöffel Ghee
3 Eßlöffel Honig

Erwärmen Sie das Ghee in einem Turmtopf. Nehmen Sie den Topf vom Herd, und fügen Sie den Honig hinzu. Lassen Sie die Mischung einige Minuten lang ziehen, bis sie lauwarm ist. Verabreichen Sie sie, solange sie noch warm ist.

Warmes Sesam-Triphala-Öl

Beschwerden
Nervosität, Muskelschwund, Erschöpfung, Arthritis, körperliche Schmerzen, Harnröhrenverengung, Brustschmerzen, Hämorrhoiden, Gicht und Kiefersperre.

3 Eßlöffel Sesamöl
1 Eßlöffel Triphala-Pulver

Geben Sie Öl und Pulver in einen Turmtopf, und erwärmen Sie sie bei geringer Hitze, bis das Öl warm ist. Nehmen Sie den Topf vom Herd, und lassen Sie das Öl zehn Minuten ziehen. Seihen Sie sie durch ein feines Sieb ab, und bewahren Sie das Sediment auf, um es nach der Behandlung Ihrem warmen Badewasser zuzusetzen. Verabreichen Sie das Öl, solange es lauwarm ist.

VASTI-HEILMENÜ

Für Komplikationen während der Vastibehandlung.
Alle Rezepturen sind ausreichend für eine Anwendung.

Khadira-Pasten-Tee (orales Heilmittel)

Beschwerden
Unzureichendes Vasti, Herzschmerzen, Brustschmerzen und körperliche Schmerzen.

1 Teelöffel Honig
¼ Teelöffel Steinsalz (in Pulverform)
1 Teelöffel reines Ghee
½ Teelöffel Khadira-Pulver
½ Teelöffel Amalaki-Pulver
2 Tassen kochendes Wasser

Vermischen Sie Honig und Salz in einer kleinen Schüssel aus rostfreiem Stahl. Fügen Sie das Ghee und die Pulver hinzu, und vermischen Sie sie zu einer glatten Paste. Gießen Sie kochendes Wasser auf die Paste, decken Sie die Schüssel zu, und lassen Sie die Paste fünfzehn Minuten lang ziehen. Gießen Sie den Aufguß vorsichtig in eine Tasse, und bewahren Sie das Sediment in der Schüssel auf. Zur oralen Einnahme.

Amalaki-Pippali-schwarzer-Pfeffer-Abkochung

Beschwerden
Zu verwenden, wenn die Einlauftherapie wiederholt werden muß.

2 Tassen Wasser
1 Eßlöffel Amalaki-Pulver
1 Teelöffel Pippali-Pulver
1 Teelöffel schwarzer Pfeffer in Pulverform

Bringen Sie das Wasser in dem Turmtopf zum Kochen. Fügen Sie die Pulver hinzu, decken Sie den Topf zu, und köcheln Sie die Mischung bei mittlerer Hitze acht Minuten bzw. solange, bis ein Drittel der Abkochung verdunstet ist. Nehmen Sie den Topf vom Herd, und lassen Sie die Abkochung ziehen, bis sie warm ist. Seihen Sie sie durch ein feines Sieb ab, und bewahren Sie das Sediment auf, um es nach der Behandlung Ihrem warmen Badewasser zuzusetzen. Verabreichen Sie die Abkochung als Einlauf, solange sie noch warm ist.

Kräuter-Rizinusöl (orales Heilmittel)

Beschwerden
Für hartnäckige Verstopfung nach der Einlauftherapie.

½ Teelöffel Trivrit-Pulver
½ Teelöffel Triphala-Pulver
2 ½ Eßlöffel Rizinusöl
½ Glas frischer Orangensaft

Vermischen Sie das Öl und die Pulver in einer kleinen Tonschüssel. Servieren Sie das Öl oral, gefolgt von Orangensaft, um den abstoßenden Geschmack des Öls wegzuspülen.

Pippali- und Steinsalztee (orales Heilmittel)

Beschwerden
Bei Schluckauf und Husten.

1 ½ Tassen kochendes Wasser
½ Teelöffel Pippali-Pulver
½ Teelöffel Steinsalz (in Pulverform)

Gießen Sie das kochende Wasser in eine große Tasse, und fügen Sie Pippali und Salz hinzu. Decken Sie die Tasse zu, und lassen Sie die Mischung fünfzehn Minuten ziehen. Schütten Sie den Tee vorsichtig in eine andere Tasse um, und bewahren Sie das Sediment auf. Servieren Sie den Tee warm.

Getränk zum Wachwerden

Beschwerden
Wenn der Patient bei der Therapie bewußtlos geworden ist.

2 ½ Tassen kochendes Wasser
½ Teelöffel Trikatu-Pulver
½ Teelöffel Haritaki-Pulver
½ Teelöffel Palasha-Pulver
½ Teelöffel Chitraka-Pulver
½ Teelöffel Kushta
5 Tropfen Milch aus der Arka-Pflanze*

Gießen Sie das kochende Wasser in einen kleinen Topf aus rostfreiem Stahl, und fügen Sie die Pulver und die Arka-Milch hinzu. Decken Sie den Topf zu, und lassen Sie die Mischung fünfzehn Minuten ziehen. Schütten Sie den Tee vorsichtig um, und lassen Sie das Sediment im Topf. Geben Sie dem Patienten zwei Tassen von diesem Getränk, unmittelbar nachdem er das Bewußtsein wiedererlangt hat.

**Anmerkung:*
Anstelle der Milch aus der Arka-Pflanze kann ein halber Teelöffel Steinsalz verwendet werden.

Warme Milch und Ghee

Beschwerden
Zu intensive Therapie, Erschöpfung, Abmagerung.

1 Tasse Milch
1 Eßlöffel reines Ghee

Erwärmen Sie die Milch in einem Topf aus rostfreiem Stahl. Nehmen Sie den Topf vom Herd, und fügen Sie das Ghee hinzu. Decken Sie den Topf zu, und lassen Sie die Mischung einige Minuten lang ziehen, bevor Sie sie servieren. Diesem Getränk können einige Prisen Muskatnuß hinzugefügt werden.

Maismehl (orales Heilmittel)

Beschwerden
Bei Durchfall, mangelhafter Peristaltik.

1 Eßlöffel Maismehl
1 Eßlöffel Sukanat (siehe Anhang B)
1 Eßlöffel reines Ghee

Rösten Sie das Mehl ohne Öl in einer kleinen gußeisernen Pfanne bei geringer Hitze einige Minuten lang, bis es anfängt, goldgelb zu werden. Mischen Sie Sukanat und Ghee hinein. Wenn das Ghee zu schmelzen beginnt, dann nehmen Sie es vom Herd. Vermischen Sie das Ganze zu einer Paste, die Sie warm einnehmen.

Maismehl-Mantha (orales Heilmittel)

Beschwerden
Bei leichter Verstopfung, Beeinträchtigung des Urins.

3 Tassen Wasser
¼ Teelöffel Pippali-Pulver
1 Eßlöffel brauner Zucker
¼ Tasse Maismehl
1 Eßlöffel reines Ghee

Bringen Sie das Wasser in einem mittelgroßen Topf aus rostfreiem Stahl zum Kochen. Fügen Sie das Pippali-Pulver und den Zucker hinzu. Decken Sie den Topf zu, und köcheln Sie die Mischung bei mittlerer Hitze zwanzig Minuten bzw. solange, bis zwei Drittel des Wassers verdunstet sind. Rösten Sie das Mehl ohne Öl in einer kleinen gußeisernen Pfanne bei geringer Hitze einige Minuten lang, bis es anfängt, goldgelb zu werden. Geben Sie das Ghee zu dem gerösteten Mehl, und sobald es anfängt zu schmelzen, nehmen Sie die Pfanne vom Herd. Vermischen Sie Ghee und Mehl zu einer Paste, und fügen Sie sie dann zu der Pippali-Zucker-Abkochung hinzu. Rühren Sie um, bis sich die Paste vollständig aufgelöst hat. Lassen Sie sie fünfzehn Minuten ziehen, bevor Sie sie servieren.

Triphala-Tonikum (orales Heilmittel)

Beschwerden
Bei Schlaflosigkeit, Verstopfung.

3 Tassen Wasser
¼ Tasse braunen Basmatireis
¼ Tasse Joghurt
1 Teelöffel Triphala-Pulver

Bringen Sie das Wasser in einem kleinen Topf aus rostfreiem Stahl zum Kochen. Waschen Sie den Reis, und geben Sie ihn zu dem Wasser. Decken Sie den Topf zu, und köcheln Sie den Reis bei geringer Hitze fünfunddreißig Minuten bzw. solange, bis der Reis gar ist. Rühren Sie den Joghurt hinein; kochen Sie den Reis weitere zehn Minuten lang ohne Deckel. Nehmen Sie den Topf vom Herd, und lassen Sie den Reis fünf Minuten ziehen. Fügen Sie das Triphala-Pulver hinzu, und rühren Sie gründlich um. Nehmen Sie den Reis einige Stunden vor dem Zubettgehen zu sich.

Heilmittel zur Stärkung

Jahreszeit: *ganzjährig*
Körpertyp: *alle Typen*

Die folgenden Heilmittel sollten in der angegebenen Reihenfolge verabreicht werden, um extreme Abmagerung bei Erwachsenen und Kindern zu lindern.

Gesalzenes Ghee

Zwei Portionen für Erwachsene
Vier Portionen für Kinder

¼ Tasse reines Ghee
¼ Teelöffel Steinsalz
(in Pulverform)

Erwärmen Sie das Ghee in einem Turmtopf oder in einem kleinen Topf aus rostfreiem Stahl. Geben Sie das Salz hinzu. Nehmen Sie diese Mischung drei bis sieben Tage lang vor dem Frühstück zu sich.

Süßer Joghurt

Zwei Portionen für Erwachsene
Vier Portionen für Kinder

2 Tassen Joghurt
2 Eßlöffel Sukanat
12 Fäden Safran

Mischen Sie sämtliche Zutaten in einer Schüssel aus rostfreiem Stahl, und erwärmen Sie sie in einem Turmtopf. Verzehren Sie den Joghurt drei bis sieben Tage lang zum Mittagessen.

Geröstete Reisgrütze

Zwei Portionen für Erwachsene
Drei Portionen für Kinder

5 Tassen Wasser
1 Tasse braunen Rundkornreis
2 Eßlöffel Ghee

Bringen Sie das Wasser in einem großen Suppentopf zum Kochen. Waschen Sie den Reis, und rösten Sie ihn ohne Öl in einer kleinen gußeisernen Pfanne bei geringer Hitze fünfzehn Minuten lang, bzw. bis die Körner goldgelb sind. Wenden Sie den Reis mit einem Holzlöffel, damit er nicht anbrennt. Schütten Sie ihn in eine Schüssel, geben Sie Ghee in die erhitzte Pfanne, und lassen Sie es bei geringer Hitze fünf Minuten lang schmelzen. Geben Sie es zusammen mit dem Reis in das kochende Wasser. Köcheln Sie die Mischung zugedeckt bei geringer Hitze zwei Stunden lang. Nehmen Sie den Topf vom Herd, und servieren Sie die Grütze warm. Nehmen Sie diese Grütze über einen Zeitraum von drei bis sieben Tagen als einziges Nahrungsmittel zusammen mit dem Sesam-Zuckergewürz dreimal am Tag zu sich.

Sesam-Zuckergewürz

Neun Portionen für Erwachsene
Achtzehn Portionen für Kinder

1 Tasse Sesamsamen
2 Eßlöffel brauner Zucker

Waschen Sie die Sesamsamen, und rösten Sie sie ohne Öl in einer großen gußeisernen Pfanne bei geringer Hitze fünfzehn Minuten lang, bzw. bis sie knusprig, aber nicht verbrannt sind. Wenden Sie die Samen mit einem Holzlöffel in der Pfanne, damit sie nicht ansetzen oder anbrennen. Nehmen Sie die Samen heraus, geben Sie den Zucker in die erhitzte Pfanne, erwärmen Sie ihn bei geringer Hitze, und nehmen Sie ihn aus der Pfanne. Mahlen Sie die Samen in einem großen Suribachi im Uhrzeigersinn, bis sie zu dreiviertel gemahlen sind. Geben Sie sie in eine Schüssel, und bürsten Sie mit Hilfe eines Küchenpinsels das restliche Sesampulver in die Schüssel. Vermischen Sie den gerösteten Zucker mit den gemahlenen Sesamsamen. Schütten Sie die Mischung in ein sauberes, luftdichtes Glas, und lagern Sie es an einem kühlen, trockenen Ort (die Mischung bleibt etwa eine Woche lang frisch). Garnieren Sie jede Portion geröstete Reisgrütze mit zwei Eßlöffeln Gewürz.

Milch-Ghee

Zwei Portionen für Erwachsene
Vier Portionen für Kinder

2 Tassen Milch
1 Eßlöffel reines Ghee

Erhitzen Sie die Milch in einem Topf aus rostfreiem Stahl oder in einem Turmtopf. Fügen Sie Ghee hinzu. Nehmen Sie den Topf vom Herd, und lassen Sie die Gheemilch einige Minuten lang ziehen, bevor Sie sie trinken. Nehmen Sie sie drei bis sieben Tage lang eine Stunde vor dem Zubettgehen zu sich.

Teil vier

Uttara Vasti – Irrigationstherapie

Die Irrigation ist von Beginn der Zeit an hauptsächlich zur Erfrischung und Reinigung der weiblichen Scheide verwendet worden. Obwohl die Irrigation auch am Penis durchgeführt werden kann, um Harnbeschwerden zu lindern oder am Zentrum eines Geschwürs, um Unreinheiten zu beseitigen und das Geschwür zu reinigen, werden diese Praktiken im modernen Ayurweda nur selten durchgeführt.

Der Prozeß der Irrigation ist eine leicht anzuwendende Behandlungsform, die viele Frauenleiden lindert. Durch die Irrigation können in relativ kurzer Zeit der gesunde Zustand der Gebärmutter wiederhergestellt und Frauenleiden gelindert werden. Als natürliche Form der Geburtenkontrolle kann die Irrigation auch unmittelbar nach dem Geschlechtsverkehr durchgeführt werden. Die Scheide und die Gebärmutter können mit Hilfe der Irrigation auch nach der Menstruation gereinigt und besänftigt werden. Nach der Menopause trägt gelegentliches Irrigieren mit speziellen Ölen dazu bei, das Hormonsystem neu zu beleben und dem Körper Jugendlichkeit und Ausdauer zu verleihen.

Vorbereitungen für die Uttara-Vasti-Therapie zu Hause

Ungeeignete Bedingungen

- während oder unmittelbar nach der Menstruation
- Kinder
- während der Schwangerschaft
- Blutungen in der Scheide
- zu starke Hitze oder kaltes Wetter
- unmittelbar nach dem Essen
- Durchfall
- nach der Brechtherapie
- nach der Purgiertherapie
- nach der Einlauftherapie

Geeignete Bedingungen

- Scheideninfektionen
- schlechter Geruch
- trockene oder wunde Scheide
- Stagnation oder Störungen in der Gebärmutter
- prämenstruelles Syndrom (PMS)
- unregelmäßiger oder zu starker Menstruationsfluß

- vier Tage nach Beendigung der Menstruation
- unmittelbar nach dem Geschlechtsverkehr (zur Geburtenkontrolle)
- nach der Menopause
- Geschlechtskrankheiten
- Unfruchtbarkeit

Wirkung
Über die Linderung der obengenannten Beschwerden hinaus hat diese Therapie die zusätzliche Wirkung, daß sie Ojas vermehrt, das Hormonsystem wiederauffüllt und die Fruchtbarkeit fördert. Diese Behandlung verleiht außerdem den weiblichen Geschlechtsorganen Kraft und Energie.

Notwendige Hilfsmittel
- *Vata- und Kapha-Typen*: eine kleine Tonschüssel mit zwei Eßlöffeln warmem Sesamöl
- *Pitta-Typen*: eine kleine Tonschüssel mit zwei Eßlöffeln lauwarmem Kokosnußöl
- 5 Tropfen eines geeigneten ätherischen Öls für das Bad (vergleichen Sie S. 138)
- ein wiederverwendbarer Irrigator (mit Irrigations-Spritze)
- eine Badewanne
- ein sauberes Baumwollhandtuch

Uttara-Vasti-Therapie – Anwendung

Irrigationsbehandlung
- Vor der Irrigation wird eine Öl- bzw. Selbstmassage empfohlen.
- Halten Sie an den Irrigationstagen die sattwische Diät ein (vergleichen Sie Kapitel acht).
- Breiten Sie ein sauberes Handtuch in der Badewanne aus.
- Befestigen Sie Spritze an dem Irrigator und schließen Sie die „Absperr"-vorrichtung, bevor Sie die Irrigationslösung hineingießen.
- Hängen Sie den Irrigator mit der Lösung gut 90 cm über der Stelle auf, wo Sie sich hinlegen werden.
- Ziehen Sie sich aus, und legen Sie sich bequem auf den Rücken; spreizen Sie die Beine, und beugen Sie die Knie.
- Nehmen Sie einige tiefe Atemzüge.
- Schließen Sie die Augen und fühlen Sie, wie sich sämtliche Glieder Ihres Körpers entspannen.
- Führen Sie die Spritze in Ihre Scheide ein.

- Drücken Sie Ihre Pobacken fest gegeneinander, und heben Sie die Hüften leicht vom Boden ab.
- Ein Teil der Lösung wird dabei auslaufen.
- Sobald der Irrigator leer ist, entspannen Sie die Hüften, nehmen Sie die Spritze aus der Scheide, und lassen Sie die Irrigationslösung langsam herausfließen.
- Stehen Sie behutsam auf. Nehmen Sie das nasse Handtuch aus der Badewanne.
- Da die Abkochung nur für kurze Zeit in der Scheide bleibt, können Sie den Prozeß sofort wiederholen.
- Füllen Sie anschließend das Bad zur Hälfte, und machen Sie es sich gemütlich, bis es kühl wird.
- Trocknen Sie sich mit dem Badetuch ab, und massieren Sie einige Minuten lang sanft Ihren Bauch.
- Ruhen Sie sich nach dem Irrigieren einige Stunden lang aus.

Uttara-Vasti-Rezepturen

Jahreszeit: *ganzjährig*
Körpertyp: *alle Typen (Frauen)*
Zeit: *später Morgen oder früher Abend*
Dauer der Behandlung:
Nach der Menstruation: eine Serie von je drei Irrigationen alle zwei Tage. Wenn Menstruationsstörungen oder prämenstruelle Symptome bestehen, dann führen Sie die Irrigation vor der Menstruation durch.
Vorbereitung: *Die Abkochung bzw. das Öl, das zur Zubereitung der Irrigationslösung benötigt wird, sollte in einem Turmtopf erhitzt werden. Alle Rezepturen sind ausreichend für eine Anwendung.*

Rosenblütenirrigation

Beschwerden
Spärlicher Menstruationsfluß, Unfruchtbarkeit, Trockenheit der Scheide, Gebärmutterleiden.

Körpertyp: Vata

2 Tassen Wasser
1 Eßlöffel „False Unicorn-Blätter"* (getrocknet)
1 Eßlöffel Himbeerblätter (getrocknet)
1 Eßlöffel rote Rosenknospen (getrocknet)
1 Eßlöffel Sesamöl

Bringen Sie das Wasser in einem Turmtopf zum Kochen. Fügen Sie die getrockneten Blätter und die Knospen hinzu. Decken Sie den Topf zu, und köcheln Sie die Mischung bei geringer Hitze fünf Minuten lang. Nehmen Sie den Topf vom Herd, und lassen Sie den Inhalt zehn Minuten ziehen. Seihen Sie die Abkochung ab, und fügen Sie dann das Sesamöl hinzu. Bewahren Sie Blätter und Rosenknospen auf – als Badewasserzusatz nach der Behandlung. (*siehe unter Bezugsquellen)

Reinigungsirrigation

2 Tassen Wasser
1 Eßlöffel Triphala-Pulver
1 Eßlöffel Aloe-Vera-Gel

Bringen Sie das Wasser in einem Turmtopf zum Kochen. Fügen Sie das Triphala-Pulver hinzu, decken Sie den Topf zu, und köcheln Sie die Mischung bei geringer Hitze drei Minuten lang. Nehmen Sie den Topf vom Herd, und lassen Sie den Inhalt zehn Minuten ziehen. Seihen Sie die Abkochung durch ein feines Sieb ab, und bewahren Sie das Sediment auf, um es später dem Badewasser zuzusetzen. Rühren Sie das Aloe-Vera-Gel hinein, und wenden Sie die Irrigation an, solange sie noch warm ist.

Ashwagandha-Schwarzwurz-Irrigation

Beschwerden
Unfruchtbarkeit, mangelndes sexuelles Interesse, Stagnation in der Gebärmutter, prämenstruelle Beschwerden oder Krämpfe, Geschlechtskrankheiten

Körpertyp: *Kapha*

2 Tassen Wasser
1 Teelöffel Ashwagandha-Pulver
1 Teelöffel Schwarzwurzpulver
1 Eßlöffel Aloe-Vera-Gel

Bringen Sie das Wasser in einem Turmtopf zum Kochen. Fügen Sie die Pulver hinzu. Decken Sie den Topf zu, und köcheln Sie die Mischung bei geringer Hitze fünf Minuten lang. Nehmen Sie den Topf vom Herd, und lassen Sie den Inhalt zehn Minuten ziehen. Seihen Sie die Lösung durch ein feines Sieb ab, und bewahren Sie das Sediment auf, um es nach der Behandlung Ihrem Badewasser zuzusetzen. Rühren Sie das Aloe-Vera-Gel hinein, und verwenden Sie das Ganze, solange es noch warm ist.

Rasa-Irrigationsöl

Körpertyp: *alle Typen*

2 Tassen Wasser
½ Tasse Kokosnußöl
1 Teelöffel Lavendel-Rosenblüten
1 Teelöffel Safran (24 Fäden)
1 Teelöffel Fenchelsamen
1 Teelöffel Triphala-Pulver
½ Teelöffel Sukanat

Für Frauen über fünfzig

Mischen Sie Wasser und Öl, und bringen Sie es in einem Turmtopf zum Kochen. Fügen Sie die übrigen Zutaten hinzu, decken Sie den Topf zu, und köcheln Sie die Mischung bei geringer Hitze zwanzig Minuten lang bzw. solange, bis das ganze Wasser verdunstet ist und etwa eine halbe Tasse Öl übrigbleibt. Nehmen Sie den Topf vom Herd, und seihen Sie die Mischung durch ein feines Sieb ab. Bewahren Sie das Sediment auf, um es nach der Behandlung Ihrem Badewasser zuzusetzen. Verwenden Sie das Öl für die Irrigation lauwarm.

Shatavari-Safran-Irrigation

Beschwerden

Schalheit und schlechter Geruch in der Scheide, Unfruchtbarkeit, prämenstruelle Schmerzen oder Krämpfe, Gebärmutterleiden, Toxizitität in der Gebärmutter, übermäßiges sexuelles Interesse, übermäßige Hitze in der Scheide, als Verjüngungsmittel für ältere Frauen.

Körpertyp: *Pitta*

2 Tassen Wasser
1 Eßlöffel Shatavari-Pulver
1 ½ Teelöffel Safran (12 Fäden)
1 Eßlöffel Kokosnußöl

Bringen Sie das Wasser in einem Turmtopf zum Kochen. Fügen Sie das Shatavari-Pulver und den Safran hinzu, decken Sie den Topf zu, und köcheln Sie die Mischung bei geringer Hitze fünf Minuten lang. Nehmen Sie den Topf vom Herd, und lassen Sie den Inhalt zehn Minuten ziehen. Seihen Sie die Mischung durch ein feines Sieb ab, und bewahren Sie das Sediment auf, um es nach der Behandlung Ihrem Badewasser zuzusetzen. Rühren Sie das Kokosnußöl hinein, und verwenden Sie das Ganze, solange es noch warm ist.

Blessed Thistle*-Lösung

Beschwerden

Zu starker Menstruationsfluß, schlechter Geruch bzw. Wundsein in der Scheide, Gebärmutterleiden.

Körpertyp: *Pitta und Kapha*

3 Tassen Wasser
1 Tasse Blessed Thistle* (getrocknet)
1 Teelöffel Atibala-Pulver
1 Teelöffel Passionsblume (getrocknet)
1 Teelöffel Hibiskusblüte (getrocknet)
1 Teelöffel Gummiarabikum-Pulver
¼ Tasse kochendes Wasser

Bringen Sie drei Tassen Wasser in einem Turmtopf zum Kochen. Fügen Sie die getrockneten Kräuter und das Atibala-Pulver hinzu. Decken Sie den Topf zu, und köcheln Sie die Mischung bei geringer Hitze zehn Minuten lang oder solange, bis ein Drittel der Flüssigkeit verdunstet ist. Nehmen Sie den Topf vom Herd, und lassen Sie den Inhalt zehn Minuten ziehen. Seihen Sie die Mischung durch ein großes Sieb ab, und bewahren Sie das Sediment auf, um es nach der Behandlung Ihrem Badewasser zuzusetzen. Vermischen Sie Gummiarabikum-Pulver in einer viertel Tasse heißem Wasser. Rühren Sie um, bis das Ganze leicht gelartig wird. Geben Sie es zu der Abkochung hinzu, und verwenden Sie es als Irrigation, solange es lauwarm ist.

---

*siehe unter Anschriften und Bezugsquellen

Süße Lotoslösung

Allgemeines Reinigungs- und Erfrischungsmittel

Körpertyp: *alle Typen*

2 Tassen Wasser
1 Eßlöffel Lotossamenpulver
1 Teelöffel Sukanat
2 Tropfen Fenchel-Essenz
1 Teelöffel Kokosnußöl

Bringen Sie das Wasser in einem Turmtopf zum Kochen. Fügen Sie das Lotospulver und das Sukanat hinzu. Decken Sie den Topf zu, und köcheln Sie die Mischung bei geringer Hitze fünf Minuten lang. Nehmen Sie den Topf vom Herd, und lassen Sie den Inhalt zehn Minuten ziehen. Seihen Sie die Mischung durch ein feines Sieb ab, und bewahren Sie das Sediment auf, um es nach der Behandlung Ihrem Badewasser zuzusetzen. Fügen Sie das Kokosnußöl und die Fenchel-Essenz hinzu. Verwenden Sie die Lösung, solange sie noch lauwarm ist.

Antibiotische Irrigation

Beschwerden
Scheideninfektionen, wunde Scheide, Geschlechtskrankheiten, Gebärmutterleiden, Stagnation in der Gebärmutter.

Körpertyp: *alle Typen*

3 Tassen Wasser
1 Eßlöffel Echinacea-Pulver
1 Teelöffel Schwarzwurzpulver
1 Teelöffel Zitronengras (getrocknet)
1 Eßlöffel Aloe-Vera-Gel
1 Eßlöffel Kokosnußöl

Bringen Sie das Wasser in einem Turmtopf zum Kochen. Fügen Sie die Pulver und das getrocknete Zitronengras hinzu, und köcheln Sie die Mischung bei geringer Hitze zehn Minuten lang bzw. solange, bis ein Drittel des Wassers verdunstet ist. Nehmen Sie den Topf vom Herd, und lassen Sie den Inhalt zehn Minuten ziehen. Seihen Sie die Lösung durch ein feines Sieb ab, und bewahren Sie das Sediment auf, um es nach der Behandlung Ihrem Badewasser zuzusetzen. Fügen Sie das Aloe-Vera-Gel und das Kokosnußöl hinzu. Verwenden Sie die Lösung warm.

ABSCHNITT V

Die heilende Ernährung und die heilenden Aktivitäten des Ayurweda

Kapitel acht

Die Heildiät

Teil eins

Nahrung und Gedächtnis

Die ganze Welt sucht nach Nahrung.
Sie ist die Lebensquelle aller Wesen.
Klarheit, Langlebigkeit, Intelligenz, Glück,
Zufriedenheit, Stärke und Wissen
– all das gründet sich auf Nahrung.

Charaka

Jeder Baum, jeder Strauch, jede Pflanze, jedes Kraut, jede Frucht und jeder Same besitzt den lebenspendenden Saft namens *Rasa*, die Essenz dessen, was von Anbeginn des Lebens verfeinert worden ist. Die Sanskrit-Bezeichnung für Nahrung, *Annam*, bedeutet: „Das, was aus der Erde entspringt aufgrund des nährenden Regenwassers, des belebenden Feuers der Sonne und des massierenden Atems des Windes.“. Der vedischen Mythologie zufolge soll der erste Same gesprossen sein, weil eine Strähne aus dem Haar des Schöpfers auf die Erde gefallen ist. Tatsächlich ist alles Leben aus dem ersten Samen der Schöpfung entstanden, der das Gedächtnis aller Zeiten enthält. Ein gesunder Same ist ein Same, der nicht durch menschliche Technologie verändert oder manipuliert worden ist; nur ein solcher Same kann zu einer glücklichen Pflanze heransprießen.

Jedes Nahrungsmittel trägt das intrinsische Wesen seiner Spezies in sich. Das Spargelkraut, das im ruhigen, schattigen Licht des Waldes wächst, strömt dieselbe sanfte Energie in uns aus, sobald es in unserem Körper assimiliert worden ist. Die Kokospalme, die bis hoch oben in den Himmel ragt, trägt Früchte, die von einer weichen und einer harten Schale umgeben sind, damit sie kühl, milchig und gallertartig bleiben. Diese Nahrung beruhigt die Schleimhäute unserer Gewebe und unseren Geist. Der herangereifte Pfirsich weiß genau, wann er den Stamm seines Mutterbaumes loslassen muß, damit wir uns an seinem saftigen, sonnengereiften Fleisch erfreuen können.

Nahrung, die in der Taittiriya-Upanischade als Gott selbst bezeichnet wird, ist viel mehr als nur ein Nahrungsmittel. Indem wir essen, assimilieren wir Gott, indem wir die Essenzen des Universums in uns wirken lassen und so befähigt werden, uns an unser kognitives Gedächtnis zu erinnern.

Rasa drückt sich im Universum durch die sechs Geschmacksrichtungen aus, nämlich süß, sauer, salzig, scharf, bitter und zusammenziehend. Jeder Geschmack ist von der kosmischen Erinnerung an seinen ursprünglichen Samen von Beginn der Schöpfung an durchdrungen. Der süße Geschmack bringt uns Potenz, überströmende Liebe, großen Reichtum und viel Güte; Tugenden, die nur der süße Geschmack durch den Gang der Zeit befördern kann. Der saure Geschmack fördert Aktivität, Mut und Lebhaftigkeit. Der salzige Geschmack bringt Stärkung und die Fähigkeit, selbst die kleinsten Zellen unseres Körpers zu durchdringen. Der scharfe Geschmack belebt und kräftigt uns, und er erweckt unser Interesse daran, die Herausforderungen des Lebens anzugehen. Der bittere Geschmack gibt uns eine Gnadenfrist, damit wir tieferen Einblick in unser kognitives Gedächtnis nehmen können und die negativen Kräfte, die sich in unserem Organismus angesammelt haben, beseitigen können. Der zusammenziehende Geschmack, der mit dem bitteren zusammenwirkt, entfernt geschädigte Gewebe und Giftstoffe aus dem System, er diszipliniert und stellt die Intelligenz von Körper und Geist wieder her.

Im Ayurweda gehört jegliche Nahrung zu einer von drei Kategorien. Milch guter Qualität, Ghee, Weizen und Früchte, die süß und kühlend sind, werden als von Natur aus beruhigend (sattwisch) angesehen. Anregende und hitzeproduzierende Nahrungsmittel wie Ingwer, Pfeffer und Rettich werden von Natur aus als aktivierend (rajasisch) angesehen. Schwere und schwächende Nahrungsmittel, egal ob hitzeproduzierend oder kühl, wie zum Beispiel übermäßiger Genuß von Knoblauch, Alkohol und Eis werden als von Natur abstumpfend für den Geist (tamasisch) angesehen. Wenn wir unsere Fähigkeit entwickeln wollen, uns unseres kognitiven Gedächtnisses bewußt zu sein, dann ist ein Verständnis davon, wie bestimmte Nahrungsmittel unseren Körper und unseren Geist beeinflussen, unerläßlich.

Die erste Nahrung

Die Charaka Samhita nennt als erste Nahrungsmittel auf der Erde Reis und Gerste, Mungo-Bohnen, die Amalaki-Frucht (Stachelbeere), Regenwasser, Steinsalz, Honig, Milch und Ghee. Tiere und Vögel wie das graue Rebhuhn und die gemeine Wachtel, die die trockenen Wälder bewohnten, dienten als Ergänzungen zu dieser ursprünglichen Ernährung.

Verschiedene Getreide sind die ersten Nahrungsmittel der Zivilisation vom Beginn der Zeit an gewesen. Reis, der als König der Getreide angesehen wird, liefert dem System die notwendigen komplexen Kohlenhydrate, wenn seine Kleieschicht erhalten bleibt. Weizen und Gerste sind die am stärksten kühlenden Getreidearten, während Hirse, Quinoa, Buchweizen und Roggen diejenigen sind, die am meisten Hitze produzieren. Der ayurwedischen Ernährungswissenschaft zufolge üben alle Getreidearten eine notwendige

Funktion aus, obwohl wir unter denjenigen wählen sollten, die für unsere individuelle Konstitution am geeignetsten sind. Die Mungo-Bohne wird als Königin der Hülsenfrüchte angesehen. Bohnen liefern das notwendige Protein und haben darüber hinaus eine leicht zusammenziehende Wirkung auf den Körper. Wie Getreide, so sind auch alle Bohnenarten der Gesundheit förderlich; je kleiner jedoch die Bohne ist, um so mehr Nährstoffe enthält sie.

Amalaki ist eine der ältesten Früchte auf der Erde, und sie enthält fünf der sechs universellen Geschmacksrichtungen; nur der salzige Geschmack fehlt. Als saure Frucht mit einem nach der Verdauung süßen Geschmack wird Amalaki in der ayurwedischen Medizin ausgiebig verwendet, da sie für alle drei Doshas geeignet ist und ein hervorragendes Verjüngungs- und atemförderndes Mittel darstellt. Eine Frucht enthält soviel Vitamin C wie zwanzig Orangen. Aufgrund der Hitzebeständigkeit der in der Amalaki enthaltenen Vitamine beeinträchtigt die Weiterverarbeitung den Vitamingehalt nicht, wie das bei so vielen anderen Früchten der Fall ist.

Wasser ist das wichtigste Element auf der Erde. Ohne Wasser könnten wir Nahrung nicht schmecken. Das erste Element, das die gesamte Schöpfung nährt, ist sattwisches, kühlendes Wasser. Der Ayurweda sieht Regenwasser als lebenswichtiges Elixier für die Schaffung und Erhaltung von Gesundheit an.

Ayurwedisches Steinsalz, *Saindhava* bzw. *Sendha Namak* genannt, enthält alle Mineralien, die für das Wohlergehen des Menschen vonnöten sind. Steinsalz ist heiß und kräftig, aber kühlender als natürliches Meersalz, wenn es vom Körper aufgenommen wird. Es kann in kleinen Mengen selbst dann verwendet werden, wenn andere Salze verboten sind. Steinsalz hat sehr subtile Qualitäten, die es ihm ermöglichen, tief in die noch so kleinen Gewebe und Zellen einzudringen. Im Gegensatz zu den meisten Salzen blockiert es die Zirkulationskanäle nicht, was in der Pancha-Karma-Therapie notwendigerweise Beachtung finden sollte. Steinsalz wird von dem System erst verdaut, nachdem es im Organismus verteilt worden ist. Dieses Salz wird in seiner kristallinen Form ähnlich wie Kohle aus trockengelegtem Meeresboden abgebaut. In Indien stammt das meiste Steinsalz aus dem Gebiet des Sindgebirges in Pakistan. Steinsalz wird im Ayurweda bei vielen Störungen verwendet, die allen drei Doshas entstammen. Allgemein ist es jedoch am besten für Vata-Typen; Pitta-Typen sollten es mäßig verwenden und Kapha-Typen sehr selten.

Teil zwei

Das Tier ist kein Bestandteil unserer Ernährung

Aus der Erde kamen Kräuter.
Aus den Kräutern kam der Same,
Der den Menschen das Leben gab.

Taittiriya Upanischade (11.1)

Die Veden, die dem ayurwedischen Wissen vorausgingen, besagten, daß die dem Menschen angemessene Nahrung vorwiegend pflanzlichen Ursprungs sei, und diese Nahrung hängt bis zu einem gewissen Grade von den Mineralien der Erde ab. Die pflanzliche Nahrung sollte durch natürliche tierische Nahrungsmittel, wie zum Beispiel Milch und Honig, ergänzt werden; es sollten Nahrungsmittel gewonnen werden, ohne daß die Tiere selbst geschlachtet werden müßten. Bestimmte äußere Teile von Tieren, Vögeln und Meereslebewesen sind von Beginn der Zeit an zur Herstellung von Arzneien und zur Linderung verschiedener Krankheiten genutzt worden. Dazu gehören die Stoßzähne und die Zähne des Elefanten, die Federn des Pfaus, das Geweih des Rotwilds, der Moschus aus der Vorsteherdrüse des Moschusochsen, der Dung gesunder Elefanten, der Urin gesunder Kühe, das Gift von Schlangen; der Lack, der von der Lackschildlaus abgesondert wird, Perlen von Austern, die Schalen von Muscheln und Kaurischnecken sowie Korallen von Korallenriffen.

Es ist auch bekannt, daß Tiere in alten religiösen Riten geopfert wurden, um die Verfehlungen von Menschen zu sühnen, oder um es den Menschen zu erlauben, das intrinsische kosmische Gedächtnis, das diesen Tierarten innewohnte, zu erlangen. Später wurden im Ayurweda Tiere außerdem als Arzneien für Menschen geopfert, die unter schwächenden Krankheiten wie Gedächtnisverlust, Verlust des Lebenswillens, Trägheit, Abmagerung, Blutarmut, schweren Beeinträchtigungen von Blut und Samen, zermürbenden Schmerzen in den Gelenken, Organen, dem Unterleib oder den Venen litten. Das Fleisch von Tieren ist mit höherer Bewußtheit ausgestattet als das Pflanzenreich, und es enthält das äußerst stark aktivierende Gedächtnis der Natur in Form von Rajas, dem universellen Prinzip der Beweglichkeit. Aufgrund seiner aktiven Natur ist das Fleisch von Tieren therapeutisch dazu verwendet worden, um ein degenerierendes System aufzubauen, während gleichzeitig das zelluläre Gedächtnis im menschlichen Körper aktiviert wurde. Bei diesem Prozeß können die Impulse zu leben und zu überleben geweckt werden.

In der Vergangenheit wurde das Tieropfer für authentische menschliche Bedürfnisse in harmonischem Einklang, mit universeller Achtung und aufrichtiger Dankbarkeit gebracht. Wir haben uns so weit von dem wünschenswerten, auf Achtung beruhenden Handel mit der Natur, so wie er von den Alten praktiziert wurde, entfernt, daß wir für unser Überleben nicht länger einen Tauschhandel mit dem Leben der Tiere führen können, da die hierfür notwendigste Fähigkeit – unsere Fähigkeit, uns kognitiv zu erinnern – dramatisch geschwunden ist. Durch den Verlust unseres eigenen kognitiven Gedächtnisses sind wir nicht mehr in der Lage, die heiligen Erinnerungen, die die Tiere in sich tragen, anzuerkennen.

Im wesentlichen nimmt das Töten von Tieren heutzutage die Form eines sinnlosen Abschlachtens an. Vedanta-Anhänger und Buddhisten haben ihren Einfluß dazu benutzt, um vor dem Töten von Tieren für Geld, Nahrung und sogar Arzneien zu warnen. Aufgrund der weitreichenden ökologischen Zerstörung der Erde, die hauptsächlich darauf zurückzuführen ist, daß die Menschen ihr kognitives Gedächtnis verloren haben, verlieren auch die Tiere ihr innewohnendes kosmisches Gedächtnis. Als Folge davon stellen ihr Fleisch und ihre Vorräte nicht länger positive Heilmittel für menschliche Leiden dar, selbst wenn ihr Tod von äußerst harmonischen Opferzeremonien begleitet ist.

Die Beziehung von Nahrung und Medizin zu den Körpern von Menschen und Tieren, die essen, um zu leben, findet in Form eines dynamischen Austauschs von Energie und Informationen statt. Das, was im zellulären Gedächtnis des Körpers gespeichert wird, wird durch die Art von Gedächtnis bestimmt, die jeder Spezies ureigen ist. Sowohl das kognitive Gedächtnis, das jeder Mensch in sich trägt, als auch das kosmische Gedächtnis, das jedes Tier in sich trägt, hängt vom harmonischen Austausch des Individuums oder Tieres mit der Natur ab. Indem wir unsere eigene Natur als Spezies mißbrauchen, haben wir bei Tieren, Pflanzen und der Erde insgesamt nicht wiedergutzumachenden Schaden angerichtet.

Der Elefant trägt in bezug auf Länge und Inhalt das wunderbarste Gedächtnis von allen Arten auf der Erde in sich. Von allen Tierarten auf der Erde ist dieses Tier der Hüter des Wissens. Der weibliche Elefant, ein hervorragendes Beispiel für das arttypische Gedächtnis der Tiere, ist bekannt dafür, daß er einen schrecklichen Aufruhr veranstaltet, wenn seine Jungen sich in Gefahr befinden. In einem Fall hat sich eine Elefantenmutter, deren Junges von einem Zug überfahren wurde, dadurch gerächt, daß sie den Triebwagen des Zuges so zertrampelt hat, daß nur Schrott übrigblieb. Heute werden die Elefanten infolge menschlicher Ignoranz und der sogenannten menschlichen Bedürfnisse aus ihrem natürlichen Lebensraum vertrieben. Bei diesem Prozeß haben diese kostbaren, göttlichen Tiere angefangen, ihr Gedächtnis zu verlieren. Sie vernachlässigen sich und finden sich nicht mehr zurecht. In einer Studie aus jüngster Zeit wurde beobachtet, daß sie wie angewurzelt dastehen und nicht mehr in der Lage sind, ihre Jungen zu verteidigen, sie zu schützen oder zu rächen, wenn sie in Gefahr sind. Das ist ein gewisses Warnsignal dafür, daß der Elefant, eine geschädigte Spezies, dabei ist, sein intrinsisches Gedächtnis zu verlieren. Wenn wir die Elefanten verlieren und damit das gesamte kosmische Gedächtnis, das sie in sich tragen, dann werden wir nie mehr in der Lage sein, im menschlichen Geist oder Gedächtnis das Wissen um die Kräuter und Pflanzen und ihre erhaltenden und heilenden Eigenschaften aufrechtzuerhalten. Ohne daß das betreffende Tier tatsächlich existiert, können seine Gedächtniskügelchen, die die Gedankenübertragung und Kommunikation zwischen allen Arten ermöglichen, nicht fortbestehen.

In ähnlicher Weise wird die Kuh von den Veden als das glückbringendste Tier bei der Bereitstellung von tierischer Nahrung angesehen. Dieses gütige Tier, das auf Sanskrit „Go" heißt, hat denselben Namen wie die heiligen Schriften und spiegelt sich im Namen des Gottes Krischna wider, der Gopala genannt wurde, das heißt: „derjenige, der die heiligen Schriften und die Kühe schützt."

Im Ayurweda wird die Milch als das vollständigste und als das erste sattwische Nahrungsmittel angesehen. Traditionellerweise wurden Kühe erst einige Zeit, nachdem sie ihr Kalb geboren hatten, gemolken, damit ihre Milch vom menschlichen System richtig assimiliert werden konnte. Aus dieser gesunden Milch werden die heilendsten fettigen Substanzen für den Menschen gewonnen, zum Beispiel Buttermilch, Butter, Joghurt und Ghee. Aufgrund der Mißstände und der Korruption in der heutigen Viehwirtschaft laufen wir ernsthaft Gefahr, dieses erste Nahrungsmittel der Erde zu verlieren. Die ganze Palette von Giften, Chemikalien, Hormonen, Antikörpern und arsenhaltigen Anregungsmitteln, die bei der Tierfütterung verwendet wird, ebenso wie die grausame Praxis, Tiere in überfüllte Boxen zu sperren, in denen sie sich in ihren eigenen Exkrementen suhlen und kaum Bewegungsspielraum haben, sind bösartige und nicht wiedergutzumachende schädliche Handlungen gegen die Tiere, die ansonsten glücklich zu unserem Wohlergehen beitragen würden. Bei diesem Prozeß tragen die ungeheuren Schmerzen, die die Tiere erdulden müssen, ebenso wie die Schadstoffe in ihrer Nahrung, dazu bei, ihr Fleisch zu verseuchen und in ihre Milch überzugehen. Wenn diese Milch dann getrunken wird, dann dringen derselbe Schmerz und dasselbe Gift tief in die Gewebe des menschlichen Körpers ein.

Dank der Bemühungen zahlreicher unabhängiger Landwirte ist es in letzter Zeit wieder möglich, qualitativ hochwertige Milch und Milchprodukte zu erhalten. In den Vereinigten Staaten (und auch im deutschsprachigen Raum – A. d. L.) sind viele kleine Molkereien, die als Familienbetriebe arbeiten, in denen Kühe und Ziegen gesundes Futter ohne Chemikalien und Gifte erhalten und die Rohmilch verkaufen, entstanden.

Butter, Joghurt und Ghee werden als äußerst nährende Nahrungsmittel, die Gesundheit fördern und die Lebenskraft auffüllen, angesehen, sofern sie aus qualitativ hochwertiger biologischer Milch hergestellt worden sind. Milch, Ghee und Butter sind hervorragend bei Vata- und Pitta-Störungen. Joghurt wird im allgemeinen am besten bei Vata-Störungen verwendet, während Kapha-Störungen am besten mit kleinen Mengen Ziegenmilch zu behandeln sind.

Ghee, das als wichtigste aus Milch hergestellte Arznei angesehen wird, wird mit dem Element der Liebe im Körper assoziiert. Seine subtile Aktion ermöglicht es ihm, tief in die Gewebe einzudringen. So stellt es einen hervorragenden Trägerstoff dar, um pflanzliche Pulver und Arzneien in den Körper hineinzubefördern. Ghee gibt dem Körper außerdem Vertrauen und Potenz. Sushruta sah innerlich angewendetes Ghee als intelligenzschaffendes Prinzip an, und Charaka hebt seine Fähigkeit hervor, das Gedächtnis und die vitale physische Essenz, Ojas, zu fördern. Ghee wird hergestellt, indem man Butter zum Kochen bringt und ihr so die lebenden Enzyme entzieht, die sonst zur Bakterienbildung beitragen könnten. Die Qualität des Ghees hängt von der Qualität der Butter ab, von der Herstellungsmethode und von der Lagerung. Je älter das Ghee ist, um so höher ist sein Heilwert.

Im Ayurweda wird Honig ebenfalls als Trägerstoff benutzt, um Arzneien tief in die Körpergewebe hineinzubefördern. Aufgrund seiner hitzeproduzierenden Eigenschaften ist Honig hervorragend für Kapha- und Vata-Störungen geeignet. Obwohl es von seinem Wesen her süß ist, ist es gleichzeitig zusammenziehend und stellt aus diesem Grunde eine wirksame Arznei dar. Honig ist wie Milch ein tierisches Nahrungsmittel. Im Gegensatz zu anderen tierischen Produkten bleibt Honig jedoch aufgrund des energisch schützenden und frühreifen Wesens der Bienen unverseucht. Honig ist ein kräftiges Nahrungsmittel, daher brauchen wir nur eine kleine Menge davon. Da Honig nicht hitzebeständig ist, und durch Erhitzung schnell toxisch wird, sollte er niemals gekocht werden.

Teil drei

Die heilende Ernährung des Pancha-Karma

Eine heilende Diät erfreut das Herz,
Sie nährt den Körper und belebt das Gedächtnis.
Sushruta

Eine heilende Diät nährt den Körper und ist daher ein Bestandteil der *Shamana*-(Stärkungs-)Routine. Die Heildiät, die die Charakteristika der Brhmana- und Langhana-Diäten aufweist, wird während und nach der Pancha-Karma-Therapie verabreicht. Der ayurwedische Ansatz in bezug auf Diäten gründet sich auf die Notwendigkeit, Körper, Geist und Seele des Patienten zu verwöhnen und zu besänftigen. Innerhalb der jeweils richtigen Pancha-Karma-Therapie besteht eine Hauptüberlegung darin, die natürlichen Prozesse des Körpers so weit wie möglich zu stabilisieren und ihn gleichzeitig so zu manipulieren, daß er seine Überschüsse und Abfallstoffe freigibt.

Vor der Behandlung kann, sofern nötig, warmer Ingwertee serviert werden, um den Patienten zu ermutigen, sich seiner Abfallstoffe zu entledigen. Bevor Abhyanga und Snehana verabreicht werden, kann dem Patienten zum Frühstück auch ein süßer Lecksaft gegeben werden, damit sich alle vorhandenen Befürchtungen und Sorgen zerstreuen. Wenn die Snehana- oder

Swedana-Behandlung auch am Kopf durchgeführt wird, dann sollten am Abend vor der Therapie drei Schritte durchgeführt werden. Zuerst wird ein mildes Abführmittel wie Rizinuswurzeltee zusammen mit warmem Ingwertee verabreicht. Danach folgt Gurgeln mit Triphala-Abkochung, und schließlich eine sanfte Nasya-Behandlung, bei der mit Wasser verdünnter Ingwersaft eingeführt wird. Diese Maßnahmen beseitigen alle Blockaden, die innerhalb der Kanäle noch bestehen könnten, sie stellen das Gleichgewicht der Doshas wieder her und beruhigen den Magen.

Bei der Swedana-Behandlung verstärken sich Agni und der Appetit. Um den Patienten zu beruhigen, werden während und nach der Therapie warme Reisgrütze und Koriandertee serviert. Aufgrund seiner stabilisierenden Wirkung wird dem Patienten nach der Swedana-Therapie neben einem warmem Bad Trikatu mit Ghee gegeben.

Zu dieser Zeit sollten keine kalten Bäder, Getränke oder Nahrungsmittel, die einen Schock für das System darstellen können, genommen werden, da der Körper Zeit braucht, bis sein normales Wärmeniveau wiederhergestellt ist.

Im Gegensatz zur Swedana-Therapie vermindern die Vamana-, Virechana- und Vasti-Behandlungen Agni. Deshalb wird während der Behandlungszeit normalerweise warme Reisgrütze serviert, danach folgen mehrere Tage mit Reisporridge, Mungo-Bohnensuppe, Gemüsesuppen und Gerstengrütze, außerdem zu allen Gerichten eine kleine Tasse warmes Wasser.

Die Zeitdauer, für die die Diät nach der Behandlung eingehalten werden sollte, hängt von der Behandlungsdauer ab. Wenn die gesamte Pancha-Karma-Behandlung eine Woche gedauert hat, dann sollte die Diät danach ebenfalls eine Woche lang eingehalten werden. Die Heildiät, die im Pancha Karma und seinen vorbereitenden Therapien verwendet wird, ist im allgemeinen auf das Wesen der Behandlung und nicht auf das individuelle Prakruti abgestimmt. Da das Wesen der Heildiät im allgemeinen friedlich und nährend ist, ist sie für alle Körpertypen geeignet; sie stellt Agni wieder her, und erlaubt es dem Körper, sich an seinen neuen Zustand von Freiheit und Revitalisierung zu gewöhnen.

Die Nahrungsmengen

Charaka schreibt: „Wenn man das richtige Maß an Nahrung verzehrt, dann wird sie rechtzeitig verdaut und gibt uns folglich Energie, eine gesunde Gesichtsfarbe, Stärke und Langlebigkeit“. Die Menge der verzehrten Nahrung spielt eine wichtige Rolle bei der Erhaltung der Gesundheit. Im allgemeinen sollte man genug Nahrung zu sich nehmen, um das System zu befriedigen, ohne jedoch nach dem Essen ein Gefühl von Schwere zu haben. Die ideale Ration an fester Nahrung, die im Ayurweda empfohlen wird, sollte ausreichen, um den Magen zur Hälfte zu füllen, ein Viertel sollte mit Flüssigkeit ausgefüllt werden, und das verbleibende Viertel sollte leer bleiben, um den Verdauungsprozeß zu erleichtern. Eine andere Möglichkeit, um die Menge an fester Nahrung abzumessen, die man bei jeder Mahlzeit zu sich nehmen sollte, besteht darin, beide Hände zu einer Schale zusammenzulegen und die

Menge an Nahrung abzumessen, die diese „Schale" bis zum Rand füllen würde. In ähnlicher Weise entspricht eine einzige Handschale an Flüssigkeit der idealen Flüssigkeitsmenge, die man bei jeder Mahlzeit zu sich nehmen sollte. Unsere Hände sind absichtlich so konstruiert, daß sie das natürliche Fassungsvermögen unserer individuellen Mägen widerspiegeln.

Im allgemeinen wird die Nahrungsmenge für einen Menschen, der anstrengende, harte Arbeit leistet, erhöht werden müssen, um den höheren Energieverbrauch zu decken. Analog dazu sollte die Nahrungsmenge für einen Menschen, der während des Tages sehr wenig Energie verbraucht, entsprechend reduziert werden. Die Menge der heilenden Nahrungsmittel, die während der Pancha-Karma-Behandlung serviert werden, macht etwa ein Drittel einer normalen Mahlzeit aus. Wenn die Menge an verzehrten Nahrungsmitteln während der Therapie reduziert wird, dann kann das Verdauungssystem sich neu organisieren, indem es seine Aktivitäten reduziert und gleichzeitig den Körper mit nicht allzu störendem Agni nährt. Sowohl die heilenden Eigenschaften als auch die richtige Nahrungsmenge erlauben es Apana und Gasen, sich nach unten zu bewegen, wodurch Kapha reduziert wird, und Agni ermutigt wird sich von neuem anzufachen.

Wichtige fettige Zubereitungen

In den Pancha-Karma-Therapien werden vierundsechzig verschiedene fettige Zubereitungen verwendet. Dazu gehören die Substanzen, die für Therapien wie Nasya, Snehana, Swedana, Uttara und Anuvasana Vasti, Virechana, Karna Purana und Gandusa zubereitet werden. Mehrere dieser Zubereitungen werden auch für die Heildiät während der Pancha-Karma-Behandlung verwendet. Sie haben oft eine weitgefaßte Nomenklatur, je nachdem, welche Nahrungsmittel in welchen Mengen verwendet werden. Eine dünne Grütze, die aus Reis und Ghee besteht, wird zum Beispiel *Mantha* genannt; eine Abkochung, die aus Reis und Ghee besteht, heißt *Peya*. Wenn einer Mischung aus vier Teilen Wasser ein Teil Reis hinzugefügt wird, dann wird sie *Vilepika* genannt. Wenn Mungo-Bohnen zu Vilepika hinzugefügt werden, dann heißt das Ergebnis *Kichadi*. Eine dicke Reisporridge-Zubereitung nennt man *Odana*; eine dicke Grütze aus Reis, Mungo-Bohnen, schwarzem Pfeffer und Ghee wird *Tarpana* genannt. Wenn eine Suppe aus sechs Teilen Wasser und einem Teil Gerste besteht, heißt sie *Yavagu*; eine Bohnensuppe aus Pferdebohnen und Strauchbohnen heißt *Yusha*; eine scharfe Gemüse- oder Kräutersuppe mit oder ohne Buttermilch wird *Khada* genannt; wenn Milchmolke oder Joghurt, Steinsalz, Sesamöl und Uradbohnen zu einem Khada hinzugefügt werden, dann heißt es *Kambalika*. Der zugrundeliegende Reis heißt, nachdem er gekocht wurde, *Manda*. Dieser Reis ist besonders für Vata-Typen stärkend. Eine dicke Grütze aus einem beliebigen Getreide heißt *Krushara*. Ein süßer, duftender, flüssiger Porridge aus Milch und Joghurt, Kräutern und Gewürzen mit Namen *Lassi* wird traditionell verwendet, um die Verdauung zu fördern. Eine klebrige Süßigkeit aus Rohrzuckersaft heißt *Phanita*. Ein Süßungsmittel, das als Sukanat (siehe

Anhang B) bekannt ist, kann anstelle von Zuckerrohrsaft zur Herstellung dieses Porridges verwendet werden. Phanita kann auch als Sirup zubereitet werden, und heißt dann im allgemeinen süßer Lecksaft. Ein Pudding aus Milch, Joghurt oder Sahne heißt Utkarika.

Eine Warnung

Die Heildiät kann nicht nur als Pancha-Karma-Diät verwendet werden, sondern auch von Zeit zu Zeit als reinigende und verjüngende Diät während des Jahres. Die siebentägige Heildiät kann zu Hause zu den passenden Jahreszeiten für die Reinigung bei Vata-, Pitta- oder Kapha-Störungen durchgeführt werden. Sie sollte aber nicht über einen langen Zeitraum als Hauptternährungsform verwendet werden, da sie als periodische Heildiät, besonders im Anschluß an die Pancha-Karma-Therapie gedacht ist. Auch die sattwische Diät sollte nicht als Ernährung über das ganze Jahr hinweg verwendet werden, da der Körper aus allen fünf Elementen besteht und die Stimuli aller drei Gunas, nämlich Sattwa, Rajas und Tamas benötigt. Obwohl sattwische Nahrungsmittel den größeren Teil der Diätempfehlungen für Pitta-Typen ausmachen und weitestgehend auch für Vata-Typen gut sind, sind einige rajasische und in geringerem Maße auch tamasische Nahrungsmittel notwendig, um alle Körpersysteme gesundzuerhalten. Bei Kapha-Typen sollte am besten der größte Teil der Ernährung aus rajasischer Nahrung bestehen und zum geringeren Teil aus sattwischer und tamasischer.

Für innerliche und äusserliche Anwendung

- Nur Rohmilch und Milchprodukte aus organischer Milchwirtschaft (Pitta-Typen können außerdem Sojamilch verwenden; Vata-Typen auch Reis- oder Mandelmilch).
- Reines Ghee, das aus Milch und nicht aus Pflanzenöl hergestellt ist.
- Passende Öle für jeden Typ (verwenden Sie keine industriell gefertigten Erzeugnisse oder gehärtete Öle. Gebrauchen Sie nur natürlich verarbeitete Öle aus dem Reformhaus bzw. Bioladen).
- Reines Quell-, Brunnen- oder Regenwasser.
- Natürlicher brauner Zucker, Jagre-Zucker oder Sukanat, wo Zucker notwendig ist. (Verwenden Sie keinen weißen Zucker oder industriell hergestellten braunen Zucker).
- Natürlicher, nicht-hitzegeschädigter Honig.
- Ayurwedisches Steinsalz. Meersalz kann ersatzweise verwendet werden, wenn Steinsalz nicht verfügbar ist. (Verwenden Sie kein industriell gefertigtes Salz, Jodsalz oder Salzersatz).
- Gewürze und Kräuter, die nicht zu lange im Regal gestanden haben und nicht bestrahlt worden sind (ayurwedische Kräuter werden nicht bestrahlt).
- Frisches Obst, das nicht gewachst oder mit Chemikalien besprüht worden ist.
- Trockenfrüchte, die nicht geschwefelt oder mit verarbeitetem Zucker oder Chemikalien behandelt worden sind.

• Biologische Fruchtsäfte.

Es ist empfehlenswert, die notwendigen Zutaten in Reformhäusern, Bioläden und/oder bei Ayurweda-Lieferanten zu bestellen, von denen einige in Anhang G aufgeführt sind.

Zeitplan für die Heildiät nach der Therapie

Dieser Zeitplan sollte für dieselbe Zeitdauer nach der Behandlung eingehalten werden, wie die Behandlung selbst gedauert hat, das heißt, wenn die Pancha-Karma-Behandlung oder -Behandlungen sieben Tage dauern, dann sollte die nachfolgende Heildiät nach Beendigung der Behandlung sieben Tage lang eingehalten werden.

Tag	*Morgen (8 bis 9 Uhr)*	*Spätnachmittag (16 bis 18 Uhr)*
1	Peya	Peya
2	Peya (kein Salz/Öl)	Vilepika (kein Salz/Öl)
3	Vilepika	Tarpana Mantha
4	Yusha	Yavagu/Kichadi
5	Gemüse-Yusha	Odana
6	Dickflüssiges Kichadi	Odana
7	Khada/Payasam	Nehmen Sie Ihre normale Ernährung wieder auf*

**Anmerkung:*

Die richtige jahreszeitliche Ernährung für jeden Körpertyp wird in meinem früheren Buch *Ayurveda: A Life of Balance* besprochen.

Anmerkung:

1. Wenn gewünscht, kann eine dritte Mahlzeit zwischen 12.00 und 13.00 Uhr gereicht werden, die dieselbe Mahlzeit ist wie morgens. Wenn die Therapiedauer sieben Tage übersteigt, dann wiederholen Sie die Diätempfehlungen der Reihe nach vom vierten bis zum siebten Tag bis zum Ende der Diätphase.
2. Obwohl danach die normale Ernährung wieder aufgenommen wird, sollten Sie bis zu zwei Monate nach der Therapie mit übermäßig öligen, scharfen, kalten, abgestandenen oder ungesunden Nahrungsmitteln vorsichtig sein.
3. Nach der Virechana-Therapie sollte am dritten Tag Tarpana anstelle von Vilepika gereicht werden.
4. Während der Pancha-Karma-Therapie können Peya, Vilepika und/oder Kichadi auch ausschließlich gereicht werden. Die Nahrungsmenge während und nach der Therapie sollte ein Drittel der normalen Nahrungsmenge der betreffenden Person betragen.

Heildiät nach der Therapie

Jahreszeit: *folgen Sie den jahreszeitlichen Richtlinien*
Körpertyp: *alle Typen*

Bala-Peya-Reisabkochung

Vier Portionen:

4,5 l Wasser
1 Tasse brauner Rundkornreis
1 Eßlöffel Bala-Pulver
1 Eßlöffel reines Ghee
1 Teelöffel Steinsalz (in Pulverform)

Waschen Sie den Reis, und rösten Sie ihn bei geringer Hitze ohne Öl in einer gußeisernen Pfanne fünfzehn Minuten lang oder solange, bis der Reis trocken und goldbraun ist. Verwenden Sie einen Holzspatel, um den Reis zu wenden und so zu verhindern, daß er ansetzt oder anbrennt. Fügen Sie das Ghee zu dem gerösteten Reis hinzu, und lassen Sie die Mischung einige Minuten lang köcheln. Bringen Sie das Wasser in einem großen Topf aus rostfreiem Stahl zum Kochen, fügen Sie den gerösteten Reis und das Ghee, das Bala-Pulver und das Steinsalz hinzu. Decken Sie den Topf zu, und köcheln Sie das Ganze bei geringer Hitze eine Stunde lang, bis die Hälfte des Wassers verdunstet ist. Nehmen Sie den Topf vom Herd, und zerdrücken Sie den Reis mit Hilfe eines Schöpflöffels mit flachem Boden zu einer dickflüssigen Abkochung. Servieren Sie die pürierte Reis-Peya, solange sie noch warm ist.
Anmerkung: Einfache Peya kann auch ohne die Hinzufügung von Bala-Pulver zubereitet werden.

Vilepika – (ohne Öl und Salz)

Vier Portionen:

2 Tassen brauner Rundkornreis mit etwas längeren Körnern
6 Tassen Wasser
1 Teelöffel Kreuzkümmelsamen
1 Teelöffel Koriandersamen

Waschen Sie den Reis, und rösten Sie ihn bei geringer Hitze ohne Öl in einer gußeisernen Pfanne fünfzehn Minuten lang oder solange, bis der Reis trocken und goldgelb ist. Verwenden Sie einen Holzspatel, um den Reis zu wenden und so zu verhindern, daß er ansetzt oder anbrennt. Bringen Sie das Wasser in einem mittelgroßen Topf aus rostfreiem Stahl zum Kochen. Fügen Sie den gerösteten Reis hinzu, decken Sie den Topf zu, und köcheln Sie das Ganze bei geringer Hitze fünfundvierzig Minuten lang. Rösten Sie die Samen ohne Öl einige Minuten lang in einer kleinen Pfanne. Zerdrücken Sie sie leicht mit dem Stößel in einem kleinen Mörser, und fügen Sie sie dann zu der gekochten Reisgrütze hinzu. Lassen Sie die Mischung weitere fünfzehn Minuten lang kochen. Nehmen Sie den Topf vom Herd, und lassen Sie den Topfinhalt zehn Minuten lang ungestört ziehen, bevor Sie die Grütze servieren.

Basmatireis-Mantha – Dünne Reisgrütze

Zwei Portionen:

5 Tassen Wasser
1 Tasse weißer Basmatireis
1 Teelöffel reines Ghee
½ Teelöffel Steinsalz (in Pulverform)
½ Teelöffel Kreuzkümmelsamen
½ Teelöffel Ajwan-Samen

Bringen Sie das Wasser in einem großen Topf aus rostfreiem Stahl zum Kochen. Waschen Sie den Reis, und schütten Sie ihn in das kochende Wasser. Decken Sie den Topf zu, und köcheln Sie das Ganze bei geringer Hitze zwanzig Minuten lang. Erhitzen Sie das Ghee in einer kleinen gußeisernen Pfanne, und rösten Sie die Samen einige Minuten lang, bis sie goldgelb sind. Gießen Sie das Ghee und die Samenmischung zusammen mit dem Salz in die Reisgrütze. Rühren Sie kurz um, und lassen Sie den Reis weitere zwanzig Minuten lang kochen, bis die Reiskörner vollkommen aufgebrochen sind. Nehmen Sie den Topf vom Herd, und lassen Sie die Grütze zehn Minuten lang abkühlen, bevor Sie sie servieren.

Vilepika – Reisgrütze

Vier Portionen:

2 Tassen brauner Rundkornreis aus etwas längeren Körnern
1 Eßlöffel reines Ghee
6 Tassen Wasser
1 Teelöffel Steinsalz (in Pulverform)
1 Teelöffel Kreuzkümmelsamen
1 Teelöffel Koriandersamen

Waschen Sie den Reis, und rösten Sie ihn bei geringer Hitze ohne Öl in einer gußeisernen Pfanne fünfzehn Minuten lang oder solange, bis der Reis trocken und goldgelb ist. Verwenden Sie einen Holzspatel, um den Reis zu wenden und so zu verhindern, daß er ansetzt oder anbrennt. Fügen Sie die Hälfte des Ghees zu dem gerösteten Reis hinzu, und lassen Sie die Mischung einige Minuten lang köcheln. Bringen Sie das Wasser in einem mittelgroßen Topf aus rostfreiem Stahl zum Kochen, und fügen Sie den gerösteten Reis, das Ghee und das Salz hinzu. Decken Sie den Topf zu, und köcheln Sie das Ganze bei geringer Hitze eine Stunde lang, bis die Hälfte des Wassers verdunstet ist. Nehmen Sie den Topf vom Herd, und lassen Sie den Topfinhalt bei geschlossenem Deckel ungestört ziehen. Erhitzen Sie das übrige Ghee in einer kleinen Pfanne bei geringer Hitze. Zerdrücken Sie die Samen leicht mit dem Stößel in einem kleinen Mörser. Fügen Sie sie zu dem erhitzten Ghee hinzu. Sobald die Samen goldgelb werden, rühren Sie die Ghee-Samenmischung in die gekochte Reisgrütze. Servieren Sie sie, solange sie noch warm ist.

Amalaki Mantha – Fruchtabkochung

Zwei Portionen:

6 Tassen Wasser
1 Tasse entsteinte Datteln
½ Tasse Rosinen
1 Eßlöffel Amalaki-Pulver
2 Eßlöffel Sukanat
½ Teelöffel Steinsalz

Bringen Sie das Wasser in einem Topf aus rostfreiem Stahl zum Kochen. Fügen Sie Datteln, Rosinen, Amalaki-Pulver, Sukanat und Salz hinzu. Decken Sie den Topf zu, und köcheln Sie das Ganze bei geringer Hitze fünfundvierzig Minuten lang, bis Datteln und Rosinen weich sind. Nehmen Sie den Topf vom Herd, und pürieren Sie die gekochten Früchte mit einem Schöpflöffel mit flachem Boden. Lassen Sie die Abkochung zehn Minuten lang ziehen, bevor Sie sie servieren.

Weintrauben-Mantha – Fruchtabkochung

Zwei Portionen:

5 Tassen Wasser
Tasse Traubensaft
1 Tasse frischen Granatapfel
¼ Teelöffel frischer geriebener Ingwer
1 Teelöffel reines Ghee
¼ Teelöffel Steinsalz (in Pulverform)
2 Eßlöffel Honig

Mischen Sie Wasser und Saft, und bringen Sie es in einem Topf aus rostfreiem Stahl zum Kochen. Fügen Sie den Granatapfel und das Salz hinzu. Decken Sie den Topf zu, und köcheln Sie das Ganze bei geringer Hitze zehn Minuten lang. Erhitzen sie das Ghee bei geringer Hitze in einer kleinen gußeisernen Pfanne, und fügen Sie den gehackten Ingwer hinzu. Braten Sie den Ingwer einige Minuten an, bis er leicht gebräunt ist. Fügen Sie Ghee und Ingwer zu der Fruchtabkochung hinzu. Lassen Sie die Abkochung weitere zwanzig Minuten lang kochen. Nehmen Sie den Topf vom Herd, und lassen Sie die Abkochung fünfundzwanzig Minuten lang ziehen, bevor Sie den Honig hineinrühren. Servieren Sie sie sofort.

Peya (ohne Öl und Salz)

Vier Portionen:

2,25 l Wasser
1 Tasse brauner Rundkornreis

Bringen Sie das Wasser in einem großen Topf aus rostfreiem Stahl zum Kochen. Waschen Sie den Reis, und rösten Sie ihn dann ohne Öl in einer gußeisernen Pfanne fünfzehn Minuten lang, bis er trocken und goldgelb ist. Wenden Sie den Reis mit einem Holzspatel, damit er nicht ansetzt oder anbrennt. Fügen Sie den gerösteten Reis zu dem kochenden Wasser hinzu. Decken Sie den Topf zu, und köcheln Sie das Ganze bei mittlerer Hitze fünfundvierzig Minuten lang, bis der Reis weich wird. Zerdrücken Sie den Reis mit Hilfe eines Schöpflöffels mit flachem Boden zu einer Grütze. Servieren Sie sie, solange sie noch warm ist.

Reis- und Mungo-Tarpana – Reisporridge

Zwei Portionen:

4 Tassen Wasser
1 Tasse braunen Basmatireis
¼ Tasse ganze Mungo-Bohnen
¼ Teelöffel Pippali-Pulver
¼ Teelöffel schwarzer Pfeffer (in Pulverform)
¼ Teelöffel Steinsalz (in Pulverform)
1 Teelöffel reines Ghee
1 Eßlöffel brauner Zucker

Zur Verwendung nach Virechana

Bringen Sie das Wasser zum Kochen, und fügen Sie Reis, Mungo-Bohnen, Pippali, schwarzen Pfeffer und Salz hinzu. Decken Sie den Topf zu, und köcheln Sie das Ganze bei mittlerer Hitze fünfundzwanzig Minuten lang. Erhitzen sie das Ghee bei geringer Hitze in einer kleinen gußeisernen Pfanne, und fügen Sie den Zucker hinzu. Lassen Sie die Mischung bei geringer Hitze einige Minuten lang ziehen, bis Blasen entstehen. Fügen Sie die Mischung zu dem Reis und dem Mungo-Tarpana hinzu. Lassen Sie sie weitere dreißig Minuten bei geringer Hitze kochen, bis das Tarpana zu einem dickflüssigen Porridge geworden ist. Nehmen Sie den Topf vom Herd, und lassen Sie den Porridge fünfzehn Minuten ziehen, bevor Sie ihn servieren.

Strauchbohnen-Yusha – Bohnensuppe

Zwei Portionen:

½ Tasse getrocknete Strauchbohnen
½ Tasse Urad-Bohnen
10 Tassen Wasser
1 Teelöffel Steinsalz (in Pulverform)
1 Teelöffel reines Ghee
½ Teelöffel Kreuzkümmelsamen
1 Teelöffel Koriandersamen
½ Teelöffel schwarze Pfefferkörner
1 Teelöffel frischer Zitronensaft

Waschen Sie die Strauch- und die Urad-Bohnen und weichen Sie sie fünf Stunden lang ein. Nehmen Sie soviel Wasser, daß die Bohnen vollständig bedeckt sind. Bringen Sie zehn Tassen frisches Wasser in einem großen, schweren Suppentopf zum Kochen. Seihen Sie die eingeweichten Bohnen durch, und geben Sie sie zusammen mit Salz in das kochende Wasser. Decken Sie den Topf zu, und köcheln Sie das Ganze bei mittlerer Hitze vierzig Minuten lang. Zerdrükken Sie die Samen und die Pfefferkörner mit dem Stößel in einem kleinen Mörser. Erhitzen Sie das Ghee in einer kleinen gußeisernen Pfanne, und fügen Sie die zerquetschten Samen hinzu. Lassen Sie die Samen einige Minuten lang braten, und fügen Sie sie dann zu der Suppe hinzu. Kochen Sie die Suppe weitere zwanzig Minuten lang, bis die Bohnen weich und bröckelig sind. Nehmen Sie den Topf vom Herd, und lassen Sie die Suppe zehn Minuten lang ungestört ziehen, dann rühren Sie den Zitronensaft hinein. Servieren Sie sie sofort.

Mungo-Bohnen-Yusha – Bohnensuppe

Zwei Portionen:

8 Tassen Wasser
1 Tasse gespaltene Mungo-Bohnen
¼ Teelöffel Kurkuma-Pulver
1 Teelöffel Steinsalz (in Pulverform)
1 Teelöffel Sonnenblumenöl
½ Teelöffel Kreuzkümmelsamen
½ Teelöffel Kümmelsamen
½ Teelöffel frischer, geriebener Ingwer
1 Teelöffel frisches, gehacktes Koriandergrün

Bringen Sie das Wasser in einem großen, schweren Suppentopf zum Kochen. Waschen Sie die Bohnen, und geben Sie sie zusammen mit dem Salz und dem Kurkuma-Pulver in das kochende Wasser. Decken Sie den Topf zu, und köcheln Sie das Ganze bei mittlerer Hitze fünfundzwanzig Minuten lang. Mahlen Sie die Samen mit dem Suribachi oder mit Mörser und Stößel zu einem feinen Pulver. Erhitzen sie das Öl in einer kleinen gußeisernen Pfanne. Geben Sie die zu Pulver vermahlenen Samen zusammen mit dem geriebenen Ingwer und dem frischen Koriandergrün hinzu. Rühren Sie um, und lassen Sie das Ganze bei geringer Hitze zwei Minuten lang brutzeln. Fügen Sie es dann zu der Suppe hinzu. Decken Sie die Suppe zu, und lassen Sie sie weitere fünfzehn Minuten lang kochen, bis die Bohnen ihre Form verloren haben. Nehmen Sie den Topf vom Herd, und lassen Sie die Suppe zehn Minuten lang ziehen, bevor Sie sie servieren.

Yavagu – Graupensuppe

Zwei Portionen:

8 Tassen Wasser
1 Tasse Milch
1 Tasse Perlgraupen
¼ Tasse brauner Rundkornreis
1 Teelöffel Steinsalz (in Pulverform)
½ Teelöffel Kardamomsamen
¼ Teelöffel Koriandersamen
½ Teelöffel Ajwan-Samen
1 Teelöffel reines Ghee
1 Teelöffel frische, gehackte Minze

Mischen Sie Wasser und Milch in einem großen, schweren Suppentopf, und bringen Sie sie zum Kochen. Waschen Sie die Graupen und den Reis, und geben Sie sie zusammen mit dem Salz in das kochende Wasser. Decken Sie den Topf zu, und köcheln Sie das Ganze bei mittlerer Hitze fünfunddreißig Minuten lang. Rösten Sie die Samen ohne Öl in einer kleinen gußeisernen Pfanne bei geringer Hitze drei Minuten lang. Mahlen Sie die gerösteten Samen mit Hilfe eines Suribachi zu einem groben Pulver. Erwärmen Sie das Ghee in derselben Pfanne, und gießen Sie es zusammen mit den zu Pulver vermahlenen Samen in die Graupen- und Reissuppe. Decken Sie den Topf zu, und lassen Sie die Suppe weitere zwanzig Minuten lang bei geringer Hitze kochen, bis die Graupen sehr weich sind. Nehmen Sie den Topf vom Herd, und fügen Sie die gehackte Minze hinzu. Decken Sie die Suppe zu, und lassen Sie sie fünfzehn Minuten lang ziehen, bevor Sie sie servieren.

Karotten-Yavagu – Graupen- und Karottensuppe

Drei Portionen:

10 Tassen Wasser
1 Tasse geschälte Gerste
1 Tasse Karotten, in 2,5 cm lange Stücke geschnitten
1 Teelöffel Steinsalz (in Pulverform)
½ Teelöffel schwarze Pfefferkörner
½ Teelöffel Kreuzkümmelsamen
½ Teelöffel Koriandersamen
1 Teelöffel Sonnenblumenöl
1 Teelöffel frisches, gehacktes Basilikum

Waschen und putzen Sie die Karotten, bevor Sie sie würfeln, schälen Sie sie jedoch nicht. Bringen Sie das Wasser in einem großen, schweren Suppentopf zum Kochen. Waschen Sie die geschälte Gerste, und geben Sie sie zusammen mit den Karotten und dem Salz in das kochende Wasser. Decken Sie den Topf zu, und köcheln Sie das Ganze bei mittlerer Hitze fünfundvierzig Minuten lang. Rösten Sie die Samen und die Pfefferkörner ohne Öl in einer kleinen gußeisernen Pfanne bei geringer Hitze drei Minuten lang. Mahlen Sie sie dann mit Hilfe eines Mörser und Stößels oder eines Suribachi zu einem feinen Pulver. Erhitzen Sie das Öl in derselben Pfanne. Nehmen Sie den Topf vom Herd, und fügen Sie das gehackte Basilikum hinzu. Decken Sie die Pfanne zu, und lassen Sie das Basilikum fünfzehn Minuten lang ziehen, fügen Sie es dann zu der Suppe hinzu, zusammen mit den gerösteten, zu Pulver vermahlenen Samen. Kochen Sie das Ganze bei geringer Hitze weitere fünfzehn Minuten lang. Nehmen Sie den Topf vom Herd, und lassen Sie die Suppe weitere fünfzehn Minuten lang ziehen, bevor Sie sie servieren.

Okra Yusha – Gemüsesuppe

Zwei Portionen:

1 Teelöffel getrocknete Tamarinde
8 Tassen Wasser
½ Tasse gepaltene Mungo-Bohnen
2 Tassen Okra, in dünne Scheiben geschnitten
1 Eßlöffel reines Ghee
1 Teelöffel Steinsalz (in Pulverform)
¼ Teelöffel Kurkuma-Pulver
½ Teelöffel Kreuzkümmelpulver
1 Teelöffel Ingwerpulver
¼ Teelöffel Pippali-Pulver

Weichen Sie die Tamarinden in einer kleinen Schüssel fünf Stunden lang in einer halben Tasse heißem Wasser ein. Bringen Sie das Wasser in einem großen, schweren Suppentopf zum Kochen. Waschen Sie die Mungo-Bohnen, und geben Sie sie zusammen mit den Okraschoten und und dem Salz in das kochende Wasser. Decken Sie den Topf zu, und köcheln Sie das Ganze bei mittlerer Hitze fünfundvierzig Minuten lang. Erhitzen Sie das Ghee in einer kleinen gußeisernen Pfanne, fügen Sie die Pulver hinzu, und geben Sie sie sofort in die Suppenmischung. Zerdrücken Sie die Tamarinde mit Hilfe eines kleinen Löffels zu Brei. Gießen Sie das Fruchtfleisch zusammen mit dem Einweichwasser und den harten Bestandteilen der Tamarinden in die Suppe. Lassen Sie die Suppe weitere fünfzehn Minuten lang kochen. Nehmen Sie sie vom Herd, und lassen Sie sie zehn Minuten lang ziehen. Nehmen Sie die harten Tamarindenteile aus der Suppe, bevor Sie sie servieren.

Anmerkung:
Die Okraschoten können durch dieselbe Menge Spargel, Stangenbohnen, Karotten, Lotoswurzeln, Zucchini und krummhalsigen Gartenkürbis ersetzt werden. Außerdem kann zur Abwechslung auch eine Drittel Tasse jedes dieser Gemüse verwendet werden.

Kichadi – Reis- und Bohnenmischung

Vier Portionen:

8 Tassen Wasser
1 ½ Tassen weißer Basmatireis
½ Tasse gespaltene, gelbe Mungo-Bohnen
1 Teelöffel Steinsalz (in Pulverform)
½ Teelöffel Ajwan-Samen
½ Teelöffel Koriandersamen
½ Teelöffel Kreuzkümmelsamen
2 Eßlöffel reines Ghee

Kichadi kann auch als einzige Mahlzeit nach der Therapie verwendet werden. Es ist eine hervorragende Diät im Anschluß an die Vasti- und die Virechana-Therapien.

Bringen Sie das Wasser in einem großen, schweren Topf aus rostfreiem Stahl zum Kochen. Waschen Sie den Reis und die Bohnen, und geben Sie sie zusammen mit dem Salz in das kochende Wasser. Decken Sie den Topf zu, und köcheln Sie das Ganze bei mittlerer Hitze fünfundzwanzig Minuten lang. Rösten Sie die Samen in einer kleinen gußeisernen Pfanne einige Minuten lang bei geringer Hitze, bis sie goldgelb sind. Zerstampfen Sie sie mit Mörser und Stößel oder mit einem Suribachi in grobe Stücke. Erhitzen Sie das Ghee in derselben Pfanne, und fügen Sie die zerquetschten Samen hinzu. Brutzeln Sie sie zwei Minuten lang, und gießen Sie sie dann in die Reis-Bohnenmischung. Decken Sie den Topf zu, und lassen Sie die Mischung bei geringer Hitze weitere zehn Minuten lang kochen. Nehmen Sie den Topf vom Herd, und lassen Sie das Kichadi zehn Minuten lang ziehen, bevor Sie es servieren.

Dickes Kichadi – Reis-Bohnenmischung

Vier Portionen:

1 Eßlöffel getrocknete Tamarinde
10 Tassen Wasser
1 ½ Tassen brauner Basmatireis
½ Tasse ganze Mungo-Bohnen
1 Teelöffel Steinsalz (in Pulverform)
1 Teelöffel Kreuzkümmelsamen
1 Teelöffel Koriandersamen
½ Teelöffel schwarze Pfefferkörner
2 Eßlöffel reines Ghee

Weichen Sie die Tamarinden in einer kleinen Schüssel fünf Stunden lang in einer halben Tasse heißem Wasser ein. Bringen Sie die zehn Tassen Wasser zum Kochen. Waschen Sie Reis und Bohnen, und geben Sie sie zusammen mit dem Salz zu dem kochenden Wasser. Decken Sie den Topf zu, und köcheln Sie das Ganze bei mittlerer Hitze vierzig Minuten lang. Rösten Sie die Samen und die Pfefferkörner in einer kleinen gußeisernen Pfanne einige Minuten lang bei geringer Hitze, bis sie knistern, dann zerquetschen Sie sie mit Mörser und Stößel in grobe Stücke. Erhitzen Sie das Ghee in derselben Pfanne, fügen Sie die Samen hinzu, und geben Sie sie sofort in die Suppenmischung. Zerdrücken Sie die Tamarinde mit Hilfe eines kleinen Löffels zu Brei. Gießen Sie das Fruchtfleisch zusammen mit dem Einweichwasser und den harten Bestandteilen der Tamarinden zu der Reis-Bohnenmischung. Rühren Sie um, decken Sie den Topf zu, und lassen Sie die Mischung weitere fünfzehn Minuten lang kochen, bis das Kichadi zu einem dickflüssigen Brei wird. Nehmen Sie es vom Herd, und lassen Sie es fünfzehn Minuten lang abkühlen. Nehmen Sie die harten Tamarindenteile heraus, bevor Sie es servieren.

Odana – Dicker Porridge

Zwei Portionen:

4 Tassen Wasser
1 Tasse Milch
1 ½ Tassen Arborio-Reis
½ Teelöffel Zimtpulver
½ Teelöffel gemahlener schwarzer Pfeffer
¼ Teelöffel Kurkuma-Pulver
2 Teelöffel brauner Zucker
12 Fäden Safran
5 Tropfen Orangen-Essenz
1 Teelöffel reines Ghee

Mischen Sie Wasser und Milch in einem großen, schweren Topf aus rostfreiem Stahl, und bringen Sie sie zum Kochen. Waschen Sie den Reis, und geben Sie ihn zusammen mit den Pulvern, dem gemahlenen Pfeffer und dem Zucker in das kochende Wasser. Dekken Sie den Topf zu, und köcheln Sie alles bei mittlerer Hitze dreißig Minuten lang. Lösen Sie den Safran in zwei Eßlöffeln Wasser auf, und lassen Sie ihn einige Minuten lang ziehen, bevor Sie ihn zu dem Porridge hinzugeben. Rühren Sie um, decken Sie den Topf zu, und lassen Sie die Mischung weitere fünfzehn Minuten lang bei geringer Hitze kochen. Erhitzen Sie das Ghee in einer kleinen Pfanne, und fügen Sie es zu dem Porridge hinzu. Nehmen Sie den Topf vom Herd, und lassen Sie den Porridge fünfzehn Minuten lang ziehen, bevor Sie ihn servieren.

Anmerkung: Der Arborio-Reis kann auch durch Rundkornreis ersetzt werden.

Khada – Buttermilch-Gemüsesuppe

Vier Portionen:

10 Tassen Wasser
1 Tasse Karotten
1 Tasse Spargel
1 Tasse Yamswurzel
1 Teelöffel Steinsalz (in Pulverform)
1 Teelöffel Chitraka-Pulver
2 Tassen Buttermilch
1 Teelöffel Fenchelsamen
1 Teelöffel Kreuzkümmelsamen
1 Teelöffel Koriandersamen
1 Eßlöffel Sesamöl

Bringen Sie das Wasser in einem großen, schweren Suppentopf zum Kochen. Putzen Sie die Karotten, und schneiden Sie sie in 0,75 cm große Stücke. Waschen Sie den Spargel, und schneiden Sie ihn in 2,5 cm lange Stükke. Putzen Sie die Yamswurzel, und schneiden Sie sie in 1,25 cm lange Stücke. Geben Sie die Yamswurzel und die Karotten in das kochende Wasser. Decken Sie den Topf zu, und köcheln Sie das Ganze bei mittlerer Hitze fünfzehn Minuten lang. Fügen Sie die Spargelstücke zusammen mit dem Chitraka-Pulver und dem Salz hinzu. Zerquetschen Sie die Samen grob in einem Mörser mit Hilfe eines kleinen Stößels. Erhitzen Sie eine kleine gußeiserne Pfanne, gießen Sie das Öl hinein, und lassen Sie es warm werden. Fügen Sie die zerquetschten Samen hinzu, und brutzeln Sie sie zwei Minuten lang. Rühren Sie sie zusammen mit der Buttermilch in die Suppe hinein. Kochen Sie sie bei geringer Hitze weitere zehn Minuten lang, und rühren Sie gelegentlich um, um zu verhindern, daß die Buttermilch ausflockt. Nehmen Sie die Suppe vom Herd, und servieren Sie sie, solange sie noch warm ist.

Tapioka Payasam – eine süße, milchige Abkochung

Vier Portionen:

1 Tasse Tapioka (kleine Perlen)
2 Tassen kaltes Wasser
1 Tasse Milch
½ Teelöffel Zimtpulver
½ Teelöffel Kardamompulver
¼ Teelöffel Fenchelpulver
12 Fäden Safran
1 Eßlöffel reines Ghee
2 Eßlöffel brauner Zucker
5 Tropfen Vanille-Essenz

Weichen Sie den Tapioka zwanzig Minuten lang in zwei Tassen kaltem Wasser ein. Bringen Sie die Milch bei geringer Hitze zum Kochen. Fügen Sie den Tapioka zusammen mit dem Einweichwasser zu der kochenden Milch hinzu. Rühren Sie die Pulver hinein. Weichen Sie den Safran in zwei Eßlöffeln Wasser einige Minuten lang ein, dann geben Sie ihn zu der Tapioka-Mischung. Erhitzen Sie das Ghee bei geringer Hitze, und fügen Sie es dann zusammen mit dem Zucker und der Essenz hinzu. Kochen Sie die Abkochung ohne Deckel bei geringer Hitze dreißig Minuten lang, und rühren Sie häufig um, um zu verhindern, daß der Tapioka zusammenklebt. Nehmen Sie den Topf vom Herd, und lassen Sie die Süßspeise zehn Minuten lang ziehen, bevor Sie sie servieren.

Anmerkung: Der Tapioka kann durch dieselbe Menge Weizengrütze oder feine Gerstengrütze ersetzt werden.

SATTWISCHE DIÄT FÜR PITTA- UND VATA-TYPEN

Die sattwische Diät wird als Brhmana-Routine angesehen, eine Ernährungsform, die dem Körper Masse, Energie und Vitalität verleiht. Sie kann gelegentlich während des Jahres verwendet werden und ist besonders vorteilhaft, wenn Sie während der sanften jahreszeitlichen Reinigungsaktivitäten verabreicht wird bzw. zur Zeit der jahreszeitlichen Übergänge. Für Reinigungsaktivitäten, die länger als drei Tage dauern und die Zeit nach den intensiven Pancha-Karma-Behandlungen wird die nach Pancha Karma anzuwendende Heildiät empfohlen. Die sattwische Diät, die am besten für Pitta- und Vata-Typen geeignet ist, ist auch hervorragend, um im Sommer und im Herbst ein kühlendes Gleichgewicht im Körper zu bewahren.

Die sattwische Diät enthält Nahrungsmittel, die ihrem Wesen nach süß und beruhigend sind, das heißt über die wesentlichen Energien für Vata- und Pitta-Typen verfügen. Da diese beiden Typen in vielen Bereichen im dynamischen Gegensatz zueinander stehen, sind geeignete Ersatzstoffe bzw. zusätzliche Zutaten für jedes Rezept der sattwischen Diät angegeben, damit die besonderen Bedürfnisse jedes Typs Beachtung finden. Diese Ersatzstoffe und zusätzlichen Zutaten sind ihrem Wesen nach nicht notwendigerweise sattwisch, aber sie sind heilsam für die jeweils angegebenen Typen. Für die ersetzten Nahrungsmittel gelten dieselben Verfahren und Mengenangaben wie in den Originalrezepten. Wenn eine Zutat hinzugefügt werden soll, dann ist die Menge und die Zeit, zu der sie beigefügt werden soll, am Ende des Rezeptes angegeben.

Zusammenfassend läßt sich also sagen, daß die sattwische Diät für Reinigungsmaßnamen und zur gelegentlichen Verwendung dient (außer, wenn anders angegeben).

Jahreszeit: *ganzjärig*
Körpertypen: *Pitta und Vata (außer, wenn anders angegeben)*

Beschwerden
Pitta-Störungen, Vata-Störungen, als Therapie nach der Vasti-Behandlung, als Therapie nach der Virechana-Behandlung.

Basmatireis-Kichadi

Vier Portionen:

6 Tassen Wasser
1 ½ Tassen weißer Basmatireis*
½ Teelöffel Steinsalz
(in Pulverform)**
1 Teelöffel Kreuzkümmelsamen
1 Eßlöffel reines Ghee

Bringen Sie das Wasser in einem großen Topf aus rostfreiem Stahl zum Kochen. Waschen Sie den Reis und die Bohnen, und geben Sie sie zusammen mit dem Salz in das kochende Wasser. Decken Sie den Topf zu, und köcheln Sie das Ganze bei geringer Hitze zwanzig Minuten lang. Erhitzen Sie das Ghee in einer kleinen gußeisernen Pfanne, und fügen Sie die Kreuzkümmelsamen hinzu. Wenn die Samen goldgelb werden, dann gießen Sie die Mischung in das Kichadi. Rühren Sie um, decken Sie den Topf zu, und lassen Sie die Mischung weitere fünf Minuten lang bei geringer Hitze köcheln. Servieren Sie das Kichadi, solange es noch warm ist.

**Anmerkung:*
Vata- und Pitta-Typen können den weißen Basmatireis durch dieselbe Menge Bulgur, Couscous oder Duftreis ersetzen.
**Vata-Typen können zusammen mit dem Salz auch eine Prise Asa Foetida hinzufügen.

Safranreis

Zwei Portionen:

4 Tassen Wasser
1 Tasse weißer Basmatireis*
1 Eßlöffel reines Ghee
½ Teelöffel Korianderpulver
½ Teelöffel Atibala-Pulver
¼ Tasse Milch
12 Fäden Safran
1 Teelöffel Dattelzucker

Bringen Sie das Wasser in einem mittelgroßen Topf aus rostfreiem Stahl zum Kochen. Waschen Sie den Reis, und rösten Sie ihn ohne Öl in einer großen gußeisernen Pfanne bei geringer Hitze zwölf bis fünfzehn Minuten lang. Rühren Sie ihn öfters mit einem Holzlöffel um, um zu verhindern, daß er anbrennt. Wenn der Reis trocken und goldgelb ist, dann nehmen Sie ihn aus der Pfanne. Erhitzen Sie das Ghee in derselben Pfanne, und geben Sie den gerösteten Reis hinein, wobei Sie die Temperatur niedrig halten. Wenn das Ghee zu brutzeln beginnt, fügen Sie den Reis und die Gheemischung zusammen mit dem Koriander- und dem Atibala-Pulver zu dem kochenden Wasser hinzu. Gießen Sie die Milch in die mit Ghee geölte Pfanne, fügen Sie Safran und Zucker hinzu, und lassen Sie das Ganze zwei Minuten lang bei geringer Hitze ziehen, bevor Sie es zu dem kochenden Reis geben. Decken Sie den Topf zu, und köcheln Sie die Mischung fünfundzwanzig Minuten lang bei geringer Hitze. Servieren Sie das Gericht warm oder kalt.

**Anmerkung:*
Vata- und Pitta-Typen können den weißen Basmatireis durch die gleiche Menge Bulgur, Couscous oder Duftreis ersetzen.

Pilau aus aufgebrochenem Weizen und Kokosnuß

Zwei Portionen:

2 ½ Tassen Wasser
1 Tasse aufgebrochener Weizen
½ Teelöffel Steinsalz (in Pulverform)
¼ Teelöffel geriebene, frische Kokosnuß
1 Teelöffel Ajwan
½ Teelöffel Fenchelsamen*
¼ Tasse Zuckererbsen

Bringen Sie das Wasser in einem Topf aus rostfreiem Stahl zum Kochen. Erhitzen Sie eine große gußeiserne Pfanne, und rösten Sie den aufgebrochenen Weizen etwa fünfzehn Minuten lang bei geringer Hitze. Rühren Sie ihn öfters mit einem Holzlöffel um, um zu verhindern, daß er zusammenklebt oder anbrennt. Geben Sie den gerösteten Weizen zusammen mit dem Salz in das kochende Wasser. Rösten Sie die geriebene Kokosnuß ohne Öl in derselben Pfanne. Wenn sie braun wird, dann fügen Sie sie zu der Weizenmischung hinzu. Erhitzen Sie das Öl in derselben Pfanne, und geben Sie die Samen hinzu; wenn sie goldgelb werden, geben Sie sie zu der Weizenmischung. Fügen Sie die Zuckererbsen hinzu, rühren Sie um, decken Sie den Topf zu, und kochen Sie das Gericht weitere zehn Minuten lang bei geringer Hitze. Servieren Sie es warm.

**Anmerkung:*
Vata-Typen können ½ Teelöffel Kardamomsamen und ½ Teelöffel schwarzen Pfeffer (grob gemahlen) hinzufügen. Folgen Sie denselben Verfahren wie für die Fenchel- und Ajwan-Samen.

Mangosuppe

Zwei Portionen:

6 Tassen Wasser
2 Tassen in Scheiben geschnittene, reife Mango*
1 Teelöffel Sonnenblumenöl
½ Teelöffel Kardamompulver
½ Teelöffel Korianderpulver
1 Teelöffel Zitronensaft
½ Teelöffel Steinsalz (in Pulverform)
3 Eßlöffel Kudzu-Stärke
½ Tasse Joghurt**

Bringen Sie sechs Tassen Wasser in einem schweren Suppentopf zum Kochen, und fügen Sie die Mangoscheiben hinzu. Erhitzen Sie das Öl in einer kleinen gußeisernen Pfanne bei geringer Hitze, und fügen Sie die Gewürze in Pulverform hinzu. Geben Sie sie nach ein paar Minuten zusammen mit dem Salz und dem Zitronensaft zu der Suppe, und gießen Sie den Pfanneninhalt durch ein Sieb in das kochende Mangowasser. Lösen Sie die Kudzu-Stärke in einer halben Tasse kaltem Wasser auf, und fügen Sie sie zu der Suppe hinzu. Rühren Sie sie um, bis die Stärke klar wird. Decken Sie den Topf zu, und köcheln Sie die Mischung bei geringer Hitze fünfundzwanzig Minuten lang. Rühren Sie gelegentlich um. Nehmen Sie den Topf vom Herd, und lassen Sie das Ganze fünf Minuten lang ziehen. Pürieren Sie die Mangostücke mit einem Schöpflöffel mit flachem Boden, und vermischen Sie dann den Joghurt mit der Suppe. Lassen Sie die Suppe ohne Deckel fünfzehn Minuten lang abkühlen, bevor Sie sie servieren.

**Anmerkung:*
Vata- und Pitta-Typen können die Mangos durch dieselbe Menge frischer, reifer Pfirsiche, Nektarinen, Pflaumen, süße Erdbeeren, Himbeeren oder Melonen ersetzen. Vata-Typen können Bananen, Avocados, Orangen- oder Grapefruitscheiben anstelle der Mango verwenden. Pitta-Typen können außerdem Weintrauben, Scheiben von süßen Orangen, süßer Ananas oder Äpfeln verwenden.
**Beide Typen können zur Geschmacksverbesserung einen Eßlöffel gehackte, frische Minze hinzugeben.

Kokosnußmilch-Suppe

Zwei Portionen:

4 Tassen Wasser
1 Tasse Kokosnußmilch (vgl. Sie die Anweisungen auf S. 493)
½ Teelöffel Steinsalz (in Pulverform)
6 frische Neem-(Curry-)Blätter
1 Teelöffel reines Ghee
1 Tasse geriebene Kokosnuß (vgl. Sie die Anweisungen auf S. 493)
1 Teelöffel Koriandersamen
1 Teelöffel Kreuzkümmelsamen
½ Teelöffel gehackter, frischer Ingwer

Bringen Sie das Wasser in einem schweren Suppentopf zum Kochen. Fügen Sie die Kokosnußmilch, das Salz und die Neem-Blätter hinzu. Erhitzen Sie das Ghee in einer kleinen gußeisernen Pfanne bei geringer Hitze, und fügen Sie die geriebene Kokosnuß hinzu, rühren Sie gelegentlich um, bis die Kokosnuß hellbraun wird. Geben Sie sie zu der kochenden Kokosnußmischung hinzu. Rösten Sie die Samen in derselben, mit Ghee geölten Pfanne einige Minuten lang, bis sie anfangen zu knistern. Mahlen Sie die Samen in einem kleinen Suribachi zu einem feinen Pulver, und geben Sie es zu der Suppe hinzu. Decken Sie den Topf zu, und köcheln Sie die Suppe bei mittlerer Hitze fünfzehn Minuten lang. Servieren Sie sie warm oder kalt.

Anmerkung:
Vata-Typen können ½ Teelöffel Tamarinden-Paste zu der Suppe hinzufügen, wenn sie die Gewürze dazugeben.

Gersten-Karotten-Pilau

Zwei Portionen:

2 Tassen Wasser
1 Tasse Gerstengrütze*
1 Tasse feingewürfelte Karotten
½ Teelöffel Steinsalz (in Pulverform)
1 Eßlöffel Sonnenblumenöl
2 Eßlöffel Sesamsamen**
1 Teelöffel Koriandersamen
½ Teelöffel Kardamomsamen
½ Teelöffel Kalongi-Samen*
1 Teelöffel Limonensaft

Bringen Sie das Wasser in einem Topf aus rostfreiem Stahl zum Kochen. Waschen Sie die Grütze, und geben Sie sie zusammen mit den Karotten und dem Salz in das kochende Wasser. Erhitzen Sie das Öl in einer kleinen gußeisernen Pfanne. Waschen Sie die Sesamsamen, und rösten Sie sie in dem erhitzten Öl bei geringer Hitze etwa zehn Minuten lang. Rühren Sie sie öfters mit einem Holzlöffel um, um zu verhindern, daß sie anbrennen. Geben Sie sie zu der Gerstenmischung hinzu. Rösten Sie die Gewürzsamen in derselben Pfanne einige Minuten lang, bis sie anfangen zu knistern. Nehmen Sie den Topf vom Herd, und zerquetschen Sie sie leicht mit einem Stößel in einem Mörser, bevor Sie sie zu der Gerstenmischung hinzugeben. Decken Sie den Topf zu, und köcheln Sie das Gericht bei mittlerer Hitze fünfundzwanzig Minuten lang. Rühren Sie den Limonensaft hinein. Nehmen Sie den Topf vom Herd, und lassen Sie das Pilau zugedeckt fünf Minuten lang ziehen, bevor Sie es servieren.

**Anmerkung:*
Vata-Typen können die Gerstengrütze durch die gleiche Menge aufgebrochenen Weizen oder aufgebrochenen Hafer ersetzen. Sie können außerdem zusammen mit den Gewürzsamen zwei gehackte Knoblauchzehen zu der Mischung hinzugeben.
**Pitta-Typen können die Sesamsamen durch die gleiche Menge Sonnenblumensamen ersetzen und nach dem gleichen Verfahren vorgehen.

Gersten-Yams-Suppe

Zwei Portionen:

6 Tassen Wasser
1 Tasse Gerstengraupen*
1 Eßlöffel reines Ghee
½ Teelöffel Steinsalz (in Pulverform)
1 große Yams-Knolle
1 Eßlöffel gehacktes, frisches Koriandergrün*
½ Teelöffel gemahlener schwarzer Pfeffer
¼ Teelöffel Kurkuma-Pulver

Bringen Sie das Wasser in einem schweren Suppentopf zum Kochen. Waschen Sie die Gerste, und geben Sie sie zusammen mit dem Salz in das kochende Wasser. Waschen und putzen Sie die Yamsknolle, schneiden Sie sie in 2,5 cm lange Stücke, und fügen Sie sie zu dem Gerstenwasser hinzu. Erhitzen Sie das Ghee bei geringer Hitze in einer gußeisernen Pfanne, und fügen Sie das Koriandergrün, den schwarzen Pfeffer und das Kurkuma-Pulver hinzu. Wenn die Mischung anfängt zu brutzeln, dann geben Sie sie zu dem Gerstenwasser. Gießen Sie den Pfanneninhalt durch ein Sieb in das Gerstenwasser ab, und vergewissern Sie sich, daß der gesamte Inhalt in das Suppenwasser gelangt. Decken Sie den Topf zu, und köcheln Sie die Suppe bei mittlerer Hitze vierzig Minuten lang. Servieren Sie sie warm.

**Anmerkung:*
Vata-Typen können die Gerste durch die gleiche Menge braunen Rundkornreis oder aufgebrochenen Weizen ersetzen, und das Koriandergrün durch frische Petersilie.

Weizen-Dattel-Porridge

Zwei Portionen:

6 Tassen Wasser
1 Tasse ganze Weizenkörner
¼ Tasse Rosinen
¼ Tasse entsteinte Datteln
½ Teelöffel Orangenschale
½ Teelöffel Zimtpulver
½ Teelöffel Kardamompulver
1 Tasse Milch*
2 Eßlöffel brauner Zucker
5 Tropfen Vanille-Essenz

Bringen Sie das Wasser in einem großen, schweren Topf aus rostfreiem Stahl zum Kochen. Waschen Sie die Weizenkörner, und fügen Sie sie zusammen mit den Rosinen, Datteln, der Orangenschale und den Gewürzpulvern zu dem kochenden Wasser hinzu. Rühren Sie um, decken Sie den Topf zu, und köcheln Sie das Ganze bei mittlerer Hitze eine Stunde lang. Dann geben Sie die Milch, den Zukker und die Vanille-Essenz hinzu. Rühren Sie um, decken Sie den Topf zu, und kochen Sie den Porridge weitere dreißig Minuten lang bei geringer Hitze. Geben Sie, falls notwendig, Wasser hinzu, um zu verhindern, daß der Porridge anbrennt. Servieren Sie ihn warm oder kalt.

**Anmerkung:*
Pitta-Typen können die Kuhmilch durch dieselbe Menge Sojamilch ersetzen. Vata-Typen können anstelle der Kuhmilch Reis- oder Mandelmilch verwenden. Wie am Anfang des Kapitels erwähnt, können diese Ersatzstoffe in allen Rezepten verwendet werden, die Kuhmilch beinhalten.

Reis-Mungo-Porridge

Zwei Portionen:

4 Tassen Wasser
1 Tasse braunen Rundkornreis
½ Tasse ganze Mungo-Bohnen*
½ Teelöffel Steinsalz (in Pulverform)
1 Eßlöffel reines Ghee
1 Teelöffel Kreuzkümmelsamen
½ Tasse Joghurt **

Bringen Sie vier Tassen Wasser in einem schweren Topf aus rostfreiem Stahl zum Kochen. Waschen Sie Reis und Bohnen, und fügen Sie sie zusammen mit dem Salz zu dem kochenden Wasser hinzu. Erhitzen Sie das Ghee in einer kleinen gußeisernen Pfanne bei geringer Hitze, und geben Sie die Kümmelsamen hinein. Wenn die Samen goldgelb werden, fügen Sie sie zu dem Reis und den Bohnen hinzu. Spülen Sie die Pfanne mit dem Porridge aus, um sicherzugehen, daß das gesamte Ghee sich im Topf befindet. Decken Sie den Topf zu, und kochen Sie den Porridge fünfundvierzig Minuten lang bei mittlerer Hitze. Rühren Sie den Joghurt hinein, und kochen Sie den Porridge weitere zehn Minuten lang ohne Deckel. Servieren Sie ihn warm oder kalt.

**Anmerkung:*
Vata-Typen können zusammen mit dem Reis und den Bohnen einen halben Teelöffel Tamarinden-Paste in das kochende Wasser geben.
**Pitta-Typen können den Joghurt durch die gleiche Menge Sahne ersetzen und das Salz weglassen, oder den Joghurt weglassen und das Salz behalten.

Spargel-Soja-Krümelauflauf

Zwei Portionen:

1 Tasse Wasser
1 Pfund frischer Spargel*
½ Tasse Sojabohnenmehl
½ Teelöffel Steinsalz (in Pulverform)
1 Eßlöffel Butter
½ Teelöffel schwarzer Pfefferkörner
1 Teelöffel Koriandersamen

Bringen Sie das Wasser in einer Pfanne aus rostfreiem Stahl zum Kochen. Waschen Sie den Spargel, schneiden Sie die harten Enden ab, und geben Sie ihn dann in das kochende Wasser. Dekken Sie den Topf zu, und dämpfen Sie ihn bei mittlerer Hitze fünf Minuten lang. Nehmen Sie den Spargel heraus, und behalten Sie das Kochwasser. Erhitzen Sie eine kleine gußeiserne Pfanne, und rösten Sie das Mehl einige Minuten lang an, bis es goldgelb wird. Geben Sie das Spargelwasser zusammen mit dem Salz zu dem gerösteten Mehl in der Pfanne, und geben Sie, falls nötig, etwas Wasser hinzu, um einen weichen Teig zu formen. Decken Sie die Pfanne zu, und kochen Sie den Teig bei mittlerer Hitze zehn Minuten lang, bis er kuchenähnlich wird. Nehmen Sie den Topf vom Herd, und lassen Sie den Teig abkühlen. Erhitzen Sie die Butter in einer kleinen Pfanne. Zermahlen Sie die Pfefferkörner und die Koriandersamen grob mit einem Stößel in einem Mörser, dann geben Sie sie zu der erhitzten Butter hinzu. Wenn die Mischung anfängt zu brutzeln, gießen Sie sie über den Spargel. Bröckeln Sie den Sojakuchen über den Spargel, und servieren Sie ihn, solange er noch warm ist.

**Anmerkung:*

Vata-Typen können anstelle des Spargels die gleiche Menge rote Bete, Karotten, krummhalsigen Gartenkürbis, Zucchini, die geputzt und in 0,75 cm lange runde Scheiben geschnitten ist, grüne Bohnen oder Okra verwenden. Pitta-Typen können anstelle des Spargels die gleiche Menge Brokkoli, Rosenkohl, Blumenkohl, grüne Bohnen, Okra, krummhalsigen Gartenkürbis oder Zucchini, die geputzt und in 2,5 cm lange Stücke geschnitten ist, verwenden.

Lotos-Stangenbohnen

Zwei Portionen:

1 ½ Tassen Wasser
1 mittelgroße frische Lotoswurzel
1 Teelöffel Sesamöl
½ Tasse Sojamilch
¼ Teelöffel Kurkuma-Pulver
1 Eßlöffel Ahornsirup
1 Eßlöffel Kudzu-Stärke
½ Teelöffel Steinsalz (in Pulverform)

Bringen Sie das Wasser in einer Pfanne aus rostfreiem Stahl zum Kochen. Waschen Sie die Stangenbohnen, schneiden Sie die Enden ab, und geben Sie sie dann in das kochende Wasser. Dämpfen Sie sie bei mittlerer Hitze fünf Minuten lang, dann nehmen Sie sie aus dem Kochwasser. Putzen Sie die Lotoswurzel, und schneiden Sie sie in 0,75 cm dicke Scheiben. Erhitzen Sie das Öl in einer kleinen gußeisernen Pfanne bei geringer Hitze, und geben Sie die Lotosscheiben hinein. Bräunen Sie sie auf jeder Seite, und nehmen Sie sie dann aus der Pfanne. Gießen Sie Sojamilch in die ungespülte Pfanne, und bringen Sie sie bei mittlerer Hitze zum Kochen. Rühren Sie Kurkuma-Pulver und Ahornsirup hinein. Lösen Sie die Kudzu-Stärke in dem Stangenbohnenwasser auf, und fügen Sie sie zu der Sojamilch hinzu. Rühren Sie solange, bis die Mischung weich und gelartig wird. Nehmen Sie den Topf vom Herd, und geben Sie Salz zu. Richten Sie die Stangenbohnen und die Lotosscheiben auf einer Platte an, und gießen Sie vor dem Servieren die Sauce darüber.

Früchte-Lassi

Vier Portionen:

½ Tasse entsteinte Datteln
1 Tasse Wasser
2 Tassen Milch
1 Tasse Joghurt
1 Eßlöffel braunen Zucker
¼ Teelöffel gehackte, frische Minze

Waschen Sie die Datteln, und pürieren Sie sie mit einem Handrührgerät. Mischen Sie Wasser, Milch, Joghurt, Zukker und Minze in einer Rührschüssel, und schlagen Sie sie mit einem Quirl, bis die Mischung schaumig wird. Rühren Sie die pürierten Datteln hinein, und servieren Sie sofort.

Anmerkung: Vata- und Pitta-Typen können zur Lassi-Herstellung auch getrocknete Mangos, Ananas, Pfirsiche, Feigen und Rosinen verwenden. Wenn frische Früchte verwendet werden, dann sollten Pitta-Typen die Kuhmilch und den Joghurt durch drei Tassen Sojamilch, und Vata-Typen sie durch dieselbe Menge Mandelmilch ersetzen.

Anmerkung zu den ätherischen Ölen: Einige Tropfen der folgenden ätherischen Öle können von beiden Typen ebenfalls für das Lassi verwendet werden: Pfefferminze, Safran, Koriander, Süßholz, Lavendel, Zitrone, Orange, Fenchel, Kamille, Vanille, Lemongrass, Himbeere, Rose oder Sandelholz. Vata-Typen können auch Mandel-, Ingwer- oder Kardamom-Essenz verwenden.

Anmerkung zu den Kräuterpulvern: ½ Teelöffel eines Kräuterpulvers wie Triphala, Bhringaraja, Atibala, Gotu Kola, Maha Bala, Shatavari, Zimt, Koriander oder Kardamom kann ebenfalls von beiden Typen hinzugefügt werden.

Fadennudeln-Payasam

Vier Portionen:

2 Tassen Wasser
1 Tasse Sahne
1 Pfund Fadennudeln (aus Vollkornweizen)
3 Tassen Milch
½ Teelöffel Kardamompulver
¼ Teelöffel Kurkuma-Pulver
12 Fäden Safran
2 Eßlöffel Honig
5 Tropfen Sandelholz-Essenz

Bringen Sie das Wasser in einem mittelgroßen Topf aus rostfreiem Stahl zum Kochen. Geben Sie die Fadennudeln dazu, und kochen Sie sie bei mittlerer Hitze drei Minuten lang. Rühren Sie sie öfters um, um zu verhindern, daß sie anbrennen. Fügen Sie dann Milch und Sahne zusammen mit den Pulvern hinzu. Rühren Sie um, decken Sie den Topf zu, und köcheln Sie die Mischung bei geringer Hitze fünf Minuten lang. Weichen Sie den Safran einige Minuten lang in zwei Eßlöffeln Wasser ein, dann fügen Sie ihn zusammen mit dem Einweichwasser zu dem Payasam hinzu. Nehmen Sie das Getränk vom Herd, und lassen Sie es solange zugedeckt, bis es abgekühlt ist. Fügen Sie dann Honig und Sandelholz-Essenz hinzu.

***Jahreszeit**: ganzjährig*
***Körpertypen:** Pitta und Vata, Kapha zum gelegentlichen Gebrauch*

Fenchel-Lavendeltee

Zwei Portionen:

3 Tassen Wasser*
½ Teelöffel Fenchelsamen**
½ Teelöffel getrocknete Lavendelblätter

Bringen Sie das Wasser in einem kleinen Topf aus rostfreiem Stahl zum Kochen. Rösten Sie die Fenchelsamen in einer kleinen gußeisernen Pfanne einige Minuten lang, bis sie eine goldene Farbe annehmen. Fügen Sie sie zusammen mit den Lavendelblättern zu dem kochenden Wasser hinzu. Decken Sie den Topf zu, und nehmen Sie ihn vom Herd. Lassen Sie den Kräutertee fünf Minuten lang ziehen, dann seihen Sie ihn ab. Servieren Sie ihn warm oder kalt.
**Anmerkung:* Sowohl Vata- als auch Pitta-Typen können anstelle des Wassers dieselbe Menge Milch verwenden oder Wasser und Milch zu gleichen Teilen.
**Vata-Typen können die Fenchelsamen durch ½ Teelöffel frischen, gehackten Ingwer ersetzen.

Kokosnuß-Pfefferminztee

Zwei Portionen:

3 Tassen Kokosnußmilch oder Wasser
1 Eßlöffel getrocknete Kokosnuß
3 Tropfen Pfefferminz-Essenz

Bringen Sie die Milch bzw. das Wasser zum Kochen. Rösten Sie die Kokosnuß ohne Öl in einer kleinen Pfanne einige Minuten, bis sie hellbraun wird. Fügen Sie sie zusammen mit der Essenz zu der kochenden Flüssigkeit hinzu. Decken Sie den Topf zu, und nehmen Sie ihn vom Herd. Lassen Sie den Tee fünfzehn Minuten lang ziehen, bevor Sie ihn servieren. Dieser Tee kann abgeseiht oder unabgeseiht serviert werden.

Safran-Limonentee

Zwei Portionen:

3 Tassen Wasser
12 Fäden Safran
1 Teelöffel frischer Limonensaft
1 Teelöffel brauner Zucker

Bringen Sie das Wasser in einem kleinen Topf aus rostfreiem Stahl zum Kochen. Fügen Sie Safran, Limonensaft und Zucker hinzu. Decken Sie den Topf zu, und nehmen Sie ihn vom Herd. Lassen Sie den Tee fünf Minuten lang ziehen, bevor Sie ihn servieren.

Lotos-Walnußtee

Zwei Portionen:

3 Tassen Wasser
5 Stücke getrocknete Lotoswurzel
1 Teelöffel Walnußstücke

Bringen Sie das Wasser in einem kleinen Topf aus rostfreiem Stahl zum Kochen. Fügen Sie die Lotoswurzel und die Walnüsse hinzu, und kochen Sie den Tee bei geringer Hitze drei Minuten lang. Nehmen Sie den Topf vom Herd. Decken Sie ihn zu, und lassen Sie den Tee fünf Minuten lang ziehen, bevor Sie ihn abseihen. Servieren Sie ihn warm oder kalt.

Rosen-Himbeertee

Zwei Portionen:

3 Tassen Wasser
1 Teelöffel getrocknete biologische Rosenknospen
1 Teelöffel Himbeerblätter

Bringen Sie das Wasser in einem kleinen Topf aus rostfreiem Stahl zum Kochen. Fügen Sie die Rosenknospen und die Himbeerblätter hinzu. Decken Sie den Topf zu, nehmen Sie ihn vom Herd, und lassen Sie den Tee sieben Minuten lang ziehen, bevor Sie ihn abseihen. Servieren Sie ihn warm oder kalt.
**Anmerkung:* Vata-Typen können unmittelbar, bevor sie den Tee servieren, einen Teelöffel Zitronensaft hineinträufeln.

Shatavari-Tee

Zwei Portionen:

3 Tassen Wasser
½ Teelöffel Shatavari-Pulver
1 Teelöffel Ahornsirup

Bringen Sie das Wasser in einem kleinen Topf aus rostfreiem Stahl zum Kochen. Fügen Sie das Shatavari-Pulver hinzu. Decken Sie den Topf zu, nehmen Sie ihn vom Herd, und lassen Sie den Tee fünf Minuten lang ziehen. Dann fügen Sie den Ahornsirup hinzu. Servieren Sie den Tee warm oder kalt.

Koriander-Bala-Tee

Zwei Portionen:

3 Tassen Wasser
½ Teelöffel Korianderpulver*
½ Teelöffel Bala-Pulver

Bringen Sie das Wasser in einem kleinen Topf aus rostfreiem Stahl zum Kochen. Fügen Sie die Pulver hinzu, dekken Sie den Topf zu, und nehmen Sie ihn dann vom Herd. Lassen Sie den Tee drei Minuten lang ziehen, bevor Sie ihn servieren.
**Anmerkung:* Vata-Typen können das Koriander- durch Ingwerpulver ersetzen.

Süßholz-Aloe-Tee

Zwei Portionen:

3 Tassen Wasser
1 Teelöffel getrocknete Süßholzwurzel
1 Eßlöffel Aloe-Vera-Gel*

Bringen Sie das Wasser zum Kochen. Fügen Sie die Süßholzwurzel zu dem kochenden Wasser hinzu, und köcheln Sie die Mischung bei geringer Hitze sieben Minuten lang. Nehmen Sie dann den Topf vom Herd, seihen Sie den Tee durch, decken Sie ihn zu, und lassen Sie ihn drei Minuten lang ziehen. Dann fügen Sie das Aloe-Vera-Gel hinzu. Rühren Sie um, und servieren Sie den Tee lauwarm oder kalt.

**Anmerkung:*
Vata-Typen können das Aloe-Vera-Gel durch 3 bis 4 Sternanissamen ersetzen, indem Sie sie zu dem kochenden Wasser hinzufügen.

Frischminze-Orangentee

Zwei Portionen:

3 Tassen Wasser
10 frische Minzeblätter
¼ Teelöffel Orangenschale

Bringen Sie das Wasser in einem kleinen Topf aus rostfreiem Stahl zum Kochen. Zerquetschen (zerreißen) Sie die Blätter leicht, und fügen Sie sie zusammen mit der Orangenschale zu dem kochenden Wasser hinzu. Decken Sie den Topf zu, nehmen Sie ihn vom Herd, und lassen Sie ihn fünf Minuten lang ziehen, bevor Sie ihn abseihen. Servieren Sie den Tee warm oder kalt.

Schwarzwurz-Zitronentee

Zwei Portionen:

3 Tassen Wasser
1 Teelöffel getrocknete Schwarzwurzblätter*
3 Tropfen Zitronen-Essenz

Bringen Sie das Wasser in einem kleinen Topf aus rostfreiem Stahl zum Kochen. Fügen Sie die Schwarzwurzblätter hinzu. Nehmen Sie den Topf vom Herd, und fügen Sie die Zitronen-Essenz hinzu. Decken Sie den Tee zu, und lassen Sie ihn fünf Minuten lang ziehen, bevor Sie ihn servieren.

**Anmerkung:*
Vata- und Pitta-Typen können die Schwarzwurzblätter durch getrocknete Pfefferminzblätter ersetzen.

Kudzu-Kreuzkümmel-Kamillentee

Zwei Portionen:

3 Tassen Wasser
½ Teelöffel Kreuzkümmelsamen
1 Teelöffel getrocknete Kamillenblüten*
1 Teelöffel Kudzu-Stärke
1 Teelöffel Sukanat

Bringen Sie das Wasser in einem kleinen Topf aus rostfreiem Stahl zum Kochen. Rösten Sie die Kreuzkümmelsamen ohne Öl in einer kleinen Pfanne einige Minuten lang, bis sie goldgelb sind. Fügen Sie sie zusammen mit dem Kamillenblüten zu dem kochenden Wasser hinzu. Nehmen Sie den Topf vom Herd, lassen Sie den Tee fünf Minuten lang ziehen, und seihen Sie ihn dann ab. Lösen Sie die Kudzu-Stärke in einer viertel Tasse kaltem Wasser auf. Erhitzen Sie den Tee von neuem, und fügen Sie die Stärke hinzu. Rühren Sie den Tee um, bis er gelartig und klar wird. Fügen Sie das Sukanat hinzu, und servieren Sie ihn, solange er noch warm ist.
**Anmerkung:* Vata-Typen können die Kamillenblüten durch einen Teelöffel Kardamomschoten ersetzen.

Anmerkung für das Bad: Die Samen, Blätter und Knospen, die von den Tees übrigbleiben, können Sie zu Ihrem Badewasser hinzugeben. Oder Sie können Sie achtungsvoll der Erde zurückgeben, der sie entstammen.

Teil fünf

Energetisierende Diät für Kapha-Typen

Die energetisierende Kapha-Heildiät wird auch als Bestandteil der Shamana-Routine angesehen. Sie steht jedoch in Zusammenhang mit der Langhana-Routine, weil sie im Gegensatz zu der in der sattwischen Diät verwendeten Brhmana-Routine ihrem Wesen nach leicht, gewichtsvermindernd und belebend ist. Wie die sattwische Diät für Pitta- und Vata-Typen, die Masse hinzufügt, kann diese Diät von Kapha-Typen gelegentlich während des Jahres verwendet werden, während die Heildiät, die im Anschluß an Pancha Karma durchgeführt wird, nur als jahreszeitliche Hauptreinigungsroutine verwendet werden kann, sowie als Diät nach den intensiven Pancha-Karma-Behandlungen. Kapha-Typen können diese Diät auch während der jahreszeitlichen Übergänge verwenden, ebenso wie im Spätwinter und im frühen Frühjahr.

Jahreszeit: *ganzjährig/gelegentliche Verwendung*
Körpertyp: *Kapha*

Beschwerden
Kapha-Störungen.

Hirse-Kichadi

Vier Portionen:

5 Tassen Wasser
1 ½ Tassen Hirse
½ Tasse gespaltene, gelbe Mungo-Bohnen
¼ Teelöffel Steinsalz (in Pulverform)
5 frische oder getrocknete Neem-Blätter
1 Teelöffel Maisöl
1 Teelöffel Kreuzkümmelsamen

Bringen Sie das Wasser in einem großen Topf aus rostfreiem Stahl zum Kochen. Waschen Sie die Hirse und die Bohnen gründlich, und geben Sie sie zusammen mit dem Salz und den Neem-Blättern in das kochende Wasser. Decken Sie den Topf zu, und köcheln Sie das Ganze bei geringer Hitze fünfundzwanzig Minuten lang. Erhitzen Sie das Öl in einer kleinen gußeisernen Pfanne, und fügen Sie die Kreuzkümmelsamen hinzu. Wenn die Samen goldgelb werden, gießen Sie sie in das Kichadi. Rühren Sie um, decken Sie den Topf zu und lassen Sie die Mischung weitere zehn Minuten lang kochen. Servieren Sie das Kichadi, solange es noch warm ist.

Gersten-Petersiliensuppe

Zwei Portionen:

6 Tassen Wasser
1 Tassen Gerstengraupen
¼ Teelöffel Steinsalz (in Pulverform)
1 Teelöffel Maisöl
½ Tasse gehobelter Rotkohl
½ Tasse gewürfelte Zwiebeln
½ Tasse gehackte, frische Petersilie
½ Teelöffel getrockneter Dill
½ Teelöffel schwarze Pfeffer körner
¼ Teelöffel Kurkuma-Pulver
¼ Teelöffel Korianderpulver

Bringen Sie das Wasser in einem schweren Suppentopf zum Kochen. Waschen Sie die Gerste, und geben Sie sie zusammen mit dem Salz in das kochende Wasser. Decken Sie den Topf zu, und köcheln Sie das Ganze bei mittlerer Hitze dreißig Minuten lang. Erhitzen Sie das Öl in einer großen gußeisernen Pfanne, und braten Sie die Zwiebeln bei mittlerer Hitze einige Minuten lang an, bis sie weich werden, dann fügen Sie den Kohl und die Petersilie hinzu. Rühren Sie um, dekken Sie den Topf zu, und braten Sie die Gemüsemischung bei mittlerer Hitze drei Minuten lang an. Nehmen Sie den Topf vom Herd, und geben Sie das Gemüse zu der kochenden Gerste. Mischen Sie die Gewürzpulver mit dem Dill, dann rösten Sie sie ohne Öl in der eingeölten Pfanne bei geringer Hitze eine Minute lang. Seihen Sie sie durch ein Sieb in die Suppe ab. Decken Sie den Topf zu, und lassen Sie die Suppe weitere zwanzig Minuten lang kochen, bevor Sie sie vom Herd nehmen. Servieren Sie die Suppe warm.

Pikantes Buchweizenpilau

Zwei Portionen:

2 ½ Tassen Wasser
1 Tasse Buchweizenkerne*
½ Teelöffel Steinsalz (in Pulverform)
2 Selleriestangen
2 Frühlingszwiebelstangen
2 kleine Karotten
1 Teelöffel Sonnenblumenöl
½ Teelöffel Cayennepfeffer
½ Teelöffel Ajwan-Samen
½ Teelöffel schwarze Pfefferkörner
½ Teelöffel weiße Pfefferkörner

Bringen Sie zwei Tassen Wasser in einem mittelgroßen Topf zum Kochen. Waschen Sie den Buchweizen, und rösten Sie ihn ohne Öl in einer kleinen gußeisernen Pfanne bei geringer Hitze fünfzehn Minuten lang, wenden Sie ihn dabei mit einem Holzlöffel, um zu verhindern, daß er anbrennt. Fügen Sie die gerösteten Körner zusammen mit dem Salz zu dem kochenden Wasser hinzu. Decken Sie den Topf zu, und köcheln Sie die Mischung bei geringer Hitze fünfzehn Minuten lang.

Waschen Sie den Sellerie, und schneiden Sie ihn in dünne Scheiben. Waschen Sie die Frühlingszwiebeln, schneiden Sie an den Wurzelenden ein kleines Stück ab, und schneiden Sie sie in dünne Scheiben, halten Sie aber die beiden Gemüse getrennt voneinander. Waschen und putzen Sie die Karotten, und schneiden Sie sie in 0,75 cm dünne Stücke. Gießen Sie das restliche Wasser in eine Pfanne, und bringen Sie es zum Kochen. Geben Sie Sellerie und Karotten hinzu. Decken Sie die Pfanne zu, und dämpfen Sie die Gemüse bei mittlerer Hitze drei bis vier Minuten lang. Gießen Sie die Gemüse ab, und fangen Sie das Kochwasser auf.

Gießen Sie Öl in dieselbe Pfanne, und braten Sie die Frühlingszwiebeln einige Minuten lang an, fügen Sie sie dann zusammen mit dem Cayennepfeffer zu dem kochenden Buchweizen hinzu. Rösten Sie die Gewürzsamen in einer eingeölten Pfanne bei geringer Hitze, bis sie anfangen zu knacken.

Nehmen Sie sie vom Herd, und mahlen Sie sie grob in einem Suribachi. Geben Sie die gemahlenen Samen zusammen mit den Karotten und dem Sellerie zu der Buchweizenmischung hinzu. Kochen Sie das Pilau weitere fünf Minuten lang, und nehmen Sie es dann vom Herd. Schütten Sie das Gemüsekochwasser in die Mischung. Nehmen Sie das Pilau sofort aus dem Topf, und richten Sie es in einer Servierschüssel an. Servieren Sie es warm.

**Anmerkung:*
Der Buchweizen kann durch die gleiche Menge Gerste, Hirse und gelegentlich auch durch braunen Langkornreis ersetzt werden.

Chana Dhal – Erbsensuppe

Vier Portionen:

6 Tassen Wasser
1 ½ Tassen gespaltene, gelbe Erbsen*
¼ Teelöffel Steinsalz (in Pulverform)
½ Teelöffel Sonnenblumenöl
½ Tasse gehackter, frischer Ingwer
½ Teelöffel gehackte, frische grüne Chilischoten
½ Teelöffel reines Ghee
1 Teelöffel Kreuzkümmelsamen

Bringen Sie das Wasser in einem schweren Suppentopf zum Kochen. Decken Sie den Topf zu, und köcheln Sie das Wasser bei mittlerer Hitze fünfzehn Minuten lang. Waschen Sie die Bohnen, und geben Sie sie zusammen mit dem Salz in das kochende Wasser. Erhitzen Sie das Öl in einer kleinen gußeisernen Pfanne bei geringer Hitze. Braten Sie den Ingwer und die Chilischoten zwei Minuten lang an, und fügen Sie die Gewürze zu den Bohnen hinzu, indem Sie den Pfanneninhalt durch ein Sieb in die Suppe gießen. Erhitzen Sie das Ghee in derselben Pfanne, und fügen Sie die Kreuzkümmelsamen hinzu. Geben Sie sie zu der Suppe, wenn sie braun werden. Decken Sie den Topf zu, und lassen Sie die Suppe bei geringer Hitze weitere fünfzehn Minuten lang kochen, bevor Sie sie vom Herd nehmen. Servieren Sie sie warm.

**Anmerkung:*
Die gespaltenen, gelben Erbsen können durch die gleiche Menge rote Linsen oder gespaltene, grüne Erbsen ersetzt werden.

Grütze aus drei Getreiden

Drei Portionen:

8 Tassen Wasser
½ Tasse getrockneter Mais
¼ Teelöffel Steinsalz (in Pulverform)
½ Tasse geschälte Gerste
½ Tasse Hirse
½ Teelöffel schwarzer Pfeffer (in Pulverform)
½ Teelöffel Korianderpulver

Nur im Frühling zur Reduzierung von überschüssigem Fett verwenden.

Bringen Sie das Wasser in einem schweren Suppentopf zum Kochen. Waschen Sie die Getreide getrennt, und geben Sie Mais und Salz zusammen in das kochende Wasser. Decken Sie den Topf zu, und köcheln Sie das Ganze bei mittlerer Hitze eine Stunde lang, dann fügen Sie die Gerste und die Hirse, Pfeffer und Koriander hinzu. Kochen Sie die Grütze weitere fünfundvierzig Minuten lang, dann nehmen Sie den Topf vom Herd. Lassen Sie sie fünfzehn Minuten lang ungestört ziehen, bevor Sie sie servieren.

Anmerkung: Verwenden Sie diese Grütze zur Gewichtsreduktion sieben Tage lang als einziges Nahrungsmittel, gefolgt von einer halben Tasse Triphala-Buttermilch-Zubereitung.

Triphala-Buttermilch

Drei Portionen:

1 Tasse Buttermilch
1 Teelöffel Triphala-Pulver
1 Teelöffel Honig

Nur im Frühling zur Reduzierung von überschüssigem Fett verwenden.

Erwärmen Sie die Buttermilch in einem Turmtopf. Nehmen Sie den Topf vom Herd, und rühren Sie das Triphala-Pulver hinein. Lassen Sie die Mischung fünf Minuten lang zugedeckt ziehen, dann fügen Sie den Honig hinzu. Trinken Sie die Buttermilch als Dessert nach der Grütze aus drei Getreiden sieben Tage lang.

Kreuzkümmel-Zitronenhirse

Zwei Portionen:

3 Tassen Wasser
1 Tasse Hirse
½ Teelöffel Steinsalz (in Pulverform)
1 Teelöffel Sonnenblumenöl
1 Teelöffel Kreuzkümmelsamen
1 Teelöffel frischer Zitronensaft

Bringen Sie das Wasser in einem mittelgroßen Topf aus rostfreiem Stahl zum Kochen. Waschen Sie die Hirse gründlich, und geben Sie sie zusammen mit dem Salz in das kochende Wasser. Decken Sie den Topf zu, und köcheln Sie das Ganze bei geringer Hitze zwanzig Minuten lang. Erhitzen Sie das Öl in einer kleinen gußeisernen Pfanne, und rösten Sie die Kreuzkümmelsamen einige Minuten lang, bis sie goldgelb werden. Fügen Sie sie zusammen mit dem Zitronensaft zu der kochenden Hirse hinzu. Lassen Sie die Mischung weitere zehn Minuten lang kochen, dann nehmen Sie den Topf vom Herd. Servieren Sie die Hirse warm.
Anmerkung: Die Hirse kann durch die gleiche Menge Gerste, Maiskörner oder Bulgur ersetzt werden.

Rosenkohl in Cremesauce

Zwei Portionen:

1 ½ Tassen Wasser
1 Pfund Rosenkohl*
½ Tasse Sojamilch
¼ Teelöffel schwarzer Pfeffer (in Pulverform)
¼ Teelöffel Kurkuma
¼ Teelöffel getrockneter Dill
¼ Teelöffel Steinsalz (in Pulverform)
1 Teelöffel Kudzu-Stärke
1 Teelöffel Sonnenblumenöl

Bringen Sie das Wasser in einer großen Pfanne aus rostfreiem Stahl zum Kochen. Waschen Sie den Rosenkohl, und fügen Sie ihn zu dem kochenden Wasser hinzu. Dämpfen Sie den Rosenkohl bei mittlerer Hitze fünf Minuten lang. Nehmen Sie ihn aus dem kochenden Wasser. Geben Sie dann die Sojamilch zusammen mit dem schwarzen Pfeffer, Kurkuma, Dill und Salz in das kochende Wasser, und köcheln

Sie das Ganze bei geringer Hitze. Lösen Sie die Stärke in zwei Eßlöffeln kaltem Wasser auf, und rühren Sie die Sojamilchmischung hinein; rühren Sie solange, bis die Mischung anfängt, klar und gelartig zu werden. Nehmen Sie den Topf vom Herd. Erhitzen Sie das Öl bei mittlerer Hitze in einer gußeisernen Pfanne. Braten Sie den gekochten Rosenkohl drei Minuten lang an. Gießen Sie die Kudzu-Soße über den Rosenkohl und nehmen Sie ihn vom Herd. Servieren Sie das Gericht sofort.

**Anmerkung:*

Falls gewünscht, kann anstelle des Rosenkohls die gleiche Menge Kohl, Pilze, Erbsen oder Spinat verwendet und nach Belieben geschnitten werden.

Spargel-Mais-Krümelauflauf

Zwei Portionen:

1 Tasse Wasser
1 Pfund Spargel*
½ Tasse Maismehl
¼ Teelöffel Steinsalz (in Pulverform)
1 Teelöffel Sonnenblumenöl
¼ Tasse gewürfelte rote Paprika
½ Teelöffel gehackter, frischer Knoblauch
½ Teelöffel gehackter, frischer Ingwer
½ Teelöffel Cayenne-Pulver
½ Teelöffel schwarzer Pfeffer

Bringen Sie das Wasser in einer Pfanne aus rostfreiem Stahl zum Kochen. Waschen Sie den Spargel, schneiden Sie die harten Enden ab, und geben Sie ihn dann in das kochende Wasser. Decken Sie den Topf zu, und dämpfen Sie ihn bei mittlerer Hitze fünf Minuten lang. Nehmen Sie den Spargel heraus, und behalten Sie das Kochwasser. Rösten Sie das Mehl in einer kleinen gußeisernen Pfanne bei geringer Hitze einige Minuten lang, bis es goldgelb wird. Schütten Sie es in eine Rührschüssel. Gießen Sie Öl in dieselbe Pfanne, und braten Sie die rote Paprika, den Knoblauch und den Ingwer bei geringer Hitze drei Minuten lang. Rühren Sie den Cayennepfeffer, den schwarzen Pfeffer und das geröstete Mehl hinein. Fügen Sie das Spargelwasser hinzu, und vermengen Sie das Ganze zu einem weichen Teig. Geben Sie, falls nötig, ein wenig mehr Wasser hinzu. Decken Sie die Pfanne zu, und „backen" Sie den Teig bei geringer Hitze zehn Minuten lang, bis er hart und kuchenähnlich wird. Nehmen Sie den Topf vom Herd, und lassen Sie den Teig abkühlen, dann bröseln Sie ihn über den gekochten Spargel.

**Anmerkung:*

Der Spargel kann durch die gleiche Menge Brokkoli, Stangenbohnen, Karotten, Kohl, Grünkohl, Senfpflanzenblätter oder Daikon-Rettich ersetzt werden, die nach Belieben geschnitten werden können.

Fruchtshake

Vier Portionen:

½ Tasse frische Preiselbeeren*
½ Tasse frische, entsteinte Kirschen*
1 Tasse Wasser
1 Tasse Sojamilch
¼ Teelöffel Orangenschale
1 Teelöffel Honig

Waschen Sie das Obst, und pürieren Sie es in einer Handmixerschüssel. Mischen Sie Wasser, Milch, Orangenschale und Honig in einer Schüssel, und schlagen Sie sie mit einem Quirl schaumig. Rühren Sie das pürierte Obst hinein, und servieren Sie den Shake sofort.

**Anmerkung:*
Anstelle der Preiselbeeren und der Kirschen kann die gleiche Menge frischer oder getrockneter Äpfel, Aprikosen, Mangos, Pfirsiche, Persimonen und Birnen, bzw. frischer Himbeeren, Waldbeeren und Brombeeren verwendet werden.

Anregende Tees

Jahreszeit: *ganzjährig*
Körpertyp: *Kapha, Vata und Pitta zur gelegentlichen Verwendung, wo angezeigt.*

Weißer-Pfeffer-Orangentee

Zwei Portionen:

3 Tassen Wasser
1 Teelöffel weiße Pfefferkörner
½ Teelöffel getrocknete Orangenschale
¼ Teelöffel frischer Ingwersaft

Bringen Sie das Wasser in einem kleinen Topf aus rostfreiem Stahl zum Kochen. Rösten Sie die Pfefferkörner ohne Öl bei geringer Hitze in einer kleinen gußeisernen Pfanne einige Minuten lang, bis sie leicht gebräunt sind. Fügen Sie sie zusammen mit der Orangenschale und dem Ingwersaft zu dem kochenden Wasser hinzu. Nehmen Sie den Topf vom Herd, decken Sie ihn zu, und lassen Sie den Tee zehn Minuten lang ziehen. Seihen Sie ihn dann ab, und servieren Sie ihn warm.

Löwenzahntee

Zwei Portionen:

3 Tassen Wasser
1 Teelöffel getrocknete Löwenzahnblätter

Bringen Sie das Wasser in einem kleinen Topf aus rostfreiem Stahl zum Kochen. Fügen Sie die Löwenzahnblätter hinzu. Lassen Sie den Tee zehn Minuten lang ziehen. Seihen Sie ihn dann ab, und servieren Sie ihn.

Gotu-Kola-Tee

Zwei Portionen:

3 Tassen Wasser
1 Teelöffel Gotu-Kola-Pulver

Bringen Sie das Wasser in einem kleinen Topf aus rostfreiem Stahl zum Kochen. Fügen Sie das Pulver zu dem kochenden Wasser hinzu, und nehmen Sie den Topf vom Herd. Decken Sie ihn zu, und lassen Sie den Tee sieben Minuten lang ziehen. Servieren Sie ihn abgeseiht oder unabgeseiht.

Ingwer-Eukalyptustee

Zwei Portionen:

3 Tassen Wasser
½ Teelöffel frischer, gehackter Ingwer
3 Tropfen Eukalyptus-Essenz
1 Teelöffel Honig

Bringen Sie das Wasser in einem kleinen Topf aus rostfreiem Stahl zum Kochen. Fügen Sie den Ingwer und das ätherische Öl hinzu, und nehmen Sie dann den Topf vom Herd. Decken Sie ihn zu, und lassen Sie den Tee zehn Minuten lang ziehen, dann seihen Sie ihn ab, und rühren Sie den Honig hinein. Servieren Sie den Tee warm oder kalt.

Kirschrindentee

Zwei Portionen:

3 Tassen Wasser
1 Eßlöffel Kirschrindenstücke
5 Fäden Safran

Bringen Sie das Wasser in einem kleinen Topf aus rostfreiem Stahl zum Kochen. Fügen Sie die Kirschrinde und den Safran hinzu. Decken Sie den Topf zu, und köcheln Sie die Mischung bei geringer Hitze drei Minuten lang. Nehmen Sie dann den Topf vom Herd, und lassen Sie den Tee fünf Minuten lang ziehen, dann seihen Sie ihn ab. Servieren Sie ihn warm oder kalt.

Rosmarin-Salbeitee

Zwei Portionen:

3 Tassen Wasser
1 Teelöffel frischer Rosmarin
7 frische Salbeiblätter

Bringen Sie das Wasser in einem kleinen Topf aus rostfreiem Stahl zum Kochen. Zerquetschen Sie den Rosmarin und den Salbei leicht, indem Sie ihn fest zwischen Ihren Händen reiben. Fügen Sie die Kräuter zu dem kochenden Wasser hinzu. Decken Sie den Topf zu, und köcheln Sie den Tee bei geringer Hitze zwei Minuten lang. Nehmen Sie dann den Topf vom Herd, und lassen Sie den Tee zehn Minuten lang ziehen. Seihen Sie ihn ab, und servieren Sie ihn warm.

Roter-Klee-Himbeertee

Zwei Portionen:

3 Tassen Wasser
1 Teelöffel getrocknete biologische Knospen von rotem Klee
1 Teelöffel getrocknete Himbeerblätter

Bringen Sie das Wasser in einem kleinen Topf aus rostfreiem Stahl zum Kochen. Fügen Sie Knospen und Blätter hinzu und nehmen Sie dann den Topf vom Herd. Decken Sie ihn zu, lassen Sie den Tee zehn Minuten lang ziehen, seihen Sie ihn ab und servieren Sie ihn warm.

Pfefferminz-Rosinentee

Zwei Portionen:

3 Tassen Wasser
1 Teelöffel getrocknete Pfefferminzblätter
1 Eßlöffel Rosinen

Bringen Sie das Wasser in einem kleinen Topf aus rostfreiem Stahl zum Kochen. Fügen Sie die Pfefferminze und die Rosinen hinzu. Lassen Sie den Tee bei geringer Hitze drei Minuten lang köcheln. Nehmen Sie den Topf vom Herd, decken Sie ihn zu, und lassen Sie den Tee fünf Minuten lang ziehen, dann seihen Sie ihn ab, und servieren Sie ihn warm.

Bhringaraja-Tee

Zwei Portionen:

3 Tassen Wasser
1 Teelöffel Bhringaraja-Pulver

Bringen Sie das Wasser in einem kleinen Topf aus rostfreiem Stahl zum Kochen. Fügen Sie das Pulver hinzu, und nehmen Sie den Topf vom Herd. Dekken Sie ihn zu, und lassen Sie den Tee zehn Minuten lang ziehen. Servieren Sie ihn abgeseiht oder unabgeseiht.

Süßer Jasmintee

Zwei Portionen:

3 Tassen Wasser
1 Eßlöffel getrocknete Jasminblüten
1 Teelöffel Honig

Bringen Sie das Wasser in einem kleinen Topf aus rostfreiem Stahl zum Kochen. Fügen Sie die Blüten hinzu, und nehmen Sie den Topf vom Herd. Dekken Sie ihn zu, und lassen Sie den Tee zehn Minuten lang ziehen, dann seihen Sie ihn ab. Rühren Sie den Honig hinein, und servieren Sie ihn warm oder kalt.

Anmerkung: Die Samen, Blätter und Knospen, die Sie aus den Tees abseihen, können Sie zu Ihrem Badewasser hinzugeben. Alternativ können Sie sie achtungsvoll der Erde zurückgeben, der sie entstammen.

KAPITEL NEUN

DIE HEILENDEN AKTIVITÄTEN

TEIL EINS

WÄHREND UND NACH PANCHA KARMA

Freue Dich über Deine inneren Kräfte,
Denn sie sind es, die Ganzheit
Und Heiligkeit in Dir erschaffen.

Hippokrates

Während der Pancha-Karma-Behandlungen, wenn der Körper geschickt manipuliert wird, damit er sich seiner giftigen Essenzen entledigt, ist die Aufrechterhaltung der Homöostase im Körper wesentlich. Die vorbereitenden Behandlungen zu Pancha Karma wie Snehana und Swedana dienen dazu, Geist und Körper zu beschwichtigen. Gleichzeitig wirkt die Heildiät als Linderungsmittel auf den Organismus ein. Vollkommene Harmonie zu erreichen ist jedoch nur dann möglich, wenn der Patient vollkommen präsent und bereit ist, die Therapie zu empfangen und es dem Körper zu erlauben, seine negativen Kräfte loszulassen.

BERUHIGENDE AKTIVITÄTEN

Geben Sie sich selbst die Erlaubnis
Überlassen Sie sich dem Prozeß ohne Angst oder Beklommenheit. Überlassen Sie sich Mutter Natur, und erlauben Sie es ihren Kräften, Sie leer zu machen. Vertrauen Sie darauf, daß Sie sie auch wieder füllen wird. Indem Sie sich vollkommen den natürlichen Kräften des Universums beugen, werden Sie die Aufgeregtheit, die zunächst in diesem Prozeß auftauchen kann, zerstreuen.

Wählen Sie sorgfältig
Die Wahl des Therapeuten spielt ebenfalls eine äußerst wichtige Rolle dafür, ob Sie das nötige Vertrauen haben, dem Universum zu erlauben, Sie zu führen. Die Kriterien für die Auswahl Ihres Therapeuten sind folgende: Er oder sie hat eine gründliche Ausbildung in der Kunst des Pancha Karma und hat Erfahrung in seiner Ausübung; die Behandlung soll an einem warmen, richtig ausgestatte-

ten Ort durchgeführt werden, an dem Sie sich wohlfühlen; und in dieser Zeit, wo Sie Hilfe brauchen, sollen Sie unterstützt werden können. Auch wenn der Behandelnde ein qualifizierter Allgemeinmediziner sein sollte, ist es äußerst wichtig, sich zu vergewissern, ob er oder sie ebenfalls über ausreichende Erfahrung im Bereich des Ayurweda oder Pancha Karma verfügt.

Ayurwedische Ärzte sind allgemein dazu ausgebildet, Pancha Karma zu praktizieren. In Indien gibt es darüber hinaus viele hervorragende Pancha-Karma-Therapeuten, die keine ayurwedischen Ärzte, aber äußerst erfahren und geschickt in der Kunst der Reinigungstherapien sind. Außerdem haben sie in vielen Fällen weitaus mehr Erfahrung in diesen Praktiken als viele Ayurweda-Ärzte, die zu modernen Vorgehensweisen übergehen, bei denen eher Rezepte verschrieben werden, als daß sie den Heilungsvorgang mit natürlichen Mitteln unterstützen. Nutzen Sie Ihr Urteilsvermögen, um eine Vorauswahl zu treffen und den richtigen Therapeuten für sich zu finden. Vielleicht möchten Sie jemanden, der Ihnen nahesteht, der gesund ist und dem Sie vertrauen, bitten, Sie bei Ihrer Wahl zu unterstützen. Hüten Sie sich vor Werbeanzeigen. Wenn Pancha-Karma-Dienste bekannter werden, dann werden sie mit großer Wahrscheinlichkeit auch geschickter in ihren Werbestrategien. Daher obliegt es Ihnen, hinter die Hochglanzwerbung zu blicken, die Ihnen zugeschickt wurde, um Sie zu locken, und Eigenverantwortung für Ihre Entscheidungen zu übernehmen. Bleiben Sie auch während der Behandlungsphase in Ihrem Urteilsvermögen wachsam. Diese Fähigkeit könnte sich als beste Informationsquelle erweisen, um Ihren Zustand und Ihre Reaktion darauf einzuschätzen.

Sammeln Sie Informationen

Sobald Sie einen Therapeuten ausgewählt haben, versuchen Sie, möglichst umfangreiche Informationen über die Behandlungsmethode zu bekommen, die Sie ins Auge fassen. Machen Sie sich Notizen über die Vorschläge, die man Ihnen macht, sowie über das Verhalten, das von Ihnen während der Behandlungsphase erwartet wird. Befragen Sie den Therapeuten zu jedem einzelnen Detail Ihres Programms und zu den negativen und positiven Faktoren, die als Folge der Therapie auftauchen können. Wenn Sie soviel wie möglich über die Absichten des Therapeuten und die Therapie selbst wissen, dann werden Sie in der Lage sein, während der Behandlung ruhig zu bleiben. Wenn Sie auf diese Weise entspannt sind, sind Sie eher in der Lage, die notwendige Wachheit aufrechtzuhalten, ohne sich allzu wachsam und „auf der Hut" zu fühlen.

Die Haupterfordernis bei jeder Art von Therapie besteht darin, ein klares Gefühl von Bewußtheit aufrechtzuerhalten, das nicht von Ängsten, Mißtrauen, Kritik und Paranoia beeinträchtigt ist, während sich Ihr Körper, Ihr Geist und Ihre Seele von allem leer machen, was nicht wesentlich ist.

Vertrauen Sie sich selbst

Da Sie durch die Pancha-Karma-Therapie bis in Ihr Innerstes entblößt werden, ist es gut, wenn Sie vertrauensvolle Gedanken pflegen, und zwar nicht nur in bezug auf die Therapie und Ihren Therapeuten, sondern auch hinsichtlich der Gnade des Herrn. Vertrauen ist, sofern es nicht blind ist, das Gefühl mit der größten Heilwirkung, und Vertrauen ist absolut wesentlich, wenn eine Therapie Erfolg haben soll. Oft ist es so, daß, wenn der Geist in Details versunken ist, die Klarheit verschwinden kann und dadurch das Gefühl des Vertrauens überdeckt wird. Dann wird es notwendig, daß Sie sich eine Zeitlang auf die Leuchtkraft Ihres eigenen kognitiven Wesens konzentrieren und sie leben. Überprüfen Sie die Ideen, die an früherer Stelle in diesem Buch in bezug darauf vorgestellt wurden, wie Sie Ihrem eigenen leisen Geflüster der kognitiven Wahrheit lauschen können. Wie mein Lehrer, Dayananda Saraswati, sagen würde: „Sitzen Sie in sich selbst."; wie meine liebe Kollegin Beverley sagen würde: „Beobachten Sie einfach nur Ihre Gedanken." Hinsichtlich möglicherweise auftretender Verwirrungen würde der Yoga-Experte Dr. Rao sagen: „Tun Sie nichts."

In Indien, der Heimat dieser außergewöhnlichen Lebenskunst, lernt man schnell, der unendlichen Weisheit des Herrn und schließlich des Selbst zu vertrauen. Inmitten des Chaos unberechenbarer Aktivität und dem Mißklang irrsinnigen Lärms, herrscht in den Menschen, die dort leben, wunderbare Ruhe und Begeisterung. Wie ein Taxifahrer einmal sagte: „Es gibt nur vier wesentliche Dinge im Leben: eine gute Hupe, gute Bremsen, gute Nerven und gutes Gelingen." Anders ausgedrückt, die Hupe steht für unsere Absichten; die Bremsen verkörpern unsere Fähigkeit, innezuhalten und zu betrachten; die Nerven sind die wesentlichen Fasern unseres Mutes und unserer Entscheidungen, und das gute Gelingen schließlich ist nichts anderes als die Gnade des Herrn.

Allgemeine Beobachtungen

- Sprechen Sie nicht laut
- Lachen Sie nicht laut
- Essen Sie nicht zu viel
- Beachten Sie Ihre natürlichen körperlichen Bedürfnisse
- Gehen Sie nicht zu häufig spazieren, und reisen Sie nicht zu oft
- Sitzen Sie nicht zuviel
- Vermeiden Sie Gefühle von Wut, Angst oder Besorgnis
- Setzen Sie sich nicht extremer Hitze, Kälte, extremem Wind oder Staub aus
- Vermeiden Sie sexuelle Aktivitäten
- Vermeiden Sie grobe, trockene Nahrung
- Vermeiden Sie es, abends spät ins Bett zu gehen
- Vermeiden Sie es, während des Tages zu schlafen
- Beten Sie, beobachten Sie, und bleiben Sie aufmerksam
- Erlauben Sie Körper, Geist und Seele, im Schoße des Universums zu ruhen.

Anmerkung: Diese Regeln sollten auch während der vorbereitenden Behandlungen von Abhyanga, Snehana und Swedana eingehalten werden.

TÄGLICHE RITUALE

FRÜHES AUFSTEHEN

In den Veden wird gesagt, daß achtundvierzig Minuten vor Sonnenaufgang die günstigste Zeit des Tages ist. Daher stammt die uralte Empfehlung, zu dieser Zeit aufzustehen und den Tag zu begrüßen. Ihren Tag bei Sonnenaufgang zu beginnen, erlaubt es dem Körper, sich früher seines Abfalls zu entledigen, was sofort den Geist beruhigt. Die Weisen sagen uns, daß frühes Aufstehen die wirksamste Handlung ist, um sich gute Gesundheit und Langlebigkeit zu erhalten.

Die erste Aktivität, die man beim Aufstehen durchführen sollte, besteht darin, Wasser zu trinken, das über Nacht in einem Kupferkessel aufbewahrt wurde. Diese Maßnahme trägt dazu bei, Verstopfung zu verhindern, und sie fördert die ausreichende Peristaltik des Dickdarms. Das Kupferwasser kann darüber hinaus auch verwendet werden, um die Nasengänge zu reinigen, indem man etwa einen Eßlöffel in jedes Nasenloch inhaliert. Dieses Inhalieren trägt dazu bei, hervorragendes Sehvermögen und eine gute Intelligenz aufrechtzuerhalten. Kupferwasser sollte nicht von denjenigen verwendet werden, die krank sind oder unter starkem Übergewicht leiden. Außerdem darf es nicht nach der Brech- oder Purgiertherapie, während der Erholungsphase nach körperlichen Wunden oder von denjenigen, die zu Schluckauf neigen, verwendet werden.

DAS REINIGEN DER ZÄHNE

Der Körper hat insgesamt neun Öffnungen, durch die wir mit dem gesamten Kosmos kommunizieren: die Augen, die Nase und die Ohren, die jeweils zwei Öffnungen besitzen, und der Mund, die Harnröhre und der Mastdarm. Dem wichtigsten Tor des menschlichen Körpers, dem Mund, wird zuerst Beachtung geschenkt. Die Alten waren für die hervorragende Gesundheit ihrer Zähne und ihres Zahnfleisches bekannt. Wie Dr. Harry Campbell sagte: „Wenn Zivilisation Sauberkeit, guten Charakter und langes Leben bedeutet, dann waren die alten Inder zivilisierter als die modernen Menschen, die im Bett Kaffee und Tee trinken, ohne sich die Zähne zu putzen."

Traditionellerweise wurden Bürsten, die aus frisch gebrochenen Zweigen von Bäumen wie dem Nimba-, Khadira- oder Süßholzbaum hergestellt wurden, an den Enden abgeschrägt und zur täglichen Reinigung der Zähne und Massage des Zahnfleisches verwendet. Aufgrund ihrer natürlichen Bitterkeit, der zusammenziehenden Wirkung und Frische stellten die Zweige außerdem ein hervorragendes orales Antiseptikum dar. Bürsten aus Zweigen dürfen nicht von Menschen verwendet werden, die an

Magenverstimmung, Übelkeit, Atemschwierigkeiten, Bronchitis, Fieber, Gesichtslähmung, Entzündungen im Mund, Herzkrankheit und Krankheiten der Augen, Ohren und des Kopfes leiden.

Reinigen der Zunge

Die Zunge, unser Geschmacksorgan, ist einer der Hauptindikatoren im Körper für die ayurwedische Diagnose, weil sie die verräterischen Anzeichen für milde und ernsthafte gesundheitliche Störungen aufweist. Eine blasse, weißliche Zunge zum Beispiel ist eine Begleiterscheinung für das Abnehmen der roten Blutzellen und/oder vorhandene Blutarmut. Eine gelbliche Zunge zeigt Störungen in der Leber oder Gallenblase an. Eine bläulich gefärbte Zunge ist ein Hinweis auf ein Herzleiden. Ein dicker weißlicher Belag auf der Zunge zeigt überschüssigen Schleim im System an, ein gelblicher oder grünlicher Belag zeigt eine Pitta- oder Gallenstörung an, und ein eher trockener, gräulicher Belag zeigt überschüssiges Vata bzw. eine Störung im Dickdarm an. Eine ausgetrocknete Zunge ist ein Zeichen für vermindertes Körperplasma. Wenn die Zunge belegt ist, wird die Atmung flach, da das Prana im Körper beeinträchtigt ist.

Traditionellerweise wurden Zungenreiniger aus einer dünnen, glatten und biegsamen Folie aus Gold, Silber oder Kupfer hergestellt, oder es wurde die dünne Rinde von Zweigen für Zahnbürsten verwendet. Diese war ca. 30,5 cm lang und 0,5 cm breit; sie war gebogen und wurde in beiden Händen gehalten und dazu verwendet, um die Zunge abzuschaben. Gold wurde hauptsächlich von denjenigen mit einer Vata-Konstitution verwendet, während Silber von Pitta-Typen und Kupfer von Vata-Typen verwendet wurde. Die Zweigrinde wurde von allen Typen verwendet. Heute sind sowohl Zungenschaber aus Bambus als auch aus rostfreiem Stahl verfügbar und können von allen drei Typen verwendet werden. Es gehört zur täglichen Routine, die Zunge jeden Morgen vier- bis fünfmal abzuschaben. Der Mund sollte danach mit kaltem Wasser ausgespült werden.

Gurgeln

Gurgeln ist das nächste Verfahren, das bei dem frühmorgendlichen Ritual der Mundreinigung durchgeführt werden sollte. Zuerst wird kaltes Wasser verwendet, um überschüssiges Kapha aus dem Mund zu entfernen, danach folgt eine einfache Gurgellösung, die aus Kräutern wie Triphala und Süßholzpulver oder ätherischen Ölen wie Musta, Zypresse oder Pfefferminz besteht. Im allgemeinen wird alle vierzehn Tage eine Lösung aus Sesamöl und Wasser verwendet, oder man kaut etwa 30 g Sesamsamen. Diese Maßnahme erhöht die Vitalität, Feuchtigkeit und das „Sneha“ des Mundraums. (Vergleichen Sie die Gurgelverfahren und -abkochungen in Kapitel fünf.)

Reinigen der Nasengänge

Die Nasengänge werden als nächstes gereinigt. Einige Tropfen arzneiliches Öl oder Sesamöl werden in jedes Nasenloch eingeführt. Nachdem Sie Ihre

Hände gewaschen und Ihre Fingernägel geschnitten haben, können Sie auch Ihren kleinen Finger in warmes Sesamöl eintauchen, ihn jeweils in ein Nasenloch einführen und den Finger sanft drehen, um das Sesamöl aufzutragen. Achten Sie darauf, daß Sie die Haare aus der Nase nicht entfernen, um das Sehvermögen nicht zu beeinträchtigen.

Arzneiliche Pulver, die auch „Schnupftabak" genannt werden, werden von Charaka wärmstens empfohlen. Er behauptete, daß Schnupftabak die Nasengänge sowohl nähren als auch reinigen würde. Das Reinigen der Nasengänge erhält die Klarheit der Sinnesorgane, es verhindert eine Schädigung der Seh- und Riechorgane, schützt vor vorzeitigem Haarausfall und Ergrauen und fördert das Wachstum der Kopfhaare. Das tägliche Einführen von Ölen oder Pudern in die Nasenlöcher ist eine einfache Form der Nasya-Therapie, die außerdem die Schädelgelenke, -muskeln und -sehnen nährt. Gleichzeitig verleiht sie der Stimme Sanftheit. (Vergleichen Sie auch die Reinigungsverfahren und Rezepturen für die Nase unter „Nasya" in Kapitel fünf.)

Pflege der Augen

Als lichtempfindliches Organ sind die Augen unser empfindlichstes Sinnesorgan. Sie können täglich gereinigt werden, indem man sie mit kühlem Wasser wäscht oder mit einer Triphala-Abkochung. Diese besteht aus einem viertel Teelöffel Triphala-Pulver, das in einem Glas warmem Wasser eine halbe Stunde lang gezogen hat, bevor man es durch ein sehr feines Sieb abgießt. Dann wird die Abkochung in ein altmodisches Augenglas gegossen, das dann hohl über jedes Auge gelegt wird, wobei der Kopf leicht zurückgeneigt wird. Blinzeln Sie mit den Augenlidern, damit die Abkochung das Auge etwa eine Minute lang auswaschen kann; dann entfernen Sie das Augenglas. Ein kleines bißchen weiße Antimonpaste kann ebenfalls mit einem Blei- oder Zinkstift am inneren Rand des unteren Augenlids aufgetragen werden. Das beseitigt Irritationen, Gefühle von Brennen, zu geringe Tränenflüssigkeit sowie schmerzhaftes Tränen der Augen. Außerdem schützt es die Augen vor grellem Licht, Wind und Staub. Verwenden Sie Antimonpaste nicht unmittelbar nach den Mahlzeiten oder bei Krankheit bzw. Erschöpfung. (Beziehen Sie sich bei schweren Augenleiden auf die Akshitarpana-Verfahren in Kapitel fünf.)

Pflege der Ohren

Die Ohren pflegt man, indem man die Spitze des kleinen Fingers in eine kleine Menge warmes Sesamöl eintaucht, den Finger in das Ohr einführt, und ihn in der Öffnung herumdreht. Einige Tropfen Öl können auch direkt in die Hörgänge geträufelt werden. Die Ohren auf diese Weise zu pflegen hält Geist und Körper im Gleichgewicht, und erhält gleichzeitig ein gesundes Hörvermögen. (Vergleichen Sie bei Ohrbeschwerden die Karna-Purana-Verfahren in Kapitel fünf.)

Ihr tägliches Bad

Nachdem die Sinnesorgane gereinigt und angeregt worden sind, ist das Bad das lebenswichtigste tägliche Sadhana, um Sauberkeit und Langlebigkeit aufrechtzuerhalten. Ein- oder zweimal pro Woche kann der ganze Körper mit einer Bürste mit natürlichen Borsten vor dem Bad trocken abgebürstet werden.

Bäder sind kräftigend, reinigend und beruhigend für Körper und Geist; sie dienen außerdem zur Befreiung von allen negativen Energien. Der Körper wird durch das Baden geschmeidig gemacht und erfrischt. Traditionellerweise war die rechte Hand für den positiven Dienst am Selbst und am Universum reserviert, während die linke Hand dazu benutzt wurde, die untere Öffnung des Körpers zu reinigen und die täglichen Routinereinigungsmaßnahmen durchzuführen. Ein Bad wird sowohl für den Tagesbeginn als auch für das Ende des Tages empfohlen. Vata- und Kapha-Typen können ein warmes Bad nehmen, während Pitta-Typen von einem lauwarmen oder kühlen Bad profitieren.

Nachdem der Körper gründlich gereinigt worden ist, sollte er mit Cremes bzw. Lotionen, die frei von Chemikalien sind oder natürlichen Ölen wie Kokosnuß oder Sesam eingeschmiert werden. Danach sollte man sich frische Kleidung aus natürlichen Materialien anziehen. Die Farben Ihrer Kleidungsstücke beeinflussen Ihre Energien. Erdfarben wie Elfenbein, Rost, braun, gelbbraun, beige, Burgunder und dunkelgrün haben eine sehr heilsame und erdende Wirkung auf Vata-Typen. Grelle, fesselnde Farben wie rot, orange, Jade, Türkis, Königsblau, Purpur, gelb und pink bzw. rosa sind belebende und positive Farben für die Kapha-Typen; Vata-Typen können diese Farben ebenfalls gelegentlich tragen, um einen kräftigenden Effekt zu erzielen. Sanfte Farben wie Lavendel, himmelblau, hellgelb und hellrosa heben den Pitta-Typ hervor und tragen dazu bei, seine intensiven Energien zu beruhigen. Jeder Typ kann sich außerdem mit den passenden Edelsteinen und natürlichen Düften schmücken. (Vergleichen Sie für Informationen hierzu die jahreszeitlichen Heilpläne für jeden Typ in Kapitel drei.)

Schneiden der Haare und der Nägel

Als allgemeine Pflegemaßnahme sollten das Haar, der Bart und die Nägel zweimal im Monat, und zwar vorzugsweise bei zunehmendem Mond, geschnitten werden. Die Nägel sollten nicht nur geschnitten, sondern auch geschrubbt und mit einer kleinen Menge Sesamöl oder einer natürlichen Nagelcreme poliert werden. Die Nagelhäute sollten nie geschnitten werden. Verwenden Sie das stumpfe Ende einer Nagelfeile, um sie sanft zurückzuschieben. Verwenden Sie nie Nagellack. Die richtige Pflege Ihrer Haare und Nägel fördert die Gesundheit, Potenz, Reinlichkeit und Schönheit. Massieren Sie Hände und Füße als Teil Ihres Körperpflegeprogramms regelmäßig.

Eine gesunde Ernährung

Stärke ist der Sitz der Gesundheit
Und sollte daher mit allen Mitteln
Aufrechterhalten werden.

Charaka

Charaka bezieht sich sowohl auf die Ernährung als auch auf die körperliche Ertüchtigung und rät uns zum Verzehr gesunder Nahrung und zu gesunden Handlungen in unserem täglichen Leben. Die Mahlzeit ist das heiligste Geschenk, das uns das Universum bereitstellt. Daher ist es notwendig, das Land zu erhalten, auf dem unsere Nahrung wächst, damit wir und alle biologischen Arten auf ihm gedeihen können. Diese teure und kostbare Erde frei von der Verunreinigung durch chemische Abfälle und anorganische Schadstoffe zu halten, ist ein Teil der Verantwortung, die jeder Mensch mit der Geburt auf sich nimmt. Nur wenn die Erde reich und gesund ist und die Weiden und Felder wieder in Blüte stehen, dann kann ein guter Samen, die Quelle unserer Nahrung, aufrechterhalten werden. Verzichten Sie auf die Verwendung von Nahrungsmitteln, die chemisch behandelt, genmanipuliert, bestrahlt oder sonstwie künstlich behandelt sind. Verzichten Sie außerdem darauf, Tiere und deren Produkte zu sich zu nehmen, die durch Pestizide, Hormone und zahlreiche andere Stoffe stark verunreinigt sind.

Da wir zu dem werden, was wir verzehren, müssen wir auf die Qualität unserer Nahrung achten. Indem wir uns weigern, das giftige Futter zu uns zu nehmen, das so oft als Nahrung bezeichnet wird, und uns bemühen, uns durch saubere und gesunde Nahrungsmittel zu verjüngen, werden wir wieder einmal in der Lage sein, den Glanz wirklicher Nahrung in uns aufzunehmen.

Sadhana der Hände

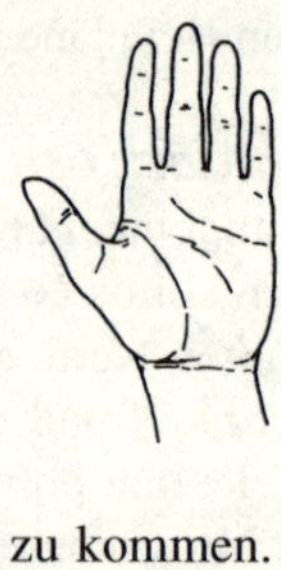

In den Veden werden Hände und Füße als „Aktionsorgane" bezeichnet. Indem wir Gebrauch von unseren Aktionsorganen machen, befassen wir uns damit, uns jeden Moment an die fünf Elemente unserer Natur zu erinnern. Unsere Hände sind lebenswichtige Verlängerungen, die es uns ermöglichen, zu berühren und in Tuchfühlung mit der Schöpfung zu sein.

Der Verzehr von Nahrung mit unseren Händen, ein zeitloses Sadhana, erlaubt es uns, mit der Natur in Harmonie zu kommen. Die bloße Berührung der Nahrung mit den Fingerspitzen regt die fünf Elemente an. Jeder Finger ist die Verlängerung eines der fünf Elemente.

Der Ayurweda fordert uns dazu auf, unseren Körper als Herrscher und als Meßbecher für all unsere Bedürfnisse zu gebrauchen. Wir werden mit den Werkzeugen geboren, die wir benötigen, um Sadhanas auszuüben, einschließ-

Zuerst kann es schwierig sein, den bewußten Schritt zu tun, auf die Genauigkeit Ihres eigenen physisch-spirituellen Apparates zu vertrauen. Mit der Zeit werden Sie sich ausreichend vertraut damit fühlen, um zu dem ursprünglichen und natürlichsten Meßsystem zurückzukehren. Ich bitte Sie, alle konventionellen Maßeinheiten in diesem Buch zu übertragen. Verwenden Sie Ihre eigenen persönlichen Maße, die auf Ihren Gliedmaßen, Händen und Fingern beruhen. Üben Sie dieses Sadhana in Ihrem eigenen Tempo.

Allgemeine Regeln für die Mahlzeiten

Die Veden empfehlen, während der Mahlzeiten einige einfachen Regeln zu beachten. Es sind die folgenden:

- Bringen Sie vor dem Verzehr eine kleine Menge Ihrer Nahrung dem Hausfeuer dar.*
- Sprechen Sie ein Dankgebet.
- Reinigen Sie den Atemweg des rechten Nasenlochs vor dem Essen.
- Sitzen Sie während des Essens nach Osten gewendet.
- Trinken Sie vor den Mahlzeiten eine halbe Tasse Wasser (wenn Agni im allgemeinen niedrig ist).
- Schweigen Sie während des Essens.
- Kauen Sie Ihre Nahrung richtig, und schmecken Sie jeden Bissen.
- Essen Sie nicht zu schnell oder zu langsam.
- Machen Sie nach dem Essen einen kurzen Spaziergang.
- Lassen Sie die Nahrung drei Stunden verdauen, bevor Sie wieder eine Mahlzeit zu sich nehmen.
- Schlafen Sie nicht unmittelbar nach dem Essen.
- Üben Sie unmittelbar nach dem Essen keine sexuellen Aktivitäten aus.

**Anmerkung:*

Da leider der Brauch des Hausfeuers nicht mehr gepflegt wird, können Sie in einem großen Topf aus Steingut ein kleines Feuer aus Kiefernholz anzünden (auch Fettholz genannt) und darin vor jeder Mahlzeit eine kleine Menge Nahrung darbieten. Die Asche aus dem Steinguttopf sollte jeden Tag der Erde zurückgegeben werden.

Sanfte Übungen

Gesunde Körperübungen tragen
Zum symmetrischen Wachstum
Der Gliedmaßen und Muskeln bei,
Sie verbessern die Verdauung und den Teint.
Sie stellen die Energie wieder her,
Indem sie den Körper leicht, fest und kompakt machen;
Gleichzeitig schützen sie vor Trägheit
Und schaffen Heiterkeit.

Sushruta

Jeder Schritt, den wir tun, jede Bewegung, die wir vollführen, massiert nicht nur die Gliedmaßen, sondern beeinflußt auch die Energiemuster im Universum. Eine einzige Geste veranschaulicht den Austausch von Energie und Informationen mit dem kosmischen Universum. Jedes Geschöpf und jede Pflanze verwendet Energie auf harmonische Weise, indem sie den Rhythmen von Wind und Regen, den Kräften der Sonne und den Schwingungen des Erdbodens folgt. Es scheint so, als ob wir bisher die Harmonie in der Bewegung unserer Körper noch nicht wirklich verstanden hätten. Eine alte indische Redensart besagt, daß eine Frau die Gangart eines Elefanten nachahmen sollte, wenn sie vollkommene Anmut und sinnliche Göttlichkeit in ihren Bewegungen erlernen möchte.

Die Stellungen, die, einer klassischen Tradition aller alten Kulturen entsprechend, zur körperlichen Ertüchtigung des Menschen vorgeschlagen werden, waren in den meisten Fällen nach Tieren und Bäumen benannt. Im Yoga zum Beispiel gibt es die Bezeichnungen Pfau, Heuschrecke, Skorpion, Fisch, Schildkröte, Frosch, Krokodil, Schwan, Reiher, Pferd, Hund, Löwe, Kamel, Schlange, ebenso wie die Lotosblume und sogar den flüssigen Zustand des menschlichen Embryos mit Namen Garbha-Pinda, die zur Veranschaulichung der unterschiedlichen Stellungen verwendet werden. Die Namen, die Bewegung und die Energie jedes Tiers und jeder Pflanze werden als Hilfsmittel benutzt, mit denen wir in unserem eigenen Organismus Zugang zu ihrem kosmischen Gedächtnis bekommen können und so unseren heiligen Tanz mit dem Universum beeinflussen, um uns an ihn erinnern können.
Unsere täglichen Bewegungen sollten darauf ausgerichtet sein, uns Stärke zu verleihen, wenn wir die verschiedenen notwendigen Aktivitäten ausführen. Wenn wir unsere Aktivitäten weise ausführen, dann erhalten sie unsere Kraft und fördern unsere Ausdauer ebenso, wie sie die Freisetzung überschüssiger Energie fördern.

Der Ayurweda definiert menschliche Stärke auf drei Arten: die individuelle Stärke oder Verletzlichkeit, die wir bei der Geburt erben; die Stärke, die von den Jahreszeiten beeinflußt wird (wir sind im allgemeinen im Winter stärker als im Sommer und diejenigen, die in gemäßigten Klimaten leben, sind im allgemeinen stärker als diejenigen, die in tropischen Klimaten leben); und drittens, die Stärke, die wir durch eigene Anstrengung erwerben, zum Beispiel durch das Ausüben von Disziplinen wie Yoga, Tai Chi, Sport, Spazierengehen, Freizeitaktivitäten, gesunder Ernährung und andere gesunde Regeln, die wir in unserem täglichen Leben beachten. Die letzte Art von Stärke basiert auf der Prämisse, daß jeder Mensch vollkommen dafür verantwortlich ist, sich um seine eigene Gesundheit zu kümmern.

Sanfte physische Aktivitäten beschleunigen die Beseitigung von Körperabfällen und die Reparatur der Körpergewebe, und sie beleben die Zellen. Es werden verstärkt Impulse für das kognitive Gedächtnis gegeben, und das Gefühl von Freude und Belebung verbreitet sich schnell im gesamten Organismus. Wenn körperliche Übungen im richtigen Tempo und regelmäßig durchgeführt werden, dann fördern sie die Ausdauer, regulieren das Verdauungsfeuer und erhöhen die Aussichten auf ein langes Leben. Durch die Aktivität wird mehr Luft in die Lungen eingeatmet, und das Blut wird schneller und stärker gereinigt. Das Herz arbeitet ebenfalls schneller und pumpt das gereinigte Blut durch den gesamten Organismus. Als Folge davon werden Gewebe und Körperabfälle ebenso wie Ama in beschleunigtem Tempo aus dem Organismus ausgeschieden, was dann wiederum die Bildung neuer Gewebe erleichtert.

Durch reichliche, aber nicht übertriebene Körperübungen wird Schweiß produziert, der die Haut belebt und die Dekongestion in den Lungen, Nieren, der Leber und der Milz fördert. Charaka und Sushruta warnen jedoch vor übermäßiger Aktivität und vor intensiven oder anstrengenden Übungen, zu denen auch der Leistungssport gehört. Wenn man physische Aktivitäten im Übermaß ausübt, dann schickt das Blut, das rasend schnell durch den Körper fließt, fiebrige Impulse an die Organe und Gewebe, die nun ihrerseits die Ausscheidung lebender Gewebe zusammen mit den Körperabfällen in gefährlichem Maße ankurbeln. Als Folge davon treten mit Sicherheit Abmagerung, Gedächtnisverlust und übermäßige Müdigkeit auf. Außerdem reagiert die zelluläre Intelligenz des Körpersmit Angst auf den Gewebeverlust. Gleichzeitig lassen das überschüssige Endorphin und Adrenalin, das vom Gehirn produziert wird, Geist und Sinne ebenso wie die innere Körpersprache stumpf werden. Anstrengende Aktivitäten erschöpfen darüber hinaus das lebenserhaltende Ojas. Körperliche Beschwerden wie Lungenentzündung, Blutungen, übermäßiger Durst, Abneigung gegen Nahrungsmittel, Übelkeit, Fieber, Asthma, Unfälle und Täuschungen können als Folge von körperlichem Streß auftreten. Körperliche Aktivitäten sollten nicht direkt nach den Mahlzeiten und nach sexueller Aktivität ausgeübt werden und auch nicht, wenn man krank ist.

Nährende Sadhanas für jeden Körpertyp

Vata

Frühling, Sommer und Herbst werden als mäßig verletzliche Jahreszeiten für Vata angesehen. Vatas natürliche Zeit der Schwäche, und folglich seine verletzlichsten Phasen, liegen in der Regenzeit (Frühherbst) und im Spätwinter, wie bereits erwähnt. Es ist wichtig für Vata-Typen, sich während des ganzen Jahres sanfte Fürsorge zukommen zu lassen und gesunde Sadhanas auszuüben. Die folgenden nährenden Sadhanas werden für die Jahreszeiten empfohlen, in denen man eher verletzlich ist:

- ayurwedische Massage (mit Sandelholzöl, Sesamöl, Aguru-Öl, Kesare-Öl)
- sanfte Übungen (Yoga, Pranayama, Meditationen, Spazierengehen usw.)
- Padabhyanga (ayurwedische Fußmassage)
- warme Bäder (mit ätherischen Ölen wie Jasmin, Rose, Zimt, Kardamom und Moschus)
- sanfte Körperabreibungen (Cremen Sie Ihre Haut dreimal pro Woche vor dem Bad mit Feuchtigkeitscremes oder -lotionen ein
- besondere Sorgfalt bei der Reinigung der Körperöffnungen (Kopf, Nase, Mund und Ohren, ebenso wie der Ausscheidungsorgane)
- sanfte körperliche Aktivitäten während des ganzen Jahres
- im Sommer in Seen, Flüssen und Bächen schwimmen (im Herbst noch kurz eintauchen)
- sich im Frühling, Sommer und Herbst einige Stunden lang von den Strahlen des Vollmondes bescheinen lassen
- im Frühling, Sommer und Herbst in Blumengärten spazierengehen
- Familien-Sadhanas (mit kleinen, ruhigen Gruppenaktivitäten wie Kochen, Getreide und Samen mahlen, Massalas und Pickles herstellen usw.)*
- Einlauftherapie, die von einem Ayurweda-Therapeuten überwacht wird (im Herbst, vom 20. Oktober bis 20. November)
- sexuelle Aktivitäten (während des gesamten Jahres milde, mit besonderer Betonung auf dem Vorspiel)
- Aromatherapie (mit ätherischen Ölen wie Moschus, Geranie, Kardamom, Jasmin, Rose, Kesare-Zimt, Muskatnuß und Vanille). Der natürliche Duft der Blumen der jeweiligen Jahreszeit trägt ebenfalls dazu bei, Vata wiederherzustellen
- warme und farbenfrohe Kleidung (natürliche Stoffe, Erdfarben oder lebhafte Farben und natürliche Parfümierung)
- warmer und feuchter Lebensraum
- heilende Edelsteine und Metalle (Amethyst, Beryll, gelber Saphir, Koralle, Lapislazuli, Opal, Granat, Topas, Rubin, Gold)

Pitta

Der Herbst, der Spätwinter, und bis zu einem gewissen Grade der frühe Winter werden als mäßig verletzliche Jahreszeiten für Pitta angesehen. Pittas natürliche Zeit der Schwäche ist der Herbst, der seine verletzlichste Zeit ist. Zu beiden Zeiten, besonders jedoch im Herbst sollten Pitta-Typen dafür sorgen, daß sie ihr Gleichgewicht durch folgende gesunde Routines-Sadhanas erhalten:

- ayurwedische Massage (mit Sandelholzöl, Kokosnußöl, Aguru-Öl und Kesare-Öl)
- Bäder (lauwarm und kühl, mit ätherischen Ölen wie Jasmin, Rose, Koriander und grüner Minze)

- tägliches Abbürsten des Körpers vor dem Bad
- besondere Sorgfalt bei der Reinigung der Körperöffnungen (Kopf, Nase, Mund und Ohren, ebenso wie der Ausscheidungsorgane)
- aktive Übungen (Yoga, athletische Sportarten usw.)
- Padabhyanga (ayurwedische Fußmassage)
- im Herbst in Seen, Flüssen und Bächen schwimmen
- sich im Herbst und im Frühwinter einige Stunden lang von den Strahlen des Vollmondes bescheinen lassen
- Gruppen-Sadhanas (gemeinschaftliches Planen, Gruppenaktivitäten bei den visuellen Künsten, beim Malen, Zeichnen usw.)
- Purgiertherapie, die von einem Ayurweda-Therapeuten überwacht wird (im Herbst, vom 20. Oktober bis 20. November)
- besondere Sorgfalt bei der täglichen Reinigung der Wohnung und gesunde Ernährung (die Verwendung von zusammenziehenden, bitteren und kühlenden Kräutern ist im Herbst lebenswichtig)*
- sexuelle Aktivität mäßig im Frühwinter, (aktiv im Spätwinter, und sparsam in den übrigen Jahreszeiten)
- Aromatherapie (mit ätherischen Ölen wie Jasmin, Rose, Pfefferminze, Süßholz, Koriander, Vetiver, Geißblatt, Sandelholz und Fenchel)
- warme und helle Kleidung (natürliche Stoffe und natürliche Parfümierung; Farben: violett, weiß, hellblau, purpurrot)
- trockener und kühler Lebensraum
- heilende Edelsteine und Metalle (Perle, Koralle, Amethyst, Mondstein, Smaragd, Bergkristall, Silber und Weißgold)

Kapha

Der Spätwinter, und bis zu einem gewissen Grade der frühe Winter, werden als mäßig verletzliche Jahreszeiten für Kapha angesehen. Kaphas verletzlichste Zeit ist der Frühling und daher Kaphas natürliche Zeit der Schwäche. Zu diesen Zeiten, besonders jedoch im Frühling, sollten Kapha-Typen dafür sorgen, daß sie ihr Gleichgewicht durch folgende gesunde Sadhanas erhalten:

- ayurwedische Massage (mit Aguru-Öl und Kesare-Öl)
- aktive Übungen (Yoga, athletische Sportarten, Spazierengehen usw.)
- Padabhyanga (ayurwedische Fußmassage)
- warme Bäder (mit ätherischen Ölen wie Salbei und Patchouli)
- tägliches Abbürsten des Körpers (vor dem Bad)
- Familien-Sadhanas (Kochen, Gewürze mahlen, Samen und Getreide mahlen, Massalas herstellen usw. Im Frühling ist die Verwendung von scharfen, bitteren und zusammenziehenden Kräutern lebenswichtig)*
- Brechtherapie, die von einem Ayurweda-Therapeuten überwacht wird (im Frühling, vom 24. März bis 21. April)
- besondere Sorgfalt bei der Reinigung der Körperöffnungen (Kopf, Nase, Mund und Ohren, ebenso wie der Ausscheidungsorgane)

- Sexuelle Aktivität (aktiv in beiden Phasen des Winters, mäßig in den übrigen Jahreszeiten)
- Aromatherapie mit ätherischen Ölen während des Spätwinters und im Frühling (Salbei, Eukalyptus, Teebeere, Patchouli, Kampher, Kardamom, Piment, Sandelholz und Fenchel)
- Warmer und trockener Lebensraum
- farbenfrohe und warme Kleidung aus natürlichen Stoffen
- heilende Edelsteine und Metalle (Opal, Rubin, Beryll, Smaragd, Granat, Lapislazuli, Gold und Kupfer)

**Anmerkung:* Beziehen Sie sich für die Koch-Sadhanas auf mein früheres Buch: *Ayurveda: A Life of Balance*

TEIL DREI

WASCHUNGEN FÜR DEN THERAPEUTEN

Die Kunst der Medizin besteht darin,
Den Patienten zu amüsieren,
Während die Natur die Krankheit heilt.

Voltaire

Es gibt bestimmte universelle Verhaltensregeln, die der Therapeut und seine Begleiter vor Beginn der Behandlung eines Patienten einhalten sollten. Ihr Energiefeld zu reinigen, ist eine äußerst wichtige vorbereitende Maßnahme, um Ihre Heilenergie zu sammeln. Das wirksamste Mittel, um das Feld zu reinigen, besteht darin, sich aktiv dafür zu engagieren, ein harmonisches und diszipliniertes Leben zu führen, in dem es keine exzessiven Genüsse oder Krisen gibt. Ein Heiler muß in der Lage sein, den Geist der Klarheit, Güte, Einfachheit, Aufrichtigkeit, Sauberkeit, Reinheit, des Mitgefühls und der Bescheidenheit in seinem Leben aufrechtzuerhalten, bevor er in der Lage ist, andere dabei zu unterstützen, sich zu heilen. Im vedischen Gedankengut stellt das die Voraussetzung dafür dar, daß jemand daran mitwirken kann, den Kranken und Gebrechlichen zu helfen.

Die tägliche Durchführung gesunder Sadhanas, zu denen Bäder, Gebete, die Verwendung einfacher, natürlicher Kleidung, gesunde Mahlzeiten und Aktivitäten und die Teilnahme an Familienaktivitäten gehören, sind notwendige Bestandteile im spirituellen Leben eines vedischen Therapeuten. Um eine Aussage Jack Kornfields zu umschreiben, ist es schwierig, sich hinzusetzen und zu meditieren, nachdem man den ganzen Tag gelogen und gestohlen hat. Ein spirituelles Leben, das sich nicht auf die Achtung gegenüber anderen Menschen gründet, ist kein wahrhaft spirituelles Leben. Außerdem wird ohne die positive Wirkung eines wahrhaft spirituellen Lebens die Wirksamkeit der eigenen Heilkräfte entscheidend eingeschränkt.

Eine weitere wichtige Voraussetzung, um ein wirklicher Ayurweda-Terapeut zu werden, ist die gründliche Kenntnis der ayurwedischen Schriften, die man vorzugsweise durch die Anleitung eines vollendeten Meisters erwerben sollte. Die lebenslange Huldigung des Meisters und der Reihe von Meistern, die ihm vorausgeht, ist äußerst wichtig, um die erworbene Weisheit auch zu erhalten. Außerdem ist es wesentlich für den Therapeuten, auf die Unterstützung seiner Kollegen zählen zu können, damit so ein Informationsaustausch gewährleistet ist; so können die eigene Stärke und das eigene Dharma verstärkt und durch Zusammenarbeit aufgelöst werden.

Die tägliche Anwendung dieser ayurwedischen Weisheit erlaubt es Ihnen, zu wachsen, zu reifen und zu einem leuchtenden Wesen zu werden, aber sie kann nur in Ihrem Herzen aufblühen, wenn es voller Dankbarkeit für all das ist, was Sie empfangen.

Reinigende Waschungen für den Therapeuten

- Stehen Sie eine halbe Stunde vor Sonnenaufgang auf.
- Nehmen Sie Ihr Bad, und halten Sie die Reinigungsroutine für den Mund, die Zunge, die Zähne, die Augen und die Nase ein. Vergleichen Sie dazu „Tägliche Reinigungsroutinen" im Kapitel neun.
- Stellen Sie sich zur Sonne hin und lassen Sie sich von der Morgenluft reinigen; sprechen Sie Ihre Gebete. Ein traditionelles Gebet zur Sammlung der heilenden Energien des Universums finden Sie auf S. 415)
- Machen Sie sanfte Dehnübungen, nehmen Sie Yogastellungen ein, und üben Sie Pranayama (yogische Atemübungen).
- Nehmen Sie mindestens zwei Stunden, bevor Sie sich um Ihren ersten Patienten kümmern, ein gesundes Frühstück zu sich.
- Tragen Sie schlichte, einfache Baumwollkleidung, die zu Ihrer Arbeit paßt. (Vergleichen Sie den Schnitt des Arbeitskittels, der für Therapeuten empfohlen wird, in Anhang D.) Tragen Sie ein sauberes Unterhemd aus Seide. Seide schützt Sie vor Energieverschwendung und stellt eine Projektionsfläche für das Herausfiltern negativer Energien dar. Waschen Sie sich die Hände, bevor Sie sich danach um den nächsten Patienten kümmern.
- Machen Sie um die Mittagszeit eine Pause. Verlassen Sie den Behandlungsbereich, nehmen Sie nach Möglichkeit ein kurzes Bad, und wechseln Sie Ihre Kleidung.
- Sprechen Sie ein Gebet zu Gott Surya, der Sonne, und bitten Sie um Schutz. Ein solches vedisches Gebet ist zum Beispiel „Die zwölf Namen der Sonne" auf S. 414.
- Nehmen Sie ein leichtes Mittagessen zu sich und lassen Sie sich mindestens eine Stunde Zeit, bevor Sie zu Ihren Patienten zurückkehren.
- Lassen Sie am Ende des Tages alle Gedanken an die Patienten hinter sich, und versuchen Sie, sich zu erfrischen. Vielleicht möchten Sie noch einmal

baden und sich bequeme Kleidung aus natürlichen Stoffen anziehen, oder Sie entscheiden sich dafür, spazierenzugehen, zu schwimmen usw.

- Sprechen Sie Ihre Gebete noch einmal bei Sonnenuntergang, bevor Sie Ihre Abendmahlzeit zu sich nehmen.
- Entspannen Sie sich danach mit Freunden oder Ihrer Familie.
- Machen Sie eine kurze Pranayama-Übung, wobei Sie die Atmung durch das linke Nasenloch aktivieren und sich leicht strecken, um still zu werden.
- Meditieren Sie eine Zeitlang, und lassen Sie allen Streß hinter sich, leeren Sie den Geist von Gedanken, und vertrauen Sie darauf, daß das Universum Ihre vitalen Energien wieder auffüllen wird.
- Gehen Sie vor Mitternacht schlafen.

Teil vier

Waschungen für den Patienten

Wenn Sie Dankbarkeit und Aufrichtigkeit ausdrücken, dann können die heilenden Energien des Universums Ihr Wesen durchdringen. Dankbarkeit dafür, daß einem der heilige Stab des Lebens gegeben worden ist, Dankbarkeit an die gute Erde dafür, daß sie uns überreich beschenkt, wenn wir lernen, Ihre Gaben zu empfangen, und Dankbarkeit gegenüber denjenigen, die sich verpflichtet haben, Sie bei Ihrer Heilung zu unterstützen, sind wesentliche Bestandteile, durch die sich Heilung ausdrückt. Krankheiten zwingen uns dazu, mit uns selbst klarzukommen. Bevor jedoch Heilung geschehen kann, müssen wir lernen, uns selbst gegenüber vollkommen ehrlich zu sein. Die Zeit muß angerufen werden, um durch die Jahre des kumulativen Schmerzes hindurchzugehen, vom ersten Kompromiß an, bis zur jüngsten Leugnung des kognitiven Selbst, mit dem brennenden Wunsch, das Selbst zu versöhnen und es von Krankheit zu befreien.

Während dieser Zeit Tagebuch zu schreiben, ist ein hervorragendes Sadhana, denn es hilft einem, den Schmerz zu überwinden und Klarheit zu gewinnen. Die kognitive Stimme oder Ihre innere Stimme, die solange zum Schweigen verurteilt war, muß von neuem erweckt werden, damit Sie Heilung erleben können.

Reinigende Waschungen für den Patienten

- Versuchen Sie, jeden Morgen bei Sonnenaufgang aufzustehen.
- Öffnen Sie die Fenster, lassen Sie die kühle Morgenluft in Ihr Leben hinein.
- Nehmen Sie Ihr Bad, und führen Sie die Reinigungsroutine für Mund, Zunge, Zähne, Augen, Ohren und Nase durch. (Vergleichen Sie „Tägliche Reinigungsroutinen" in Kapitel neun.)
- Setzen Sie sich mit dem Gesicht zur Sonne gewendet, und sprechen Sie ein Gebet, in dem Sie um Führung und Klarheit für sich selbst und Ihren Arzt

bzw. Therapeuten bitten. Beten Sie für guten Mut und vollkommene Heilung. Ein traditionelles vedisches Gebet zum Zwecke der Heilung ist das „Tryambikam Mantra" auf S. 413.

- Üben Sie sanfte Yogastellungen und Pranayama (yogische Atemübungen).
- Halten Sie eine Diät ein, die für Ihren Körpertyp und Ihre Beschwerden geeignet ist.
- Tragen Sie saubere, einfache Kleidung aus natürlichen Stoffen (am besten Baumwolle). Tragen Sie keine Kleidung aus Seide.
- Vertrauen Sie sich der Fürsorge Ihres Arztes oder Therapeuten an, und bleiben Sie ruhig und aufmerksam.
- Befreien Sie sich von jeglichem Ärger und jeglicher Angst, bevor Sie den Behandlungsraum betreten.
- Bitten Sie den universellen Geist, Sie bei Ihrem Heilungsprozeß zu begleiten.
- Zögern Sie nicht, das, was Ihnen während der Behandlung auffällt, in Frage zu stellen oder um Klärung zu bitten, selbst dann, wenn es unpassend zu sein scheint.
- Wenn Sie nach Hause zurückkehren, dann richten Sie sich nach den Empfehlungen Ihres Arztes oder Therapeuten.
- Tragen Sie ein sauberes, bequemes Baumwollgewand, und halten Sie einige Stunden nach Ihrem Abendessen eine Phase der Meditation ein.
- Leeren Sie Ihren Geist, indem Sie es Ihren Gedanken, auch den angstvollen, erlauben, sich aufzulösen. Wenn Sie Ihre Gedanken nicht vollständig loslassen können, dann beobachten Sie sie, und lassen Sie sie auftauchen und wieder verschwinden. Versuchen Sie, Ihnen keine allzu große Bedeutung zu geben, indem Sie ängstlich, besorgt usw. werden.
- Bitten Sie das Universum, Ihnen dabei zu helfen, Ihre Gesundheit wiederzuerlangen. Überlassen Sie Ihre Last dem Schoß des Universums, bevor Sie sich schlafen legen.

Anmerkung: Diese Waschungen sollten auch eingehalten werden, wenn die Therapien zu Hause durchgeführt werden.

Teil fünf

Waschungen für Geist und Herz

Man sieht nur mit dem Herzen gut.
Das Wesentliche ist für die Augen unsichtbar.
Antoine de Saint-Exupéry, „Der kleine Prinz“

Kosmische Kügelchen

Indem wir Körper, Geist und Herz reinigen, bekunden wir unsere Absicht, unsere natürlichen Energien wieder aufzufüllen, die mit dem Universum verbunden sind. Dafür schickt uns der Kosmos seine heilenden Mittel, um uns zu unterstützen. Unsere Absichten zum Ausdruck zu bringen, ist eine der kraftvollsten Möglichkeiten für den Menschen, um mit dem Universum in Beziehung zu treten. Wenn unsere Absicht eindeutig und positiv ist, dann dient sie dazu, uns bei unserer Heilung und unserem Wachstum zu helfen.

Gebete, als Ausdruck unserer Absichten, sind das kraftvollste Kommunikationsmittel, das der Mensch besitzt. Daher ist das Gebet eine numinose Waschung, die nicht nur als Vorbereitung für die Reinigung von Körper und Geist notwendig ist, sondern auch als wichtiges Sadhana in unserem täglichen Leben. Wenn wir die heiligen Worte sprechen, die allen Gebeten zueigen sind, dann sammeln sich die kosmischen Kräfte, um ein Schwingungsfeld zu bilden, das uns sehr stark beschützt. Sofort werden wir in einen zeitlosen Zauber hineinkatapultiert, und durch die Reflexion unserer eigenen Gefühle in Form von kosmischen Kügelchen erhöht.

Kosmische Kügelchen, die durch das Schwingungsfeld des Kosmos wirken, sind winzige, sphärische Körper, die Luftblasen ähneln und für das menschliche Auge unsichtbar sind. Sie sind ebenso empfänglich für negative Kräfte wie für positive. Sobald eine Absicht zum Ausdruck gebracht worden ist, fungiert das Universum als ihr Empfänger und reagiert durch Schwingungen in Form der erwähnten kosmischen Kügelchen. Das bedeutet, daß, wenn es zu einer wütenden Konfrontation zwischen zwei Menschen kommt, die Schwingungen dieses Ausdrucks oder dieser Absichten von den Kügelchen empfangen werden. Sie sammeln sich daraufhin am Ort des Geschehens und verstärken die bestehende Situation. Sie umfassen die gesamte Situation und stellen so eine fesselnde Kraft dar, die die Gefühle, die in dieser Situation zum Ausdruck kommen, verstärkt. Die Gesamtheit unserer persönlichen Gefühle macht uns im Zusammenwirken mit den Kügelchen nahezu unfähig, negative Gefühle zu bereinigen, sobald sie einmal zum Ausdruck gebracht worden sind. Aus diesem Grunde ist es so wichtig, daß wir unsere Gefühle vollkommen durcharbeiten, damit sie nicht rückhaltlos in negativer Form zum Ausdruck kommen.

Im allgemeinen wird uns eine lange Gnadenfrist gegeben, nachdem negative Gedanken in bezug auf uns selbst oder in bezug auf andere aufgetaucht sind. In dieser Zeit haben wir die Gelegenheit, unsere Absichten zu überprüfen. Sobald wir bereit sind zu handeln, setzt der Kosmos seine Kräfte frei, um uns zu helfen. Das Wesen dieser Hilfe bestimmt sich durch die Qualität unserer Absichten. Es ist weise anzunehmen, daß alle sogenannten Unfälle zumindest teilweise auf das Wesen unserer Energien und die Art, wie wir sie ausdrücken, zurückzuführen sind. Die Kügelchenkräfte im Universum können nur Situation verstärken, die bereits bestehen. Da das, was ist, teilweise das Ergebnis unserer Absichten ist, ist es unsere Aufgabe, uns ihrer bewußt zu sein, und sie, wenn nötig, zu ändern.

Sieben tägliche Übergangsphasen

Jeder Tag läßt sich in sieben heilige Phasen einteilen, die, wenn sie beachtet werden, Körper, Geist und Seele vollkommenen Frieden bringen. Diese Phasen geben uns die notwendigen Überleitung, um uns bei hervorragender Gesundheit zu halten. Bestimmte Waschungen (Handlungen) zu den passenden Tageszeiten durchzuführen, ermöglicht es uns daher, diesen schönen Prozeß zu unterstützen.

Wenn wir nach dem Schlafen aufstehen, dann reinigen wir unseren Körper und befreien uns von unseren Körperabfällen. Die nächste Handlung besteht darin, dem Universum Gebete darzubringen. Mit einem einzigen Gebet bringen wir drei verschiedene Absichten zum Ausdruck, nämlich das Bitten für das Wohlergehen aller Wesen, Gott gegenüber Dankbarkeit dafür zum Ausdruck zu bringen, daß wir am Leben sind und schließlich die Bitte um die notwendige Weisheit und Klarheit als Unterstützung auf unserem Lebensweg.

Die dritte Handlung besteht darin, gesunde Mahlzeiten zu sich zu nehmen, um unsere Energie und unsere Vitalität zu erhalten. Die vierte Handlung besteht darin, zu arbeiten, uns der Entwicklung unseres Geistes und dem natürlichen Fortschritt des Universums zu widmen. Die fünfte Handlung besteht darin, zu spielen sich der Schönheit des Universums zu erfreuen, die Blumen, Bäche, das Licht und die Liebe in der Natur zu würdigen, sich körperlich zu betätigen und mit dem Universum zu tanzen.

Die sechste Handlung ist die Meditation. Die Meditation, die sich vom Gebet unterscheidet, besteht einfach darin, mit dem Selbst zu sein und es ihm zu erlauben, gedankenleer zu bleiben. Das ist das wertvollste Sadhana für die Wiederauffüllung unseres inneren Wesens mit der Natur, eine Zeit für das Selbst, um sein eigenes primäres Wesen des Einsseins mit und in allem zu begreifen. Die letzte Phase und Handlung des Tages besteht darin, zu ruhen bzw. zu schlafen, damit sich der Organismus mit Hilfe des reichlich sprudelnden Lebensquells wiederaufladen kann.

Die Kraft des Gebetes

Wenn die Energie fließt, ja überfließt,
Ohne irgendeinen Grund,
Dann wird sie zum Entzücken.
Das ist der Augenblick,
In dem Du begonnen hast,
In Gott hineinzufließen.
Und in dem Augenblick,
In dem Du beginnst,
In Gott hineinzufließen,
Beginnt er, in Dich hineinzufließen.
Beides geschieht gleichzeitig.

William Blake

Ein Gebet ist eine Anrufung unserer Göttlichkeit, die dem allwissenden Gott gegenüber eine ehrliche Absicht zum Ausdruck bringt, häufig in Form der Bitte, von Schmerzen befreit werden zu mögen. Indem wir beten, sind wir in der Lage, die Selbsterkenntnis einzuladen, dadurch, daß wir uns wieder an das Universum wenden, um eine Antwort zu erhalten. Gebete schwören unsere kosmische Natur herauf; indem wir beten, spüren wir sofort die Unterstützung Gottes, egal, ob die Ergebnisse sofort sichtbar sind oder nicht. Das innere Leuchten wird von neuem angefacht, und die kognitive Erinnerung an unsere unauslöschlichen Reisen im Universum werden wieder ans Licht gebracht.

Unsere eigene Göttlichkeit wird oft mit einer heiligen Stätte aus kostbaren Edelsteinen verglichen, die im Zentrum eines jeden Wesens wohnt. Ehrliche Absichten, die sich in Form von Gebeten äußern, machen uns den Reichtum unserer grenzenlosen Seele bewußt. Wie I. E. Taimni gesagt hat: „Das bedeutet nicht, daß Edelsteine anfangen, durch die Luft zu fliegen und uns vor die Füße zu fallen." Stattdessen sind wir in der Lage, zum heiligen Mittelpunkt unseres göttlichen Wesens vorzudringen, einem Raum, der teurer und kostbarer ist als alle Edelsteine des Himmels.

Die folgenden vedischen Gebete werden für die persönliche Heilung vorgestellt. Es ist notwendig, diese Sanskrit-Gebete richtig zu intonieren, da jede Silbe einen numinosen Laut beinhaltet, der, wenn er richtig gesprochen wird, die richtige Antwort im Universum bewirkt.

Gebet vor der Pancha-Karma-Behandlung

Ich rufe folgende Götter an, mich zu beschützen: *Brahman, Rudra, Indra, Prithivi, Chandra, Surya, Vayu* und *Agni* – außerdem rufe ich die Gruppe von Arzneien an, die als Verjüngungsmittel verwendet werden, ich rufe die *Rishis* (Weisen) an und den Nektar der Götter. So mögen auch alle anderen Arzneien, die für mich ausgesucht werden, die besten sein.

Brahman:	Der Schöpfer, von goldener Farbe, hat vier Gesichter, die die vier Himmelsrichtungen verkörpern.
Rudra:	Der Auflöser des Universums, hat drei Augen und ist gelb und strahlend wie die Sonne. Er ist mit heiliger Asche beschmiert und hat einen freundlichen Gesichtsausdruck.
Indra:	Gott des Firmaments.
Prithivi:	Gott der Erde.
Chandra:	Gott des Mondes.
Surya:	Gott der Sonne.
Vayu:	Gott der Luft.
Agni:	Gott des Feuers.

Morgengebet

Um die heilenden Energien des Universums zu sammeln:

Na tatra suryo bhati na chandratarakam
Nema vidyuto bhanti kuto'yamagnih
Tameva bhantamanubhati sarvam
Tasya bhasa sarvamidam vibhati

Om Shanti Shanti Shanti

Dort scheint weder die Sonne
Noch Mond und Sterne.
Dort leuchtet weder der Blitz
Noch das Feuer.
Nur durch das glänzende Licht von Dem (Höchsten Wesen)
Glänzt alles andere in verschiedener Weise.

Gebet für Heilung
Tryambakam-Mantra

Tryambakam yajamahe sugandhim
pashti vardhanam
Urvarukamiva bandhanaṃ mrityor
mukshiya ma amritat

Om Shanti Shanti Shanti

Wir beten den duftenden Dreiäugigen (Rudra) an,
Der uns immer größeren Reichtum verleiht;
Rette uns vor der Fessel des Todes,
Wie die Gurke von ihrer Rebe befreit ist;
Laßt uns uns nicht von der Befreiung abwenden.

Gebet für Klarheit und Selbsterkenntnis

Om Purnamadah purnamidam purnat
purnamudachyate
purnasya purnamadaya
purnamevavashishyate

Om Shanti Shanti Shanti

Jenes ist ganz; dieses ist ganz,
Aus dem Ganzen entstand dieses Ganze.
Entferne dieses Ganze aus jenem Ganzen,
Was bleibt, ist immer noch ganz.

Gebet für Erfolg und günstigen Anfang

Oh mein Gott Ganesh mit dem zerbrochenem Stoßzahn,
Mit dem wunderbaren Körper, strahlend wie tausend Sonnen.
Der, der in Weiß geschmückt ist,
Und der das Glühen des Mondes ist.
Ich meditiere über Dein immer lächelndes Gesicht.
Oh Gott, schütze mich vor Gefahr.
Mögen alle Hindernisse aus meinem Leben entfernt werden.
Möge jeder meiner Anfänge günstig sein.

Om Shanti Shanti Shanti.

Gebet für die Beseitigung aller Hindernisse

Ganapati Mantra

Shuklambaradharam vishnum
shshivarnam chaturbhujam
prasanna vadanam dhyayet
sarva vighnopashantaye

Om Shanti Shanti Shanti

Für die Beseitigung aller Hindernisse,
Darf man Ganapati grüßen.
Der weiße Kleidung trägt und alles durchdringt,
Dessen Farbe der Mond ist,
Der vier Arme hat, und dessen Gesicht freundlich ist.

Gebet für den Sonnenaufgang und den Sonnenuntergang

Gebet für Klarheit, Intelligenz und den Geist der Dankbarkeit.

Die Zwölf Namen der Sonne

Om Mitraya namah	Grüße an meinen Freund.
Om Ravaye namah	Grüße an die zwölf Sonnen.
Om Suryaya namah	Grüße an den Weisen.
Om Bhanave namah	Grüße an die Quelle der Wahrnehmung.
Om Khagaya namah	Grüße an den himmlischen Ganges.
Om Pushne namah	Grüße an den, der die Wege der Dunkelheit und des Lichts macht.
Om Hridanya garbhaya namah	Grüße an den, der aus der Bewußtheit geboren wurde.
Om Marichaye namah	Grüße an den Strahlenden.
Om Aditiyaya namah	Grüße an die Mutter der zwölf Sonnen.
Om Savitre namah	Grüße an den Immer-Schaffenden.
Om Arkaya nama	Grüße an das Feuer.
Om Bhaskaraya namah	Grüße an die Kraft der Reflexion.

Om Shanti Shanti Shanti

Gebet der Dankbarkeit

Brahmarpanam brahma havih
Brahmagnau brahmana hutam
Brahmaiva tena gantavyam
Brahmakarma samadhina

Om Shanti, Shanti, Shanti

Brahman ist das Opfer,
Brahman ist die Opfergabe
Von Brahman in das Feuer von Brahman gegossen,
Brahman wird von dem erreicht,
Der alles als Brahman erkennt.

(Brahman bezieht sich auf das Absolute Eine, Reines Bewußtsein.)

Ein Gebet für das Wohlergehen des Universums

Svasti prajabhyah paripalayantam
Nayayena margena mahim mahisah
Gobrahmannebhyah subhamastu nityam
Lokasamasta sukhino bhavantu
Kale varsatu parjanyah prthivi sasyasalini
Deso yam ksobarahitah brahmanah santu
nirbhayah

Om Shanti Shanti Shanti

Möge jedermann reich sein.
Mögen die Friedensstifter die rechtmäßigen Herrscher der Erde sein.
Laß die Tiere und Menschen von Weisheit zu allen Zeiten Schutz finden.
Mögen alle glücklich sein. Möge der Regen zur richtigen Zeit kommen.
Mögen die Erde Körner hervorbringen.
Möge die Welt frei von Hungersnöten sein.
Mögen die Menschen, die meditieren, keinen Grund zur Furcht haben.

Die Ausübung von Japa für einen ruhigen Geist

Die Stille,
Die Du zwischen jedem Gedanken erfährst,
Ist Deine eigene Fülle,
Dieselbe Fülle,
Die reines Bewußtsein ist.

Swami Dayananda Saraswati

Japa, das Wiederholen eines bedeutungsvollen Wortes oder Satzes, ist eine nützliche Praxis für jeden, insbesondere für Vata- und für Pitta-Typen. Die Sanskrit-Bezeichnung Japa bedeutet: „das, was die Zyklen von Geburt und Tod beendet", bzw. das Erreichen von Ekstase und reinem Bewußtsein mit Hilfe der Stille. Die Ausübung von Japa zerstört alle Unreinheiten des Geistes.

Japa, eine uralte vedische Praxis, um den Geist zu beruhigen, gibt dem Übenden die Zügel zur Kontrolle des Geistes an die Hand, der seinerseits dann die Gedanken überwacht. Wenn wir uns damit beschäftigen, welche Träume wir haben, welche Enttäuschungen wir erleben, welche Ängste und Verpflichtungen wir haben, was wir essen sollen, was anziehen, wohin gehen, wieviel wir haben, wieviel mehr wir brauchen, dann denken wir ohne Unterlaß und der Geist wird voll mit Gedanken.

Japa ist eine Handlung, die den Geist auf einen einzigen Punkt lenkt. Man verwendet dazu einen Rosenkranz bzw. eine *Japa Mala* (die normalerweise 108 Perlen hat) und dreht eine Perle nach der anderen, während man ein spezifisches Mantra (einen vedischen Satz oder Vers, bei dem jedes Wort mit numinoser Kraft aufgeladen ist) wiederholt. Die Wiederholung des Mantras erzeugt eine tiefe Schwingung, die mit dem Herzen gemeinsam schwingt; schließlich werden alle unerwünschten, äußeren Gedanken zum Schweigen gebracht. Mit sich selbst in Frieden sein, bedeutet ruhig zu sein. Friede ist Stille, Stille des Geistes. Friede bedeutet, daß man in der Lage ist, den Geist allmählich und in Ruhe von seinen unsteten Absonderungen zu befreien.

In den vorbereitenden Phasen der Japa-Praxis wird das Mantra hörbar und in gleichen Zeitabständen wiederholt. Japa ist keine Serie ununterbrochener Gedanken. Das Mantra dient vielmehr dazu, alle bestehenden Gedanken zu eliminieren, indem es zum einzigen vorherrschenden Gedanken wird. Der Anfang und das Ende eines jeden Mantras bezeichnen den Anfang und das Ende eines jeden Gedankens, von denen jeder seinen eigenen scharfen Anfang und sein scharfes Ende hat. Zwischen jedem Mantra herrscht Stille. Indem wir das Mantra wiederholen, gewinnen wir die Stille zwischen den Mantras. Die Stille ist reines Bewußtsein. Eigentlich bist Du es, bevor Gedanken und Aktivitäten Dich überlagert haben. Diese Stille ist Friede, und die Stille aufrechtzuerhalten ist Meditation.

Am Anfang, und noch für einige Zeit danach, werden andere Gedanken auftauchen, während Sie das Mantra wiederholen. Gehen Sie immer zum Klang des Mantras zurück. Machen Sie sich wegen der Gedanken keine Sorgen. Lassen Sie die Gedanken ein- und ausströmen, indem Sie zum Klang des Mantras zurückkehren. Die Gedanken werden sich von selbst in Stille auflösen, wenn Sie sich nicht auf sie konzentrieren. Andernfalls werden Sie sich in ihnen verfangen.

Ein hervorragendes Mantra, das von Studierenden der Veden praktiziert wird, lautet „Om namah shivaya", was den ewigen Klang des Namen Gottes widerspiegelt. Sie dürfen jedes beliebige Mantra solange benutzen, wie es eine tiefe spirituelle Bedeutung für Sie hat, denn nur dann werden die überquellenden Gedanken allmählich weniger werden und sich auflösen.

Jede Perle des Rosenkranzes wird solange gehalten, bis Sie das Mantra beendet haben, dann gehen Sie zur nächsten Perle und wiederholen das gleiche Mantra. So machen Sie weiter, bis alle Perlen gedreht worden sind. Normalerweise gibt es eine Extra-„Markierperle", die Ihnen anzeigt, wann Sie mit einer Umdrehung fertig sind.

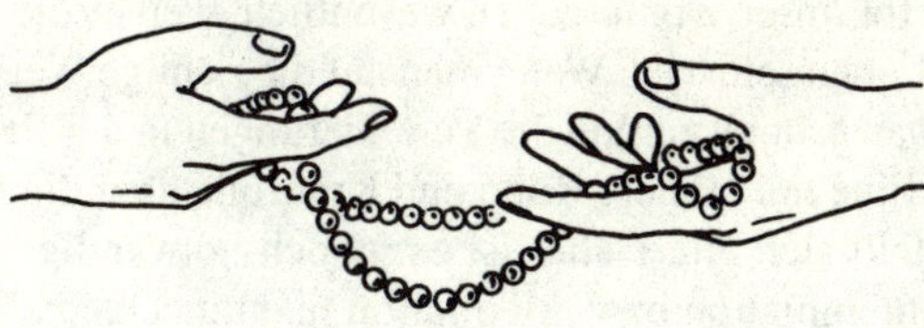

Abb. 46: Japa

TEIL SECHS

PRANAYAMA – ATEMÜBUNGEN

Das göttliche Feuer lodert in vollem Glanze,
Wenn der Geist dazu gebracht wird,
Sich auf die Meditation zu konzentrieren.

Patanjali

Die alten vedischen Seher haben ein kunstvolles System von Atemübungen entwickelt, um den Geist zu disziplinieren. Diese Atemübungen, die als *Pranayama* bekannt sind, stimmen mit dem harmonischen Rhythmus des Universums überein. Prana ist die Lebenskraft, die Körper, Geist und Seele zusammenhält. Wir beziehen Prana aus der Atmosphäre und aus unserer Nahrung. Während die Lungen eine wichtige Rolle im Atmungsprozeß spielen, wird Prana von jeder Zelle im Körper transportiert. Der Dickdarm soll zum Beispiel bestimmte flüchtige Fettsäuren produzieren, die wie Sauerstoff, Nahrungsmittel und Wasser, Träger von Prana sind. Die gute Gesundheit des gesamten Organismus bestimmt, wieviel Prana wir im Körper aufnehmen können.

Pranayama ist für unser Wohlergehen wesentlich, weil es die Atmung kontrolliert, die das Leben selbst ist. Wenn man auf die richtige Weise Pranayama übt, dann fühlt man schnell zahlreiche Veränderungen in der Einstellung und den Emotionen. Eine tiefe innere Ruhe und Kontrolle über die Vorkommnisse des Lebens stellt sich ein. Daher ist es jedoch notwendig, sich daran zu erinnern, die Kontemplation bzw. Meditation nicht mechanisch anzugehen.

Üben Sie, von der Solarplexusgegend aus zu atmen, indem Sie sich auf den Rücken legen und eine Hand auf den Bauch legen. Übertreiben Sie am Anfang die Einatmung leicht, indem Sie willkürlich Ihren Bauch vorschieben, und verlängern Sie die Ausatmung, so daß Sie zwei- bis dreimal länger ist als Ihre Einatmung. Allzu oft, wenn wir damit beginnen, Atemübungen zu praktizieren, neigen wir dazu, nur in den oberen Brustbereich zu atmen und die Schultern nach oben zu schieben. Die Einatmung hat nichts damit zu tun, Luft in die Nasenlöcher einzuziehen. Es ist sogar am besten, die Nasenlöcher vollkommen zu ignorieren und die Aufmerksamkeit auf die Solarplexusgegend zu richten. Konzentrieren Sie sich auf den Klang des einströmenden Atems und nicht auf die Atmung selbst. Der Klang wird den Atem weiterführen. Dann atmen Sie aus, indem Sie sich darauf konzentrieren, wie der Atem den Körper verläßt und sehr, sehr langsam nach oben und nach draußen strömt; halten Sie den Ton, so wie ein Tenor einen Ton hält, lassen Sie ihn mit einem Crescendo los, von laut zu leise, zu sehr leise und wieder zu laut. Nachdem Sie das eine Zeitlang geübt haben, werden Sie feststellen, daß der Atem natürlich und ohne Anstrengung fließt.

Pranayama am Morgen

Setzen Sie sich aufrecht in die Yoga-Mudra-Position, die Lotosposition oder eine ähnliche Position, die für Sie angenehm ist (Abb. 48). Atmen Sie durch das linke Nasenloch ein, indem Sie das rechte Nasenloch mit Ihrem rechten Daumen verschließen (Abb. 47). Dann atmen Sie durch das rechte Nasenloch aus, indem Sie das linke Nasenloch mit Ihrem rechten Ringfinger und kleinen Finger verschließen. Dann atmen Sie durch das rechte Nasenloch ein und durch das linke Nasenloch aus. Machen Sie so etwa fünf Minuten lang weiter, und atmen Sie immer durch das gleiche Nasenloch ein, durch das Sie vorher ausgeatmet haben.

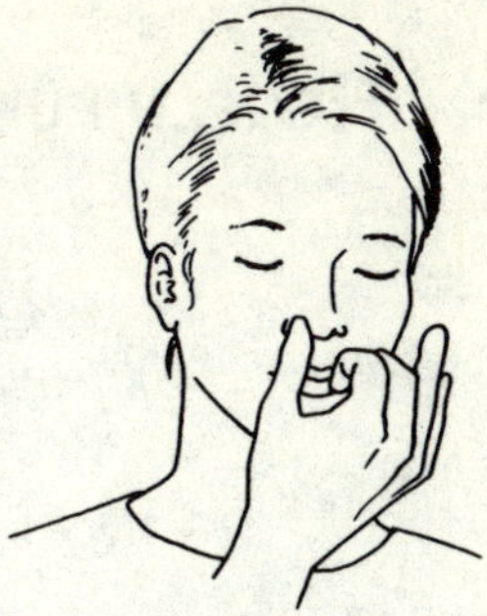

Abb. 47: Nasenlochatmung

Bleiben Sie in derselben Position sitzen. Nehmen Sie die richtige Handposition ein (Abb. 49). Atmen Sie durch das rechte Nasenloch ein, und bringen Sie dann das Kinn zur Brust. Halten Sie den Atem für dieselbe Zeitdauer wie die Einatmung an. Lösen Sie auf, und atmen Sie durch das linke Nasenloch aus. Die Ausatmung sollte zweimal so lang sein wie die Einatmung. Fahren Sie fort, indem Sie durch das linke Nasenloch einatmen, bringen Sie das Kinn zur Brust, halten Sie den Atem an, und atmen Sie dann durch das rechte Nasenloch aus. Wiederholen Sie diesen Ablauf zehnmal. Verschränken Sie, von der aufrechten Yoga-Mudra-Position ausgehend, beide Hände hinter dem Rücken, und beugen Sie den Oberkörper nach vorne, bis die Stirn den Boden berührt, bzw. soweit, wie es angenehm ist. Halten Sie diese Stellung eine Minute lang bzw. länger, wenn Sie das möchten.

Abb. 48: Yoga-Mudra-Position

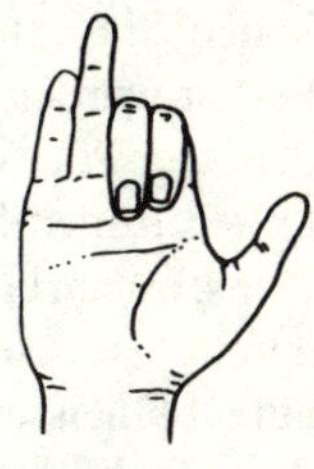

Abb. 49: Hand-Mudra

TEIL SIEBEN

REGELN FÜR DIE BEHANDLUNG ZU HAUSE

Erleuchtet zu sein bedeutet,
Mit allen Dingen eng verbunden zu sein.

Dogen

GEMEINSCHAFTSGEIST

Der Ayurweda ist zu einer Zeit entstanden, in der der Gemeinschaftsgeist blühte, einer Zeit, in der die Erledigung der notwendigen Arbeit durch viele Hände leicht wirkte. Indem wir diese alte Kunst wieder in Anspruch nehmen, bringen wir auch das Zusammenkommen und das Feiern von zusammenarbeitenden Händen in unser Leben zurück. Obwohl jedem Menschen ein geschickter Heiler innewohnte, waren es die Frauen, die das Getreide schnitten, droschen, und die Getreidekörner und Bohnen schälten, die für die Herstellung heilender Umschläge notwendig waren. Die jungen Mädchen dagegen trockneten die Blätter, Wurzeln, Rinden, Blumen und Samen, die in den Arzneien verwendet wurden. Die Jungen sammelten die notwendigen Gräser, den Dung, den Lehm und das Wassser, um die Heiltherapien zu erleichtern. Gleichzeitig errichteten die Männer die Schwitzhütten, Brennöfen und Gräben, die zur Durchführung der Therapien notwendig waren. Die Dorfältesten kümmerten sich um das Feuer, das für die Herstellung von Arzneien und zur Wärmegewinnung notwendig war.

Wenn die jahreszeitliche Reinigungszeit bevorstand, wurden dem Feuer durch die örtlichen Priester geweihte Opfergaben dargebracht. Mantras erklangen in der frischen Luft des Frühlings und des Herbstes. Die Elefanten, Kühe, Kamele und Maultiere gaben zur Reinigung der Erde bereitwillig ihren Dung, der dann verwendet wurde, um die Sweda-Gruben und -hütten zu verschmieren und um Arzneien zu verbrennen und sie zu Pulver werden zu lassen.

Die Falken flogen im Uhrzeigersinn hoch in den Himmel hinaus; die Krähen hielten sich in ehrfürchtigem Abstand, das Rotwild verzichtete auf die hohen Gräser in der Nähe der Dörfer und zog sich in die Wälder zurück. Die Perlen wurden vollendet und konnten leicht den Austern entnommen werden. Der Pfau warf einige seiner Schwanzfedern ab; der Moschusochse hinterließ seinen Sack mit Moschusöl auf dem Boden; die Bienen füllten die Honigwaben bis zum Rand; und die Insekten vollendeten ihren Bau von „Galläpfeln“ an den Bäumen. Menschliche Aktivitäten begannen wieder einmal aufzublühen, und die gesamte Natur gab bereitwillig ihren Beitrag dazu, indem sie die notwendigen Dinge bereitstellte, um Arzneien herzustellen. Ein altes afrikanisches Sprichwort besagt: „Man braucht ein Dorf, um ein Kind großzuziehen.“ Selbst heute noch bedarf es einer ganzen Gemeinschaft, um eines ihrer Mitglieder zu heilen. Wir sollten nicht damit fortfahren, die Anwendung dieser Behandlungen außerhalb der Gemeinschaft durchzuführen, sie versprengt und unbeteiligt zu lassen. Eine Gemeinschaft wirkt durch ihre Menschen, nicht durch ihre Ärzte, Priester, Politiker oder Kaufleute. Wenn wir uns zusammentun, dann werden die Aktivitäten, die wir gemeinsam entwickeln, tausendmal glänzender sein als diejenigen, die wir alleine durchführen können.

Die Durchführung von Therapien zu Hause

Die meisten der vorbereitenden Behandlungen innerhalb der Abhyanga-, Snehana- und Swedana-Gruppe können mit der Hilfe von Freunden oder Familienmitgliedern auch zu Hause durchgeführt werden. Folgen Sie den Verfahren sorgfältig, beachten Sie die jahreszeitlichen Richtlinien und Bedingungen für die Therapien, die für den Hausgebrauch empfohlen werden. Die günstigsten Tage, um mit Ihren Praktiken zu Hause zu beginnen, sind der Sonntag und der Montag.

- Wählen Sie einen sauberen, sonnigen, gut belüfteten, spärlich möblierten Raum aus, der relativ trocken und kühl ist und einen Boden aus Hartholz hat. Wenn möglich, benutzen Sie diesen Raum ausschließlich für Ihr Heilungsprogramm, für Meditationen und zum Beten.
- Rufen Sie, bevor Sie zu Hause mit einem Behandlungsprogramm beginnen, an Gesundheit interessierte Personen aus Ihrem Bekanntenkreis an, und laden Sie sie zur Teilnahme ein.
- Richten Sie einmal pro Woche oder alle vierzehn Tage ein kurzes Treffen ein, um Hände und Geist bei der Ausübung der Heilbehandlungen miteinander zu verbinden.
- Beginnen Sie Ihre Aktivitäten damit, daß Sie alle notwendigen Hilfsmittel und Zutaten bereitstellen, die Sie für die von Ihnen ausgewählte Behandlung benötigen. Der beste Wochentag dafür ist der Samstag.
- Üben Sie zunächst, die Rezepturen und Rezepte zuzubereiten, die für die Behandlung benötigt werden.
- Führen Sie danach einige Versuchsbehandlungen durch, die Sie abwechselnd geben und empfangen.
- Laden Sie, wenn möglich, Ihren örtlichen Ayurweda-Therapeuten dazu ein, einige Stunden über die grundlegenden Massage- und Einölungstechniken sowie über die Anwendung von Umschlägen und die Schwitzkur abzuhalten. Die besten Wochentage, um diese Anweisungen entgegenzunehmen, sind Donnerstag und Freitag. Denken Sie daran, eine passende Spende von Ihren Mitgliedern einzusammeln, um Ihren erfahrenen Gast dafür zu entschädigen, daß er sein Wissen mit Ihnen geteilt hat.
- Obwohl es vielleicht keinen Ayurweda-Therapeuten in Ihrer Gemeinde gibt, gibt es viele ganzheitlich orientierte Ärzte und Therapeuten, die anfangen, den ayurwedischen Ansatz in Ihre Arbeitsweise zu integrieren. Diese Ärzte

und Therapeuten könnten Sie ebenfalls bitten, Sie bei Ihrer Gruppenpraxis zu Hause zu unterstützen.

- Besuchen Sie soviele Ayurweda-Kurse wie möglich, um die Prinzipien dieser bemerkenswerten Heilkunst gründlich kennenzulernen.

Teil acht

Das vergessene Dharma/ Der universelle Wert

Ich bin das Glück, ungebunden und frei.
Es gibt kein Glück außerhalb von mir.
Liebe gilt nicht anderen,
Noch kann ich mich selbst lieben,
Denn ich bin Liebe.

Advaita Makaranda (Vers 24)

Das Sadhana der sexuellen Vereinigung

Dharmas sind ungeschriebene Verhaltensregeln, die allem Leben innewohnen. Indien ist mit der Tradition des Dharma aufgewachsen, die von den Rishis, den Sehern aus alter Zeit, übermittelt wurde. Diese universellen Werte, die allen Menschen gehören, schützen uns mit ihrer strahlenden Gnade, wenn wir bei allen Aktivitäten vom Geist der Güte, der Gesundheit, der Aufrichtigkeit, des Mitgefühls, der Sauberkeit, der Achtung vor der Natur und der Hingabe an den Herrn geführt werden.

Jegliches Leben sucht die Vereinigung auf unterschiedliche Weise. Zusammenhalt mit uns selbst und mit der Natur ist das Wichtigste; das Teilen von Gedanken und Aktivitäten mit anderen in Form von Freundschaft sind für unsere Existenz ebenfalls wichtig. Eine der tiefsten Formen des Teilens, die alle Geschöpfe zu bestimmten Zeiten erleben, ist das Sadhana der Sexualität. Selbst die Menschen, die keusch leben und die den normalen physischen Sexualtrieb sublimiert haben, suchen eine Form der Vereinigung und zwar nicht mit einem anderen Menschen, sondern mit Gott. Das Yoga des Lebens ist Vereinigung, und die kosmische Absicht hinter der menschlichen Sexualität besteht in der Verbindung zweier Menschen, die sich von da an im Universum als ein Mensch bewegen.

Als wichtigster Tanz der Natur ist die sexuelle Vereinigung ein notwendiges Mittel zur Wiederauffüllung von männlichen und weiblichen Energien, obwohl die Yogis dieses körperliche Dharma sublimiert haben und darüber hinausgegangen sind. Wenn dieses Dharma innerhalb des universellen Dharma oder als gesunde Aktivität mit Rücksicht auf andere ausgeübt wird, dann nährt der Mann die Frau mit seinem Saft. Diese Nahrung wird dann in eine lebensunterstützende Essenz umgewandelt, die die Fortpflanzungsenergien der Frau schützt, während sie zur Blüte der Mutterschaft heranreift. Die lebenswichtige und lebenserhaltende Essenz, Ojas genannt, kann ebenso wie die wunderbare das Leben schützende Wärme mit Namen Tejas nur zwischen dem Paar erhöht werden, wenn es diesen kosmischen Tanz über lange Zeit geübt hat. Genau wie eine Mutter ihr Kind eine Zeitlang mit ihrer eigenen Milch ernährt, nährt der Mann seine Partnerin mit den wesentlichen, kosmischen Nährsubstanzen seines Spermas. Wenn Eizelle und Sperma innerhalb einer monogamen Beziehung bewahrt und kontiniuierlich wiederaufgefüllt werden, dann gewinnen sie solange zunehmend an Stärke, bis sie sich vereinigen, um zu einem neuen Leben heranzureifen. Aus dieser Verbindung keimt der zukünftige Same mit Mut und Brillianz heran, gewürzt mit der Achtung und der Liebe, die in den Fäden des heiligen Materials verwoben sind, die in einer langen und integralen Beziehung herangereift sind.

Wenn das neue Leben seinen Weg aus der wäßrigen Domäne der mütterlichen Gebärmutter in die Welt hinaus antritt, dann wird seine gesamte genetische Zusammensetzung von den Absichten und Handlungen der Eltern lange Zeit vor der sexuellen Vereinigung, und ganz entscheidend durch die Zeit, in der die Vereinigung von Eizelle und Sperma stattgefunden hat, beeinflußt und geformt.

Die Weisheit und die Selbstachtung des Menschen warnen ihn vor wahllosem und zügellosem sexuellem Verkehr. Das Leben, das bei einer solchen Art von Vereinigung entsteht, wird im allgemeinen von Unbehagen und Leiden gequält. Wenn der potentiell glückselige Tanz der Sexualität auf mörderische Langeweile reduziert wird, in der es an Achtung, Würde und universellem Rhythmus fehlt, dann folgen daraus mit Sicherheit Chaos und Leiden für alle Beteiligten. Die rhythmischen Schwingungen der Natur zu mißachten, und sich sexuellem Fehlverhalten zu überlassen, führt unweigerlich zum Verlust von Liebe und Glück, zum Verlust von Glauben und Vertrauen, was alles lebenswichtige Dinge für den Menschen sind.

Unsere Absichten sind eine wesentliche Vorbereitung für alle unsere Aktivitäten, besonders für den sexuellen Verkehr. Wenn Sexualität ausschließlich als körperliche Handlung ohne Anbindung an die Dharmas ausgeübt wird, dann erschöpft sie den Betreffenen körperlich und emotional und verdient Mißbilligung. Wahllose sexuelle Praktiken sind ein sicherer Weg, um Ojas und Tejas in Gift zu verwandeln, und sie stellen eine Vergewaltigung von Liebe und Glück dar, die die Essenz des Selbst sind. Um eine alte indische Redensart zu zitieren, wenn Sexualität ohne die richtige Absicht und ohne Rücksicht auf die menschliche Achtung erfolgt, dann sagt man in Indien, daß man „sofort bei der leisesten Berührung zu einem trockenen, wurmstichigen und verfaulten Stück Holz zerfällt". Auch wenn das körperlich nicht stimmen mag, so stimmt es mit Sicherheit für die Seele. Indem wir diese priviligierte Seele vergewaltigen, nimmt unsere Fähigkeit ab, wirklich zu lieben, und nach einiger Zeit verlieren wir sie vollständig.

Das hinduistische Götter- und Göttinnenpantheon machte sich das wunderbare Teilen von Sexualität und Liebe zu eigen, die in Übereinstimmung mit den universellen Werten gelebt wurden. Die Tradition des sexuellen Austausches, die hauptsächlich zum Fortbestand des Lebens und der Zukunftssicherung dient, ist von allen Spezies als heilige Pflicht betrachtet worden. Das Vorspiel und verschiedene andere Aktivitäten, die Bestandteil des glücklichen Tanzes des Sexualverkehrs und seiner Nachwirkungen sind, sind immer ein schöner und bereichernder Teil dieser numinosen Pflicht gewesen.

Sexuelle Dharmas

Wenn der sexuelle Verkehr zu einer harmonischen und günstigen Zeit geschieht, die durch die alten Wissenschaften der vedischen Astrologie ermittelt wurde, dann ist das menschliche Leben und seine Angelegenheiten reich an Gesundheit, Reichtum, Potenz, Vitalität und spirituellen Tugenden. Gegenteilige Folgen treten ein, wenn sexuelle Aktivitäten zu den schlecht aspektierten Jahreszeiten ausgeübt werden. Wenn die zeitlichen und anderen notwendigen Bedingungen für sexuelle Aktivität mißachtet werden, dann kommt es zu Chaos, Unglück und Armut.

Günstige Zeiten und Bedingungen für den sexuellen Verkehr

- Hauptsächlich während der Früh- und Spätwinterphase, wobei folgende Tage die günstigsten sind: der achte, vierzehnte und fünfzehnte Tag der hellen und dunklen Mondphasen.
- Im Frühling, in der Regenzeit (Frühherbst) und im Herbst sollte sexueller Verkehr nur an den drei oben genannten günstigen Tagen der hellen und dunklen Mondphasen ausgeübt werden.
- Nach einem reinigenden Bad an einem kühlen, sauberen und geschützten Ort.
- Nachdem Gebete gesprochen und ehrbare Absichten geäußert wurden.
- Der frühe Abend wird als die beste Zeit für sexuellen Verkehr angesehen.

Die Positionen beim Sex

Bestimmte Positionen werden bei der sexuellen Aktivität als disharmonisch angesehen. Diese Positionen führen zu Ungleichgewichten und häufig auch zu Krankheit. Wenn eine Frau beim Sex die Bauchlage einnimmt, dann verschlimmert sich das Vata-Dosha. Wenn sie beim Sex auf der rechten Seite liegt, dann verschiebt sich das Kapha-Dosha und blockiert die Öffnung zum Uterus. Wenn sie auf der linken Seite liegt, dann wird das Pitta-Dosha eingeengt, was zu übermäßiger innerer Hitze führt, die dann das Sperma und die Eizelle verbrennt.

Die beste Position für die Frau ist, entspannt und bequem auf dem Rücken zu liegen. Die Bauchlage wird als beste Position für den Mann bei sexueller Aktivität angesehen.

Zeugung eines Sohnes oder einer Tochter?
Eine harmonische Wahl des Zeitpunktes und der Umstände für die Ausübung der sexuellen Aktivität hat absolut nichts mit sozialen Konventionen und religiösem Dogma zu tun. Wahre Kenntnisse über die Rhythmen der Natur, die sich auf Harmonie und Anerkennung gründen, sind notwendig, um vollständig zu begreifen, warum die Wahl des Zeitpunktes so wichtig für gesunde sexuelle Aktivität ist. Weit entfernt von der Leugnung und den erstickenden Einengungen durch neoreligiöse Diktate hinsichtlich der Sexualität, ist eine harmonische sexuelle Beziehung ein Ausdruck des Universums selbst.

Den ayurwedischen Schriften zufolge sollte man zur Zeugung eines Sohnes am vierten, sechsten, achten oder zwölften Tag nach dem ersten Tag des Menstruationszyklus der Frau Geschlechtsverkehr haben. Wenn zum Beispiel der Menstruationszyklus am fünften Tag des Monats begonnen hat, dann fällt der vierten Tag nach Beginn des Zyklus auf den neunten Tag des Monats, der dann der erste günstige Tag zur Zeugung eines Sohnes ist. Der zehnte, zwölfte, vierzehnte und sechzehnte Tag dieses bestimmten Monats sind dann die übrigen günstigen Tage in diesem Menstruationszyklus.

Um eine Tochter zu zeugen, sollte der Geschlechtsverkehr am fünften, neunten und elften Tag nach dem ersten Tag des Menstruationszyklus der Frau stattfinden. Beachten Sie, daß der siebte Tag als ungünstig angesehen wird.

Alle anderen Tage werden als harmonisch ungünstige Zeit für die Zeugung und Empfängnis von Kindern angesehen. Es kann zu negativen Folgen in der körperlichen, emotionalen und spirituellen Gesundheit von Eltern und Kindern kommen, wenn die Zeugung bzw. Empfängnis außerhalb dieser gut aspektierten Zeiten passiert ist.

Ungünstige Zeiten und Bedingungen für den sexuellen Verkehr
- Während der Dämmerung, beim Morgengrauen, bei Mitternacht oder bei Tageslicht
- Am Abend oder Tag des Jahrestages des Todes eines Elternteils
- Am Abend oder Tag des Vollmondes
- An Feiertagen
- Während ein Planet von einem Zeichen des Tierkreises in ein anderes wandert (fragen Sie Ihren Astrologen nach Details)
- Während des Sommers
- Ohne die Einhaltung von Gebeten oder die Klärung der eigenen Absichten
- Bevor man ein Bad genommen hat, oder wenn die Umgebung nicht sauber ist
- Übermäßige sexuelle Aktivität (diese kann zu körperlichen Schmerzen und Krankheiten führen, z. B. zu Asthma, Fieber, Gelbsucht, Krämpfen und Geschlechtskrankheiten)
- Sexueller Verkehr am ersten, zweiten und dritten Tag des Menstruationszyklus der Frau. (Eine Empfängnis während dieser Zeit stellt eine ernsthafte Bedrohung für das Leben des Kindes dar)

Nachwort

Tägliche göttliche Regeln

Sonne, Mond, Planeten, Sterne und Sternhaufen dienen alle dazu, die menschlichen Aktivitäten zu lenken und sie zu ihrer harmonischen Bestimmung zu führen. Jeder Tag wird von einer glückbringenden Gottheit regiert und unterstützt bestimmte Aktivitäten auf natürliche Weise. Der Sonntag, der von der Sonne, *Surya*, regiert wird, ist ein guter Tag für Feiern und Gemeinschaftsunternehmungen. Die Sadhanas des Getreide- und Samenmahlens wurden in der Vergangenheit an diesem Tag durchgeführt. Der Sonntag ist auch ein hervorragender Tag zur Zubereitung der Rezepturen für die Behandlungen zu Hause. Er ist ein Tag, um Gebete zu sprechen und Mutter Erde Dankbarkeit zu zeigen, und er ist für Frauen auch ein Tag, um ihre Weiblichkeit zu feiern. Außerdem ist er ein guter Tag zum Reisen, zum Essen mit Freunden und der Familie und zur Lösung von Streitigkeiten. Aktivitäten wie das Verkaufen von Produkten und andere einkommenbezogene Aktivitäten, Streiten, Umziehen und die Verrichtung schwerer Arbeiten sind an diesem Tag ungünstig.

Der Montag, der von *Shiva* regiert wird, dem kosmischen Lehrer der Weisheit und dem Zerstörer des Bösen im Universum, ist ein hervorragender Tag, um mit arbeitsbezogenen Aktivitäten wie mit einer neuen Arbeitsstelle, Akkerbau und Gartenarbeit und rechtlichen und finanziellen Angelegenheiten zu beginnen. Als belebendster aller Tage ist der Montag auch ein sehr guter Tag, um in ein neues Heim einzuziehen, um Heiratsvorbereitungen zu treffen, Sport zu treiben, bei Rennen zu wetten usw. Der Montag ist ein Tag, an dem alle negativen Einflüsse leicht zerstreut werden können; daher bemüht man sich am besten an diesem Tag um medizinische Hilfe. Wenn jemand krank ist, dann sollte er am Montag ein heilendes Bad nehmen. Dieser Tag ist auch ein guter Tag, um mit der Anwendung von Therapien zu Hause zu beginnen. Es gibt nur sehr wenige Aktivitäten, nämlich Diskussionen, die man am Montag unterlassen sollte.

Der Dienstag wird von Mars, *Mangala*, regiert, der es an diesem Tag leicht macht, Erfolge zu erzielen. Dieser Tag wird als guter Tag angesehen, um den eigenen Mut und die eigene Stärke zu testen, und Feinde zu besiegen; er ist auch ein geeigneter Tag, um sich mit Freunden und guten Menschen zu verbinden. Der Dienstag ist ein günstiger Tag für Aktivitäten, die mit Kühen und Bullen zusammenhängen. Außerdem ist der Dienstag ein günstiger Tag, um Musik zu hören und wohltätige Arbeit in der Gemeinde zu leisten. Zu den Aktivitäten, denen man an Dienstagen nicht nachgehen sollte, gehören der Sexualakt, Aktivitäten, die den Gebrauch von Waffen oder Feuer beinhalten, Rituale, die Regen bringen sollen und Nachdenken über Rechtsstreitigkeiten. Dieser Tag kann eine natürliche Welle von Sorgen und Einsamkeit hervorbringen.

Buddhi, der Mittwoch, wird von Merkur regiert, und ist ein guter Tag, um sowohl künstlerische Tätigkeit erfolgreich zum Ausdruck zu bringen und Reichtümer zu erwerben. Er ist ein hervorragender Tag für Herrscher und Politiker und eignet sich, um eine Romanze zu beginnen. Sexueller Verkehr sollte sich an diesem Tag nur auf die Zeugung eines Kindes richten; ansonsten könnte Liebesverlust drohen. Der Mittwoch ist ein hervorragender Tag, um gegen üble Taten und Übeltäter vorzugehen. An diesem Tag sollte man darauf verzichten, mit neuen Unternehmungen zu beginnen; man sollte keinen sexuellen Verkehr ausüben (außer, wenn die Frau eine Schwangerschaft wünscht) und auf Streitigkeiten am Arbeitsplatz verzichten. Am Mittwoch sollte man besonders auf seine Kommunikation achten, da dieser Tag mit einer natürlichen Flüchtigkeit und Oberflächlichkeit aufgeladen ist.

Der Donnerstag, von Jupiter bzw. *Guru* regiert, ist ein hervorragender Tag für finanzielle Unternehmungen, Versuche, verlorenen Reichtum oder verlorene Gegenstände wiederzubekommen und zum Erwerb von Getreide. Er ist eine günstige Zeit, um Reden zu halten, eine wichtige Position anzustreben und sich gegen Angriffe zu verteidigen. Aktivitäten, die sich auf öffentliche Veranstaltungen und Festlichkeiten beziehen, sind an diesem Tag gut aspektiert.

Guru bedeutet auch Lehrer und steht für die universelle Achtung gegenüber den Hütern des Wissens. Demnach ist Donnerstag der richtige Tag, um sich in Dankbarkeit gegenüber Ihren Lehrern zu üben und sie für ihre Mühen zu entschädigen, selbst wenn es sich dabei nur um ein einfaches Wort des Dankes handelt. In der heutigen Zeit gibt es nicht genügend Achtung und Dankbarkeit gegenüber denjenigen, die das Wissen haben, das wir so dringend in unserem Leben benötigen. Wenn Sie zu vertraut mit denjenigen werden, die geschickt wurden, um Ihnen zu helfen, dann können verpaßte Gelegenheiten, etwas zu lernen, auftreten. Ein guter Lehrer ist das wertvollste Geschenk, das uns das Universum geben kann. Es ist dabei ausreichend, wenn Sie denjenigen, die gelehrt sind und unter Ihnen leben, schlichte Achtung erweisen und eine stille Würde bewahren.

An Donnerstagen sollte man auf keinen Fall reisen. Außerdem sollte man Vorsicht darin üben, an diesem Tag mit einer neuen Unternehmung zu beginnen. Außerdem könnte es sein, daß Sie an diesem Tag von Gefühlen des Kummers und der Mutlosigkeit heimgesucht werden.

Der Freitag wird von Venus bzw. *Shukra* regiert und ist ein Tag, der besonders Frauen großen Erfolg verspricht. Angenehme Vorkommnisse wie leichte Freundschaften und müheloser Gewinn sind an diesem Tag häufig. An diesem Tag kann man auch um Regen bitten. Er ist ein guter Tag, um mit pädagogischen Unternehmungen zu beginnen oder um sich ein Auto zu kaufen. Wohltätige Arbeit und glückbringende Taten gedeihen ebenfalls an Freitagen. Der Freitag ist außerdem ein guter Tag, um einen Lehrer in Ihr Heim einzuladen. Der Freitag leuchtet hell vor Glück und ist darum ein günstiger Tag, um für heilende Energien zu beten. Auch schwere Krankheiten können an diesem Tag behandelt werden. Freitag ist ein guter Tag für eine Beförderung beim Militär und ein guter Tag zum Reisen.

Der Samstag, der von Saturn bzw. *Shani* regiert wird, ist der richtige Tag, um rechtliche Angelegenheiten zu lösen, außer, wenn es sich dabei um Familienmitglieder handelt. An diesem Tag wird finanzieller Zuwachs und Vorwärtskommen bei der eigenen Karriere unterstützt, und er ist auch ein einflußreicher Tag im Kampf gegen negative Kräfte. Der Samstag ist ein günstiger Tag, um Ihren Nahrungsmittelvorrat zu ernten oder einzukaufen, besonders die Nahrungsmittel, die Sie für die Behandlung zu Hause benötigen. Er ist außerdem ein guter Tag, um in Ihrer Gemeinde um Hilfe gegen den Verkauf giftiger Nahrung und Arzneien zu bitten, obwohl Sie vorsichtig sein sollten, wenn Kinder betroffen sind. Der Samstag ist ein hervorragender Tag für sexuelle Aktivitäten und den Erwerb von Pferden, und an diesem Tag sollte man definitiv seinen Mut, guten Willen und seine gesteigerte Anstrengung zum Ausdruck bringen. Dieser Tag ist außerdem gut aspektiert für das Graben von Brunnen in der Erde, und das Ausheben von Gruben für die Sweda-Therapien. Mit neuen Unternehmungen sollte man jedoch an diesem Tag nicht beginnen. Wachsamkeit ist auch gegenüber alten Feinden angebracht, und man sollte darauf achten, sich an diesem Tag keine neuen Feinde zu schaffen. An Samstagen herrscht gewöhnlich eine sorgenvolle Stimmung, besonders in Angelegenheiten, die sich auf die Familie beziehen. An diesem Tag kann auch die Wut um sich greifen, obwohl die positiven Anzeichen von Wohlbehagen und Mut alle negativen Emotionen beseitigen können, wenn die Bewußtheit aufrechterhalten wird.

OM: Der Laut Gottes

Bitte singen Sie am Ende dieses Buches mit mir zusammen den universellen Laut, *OM*, die grenzenlose Quelle der Stille, der alle Klänge hervorbringt und die ursprüngliche Energie des Höchsten Wesens entfaltet und der die Göttlichkeit in all ihren Formen umfaßt. OM, die Manifestation des kreativen Impulses des Universums, die Resonanz der Gesamtheit, die die unendliche erste Silbe „ah" umfaßt, die die Schöpfung hervorgebracht hat; die wichtige Silbe „ou", die bewahrt und die Endsilbe „mm", die die Schöpfung ins Unendliche hin auflöst, und von der endgültigen Stille gefolgt ist, aus der jeglicher Klang entspringt, in der jeglicher Klang aufrechterhalten wird und in die er zurückfällt.

Jedes Tun mit OM zu beginnen und zu beenden, bedeutet, die unsichtbare Quelle, die göttliche Hand bei allem, was wir tun, anzuerkennen.

OM Shanti Shanti Shanti

Abschnitt VI

Anhang und Glossare

Anhang A
Ayurwedische Pharmakologie

Die Energetik der ayurwedischen Substanzen

Das magisch-spirituelle Wesen der Pflanzen

Die Pflanzen, die tief in der Energie der Erde verwurzelt sind, tragen das Gedächtnis aller Zeiten. Das Wissen um die heilenden Eigenschaften der Pflanzen im Ayurweda ist aus dem Wissen zusammengetragen worden, das uns von den Weisen aus vergangener Zeit überliefert worden ist. Eine unendlich große Zahl von Pflanzen und Kräutern ist von den alten Sehern energetisch bewertet worden; sie haben ihren Heilwert bestimmt und sie zu getrockneten Kräutern, Pudern, Tinkturen, Ölen usw. verarbeitet.

Wie bereits an früherer Stelle erwähnt, wird das kosmische Gedächtnis aller Pflanzen von den Elefanten bewahrt, wobei Gaja als der höchste Elefant angesehen wird. Solange die Elefanten als Art erhalten bleiben, werden sie uns weiterhin damit segnen, daß sie diese Funktion unseres Gedächtnisses, die das Pflanzenwissen bewahrt, „konservieren". Dieses sogenannte Konservieren geschieht auf der energetischen Ebene, wobei die durchdringenden Schwingungen des Wissens, das den Elefanten über Arzneien (aus Pflanzen und Kräutern) und das Leben der Pflanzen innewohnt, auf subtile Weise in die Gedächtnisfunktionen aller anderen Arten übertragen werden. Diese Übertragung geschieht auf die gleiche Weise, wie der Mond sich in einem See spiegeln kann, wobei er dann das Gedächtnis des Elefanten verkörpert und der See das rezeptive, menschliche Gedächtnis. Wenn es den Mond nicht mehr gäbe, dann könnte er sich nicht im See spiegeln. Desgleichen könnten die Menschen, wenn die Elefanten ausstürben, nicht länger das Wissen von der Pflanzenmedizin in ihrem Gedächtnisspeicher aufbewahren.

Jeder Repräsentant einer jeden Art trägt bestimmte deutlich erkennbare psychische Merkmale in sich, und die Pflanzen stellen da keine Ausnahme dar. In der hinduistischen Mythologie gibt es zahlreiche Hinweise auf die heiligen und magischen Ursprünge der Tiere und Pflanzen. Um nur einige Beispiele zu nennen, die Lotospflanze, die sich aus der Formlosigkeit heraus zu strahlendem Glanz entfaltet und die als Wiege des Universums angesehen wird, wird in der ayurwedischen Medizin auf vielfältige Weise genutzt. Der

Lotospflanze wird nachgesagt, daß sie mit dem kosmischen Gedächtnis, das die Erinnerung an die Ursprünge des Universums in den Urgewässern bewahrt, ausgestattet sei. Ihre Blume soll aus dem Nabel des Gottes Vishnu entsprungen sein. Arzneien aus der Lotosblume in sich aufzunehmen bedeutet, daß jede Zelle und jedes Gewebe des Körpers in der leuchtenden Natur des Lotos selbst schwelgen kann.

Ashwagandha, die Pflanze, die nach der Kraft und dem Geruch des Pferdes benannt ist, soll ihre innewohnende Vitalität und Tapferkeit an den menschlichen Körper weitergeben, wenn sie eingenommen wird. Ashwagandha ist für ihre Manneskraft bekannt und soll das Gedächtnis an die Potenz in jeder Zelle des Körpers erwecken.

In ähnlicher Weise tragen die Granatapfelpflanze und ihre Frucht das kosmische Gedächtnis an Reichtum und Fruchtbarkeit in sich. Traditionellerweise wurde diese Frucht verwendet, um Neid, Eifersucht und andere negative Schwingungen aus dem Körper zu entfernen und es ihm zu erlauben, aufzublühen und sich in dem vollen Licht des Selbst zu sonnen.

Die Sesampflanze soll zum ersten Mal aufgetreten sein, als ein Schweißtropfen vom Körper des Gottes Shiva auf die Erde fiel und zu einer Sesampflanze heranwuchs. Bald entwickelte die Pflanze schöne weiße Blüten, die die Form von Trompeten hatten. Es wird behauptet, daß Sesamsamen beim Verzehr das Gedächtnis an die Verjüngung erwecken und den Zellen und Geweben „Sneha", überströmende Liebe, geben.

Ingwer trägt die Kraft des Feuers, das auf der Erde existiert, tief in die Körpergewebe hinein. Ingwer, der auch als universelle Medizin bezeichnet wird, soll außer dieser hitzigen Erinnerung auch das Gedächtnis des Körpers an das urspüngliche Feuer des Universums erwecken, als sich jegliche Manifestation in Leben verwandelte. In ähnlicher Weise übermittelt der schwarze Pfeffer, der nach der Sonne benannt ist, dem gesamten Organismus die solaren Schwingungen und erlaubt es dem Körper, Licht und Hitze aufzunehmen.

Auf diese Weise sollen die Pflanzen sehr viel mehr enthalten als ihre festverankerte Erscheinung vermuten lassen würde; sie übermitteln auch die bedeutenden Erinnerungen, die alles Leben aufrechterhalten. Die Energie und das Wesen einer Reihe von Pflanzen, die bei den Pancha-Karma-Behandlungen verwendet werden, werden nun im folgenden detailliert besprochen.

Beschreibung einiger Pflanzen, die in der Vamana-Therapie verwendet werden

Apamarga

Apamarga wird im Pancha Karma sehr häufig verwendet; die Blätter, Blüten, Samen und die Wurzel finden in der Brechtherapie Anwendung. Apamarga hat einen scharfen und bitteren Geschmack und wirkt erhitzend; es wird verwendet, um Hämorrhoiden, Schluckauf und Unterleibsstörungen zu lindern.

Arka

Diese Pflanze, die in Indien, wo sie an vielen Orten wächst, auch unter den Namen Sadapushi und Akda bekannt ist, gehört zur Sterndistel-Familie und wird in der Pancha-Karma-Therapie ausgiebig verwendet. Die „Milch“ dieser Pflanze ist für ihre Schärfe bekannt, und in Abkochungen mit purgierender Wirkung werden gelegentlich einige Tropfen als alkalisierendes Mittel eingesetzt. Die blühenden Knospen sprießen aus dem Ansatz der Blätter hervor und wachsen zu schirmförmigen Blüten. Die Früchte sind rot bzw. weiß und haben innen eine baumwollähnliche Struktur. Arka ist scharf und bitter und hat eine erhitzende Qualität. Es wird als Brech- und als Purgiermittel ebenso eingesetzt wie als Mittel gegen Tumore, Geschwüre, Hautkrankheiten und Unterleibsstörungen.

Ela

Diese grünen oder schwarzen Schoten oder Samen, die im Deutschen Kardamom heißen, sind in der vedischen Küche ebenso berühmt wie in der ayurwedischen Pharmazie. Kardamom ist seiner Natur nach aromatisch, süß, scharf und erhitzend. Es wird in den Pancha-Karma-Therapien Nasya, Swedana und Vamana häufig genutzt und findet darüber hinaus Anwendung als verdauungsförderndes Mittel, als Herztonikum und als Mittel zur Linderung von Harnbeschwerden.

Karanja

Diese Pflanze, die im Deutschen unter der Bezeichnung Indische Buche bekannt ist, wird im Pancha Karma häufig verwendet. Karanja ist scharf und bitter im Geschmack und hat eine erhitzende Wirkung. Die Blätter, die Rinde, die Samen und Wurzeln werden in der Brechtherapie eingesetzt und darüber hinaus verwendet, um Nervosität und phlegmatische Störungen abzuwehren, Parasiten aus dem Körper zu entfernen und Hautkrankheiten, Geschwüre und Hämorrhoiden zu heilen.

Madana

Die Frucht des Madana-Baums, der ursprünglich aus dem Himalaya stammt, findet vielfältige Anwendung in der Vamana-Therapie und ist sehr detailliert von den drei großen Ayurweda-Gelehrten Charaka, Sushruta und Vagbhatta besprochen worden. Der Baum hat so viele Namen wie es indische Sprachen gibt. Im Deutschen ist er unter der Bezeichnung Brechnuß bzw. Purgiernuß bekannt. Der Baum, der etwa 4,60 m hoch wird, hat sehr viele Dornen und große weiße und gelbe Blätter und Blüten. Seine Früchte, die Madana Phala, sind nierenförmig und haben einen süßen, bitteren und zusammenziehenden Geschmack. Sie werden im Frühling und im Sommer gesammelt, solange sie noch unreif sind; dann werden sie acht Tage lang oder solange, bis die Frucht weich und reif ist, in Khaskhas-Gras eingewickelt und unter Kuhdung, Gerstenkörnern, oder Mungo- oder Urad-Bohnen begraben. Danach legt man sie zum Trocknen in die Sonne.

In einer von Charakas Rezepturen, *Madana Pippali*, wird ein Same aus der Frucht entfernt und zusammen mit Honig und Sesambutter vermahlen. Diese Paste wird dann getrocknet und in der Vamana-Therapie als Brechmittel verwendet. Aufgrund ihres süßen und bitteren Geschmacks wird Madana auch zur Linderung von Hautkrankheiten, Blähungen im Unterleib, Schwellungen, Tumoren und Geschwüren verwendet und dient außerdem als Mittel, um Blähungen leichter aus dem Körper zu entfernen.

Madhuka

Diese Kletterpflanze ist im Sanskrit unter dem Namen Yastimadhu und im Deutschen als Süßholz bekannt. Ihre Wurzeln und ihre Rinde werden als Zusatz in der Brechtherapie und als hauptsächliches Mittel in der Purgiertherapie verwendet. Süßholz hat einen süßen Geschmack und ist seiner Wirkung nach kalt; es wird daher auch verwendet, um Durst zu stillen sowie Toxizität, Nervosität und Blutkrankheiten zu lindern.

Musta *(Nagar Musta)*

Das Musta-Kraut, das im Deutschen auch Cyperngras heißt, hat ein sehr drahtiges Wurzelstocksystem, aus dem dünne Knollen hervorsprießen. In vielen Ländern wird diese Heilpflanze fälschlicherweise als nutzloses Unkraut angesehen und ausgerottet.

Musta hat einen bitteren, scharfen und zusammenziehenden Geschmack und ist von seiner Wirkung her kalt. Im Ayurweda wird dieses Kraut verwendet, um Fieber zu lindern, den Menstruationsfluß wiederherzustellen und für eine regelmäßige Menstruation zu sorgen und um die Verdauung zu verbessern. Darüber hinaus wird es als harntreibendes Mittel eingesetzt sowie als Mittel, um Hautkrankheiten, Gefühle von Brennen und innere Blutungen zu lindern. Musta dient außerdem als zusätzliches Mittel in der Brechtherapie.

Nimba

Die Blätter dieses großen Baumes, der auch unter dem Namen Neem bekannt ist, werden aufgrund ihrer Bitterkeit geschätzt. Sowohl Blätter als auch Wurzeln werden im Ayurweda vielfältig verwendet. Die Blätter werden in der Brechtherapie gebraucht sowie als Mittel zur Heilung von Blut- und Hautkrankheiten und Agni-Störungen.

In Indien werden die Zweige des Nimba-Baums noch heute als Einweg-Zahnbürsten verwendet. Aufgrund seiner natürlichen antiseptischen Wirkung ist Neem eine hervorragende Arznei gegen Karies und Zahnfleischbeschwerden. Außerdem dient Neem-Pulver als natürliches Schädlingsbekämpfungsmittel. Die Neem-Pflanze ist vor kurzem aus Indien nach Florida importiert worden, um dort angebaut zu werden.

Pippali

Die Schoten dieser Pflanze, die aus Indien und Java stammt und gewöhnlich Langpfeffer genannt wird, werden unreif geerntet und zum Nachreifen gelagert, bevor sie verwendet werden. Pippali ist in der ayurwedischen Medizin ein Hauptbestandteil zur Linderung von Kapha-Störungen; er ist scharf, flüchtig und feurig im Geschmack und wirkt erhitzend. Pippali wird in der vedischen Küche als verdauungsförderndes und blähungstreibendes Mittel eingesetzt und darüber hinaus im Ayurweda ausgiebig verwendet, um Milzbeschwerden, Asthma, Diabetes und Bronchitis zu lindern. Es ist außerdem ein natürliches Brechmittel.

Sveta Bimba

Die Früchter, Blätter, Rinde und Wurzeln dieser Pflanze werden im Pancha Karma verwendet. Die Kürbisart, die in Indien gewöhnlich Bimbi genannt wird, kommt in zwei verschiedenen Arten vor, von denen eine bitter und die andere süß ist. Beide Pflanzen haben eine kühlende Wirkung. Die Früchte der süßen Art werden in der Brechtherapie eingesetzt sowie als Mittel gegen Blutkrankheiten, Schwellungen, Blutarmut und Fieber. Die Früchte der bitteren Sorte werden verwendet, um Kapha-Störungen wie Erkältungen, Husten, Schleim und Lethargie zu lindern.

Vacha

Dieser verzweigte Wurzelstock, der im Deutschen unter dem Namen Kalmus-Wurzel bekannt ist, ist eine mehrjährige Pflanze, die im Ayurweda aufgrund ihrer Heilwirkung bekannt ist. Ihre Wurzeln sind rötlich, haarig und weitverzweigt. Die Vacha-Wurzel ist ihrem Wesen nach aromatisch, ihr Geschmack ist bitter und scharf, und sie hat eine erhitzende Wirkung. Die Sanskrit-Bezeichnung „Vacha" bedeutet „Sprache". Ihrem Namen entsprechend wird Vacha als Gehirntonikum und zur Verbesserung der Sprechfähigkeit verwendet. Vacha wird häufig in der Brech- und Purgiertherapie eingesetzt und ist darüber hinaus ein wirksames Mittel gegen Verdauungsstörungen und geistige Störungen, gegen Herzkrankheiten, Verstopfung sowie Gebärmutterleiden und -infektionen.

Vidanga

Diese Kletterpflanze, auch als Embelia und Viranga bekannt, hat weiße Blüten und schwarze Beeren. Die Beeren, die im Ayurweda häufig verwendet werden, sind scharf und erhitzend. Vidanga wird verwendt, um Fettsucht und phlegmatische Störungen zu beseitigen, die Verdauung anzuregen, das Immunsystem aufzubauen und Parasiten im Innern des Körpers wie Pilze, Hefepilze, Bakterien und Würmer zu zerstören. In Kombination mit Pippali dient Vidanga auch als orales Verhütungsmittel.

Beschreibung einiger Pflanzen, die in der Virechana-Therapie verwendet werden

Badri

Badri, im Deutschen als Jujube-Baum bezeichnet, ist ein kleiner immergrüner Baum mit dünnen, unregelmäßigen Zweigen und scharfen Dornen, der Dolden von winzigen, sternenförmigen gelben Blüten trägt und ovale rote Blätter hat. Ein Hain aus diesen Bäumen, hoch oben in den Himalaya-Bergen, wurde in alter Zeit als heilige Stätte für den Heiligen Narayana, eine Inkarnation des Gottes Vishnu, ausgewählt; heute steht Badrinath, eine Hindu-Pilgerstätte, immer noch abgelegen im Ruhme desselben Badri-Hains.

Die Beeren dieses Baums werden zur Herstellung von Sorbets oder Marmeladen verwendet, und der Beerensaft wird auch in der Purgiertherapie verwendet.

Eranda

Die Eranda- bzw. Rizinuspflanze, wie sie auf deutsch heißt, wird jetzt in Indien und vielen tropischen Ländern angebaut. Diese Pflanze, die eine äußerst stark purgierende Wirkung hat, wächst als einjähriges Kraut und als mehrjähriger Baum. Sie wird zur Linderung zahlreicher Krankheiten verwendet. Die Rizinuspflanze ist ihrem Wesen nach süß, scharf und erhitzend. Die Samen und das Öl werden in der ayurwedischen Medizin hauptsächlich in der Purgiertherapie eingesetzt; außerdem zur Linderung von Nervosität, Schmerzen und Herzkrankheiten und zur Zerstörung von Parasiten im Inneren des Körpers. Die Wurzeln der Rizinuspflanze werden verwendet, um Entzündungen, Fieber, Asthma und Anusbeschwerden zu heilen. Die Blätter werden bei Kapha-Störungen wie Asthma, Husten, Erkältung und phlegmatischen Störungen eingesetzt. Die Blüten werden verwendet, um Drüsentumore zu heilen und die Früchte zur erneuten Entfachung des Verdauungsfeuers und zur Wiederherstellung des Appetites.

Lotos (*Kamala*)

Der Sanskrit-Begriff Kamala bedeutet: „begierig, hervorragend und rosig". In der hinduistischen Mythologie wird der Lotos, um den deutschen Namen zu verwenden, als Wiege des Universums angesehen. Er symbolisiert das Universum, das sich aus der Formlosigkeit heraus zu vollem Ruhm entfaltet. Als das Universum sich in seinem aufgelösten Zustand befand, schwebte Gott Vishnu auf dem Wasser, und eine Lotosblume sproß aus seinem Nabel hervor. Brahma, der Schöpfer, tritt aus dem Lotos hervor und erschafft die Welt. Die Gefährtin Vishnus, die Göttin Lakshmi, erscheint stehend auf einem pinkfarbenen Lotos; sie hat Lotosaugen und trägt Lotosgirlanden um den Hals. Der Gott Vishnu und die Göttin Lakshmi werden in der vedischen Mythologie oft als Sonne und Lotos dargestellt und stellen Symbole der ewigen Liebe dar, die das gesamte Universum durchwirkt.

Die Lotospflanze, die in den Teichen und Seen Kasehmirs, Chinas und Japans heimisch ist, säumt die Teiche um indische Tempel mit ihren exquisiten blauen, weißen, pinkfarbenen und roten Blüten.

Die Lotosblume wird als prachtvollste Blume auf der Erde angesehen. Sie ist tief im Schlamm verwurzelt und wird von großen, wächsernen Blättern umsäumt, die in Indien oft als Einwegteller für Nahrungsmittel dienen, die bei religiösen Zeremonien serviert werden.

Die Wurzeln, Blüten, Blätter, Staubgefäße und Samen werden in der ayurwedischen Medizin ausgiebig genutzt, unter anderem in den Pancha-Karma-Therapien. Der Lotos ist seinem Wesen nach süß, zusammenziehend und kühlend und wird als nährendes Tonikum, als Aphrodisiakum und als Mittel zur Linderung von Nervosität verwendet. Die Samen dienen als Herztonikum.

Palasha

Der Palasha-Baum, der allgemein Flammen- bzw. Feuer-Baum genannt wird, wird in Indien als heilig angesehen. Seine leuchtendroten und orangenen, papageienförmigen Blüten werden zur Herstellung der Farbstoffe verwendet, die sich die Verehrer der Götter Vishnu und Shiva auf die Stirn schmieren. Der lateinische Name dieses Baumes, Butea Monosperma, ist nach dem Grafen von Bute, einem Förderer der Botanik benannt, und die Sanskrit-Bezeichnung *Palasha* bedeutet sowohl Schönheit als auch Blatt.

Der Palasha-Baum ist als Gegenstand vieler exotischer und esoterischer Geschichten ausgewählt worden. Der Legende zufolge soll der Baum auf die Erde gekommen sein, als eine Falkenfeder, die in Soma, den aus den Eigenschaften des Mondes bestehenden Nektar der Götter, gefallen war, dann auf die Erde fiel und zum Samen für den Palasha-Baum wurde.

Das Holz, die Früchte, die Blätter, die Blüten, Samen und die Rinde werden in den Pancha-Karma-Therapien verwendet und zwar das Holz, die Rinde und die Blätter für die Erd-Sweda-Therapien und die Frucht, die Blätter und die Samen für das Purgieren.

Der Palasha-Baum stellt auch das Rohmaterial für das rote, zusammenziehende Harz bereit, das beim Gerben von Leder verwendet wird. Der Lack, der von den Lackschildläusen produziert wird, die auf dem Baum leben, wird in Farbstoffen und als Siegelwachs verwendet. Seine Blätter werden noch heute in Indien zur Herstellung von Einwegtellern sowie als Viehfutter gebraucht; die Wurzeln dagegen werden zur Tauherstellung benötigt.

Granatapfel (*Dadima*)

Der deutsche Begriff Granatapfel, der im allgemeinen für Dadima verwendet wird, ist aus dem französischen *pomme garnete* abgeleitet, was samentragender Apfel bedeutet. In den Veden wird der Granatapfel als Symbol für Fruchtbarkeit und Reichtum gesehen. Aufgrund seines zusammenziehenden, süßen und kühlenden Wesens soll der Prophet Mohammed seinen Schülern geraten haben, sich durch den Verzehr dieser Frucht von Neid zu befreien. Legenden bekunden, daß der Granatapfel schon immer dazu benutzt worden ist, böse Geister abzuwehren.

Am Ende der steifen, schlanken Zweige des Granatapfel-Baums wachsen rötlich-orangene Blüten mit verknitterten Blütenblättern. Der Granatapfel-Baum ist ein kleiner, buschiger Baum, der sowohl als immergrüner Baum als auch als Laub-Baum wächst, (der einmal im Jahr seine Blätter abwirft). Die Frucht hat die Größe großer Äpfel, eine harte Haut, die aufbricht oder „lacht“, sobald sie reif ist, und in ihrem Innern eine Traube karmesinroter, fleischiger Samen enthält, die den eßbaren Teil der Frucht darstellen.

Im Ayurweda wird jeder Teil des Granatapfel-Baums zu medizinischen Zwecken verwendet. Seine Frucht wird als Blutreinigungsmittel und Tonikum gebraucht, während die Wurzelrinde zur Vertreibung von Parasiten im Innern des Körpers eingesetzt wird. Granatapfelsaft wird in der Purgiertherapie und zur Förderung der Verdauung verwendet; die Fruchtschale dagegen wird als Mittel gegen Schleimhautentzündungen gebraucht.

Sesam (*Tila*)

Der Sanskrit-Begriff „Tila“ bedeutet „kleiner Partikel“, während der Begriff „Sesam“ aus dem Arabischen stammt und dort „Kräuter“ bedeutet. Die Sesampflanze soll zuerst im Indus-Tal angebaut worden sein, und in vedischer Zeit war das Sesamöl das einzige verwendete Saatöl. Der hinduistischen Mythologie zufolge soll der Sesamsamen aus einem Schweißtropfen des Gottes Vishnu entstanden sein, als dieser auf die Erde fiel.

Die Sesampflanze ist eine große, aufrechte, einjährige Pflanze mit schönen weißen, trompetenförmigen Blüten. Die Frucht besteht aus einer zweizelligen Schote, die flachen birnenförmigen Samen sind von weißer, gelblich-brauner oder schwarzer Farbe. Wenn die Früchte reif sind, platzen die Schoten und die Samen werden verstreut. Samen und Öl sind aufgrund ihrer Verwendung in der ayurwedischen Medizin bekannt; sie werden hauptsächlich in den Virechana-, Vamana- und Vasti-Therapien verwendet. Sesamsamen werden auch als Basis für viele Kräuter und Substanzen benutzt, mit denen eine Reihe von Vata-Leiden behandelt werden. Obwohl Sesam am besten für Vata-Typen ist, kann er von allen Körpertypen zu Heilzwecken verwendet werden. Der Sesam, der als eines der ersten Nahrungsmittel auf der Erde gepriesen wird, ist seinem Wesen nach sattwisch und bringt den Geist zur Ruhe.

Trikatu (Ingwer, schwarzer Pfeffer und Langpfeffer)

Wie Triphala, so ist auch *Trikatu* eine uralte ayurwedische Rezeptur, die aus drei scharfen Gewürzen besteht, die zu gleichen Teilen miteinander vermischt werden: Ingwer, schwarzer Pfeffer und Langpfeffer. Im Gegensatz zu Triphala ist Trikatu in höchstem Maße hitzeerzeugend.

Dieses uralte Dreigespann, auch als die drei scharfen Gewürze bekannt, hat in seiner kombinierten Form eine einhundertfach stärkere Wirkung als jeder der drei einzelnen Bestandteile. Trikatur wird in den Virechana- und Vamana-Therapien verwendet und ist außerdem die wichtigste Rezeptur zur

Behandlung von Verdauungsstörungen und zur Entfernung von Ama aus dem Körper. Trikatu ist ein Expektorans, ein abschwellendes und anregendes Mittel; als solches wird es zur Linderung von Erkältungen, Schleim und Stagnation im Körper verwendet.

Jedes der drei Gewürze ist anregend und hitzeproduzierend. Zusammen bilden sie einen kraftvollen Synergismus zur Heilung vieler Vata- und Kapha-Leiden.

Ingwer (*Ardraka*)

Ingwer, der im Sanskrit in seiner trockenen Form als *Sunthi* und in seiner frischen Form als *Ardraka* bekannt ist, trägt die Kräfte des Feuers auf der Erde in sich. In den Veden wird er *„Vishvabhesaja"*, die universelle Medizin, genannt. Obwohl Ingwer seinem Wesen nach erhitzend, scharf und süß ist, wird er als sattwisches oder inneren Frieden schaffendes Nahrungsmittel angesehen.

Der Ingwer ist in Südostasien heimisch; er ist eine mehrjährige Kletterpflanze mit einem dicken, knollentragenden Wurzelstock, der einmal im Jahr einen aufrechten Stamm hervorbringt. Am Ende dieses Stammes blühen grünlich-purpurfarbene Blüten. Die Wurzel ist ein kraftvolles Herztonikum und ein verdauungsförderndes und anregendes Mittel. Wenn sie zusammen mit Limonensaft und Honig verzehrt wird, ist sie ein hervorragendes Mittel gegen Magersucht; zusammen mit Limonensaft und Steinsalz fördert sie die Verdauung. Ingwer wird außerdem in der Purgiertherapie sowie als Mittel gegen Erkältungen, Grippe, Magenverstimmung, Übelkeit, Kehlkopfentzündung, Arthritis, Verstopfung, Hämorrhoiden und Kopfschmerzen verwendet. Obwohl Ingwer am wirksamsten bei Vata- und Kapha-Störungen ist, kann er von allen Körpertypen zu Heilzwecken eingesetzt werden.

Schwarzer Pfeffer (*Maricha*)

Maricha ist im Sanskrit nach der Sonne benannt und enthält kraftvolle, solare Energie. Er ist ein kraftvolles, verdauungsförderndes Anregungsmittel, das Ama verbrennt und Agni erneut anfacht. Wie die Sonne, so ist auch der schwarze Pfeffer seinem Wesen nach rajasisch oder energieschaffend.

Die Schwarze-Pfefferpflanze ist ein mehrjähriger Kletterstrauch mit kleinen weißen Blüten und winzigen gelben Beeren, die rot werden, wenn sie reifen. Schwarzer Pfeffer ist in Südindien heimisch und gedeiht in feuchtem, schattigem Boden. Oft sieht man, wie sich seine Reben an den Stämmen von Kokospalmen hinaufwinden.

Schwarzer Pfeffer wird zur Linderung chronischer Magenverstimmungen, zur Linderung von Fettsucht, Kongestion und Kälte im Körper, von Bronchitis, Nebenhöhlenentzündung, Parasiten im Körper und Giften im Dickdarm verwendet. Obwohl schwarzer Pfeffer am wirksamsten bei Vata- und Kapha-Störungen ist, kann er von allen Körpertypen zu Heilzwecken eingesetzt werden.

Langpfeffer (*Pippali*)

Der dritte Bestandteil der Trikatu-Rezeptur, Pippali, aktiviert das subtile Feuer (Tejas), das in schwarzem Pfeffer und Ingwer enthalten ist.

Diese Pfefferart, die in Indien und Java wächst, wird geerntet, solange sie noch grün ist, und dann getrocknet, um die größtmögliche Hitze zu erhalten. Wenn die Pfefferkörner getrocknet werden, sind sie grau, haben ein mildes Aroma und einen feurigen Geschmack. Pippali wird als Mittel gegen Blähungen, als anregendes und verdauungsförderndes Mittel sowie als Brechmittel bei Vata- und Kapha-Störungen eingesetzt.

Triphala *(Amalaki, Bibhitaki* und *Haritaki)*

Triphala, das im Ayurweda ausgiebig verwendet wird, besteht aus der Kombination dreier alter Heilfrüchte, die zur Myrobalanen-Baum-Familie gehören: Amalaki, Haritaki und Bibhitaki. Diese drei Früchte werden zu einem Pulver namens Triphala vermahlen oder als verjüngende Marmelade zubereitet. Triphala gehört zu den ältesten und gebräuchlichsten ayurwedischen Heilmitteln.

Durch ihr Zusammenwirken stellt die Kombination dieser drei kraftvollen Myrobalanen-Früchte ein harmonisches Heilmittel von unglaublicher Stärke für Tausende von menschlichen Leiden dar. Unter anderem stärkt Triphala den Magen und den Verdauungstrakt, es baut das Immunsystem wieder auf, schützt Gewebe und Organe, stärkt Gehirn, Herz, Nerven und Leber, es reduziert Hitze im Inneren des Körpers und stillt Durst, es neutralisiert Ama, lindert Harnleiden wie Diabetes und ist ein hervorragendes Tonikum zur Verjüngung. Triphala wird in der Virechana-Therapie verwendet, um ein mildes Abführen zu erreichen; es kann von allen Körpertypen gebraucht werden.

Amalaki:

Amalaki ist in Indien heimisch. Die Frucht des Amalaki-Baums besteht aus fünf Segmenten, die in der hinduistischen Mythologie die fünf Elemente vertreten. Der Amalaki-Baum soll der erste Baum im Universum gewesen sein. Seine Früchte sind groß und breiig und werden schwarz, wenn sie getrocknet werden. Obwohl der ganze Baum verwendet wird, werden in der ayurwedischen Medizin die Früchte als wichtigster Teil der Pflanze angesehen.

Amalaki ist süß, sauer, scharf, bitter und zusammenziehend, jedoch seinem Wesen nach kühlend. Unabhängig von einer bestimmten Therapieform wird es als nährendes Tonikum, als Blutreinigungsmittel und zur Wiederherstellung eines normalen Gewebezustands verwendet. Obwohl Amalaki vorherrschend sauer ist, ist es für alle Körpertypen geeignet.

Bibhitaki:

Bibhitaki, die dritte Schwester in der Myrobalanen-Baum-Familie, wächst hauptsächlich in ariden Gebieten. Der Bibhitaki-Baum ist groß und fruchtbar; seine Früchte sind groß, rund und breiig und haben einen zusammenziehenden und süßen Geschmack. Bibhitaki hat eine erhitzende Wirkung und wird bei Augenkrankheiten, Haarverlust, Bronchialasthma, Verstopfung und Hautkrankheiten angewendet sowie als Expektorans und als Mittel gegen Entzündungen. Bibhitaki kann von allen Typen verwendet werden.

Haritaki:
Haritaki wird des öfteren in ayurwedischen Texten erwähnt. Die Haritaki-Früchte wachsen auf einem großen Baum mit dicken Blättern und gelben Blüten. Sie sind birnenförmig und haben eine bräunlichschwarze Farbe. Haritaki, das als Schwester des Amalaki-Baums angesehen wird, wächst in kalten und heißen Klimaten. Im Ayurweda wird die Art, die in gemäßigten Klimaten wächst, am häufigsten verwendet. Diese Frucht wird von vedischen und buddhistischen Sehern gleichermaßen geschätzt; Buddha wird oft mit einer Haritaki-Frucht in seiner rechten Hand abgebildet.

Wenn Haritaki unabhängig von einer bestimmten Therapie verwendet wird, fördert es Langlebigkeit, es heilt Herzstörungen, öffnet die Körperkanäle und erhöht Prana. Außerdem wird es benutzt, um Gefühle von Trauer, Depressionen, Krebsleiden, Augenleiden, Hautkrankheiten, Rheumatismus und Diabetes zu lindern. Wie Amalaki ist Haritaki von seiner Wirkung her erhitzend und enthält fünf der sechs Geschmacksrichtungen; nur der salzige Geschmack fehlt. Es ist für alle Körpertypen geeignet und kann im Sommer und im Herbst mit einer kleinen Menge braunen Zuckers, im Frühherbst mit einer kleinen Menge Steinsalz, im Frühwinter mit einer kleinen Menge Ingwerpulver, im Spätwinter mit einigen Prisen Pippali-Pulver und im Frühjahr mit einer kleinen Menge Honig eingenommen werden.

Trivrit
Die Wurzel der Trivrit-Pflanze ist hauptsächlich wegen ihrer ausgiebigen Verwendung in der ayurwedischen Purgiertherapie bekannt. Wie die Madana-Frucht, die in der Brechtherapie verwendet wird, ist auch Trivrit bereits von Charaka und Sushruta ebenso wie von Vagbhatta erwähnt worden.

Es gibt zwei Arten der Trivrit-Pflanze, von denen die eine schwarz und die andere rot ist. In der ayurwedischen Medizin findet vorrangig die Wurzel der roten Trivrit-Pflanze Anwendung.

Trivrit ist seinem Wesen nach süß, zusammenziehend und trocken, und wird in der Purgiertherapie zur Linderung von Pitta- und Kapha-Störungen wie Hautkrankheiten, Fieber, Geistesstörungen, Frauenleiden, Mundschleimhautentzündung, Magersucht und Bronchialasthma verwendet.

Beschreibung einiger Kräuter, die in der Vasti-Therapie verwendet werden

Aloe (*Kumari*)

Die verschiedenen Bedeutungen des Sanskrit-Begriffs „*Kumari*" sind kühl, ruhig und schön. Diese Pflanze, die auch als Aloe Vera bekannt ist, wächst in den trockenen, sonnigen Gebieten des südöstlichen und nördlichen Afrikas, Spaniens, Indonesiens, der Karibik und in jüngerer Zeit auch in Australien und dem Südwesten der Vereinigten Staaten. Die Aloe ist seit Jahrtausenden von den Indern, Chinesen, Griechen und Ägyptern zu Heilzwecken verwendet worden.

Aloe Vera hat einen bitteren, süßen und zusammenziehenden Geschmack und wird verwendet, um die Gesundheit wiederherzustellen, indem sie die Nahrungsaufnahme und den Ausscheidungsprozeß verändert. Diese Pflanze wird als hervorragendes Blutreinigungsmittel angesehen. Darüber hinaus gilt sie als mildes Abführmittel, als Leber- und Milztonikum, als Mittel zur Regulierung der Eingeweideperistaltik, zur Förderung der Verdauung sowie als Mittel zur Linderung von Blähungen im Unterleib, indem sie die Abwärtsbewegung von Gasen fördert. Aloe Vera führt zur Linderung aller drei Doshas und ist darüber hinaus ein wirksames Mittel zur Reduzierung von Pitta-Störungen wie Fieber, Hautkrankheiten, Verbrennungen, Geschwüren und Ödemen. Aloe Vera wirkt besonders auf die Hirnanhangdrüse, die Schilddrüse und die Eierstöcke.

Als umfassendes Verjüngungsmittel beruhigt Aloe Vera die Gewebe und den Körper, und es glättet die Gesichtshaut. Aloe Vera wird in den Rezepturen für die Dusch- bzw. Einlauftherapie verwendet und beruhigt dabei den Darm und die Scheide. Zusammen mit anderen Ingredienzien in der Einlauftherapie entfernt diese Pflanze Parasiten aus dem Dickdarm und fungiert als Heilmittel bei Eingeweidetuberkulose, Krämpfen und Epilepsie. Äußerlich kann Aloe Vera angewendet werden, um Wunden und Verbrennungen zu heilen und dient darüber hinaus als Schnellkur für Haar und Kopfhaut.

Ajwan

Ajwan ist ein starkes, verdauungsförderndes Mittel und ein Stimulans für Atemwege und Nerven. Es wird hauptsächlich für starke Vata-Beschwerden wie Gase und Krämpfe in den Eingeweiden und bei Nervosität benutzt. Ajwan ist außerdem ein hervorragendes Mittel gegen Kapha-Störungen wie Erkältungen, Grippe, Asthma, Bronchitis, Kehlkopfentzündung, Ödeme, Kongestion der Nebenhöhlen und Nierenfehlfunktionen. Es reinigt den Körper von tiefsitzendem Ama und belebt die Stoffwechselfunktionen aufs neue. Ajwan, das außerdem als eine von vielen Zutaten in der Vasti-Therapie Anwendung findet, ist vom Geschmack her scharf und von der Energie her erhitzend.

Asa Foetida *(Hingu)*
Das Harz der fleischigen Wurzel der mehrjährigen Hingu-Pflanze, oder, wie sie allgemein genannt wird, der Asa-Foetida-Planze wird aus der reifen, mehr als fünf Jahre alten Pflanze geerntet. Aufgrund ihres äußerst scharfen und durchdringenden Schwefelgeruchs wird Asa Foetida manchmal „Teufelsdreck" genannt. Diese Pflanze ist eines der kraftvollsten verdauungsfördernden Belebungsmittel im Ayurweda und wird normalerweise in sehr kleinen Mengen verwendet. Asa Foetida wird bei Vata- und Kapha-Störungen wie Verstopfung, Magenverstimmung, Blähungen, Völlegefühl im Unterleib, Schmerzen in den Eingeweiden, Arthritis, Keuchhusten, Krämpfen, Epilepsie, Parasiten im Körperinneren, Hysterie und Herzklopfen angewendet.

Asa Foetida wird auch in der Vasti-Therapie verwendet, bei Pitta-Störungen ist es nicht angebracht. Asa Foetida stärkt die Eingeweideflora und trägt dazu bei, verklumpte Fäkalien aufzuspalten, die sich aufgrund ausgiebigen Verzehrs tierischer oder ungesunder Nahrungsmittel angehäuft haben; außerdem zerstört diese Pflanze Würmer im Dickdarm. Asa Foetida ist von seiner Energie her in höchstem Maße erhitzend.

Ashwagandha
Ashwagandha ist die Sanskrit-Bezeichnung für den Geruch oder die Vitalität eines Pferdes, kurz gesagt, das, was dem Körper seine „Pferdestärke" verleiht. Die Wurzel der Ashwagandha-Pflanze, die im Deutschen als Blasen- bzw. Judenkirsche bekannt ist, wird zur Linderung von Vata-Störungen wie sexueller Schwäche, nervöser Erschöpfung, Abmagerung, Problemen, die im Zusammenhang mit dem Alterungsprozeß auftreten, Gedächtnisverlust, Samenfluß, Gewebeschäden, Schlaflosigkeit, Lähmung und Unfruchtbarkeit eingesetzt. Kapha-Störungen wie Atemschwierigkeiten, Husten und Blutarmut werden ebenfalls mit Ashwagandha behandelt. Wenn der Körper keinen hohen Pitta-Anteil aufweist, dann können Hautkrankheiten und Drüsenschwellungen ebenfalls mit Ashwagandha behandelt werden.

Ashwagandha ähnelt seinem Wesen nach dem Ginseng und ist ein hervorragendes Kraut zur Vermehrung des Samens und der Verbesserung der Fruchtbarkeit. Ashwagandha, das auch in der Vasti-Therapie, die durch die Vagina oder den Penis verabreicht wird, benutzt wird, dient zur Linderung von Beschwerden im Harntrakt oder in der Blase sowie auch als Mittel gegen Unfruchtbarkeit und zu wenig Samen bzw. Sperma.

Ashwagandha ist außerdem hervorragend zur Stabilisierung des Fötus während der Schwangerschaft geeignet. Außerdem führt es zur Regenerierung des Hormonsystems und fördert die Gewebeheilung. Obwohl Ashwagandha einen süßen, zusammenziehenden und bitteren Geschmack hat, ist es von seiner Energie her erhitzend.

Bala
Bala, wie die Pflanze – ein herzblättriges Malvengewächs – auf Sanskrit heißt, ist das, was Stärke und Vitalität verleiht. Bala ist ein hervorragendes Tonikum

für alle drei Doshas und von seinem Wesen her süß und kühlend. Es wirkt auf alle Dhatus ein, besonders auf das Knochenmark und die Nerven. Im Ayurweda werden hauptsächlich drei verschiedene Arten der Malvenfamilie verwendet: Bala, Atibala und Mahabala. Bala ist ein vitalisierendes Tonikum, das besonders wirksam in der Heilung von Vata-Störungen ist. Bala ist heilsam für das Herz, es nährt die Nerven, hat einen beruhigenden Einfluß auf das Muskelsystem und lindert Entzündungen des Nervengewebes.

Äußerlich werden aus Bala hergestellte Öle zur Linderung von Nervenschmerzen, von Benommenheit und Muskelkrämpfen angewendet. Bala wird außerdem als eines der milden Bestandteile in der Vasti-Therapie verwendet, um den Dickdarm zu beruhigen, die Eingeweideflora zu stärken und die Peristaltik zu regulieren.

Die Verwendung von Ghee in den Abhyanga- und Snehana-Therapien

Als Förderer von Gesundheit, Gedä„htnis, Intelligenz,
Vitalem Feuer, vitaler Essenz und Nahrung stellt Ghee
Ein Heilmittel für Vata- und Pitta-Störungen dar.

Charaka

Ghee, also geklärte Butter, die aus reiner Kuhmilch gewonnen wird, erhöht die körperliche Essenz von Rasa und trägt dazu bei, die Sinnesorgane und die vitalen Gewebe zu beruhigen. Ghee kühlt den Geist, das Gedächtnis und die Verdauung; es führt zu Selbsterkenntnis, Intelligenz sowie zu Klarheit des Teints und der Stimme. Als wichtigste Substanz in der ayurwedischen Heilwissenschaft wird Ghee als Trägerstoff zur Beförderung von Kräutern und heilenden Substanzen tief in die vitalen Gewebe des Körpers hinein benutzt. Ghee wird darüber hinaus äußerlich angewendet; seine tief durchdringende Wirkung läßt die Haut anschwellen, sie kräftigt die inneren Gewebe und fördert das beschauliche Gefühl der Ruhe.

In der Snehana-Therapie wird Ghee allein oder in arzneilicher Form mit ayurwedischen Kräutern vermischt angewendet. Wenn Ghee innerlich angewendet wird, erleichtert es die Reinigung der Körpergewebe und die Ausscheidung überschüssiger Doshas. Arzneiliches Ghee wird für Beschwerden wie Magengeschwüre, Blutkrankheiten, Hautkrankheiten, Schlaflosigkeit, Geistesstörungen, Epilepsie, halbseitiger Lähmung und bei Tumoren verwendet.

Berühmte ayurwedische arzneiliche Ghee-Zubereitungen für die Snehana-Therapie

Im Ayurweda wird reines Kuh-Ghee *Accha peya* oder *Ghrita* genannt und arzneiliches Ghee *Vicarana Sneha*.

Bei Haut- und Blutkrankheiten:	Tikta Ghrita Mahatikta Ghrita
Bei Geistesstörungen:	Brahmi Ghrita Mahakalyana Ghrita
Bei Muskelbeschwerden:	Guggulu Tikta Ghrita

Ayurwedische Öle

Glossar der Snehana- und Massageöle

Sanskrit	***Latein***	***Deutsch***
Abhisuka	Pistacia vera	Pistazie
Akshota	Jugullans regia	Walnuß
Arjuna	Terminalia arjuna	Arjuna
Aruka	Prunus domestica	Pflaume bzw. Zwetschge
Ashoka	Saraca indica	Ashoka
Atsi	Linum ustatissimum	Leinsamen
Bakuchi	Psoralea corylifolia	Bakuchi-Samen
Bhallataka	Semencarpus anacardium	„Tinten-Baum“
Bhringaraja	Eclipta alba	Bhringaraja
Bhucanaka	Arachis hypogaea	Erdnuß
Bibhitaki	Terminalia belerica	Bibhitaki
Bilva	Aegle marmelos	Bengalische Quitte, Bilva
Brahmi	Hydrodotyle asiatica	Asiatisches Wassernabel-kraut
Char	Buchanania lanzan	–
Eranda	Ricinus communis	Rhizinus
Graha-druma	Terminalia catappa	Indische Mandel
Guduci	Tinospora cordifolia	Guduci
Haritaki	Terminalia chebula	Haritaki
Kala Sarshapa	Brassica campestris	Schwarzer Senf

Karanja	Pongamia pinnata	Indische Buche
Khadira	Acacia catechu	Khadira, Babula
Kharjur	Phoenix cactylifera	Dattelpalme
Kumari	Aloe barbadensis	Indische Aloe (Aloe Vera)
Kusumbha	Carthamum tinctoris	Saflor (Färberdistel)
Masha	Phasoleus mungo	Mungo-Bohne
Mulaka	Raphanus sativus	Rettich (Daikon)
Narikela	Cocos nucifera	Kokospalme
Nimba	Azadirachta indica	Neem
Pippali	Piper longum	Langpfeffer
Shak	Tectona grandis	Teakholz-Baum
Sigruka	Morniga oleifera	Meerrettich
Supari	Areca catechu	Betelnußpalme
Suria-Mukhi	Helianthus annuus	Sonnenblume
Tila	Sesamum indicum	Sesam
Vacha	Acorus calamus	Kalmus
Vatama	Prunus amygdalus	Mandel
Yasti Madhu (Madhuka)	Glycyrrhiza glabra	Süßholz

Glossar der ayurwedischen Essenzen

Sanskrit	*Latein*	*Deutsch*
Apiphena	Papaver somniferum	Mohnpflanze
Ajaji	Nigella sativa	Kalongi
Apamarga	Achyranthes aspera	–
Ardraka	Zinziber officinalis	Ingwer
Bakul	Mimusops elengi	Indische Mispel
Bhustrina	Cymbopogan citratus	Zitronellgras; Zitronengras
Bramha dandi	Argemone mexicana	Stachelmohn
Champaka	Michelia champaca	Gelber Champak
Chandana	Santalum album	Sandelholz-Baum
Dhanyaka	Coriandrum sativum	Koriander
Ela	Amomum subulatum	Großer Kardamom

Ela	Elettaria cadamomum	Kardamom
Garjar	Daucus carota	Karotte
Guggulu	Commiphora mukul	Indische Myrrhe
Haridra	Curcuma longa	Kurkuma; Gelbwurz
Jati	Jasminum officinale	Jasmin
Jatiphala	Myristica fragrans	Muskatnuß
Jiraka	Cuminum cyminum	Kreuzkümmel
Kali maricha	Piper nigrum	Schwarzer Pfeffer
Kamala	Nelumbo nucifera	Lotos
Karpura	Cinnamomum camphora	Kampher
Karpura-haridra	Curcuma amada	–
Katukumbi	Lagenaria siceraria	Koloquinte, Bittergurke
Kesar	Crocus sativus	Saffran
Ketki (Keora)	Pandanus tectorius	Schrauben-Baum, -palme
Krishnatil	Guizotia abyssinica	Gingelli-Kraut
Kusthapa	Gynocardia odorata	Chaulmoogra-Baum
Lasuna	Allium sativum	Knoblauch
Lavanga	Syzigium aromaticum	Gewürznelken-Baum
Madhuca	Madhuca indica	Madhuka
Mahanimba	Melia azedarach	Flieder
Maricha	Capsicum annum	Roter Chili-pfeffer
Mathika	Jasminum sambac	Arabischer Jasmin
Medica	Lawsonia inermis	Henna
Narangi	Citrus reticulata	Orange
Nila pushpa	Viola odorata	Veilchen
Nilika (Nilini)	Indiofera tinctoria	Indigo
Nilpuspi	Ipomoea hederacea	Trichterwinde, Prunkwinde
Nimbuka	Citrus aurantifolia	Limone/Zitrone
Nirgundi	Vitex negundo	Indischer Liguster
Parijutika	Nyctanthes arbortristis	Trauer-Baum
Pippali	Piper longum	Langpfeffer
Pudina	Mentha longifolia	Minze
Raka Chandana	Pterocarpus santalius	Rotes Sandel-holz

Rohisa	Cymbopogan martina	Kamelheu, Wohlriechendes Bartgras
Saptala	Acacia concinna	–
Sarpadanshta	Peganum harmala	Steppenraute
Sevanti	Chrysenthemum indicum	Chrysantheme
Shali	Oryza sativa	Reis
Shatapushpa	Pimpinella anisum	Anis
Shatpushpa	Anethum sova	Dill
Shatpushpa	Foeniculum vulgare	Fenchel
Somalata	Ruta graveolens	Raute
Somaraji	Centratherum	Wilder Kreuzkümmel
Sukasa	Cucumis sativus	Gurke
Surasa	Ocimum basilicum	Basilienkraut, Basilikum
Sushavi	Carum carvi	Kümmel
Taruni (Shatapatri)	Rosa damascena	Rose
Tulsi	Ocimum sanctum	Tulsi
Twacha	Cinnamomum zeylanicum	Zimt
Valuka (Ushira)	Vetiveria zizanioides	Khaskas-Gras, (Vetiver)
Vanharidra	Curcuma aromatica	Wilder Kurkuma
Zupha	Hyssopus officinalis	Ysop

Ayurwedische Hölzer, Kräuter und Substanzen

Beschreibung einiger Pflanzen, die in der Swedana-Therapie verwendet werden

Sandelholz, Champak, Ashoka und Bilva-Holz werden in dieser alten Heilkunst als heilig und unersetzlich angesehen. Sie sind es wert, zum Gebrauch in diesen Therapien importiert zu werden. Einige Arten des Flammen- bzw. Feuer-Baums, die im Westen heimisch sind, können anstelle des häufig verwendeten Palasha-Baums genutzt werden.

Die Hölzer, die in den Sweda-Therapien gebraucht werden, wachsen zum größten Teil ausschließlich in Indien; sie können jedoch durch einige vergleichbare Hölzer aus dem Westen ersetzt werden. Hierzu gehören das Brennholz einer Art des kleinen Pfeffer-Baums; das Holz von Obstbäumen wie Feige, Apfel, Birne, Pfirsich, Pflaume und Mango sowie das Holz von blühenden Bäumen wie Flieder und Jasmin. Weißkieferholz kann für den Bau von Snehana- und Swedana-Behandlungstischen und -bänken verwendet werden usw. Es lohnt sich, einen botanischen Garten in Ihrer Nähe aufzusuchen und sich mit den vergleichbaren Bäumen und Büschen vertraut zu machen, die bei Ihnen natürlich wachsen. Die lateinischen, und sofern verfügbar, auch die deutschen Namen werden Ihnen bei Ihren Untersuchungen hilfreich sein.

Glossar der Hölzer, die zum Bau von Behandlungstischen verwendet werden*

Im Ayurweda werden verschiedene Holzarten für den Bau von Schwitzhütten, Bänken und Behandlungstischen verwendet. Diese Hölzer können darüber hinaus als Brennholz auf den Stein- und Erdböden, sowie in den Sweda-Öfen verwendet werden, um für die saunaähnlichen Therapien wie Jentaka, Kuti, Karshu, Ashmaghna und Bhu Sweda Hitze zu erzeugen.

Sanskrit	*Latein*	*Deutsch*
Agnimantha	Clerodenronphlomidis	Agni Mantha
Amra	Mangifera indica	Mango-Baum
Asana	Terminalia tomentosa	–
Ashoka	Saraca indica	–
Bakula	Mimusops elengi	Indischer Mispel-Baum
Bilva	Aegle marmelos	Bilva, Bengalische Quitte
Champaka	Michelia champaca	Gelber Champa(k)-Baum
Chandana	Santalum album	Sandelholz-Baum
Devadaru	Cedrus deodara	Himalayazeder, Deodorazeder
Khadira	Acacia catechu	Khadira, Betelnußpalme
Mahanimba	Melia azedarach	Persischer Flieder, Zedrach-Baum
Palasha	Butea monosperma	Flammen-, Feuer-Baum
Pippali	Piper longum	Langpfeffer-Baum
Purnarnava	Boerhaavia diffusa	–
Udumbara	Ficus racemosa	Udumbara, eine Feigenart
Varuna	Crateva nurvala	Obstschralle

Übliche schweisstreibende Kräuter

Schweißtreibende Kräuter und schweißtreibende Substanzen, die in den Swedana-Therapien verwendet werden, heißen Swedapagana. Bestimmte häufig verwendete Kräuter, die im Westen erhältlich sind, können ebenfalls in den Swedana-Therapien benutzt werden, z. B.: Mistel, Raute, Zitronenmelisse*, Salbei, Rosmarin, Sassafras, Bohnenkraut, stinkender Zehrwurz, Indische Narde, Stillingia, Baldrian, Beifuß,* Wermut, Oregano, Basilikum, die Frucht des Lorbeer-Baums, Birke*, Boretsch*, Große Klette, Kampher, Katzenminze, Kamille*, Koriander*, Echinacea*, Holunderblüten*, Eukalyptus, Galgantwurzel, Grindelia, Gundelrebe, Sesamsamen, Chia-Samen, Schachtelhalm*, Wacholderbeeren, Kudzu*, Zitronellgras*, Poleiminze/Flohkraut, Pfefferminze*, Grüne Minze*, Collinsonie *, wilder Ingwer, gemeine Scharfgarbe*, Angelika, Chrysantheme* und Meerträubchen.

**Anmerkung:*

Diese Kräuter sind am besten für die milden Swedana-Behandlungen geeignet, die bei Pitta-Störungen durchgeführt werden.

Glossar der ayurwedischen Kräuter, die zusammen mit dem Brennholz verwendet werden

Folgende Kräuter werden bei den Vorbereitungen für Ashmaghna Sweda, Bhu Sweda, Karshu Sweda, Kupa Sweda und Holaka Sweda im allgemeinen zusammen mit dem Brennholz verbrannt.

Sanskrit	*Latein*	*Deutsch*
Arka	Calatropis procera	Arka
Eranda	Ricinus communis	Rizinusölpflanze
Japa	Hibiscus rosasinensis	Chinesischer Roseneibisch
Purnarnava	Boerhaavia diffusa	–
Shobhanjana (Shigru)	Moringa oleifera	Pferderettich-Baum
Utkataka	Echinops echinatus	Kugeldistel

Öle zum Verbrennen von Brennholz

Ashvakarna
Khadira

Glossar der Kräuter und Substanzen für Swedana-Umschläge

Sanskrit	*Latein*	*Deutsch*
Atasi	Linum usitatissimum	Leinsamensaat
Badri	Zizyphus jujuba	Jujube-Blätter, -wurzeln und -frucht (Judendorn)
Chanaka	Cicer arietinum	Kichererbse
Eranda	Ricinus communis	Frucht der Rizinuspflanze
Kala Sarshapa	Brassica campestris	Schwarzer Senfsamen
Karanja	Pongamia pinnata	Indische Buche
Kulitha	Dolichos biflorus	Pferdebohne
Maricha	Piper nigrum	Schwarze Pfefferkörner
Masha	Phaseolus radiatus	Urad- bzw. schwarze Pferdebohne
Methica	Trigonella foenumgraecum	Bockshornkleesamen
Mugda	Phaseolus Mungo	Mungo-Bohne
Pippali	Piper longum	Langpfeffer
Rasna	Vanda Roxburghii	Rasna-Wurzel
Suradaru	Cedrus deodara	Blätter der Himalayazeder
Tila	Sesamum indicum	Sesamsamen
Yava	Hordeum vulgare	Saatgerste (Körner)

Anmerkung: Bei Vata-Störungen dürfen diese Kräuter nur verwendet werden, wenn zu den Hülsenfrüchten Molasse, Ghee und Essig oder Tamarinden-Paste hinzugefügt wird.

Ayurwedische Kräuter und Substanzen für die Heildiät

Glossar der Kräuter und Substanzen, die in der Heildiät verwendet werden

Sanskrit	*Latein*	*Deutsch*
Adhaki (Turvi)	Cajanus cajan	Straucherbse, Strauchbohne
Ajaji	Nigella sativa	Kalongisamen
Ajwan	Apium graveolens	Selleriesamen
Amra	Mangifera indica	Mangofrucht
Anjira	Ficus carica	Feigen
Ardraka	Zinziber officinalis	Ingwerwurzel
Atibala	Abutilon indicum	Atibala-Wurzel
Bala	Sida cordifolia	Bala-Wurzel
Barabhikand	Dioscorea bulbifera	Yams-Wurzel
Bhinditaka	Hibiscus esculentus	Okra
Bhringaraja	Eclipta alba	Bhringaraja (Blätter, Wurzel, Samen)
Chincha (imli)	Tamarindus indica	Tamarinden-Frucht
Chitraka	Plumbago Zeylanica	Chitraka-Wurzel
Dadima	Punica granatum	Granatapfel-frucht
Dhanyaka	Coriandrum sativum	Koriander (Blätter, Samen und frisches Grün)
Draksha	Vitis vinifera	Weintrauben (Frucht, Saft, Rosine)
Ela	Elettaria cardamomum	Kardamom (Samen, Schoten)
Gargar	Daucus carota	Karotte
Gaurani	Cyamopsis/tetragonoloba	Buschbohne (Stangenbohne)
Goghuma	Triticum aestivum	Weizen
Gotu kola (rahmi)	Hydrocotyle asiatica	Wurzel des asiatischen Wassernabel-krautes

GLOSSAR DER KRÄUTER UND SUBSTANZEN, DIE IN DER HEILDIÄT VERWENDET WERDEN (FORTSETZUNG)

Gur	Saccharum officinarum	Iksu, brauner Palmzucker
Haridra	Curcuma longa	Kurkuma-Wurzel
Hinguka	Ferula narthex	Asa Foetida (Harz)
Iskshu (jaggery)	Saccharum officinarum	Brauner Rohrzucker
Jatiphala	Myristica fragrans	Muskatnuß
Jiraka	Cuminum cyminum	Kreuzkümmel-samen
Kaladi	Musa paradisiaca	Pisang, Paradiesfeige
Kamala	Nelumbo nucifera	Lotos (Wurzel, Samen)
Kapitha	Feronia limonia	Elefantenapfel-Baum (Frucht)
Katukumbi	Lagenaria siceraria	Flaschenkürbis
Kesar	Crocus sativus	Safran
Kharjur	Phoenix dactylifera	Datteln, Dattelzucker
Kulitha	Dolichos biflorus	Helmbohne
Lashunga	Allium sativum	Knoblauch-wurzel
Mahayavanala	Syzigium	Gewürznelken-knospe
Maricha	Zea mays	Mais
Masha	Piper nigrum	Schwarzer Pfeffer
Mudga	Phaseolus radiatus	Urad (schwarze Pferdebohne)
Narangi	Phaseolus mungo	Mungo-Bohne
Narikela	Cocos nucifera	Kokosnuß, Öl
Nimba	Azadirachta indica	Neem-Blätter
Nimbuka	Citrus aurantifolia	Limone, Zitrone
Parusha	Grewia asiatica	Parusha-Frucht
Pippali	Piper longum	Langpfeffer
Pudina	Mentha longifolia	Minze
Rajika	Eleusine corocana	Hirsekörner
Raktapurka	Garcinia indica	–
Shali	Oryza sativa	Reis (rot, braun)

Shatavari	Asparagus racemosa	Spargel (Blätter, Wurzel)
Sukasa	Cucumis sativus	Gurke
Sushavi	Carum carvi	Kümmelsamen
Tila	Sesamum indicum	Sesam (Samen, Öl)
Triphala:		
Amalaki	Emlica officinalis	Amalaki (getrocknete Frucht)
Bibhitaki	Terminalia belerica	Bibhitaki (getrocknete Frucht)
Haritaki	Terminalia chebula	Haritaki (getrocknete Frucht)
Tulsi	Ocimum sanctum	Tulsi
Twacha	Cinnamomum zeylanicum	Zimtrinde
Yava	Hordeum vulgare	Saatgerste

GLOSSAR DER ZUTATEN

UNGEWÖHNLICHE ZUTATEN

Öle nach ayurwedischem Rezept

Amavathahara, Anu Taila, Bilva, Brahmi, Chakra, Dashamula, Dhanvantari, Kaseesadi, Ksheerabhala, Masha, Narayana, Nirgundi, Pinda, Padmaka, Shatavari, Sidda Yasti Madhu. (Vergleichen Sie Anhang G für ayurwedische Bezugsquellen und Lieferanten. Wenn bestimmte Öle nicht erhältlich sind, dann folgen Sie den Anweisungen in Kapitel vier zur Herstellung dieser Öle, indem Sie die passenden Pflanzenpulver verwenden, die leichter erhältlich sind.)

Pillen nach ayurwedischem Rezept

Avipattkar, Icchabhedi, Drakshadi, Jalodharari, Kutajaghana. (Vergleichen Sie Anhang G für ayurwedische Bezugsquellen und Lieferanten.)

Aduki

Diese kleine dunkelrote Bohne ist in Japan und China heimisch. Sie ist reich an Nährstoffen und wird wie die Mungo-Bohne als Bohne für alle drei Doshas angesehen.

Agar Agar

Eine gelblichbraune, durchscheinende Alge, die als Stange von 30 cm oder in Flockenform erhältlich ist. Agar Agar stammt aus Indien und ist dort seit vedischer Zeit als Verdickungsmittel für Lebensmittel und zur Herstellung von Gels verwendet worden (verwenden Sie warmes Wasser oder eine andere Flüssigkeit, um es aufzulösen). In den meisten Reformhäusern oder Bioläden sowie in indischen und orientalischen Gemüseläden erhältlich.

Ajwan *(Ajwain)*

Dieser winzige Gewürzsame der Pflanze, der auch unter dem Namen Knorpelmöhre bekannt ist, ist mit Kümmel und Kreuzkümmel verwendet. Sein delikater Geschmack erinnert an den kombinierten Geschmack von Zitrone, Pfeffer und Thymian. In indischen und orientalischen Gemüseläden und manchmal in Reformhäusern oder Bioläden erhältlich.

Aloe Vera

Aloe Vera, das auf Sanskrit Kumari heißt, ist seiner Natur nach bitter, zusammenziehend und kühlend. Es wird in der Pancha-Karma-Therapie als Tonikum, Blutreinigungsmittel, mildes Abführmittel und Duschgel verwendet. Es ist hervorragend für Pitta, kann aber von allen Typen benutzt werden.

Aragvadha ***(Purgierkassie)***
Diese Pflanze gehört zur Familie der Sennespflanzen. Ihre Frucht, ihre Rinde und ihre Samenkapseln werden in der ayurwedischen Purgiertherapie benutzt. Sie ist scharf und bitter im Geschmack und von ihrer Energie her kühlend. Die Früchte, Rinde und Samenkapseln werden hauptsächlich von Pitta- und von Kapha-Typen verwendet.

Arka ***(Sadapushi)***
Die Wurzel, die Blätter und die Blüten sind wegen ihrer ausgiebigen Verwendung in den ayurwedischen Purgier- und Brechtherapien bekannt. Die „Milch" der Planze ist für ihre Schärfe bekannt, und einige Tropfen davon werden dazu benutzt, um Purgierabkochungen alkalisch zu machen. Arka ist seinem Wesen nach bitter und scharf und seiner Energie nach erhitzend. Es ist gut für Kapha-, Pitta- und Vata-Störungen.

Ashwagandha
Dieses Kraut, das seinem Wesen nach bitter, zusammenziehend und erhitzend ist, kann hauptsächlich von Vata- und Kapha-Typen als Tonikum, nervenstärkendes Mittel, Aphrodisiakum und Verjüngungsmittel genutzt werden.

Atibala
Dieses Kraut ist wie Bala süß und kühlend und kann von allen drei Doshas verwendet werden, obwohl es für Pitta und Kapha am besten geeignet ist. Atibala wird als sanftes Abführmittel, als Tonikum und Beruhigungsmittel verwendet.

Bala
Dieses Kraut ist von seinem Wesen her süß und kühlend und kann von allen drei Doshas als verjüngendes Tonikum und Nervenmittel verwendet werden.

Baldrian
Das Baldriankraut ist seinem Wesen nach scharf und erhitzend und wird hauptsächlich als Beruhigungsmittel, Nervenmittel sowie als Mittel zur Harmonisierung des Dickdarms verwendet. Gut für Vata und Kapha.

Besan
Kichererbsenmehl

Bhringaraja
Dieses Kraut ist von seinem Wesen her süß und kühlend und kann von allen drei Doshas als Nervenmittel, als Blutreinigungsmittel und als Tonikum verwendet werden.

Brahma/Dandi ***(Stachelmohn)***
Scharf, zusammenziehend und süß im Geschmack, hat eine erhitzende Energie. Die Wurzel, die Samen und die Blüten werden im Pancha Karma verwendet, um Vata-Störungen und manchmal auch Pitta-Störungen zu beruhigen.

Brahmi ***(Asiatisches Wassernabelkraut)***
Im Ayurweda wird die ganze Pflanze, die mit der Gotu-Kola-Pflanze verwendet ist, verwendet. Brahmi, das von seinem Wesen her bitter, scharf, süß und kühlend ist, wird verwendet, um Gedächtnis, Schlaf und Langlebigkeit zu fördern. Es wird als Blutreinigungsmittel, als Mittel zur Linderung innerer Blutungen, zur Linderung von Herzkrankheiten und Diabetes verwendet. Es ist gut für alle drei Doshas, für Pitta jedoch hervorragend.

Chana Dhal
Diese gelblichbraune Hülsenfrucht, die zur Familie der kleinen Kichererbsen gehört, wird geschält und gespalten. Sie ist in der indischen Küche sehr beliebt. Am besten ist sie für Pitta- und für Vata-Typen.

Chitraka
Dieses Kraut, das seinem Wesen nach äußerst scharf ist, kann von Vata- und Pitta-Typen zur Förderung der Verdauung, zur Regulierung des Menstruationsflusses sowie als Tonikum für Leber, Milz und Darm verwendet werden.

Dadima ***(Granatapfelfrucht)***
Die Granatapfelfrucht, die ihrem Wesen nach süß, bitter und zusammenziehend ist, wird ausgiebig in der Pancha-Karma-Therapie als Tonikum und Blutreinigungsmittel verwendet. Außerdem wird sie verwendet, um Bakterien, Parasiten, Pilze und Hefepilze im Körper zu zerstören. Gut für Pitta und Kapha.

Dashamula
Eine Mischung aus zehn ayurwedischen Kräutern (nämlich Shatavari, Yasti Madhu, Purnava, Arjuna, Bala, Bilva Gokshura, Vidari und Kumari), die im allgemeinen in der Pancha-Karma-Therapie bei Vata-Störungen verwendet wird.

Dhanyaka ***(Korianderblätter und -samen)***
Koriander, der in der vedischen Küche und im Ayurweda ausgiebig verwendet wird, ist seinem Wesen nach bitter, scharf und kühlend. Er ist gut für alle drei Doshas.

Draksha
Das Pulver, der Saft und der arzneiliche Wein der Weinrebe, die ihrem Wesen nach süß und kühlend ist, wird allgemein in den Pancha-Karma-Therapien verwendet. Gut für Vata und Pitta, obwohl Kapha sie gelegentlich auch verwenden kann.

Echinacea
Dieses Kraut, eine Verwendete der Kugeldistel (Utkataka), ist seinem Wesen nach bitter, scharf und kühlend. Die Echinacea wird aufgrund ihrer antibiotischen Eigenschaften verwendet; außerdem wirkt sie schweißtreibend. Gut für Pitta und Kapha.

Eranda ***(Rizinuswurzel und -öl)***
Die Rizinuswurzel und das Rizinusöl, die ihrem Wesen nach scharf, süß und erhitzend sind, werden in der Purgiertherapie als starkes Abführmittel mit schneller Wirkung verwendet. Rizinuswurzel und Rizinusöl beruhigen darüber hinaus die Gewebe und lindern Schmerzen. Gut für Vata.

Früchte, die im Pancha Karma verwendet werden ***(frische Früchte, Fruchtsaft und Fruchtpulver)***
Pilu, Draksha, Palasha, Bilva, Badri Kanchanara (die rote und weiße Sorte), Dadima, Amalaki, Bibhitaki und Haritaki. (Vergleichen Sie Anhang A für die deutschen Bezeichnungen.)

Ghee
Diese geklärte Butter wird am besten frisch hergestellt (vergleichen Sie das Rezept auf S. 498), ist jedoch ebenfalls in Reformhäusern, Bioläden und indischen Lebensmittelläden erhältlich.

Gokshura
Dieses Kraut, das seinem Wesen nach bitter und kühlend ist, kann hauptsächlich von Pitta und Kapha als harntreibendes Mittel, als Tonikum und Aphrodisiakum verwendet werden.

Gotu Kola
Dieses Kraut, das seinem Wesen nach bitter und kühlend ist, kann als Nervenmittel, Verjüngungsmittel, als harntreibendes Mittel und Blutreinigungsmittel von allen drei Doshas verwendet werden.

Gummiarabikum
Gummiarabikum, das seinem Wesen nach bitter und kühlend ist, wird als Linderungsmittel für die Gewebe und als Tonikum für die inneren Membranen verwendet. Gut für Pitta und Vata.

Holzpulver, die im Pancha Karma verwendet werden
Sandelholz, Aguru und Khadira.

Honig ***(Madhu)***
Im Ayurweda ist Honig als Yogavaha bekannt, da er die therapeutischen Wirkungen der ihm zugefügten Arzneien verstärkt. Seine einzigartigen Eigenschaften des süßen und zusammenziehenden Geschmacks bei gleichzeitig erhitzen-

der Energie lassen Honig zu einer hervorragenden Trägersubstanz werden, um Arzneien tief in die Körpergewebe hineinzufördern und das Durchdringen der subtilen Gewebe und Poren zu ermöglichen. Darüber hinaus ist natürlich gereifter Honig bei der Bekämpfung von Fettsucht und Diabetes wirksam. Bei Fettsucht wird Honig mit heißem Wasser vermischt. Das ist der einzige Fall, in dem Honig erhitzt wird, denn Honig wird im Körper außerordentlich toxisch, wenn er erhitzt oder in heißen Substanzen aufgelöst wird.

Honig ist ein hervorragendes Mittel gegen Vata- und Kapha-Störungen. Obwohl er süß ist, reduziert er aufgrund seiner trockenen, rauhen und schweren Eigenschaften Kapha. Obwohl er seinem Wesen nach erhitzend ist, kann er von Pitta-Typen vorsichtig verwendet werden, besonders als arzneilicher Botenstoff. Honig wird zur Linderung von Beschwerden wie Geschwüren, Bronchitis, Asthma, Schluckauf, Übelkeit, übermäßigen Durst, Blutungen, Diabetes, Augenkrankheiten (besonders bei lokaler Anwendung) und Halsschmerzen verwendet. Honig fördert darüber hinaus Intelligenz, Stärke und Entschlossenheit.

Japa ***(Chinesischer Roseneibisch)***

Die Blätter, Wurzeln, Blüten und Knospen werden in der Pancha-Karma-Therapie verwendet. Japa, das seinem Wesen nach süß, zusammenziehend und erhitzend ist, wird als Blutreinigungsmittel, zur Linderung von Durst und als Mittel verwendet, um innere Blutungen zum Stillstand zu bringen. Gut für Pitta und Kapha.

Jagre-Zucker und Palmrohrzucker ***(Iksu), nicht-raffinierte braune Zucker***

Iksu ist als Sirup und als fester Steinzucker erhältlich. Jagre-Zucker und Iksu sind hervorragend für Vata- und Pitta-Typen. Kapha-Typen sollten sie nur gelegentlich verwenden.

Seit Jahrtausenden sind Jagre-Zucker und Palmrohrzucker, beides nicht-raffinierte Zucker, in indischen Dörfern gewonnen und konserviert worden. Jagre-Zucker besteht aus dem Saft des zerquetschten Zuckerrohrs, während Palmrohrzucker aus dem Pflanzensaft von Kokos-, Dattel- und Palmyrapalmen gewonnen wird. Iksu ist in Indien sehr beliebt, und das erste Iksu der Saison, das als reichhaltige und gesuchte Delikatesse angesehen wird, wird als Tempelgabe verwendet.

Jagre-Zucker und Iksu, die in indischen Lebensmittelläden erhältlich sind, können unterschiedslos in den Rezepturen und Rezepten dieses Buches verwendet werden, ebenso wie nicht-raffinierter brauner Zucker, der in Reformhäusern und Bioläden erhältlich ist.

Wenn nicht raffinierte Zucker in Milchzubereitungen verwendet werden, dann sollten sie gegen Ende des Kochprozesses zugesetzt werden. Jagre-Zukker, Iksu und Sukanat haben weiche, schwere, ölige, süße und kühlende Eigenschaften und werden hauptsächlich verwendet, um Beschwerden zu lindern, die auf überschüssigem Vata und Pitta beruhen. Kapha-Typen sollten diese Zucker sparsam verwenden, da alle Zucker das Körperfett vermehren.

Jatamansi *(Indische Narde)*
Die Wurzel dieser Pflanze wird verwendet, um Pitta-Störungen und manchmal auch Kapha-Störungen zu lindern. Jatamansi hat einen süßen, bitteren und zusammenziehenden Geschmack und ist von seinem Wesen her kühlend.

Kalongi
Kalongi, das auf Sanskrit Kala Jeera heißt, ist mit der Kreuzkümmel- und mit der Kümmelpflanze verwendet. Es wird in der vedischen Küche ausgiebig verwendet und wird wie Kreuzkümmel als gutes Gewürz für alle drei Doshas angesehen. Es hat einen scharfen und bitteren Geschmack und wird als Anregungsmittel, Blutreinigungsmittel und als Mittel gegen Blähungen angesehen. Es ist in indischen Gemüseläden erhältlich.

Karanja *(Indische Buche)*
Die Blätter, Samen, die Rinde und die Wurzeln werden im Pancha Karma ausgiebig als Brechmittel verwendet sowie auch als Mittel zur Linderung von Nervosität, gegen Hautkrankheiten und Geschwüre und um Parasiten aus dem Körper zu entfernen. Kanja ist scharf und bitter mit einer erhitzenden Energie. Es ist gut für Kapha-, Pitta- und Vata-Störungen.

Kardamom
Die Schoten und Samen dieser Pflanze, die im Sanskrit als Ela bzw. Elachi bekannt ist, werden in der vedischen Kochkunst und in der ayurwedischen Medizin ausgiebig verwendet. Kardamom ist seinem Wesen nach süß, scharf, und erhitzend und sollte hauptsächlich von Vata- und Kapha-Typen als Mittel gegen Blähungen, als anregendes Mittel und als Mittel zur Verminderung von Schleim verwendet werden. Es kann darüber hinaus gelegentlich von Pitta-Typen verwendet werden.

Katuki *(Enzianpflanze und -wurzel)*
Enzian, der seinem Wesen nach bitter, scharf und kühlend ist, wird als bitteres Tonikum, als Blutreinigungsmittel und als Mittel zur Verringerung von Körperhitze verwendet. Gut für Pitta und Kapha.

Klettenwurzel
Diese dunkelbraune Wurzel der Klettenpflanze ist lang, dünn und drahtig und verfügt über Heilwirkungen. Sie ist bitter, scharf, süß und zusammenziehend im Geschmack und hat eine erhitzende Energie; sie ist gut für Pitta- und Kapha-Typen. Die Wurzel ist in Reformhäusern und Bioläden erhältlich.

Kokosnuß
Die ganze Kokosnußfrucht, die einen süßen Geschmack hat, wird in Indien ausgiebig zur Herstellung zahlreicher gesunder Nahrungsmittel verwendet. Frische und getrocknete Kokosnuß und Kokosnußöl werden im Ayurweda

als neutralisierendes Tonikum und als harntreibendes Mittel von Pitta und von Vata verwendet. Sie sind in indischen und orientalischen Gemüseläden erhältlich.

Kudzu
Die Wurzel der Kudzu-Pflanze ist besonders wegen ihrer arzneilichen Stärke bekannt, die auch als Verdickungsmittel für Nahrung verwendet werden kann. Kudzu-Stärke ähnelt der im Ayurweda verwendeten Guduci-Stärke.

Kürbisse, die im Pancha Karma verwendet werden
Dokshi, Koshataki *(Torai)*, Koshaphala *(Bidali)*, Katukumbi (Flaschenkürbis), Mahajali *(Kadwi Torai)*. Im allgemeinen werden die Samen, die scharf und bitter sind, und die Früchte, die kühlend sind, in der Brechtherapie verwendet, um überschüssiges Kapha zu lindern. Frische Kürbisse sind in indischen Gemüseläden erhältlich.

Kurkuma
Kurkuma, das im Sanskrit auch unter dem Namen Haridra bekannt ist, stammt aus dem unterirdischen Wurzelstock einer mehrjährigen Pflanze, die in den feuchten Regionen Südindiens und Südostasiens beheimatet ist. Es wird in der vedischen Küche und in der ayurwedischen Medizin ausgiebig genutzt. Kurkuma ist bitter, scharf und erhitzend, aber es kann von allen drei Doshas als Blutreinigungsmittel, Anregungsmittel und Mittel gegen Bakterien verwendet werden. Kurkuma ist in indischen Gemüseläden und in Bioläden bzw. Reformhäusern erhältlich.

Lotoswurzel
Die Lotospflanze, die im Sanskrit unter dem Namen Kamala bekannt ist, ist in den Teichen und Seen Kaschmirs, Chinas und Japans heimisch. Jeder Teil der Lotospflanze wird im Ayurweda zu Heilzwecken verwendet. Die Wurzeln können frisch oder getrocknet zum Kochen verwendet werden, während das Wurzelpulver arzneilich als nährendes Tonikum und Nervenmittel bei Pitta- und Kapha-Störungen verwendet werden kann.

Madana *(Brechnuß)*
Sowohl die nierenförmige Frucht, die wegen ihrer ausgiebigen Verwendung in der ayurwedischen Brechtherapie bekannt ist, als auch die Samen werden verwendet. Madana-Früchte und -samen sind süß, bitter und zusammenziehend im Geschmack und kühlend in ihrer Energie. Sie können von Pitta- und Kapha-Typen verwendet werden.

Masoor Dhal
Diese kleine Bohne, die auch unter dem Namen Masur-Bohne bekannt ist, ähnelt, wenn sie gespalten wird, der roten Linse. Diese Hülsenfrucht, die traditionell in der nordindischen Küche verwendet wird, ist am besten für

Pitta- und Kapha-Typen, obwohl sie auch von Vata-Typen gelegentlich verwendet werden kann, wenn sie richtig gewürzt ist.

Matar Dhal
Die gewöhnlichen gespaltenen Erbsen, gelb oder grün. Am besten für Pitta- und Kapha-Typen.

Mung Dhal
Auch als grüne Mungo-Bohne bekannt. Diese Hülsenfrucht, die seit der vedischen Zeit verwendet wird, wird aufgrund ihrer alkalisierenden und heilenden Eigenschaften als Königin der Hülsenfrüchte angesehen. Sie kann von allen Typen verwendet werden, obwohl Vata-Typen sie richtig würzen müssen.

Musta
Dieses Kraut, das seinem Wesen nach bitter, zusammenziehend, scharf und kühlend ist, wird verwendet, um Fieber, Durst und Durchfall sowie Hautkrankheiten und ein brennendes Gefühl auf der Haut zu lindern.

Neem
Der Neem-Baum wird im Sanskrit auch Nimba genannt. Er wächst vor allem in den ariden Regionen des Punjab und Rajastans. Der gesamte Baum wird im Ayurweda zu Heilzwecken verwendet. Die Neem-Blätter finden außerdem in der vedischen Küche Anwendung. Neem, das bitter im Geschmack ist, sollte hauptsächlich von Pitta und Kapha als bitteres Tonikum verwendet werden, sowie als Mittel, um Störungen wie Fieber und Blutkrankheiten zu lindern. Frische Neem-Blätter, die im Volksmund Curryblätter heißen, sind in indischen Gemüseläden erhältlich.

Nilini *(Indigopflanze, -wurzel oder -farbstoff)*
Indigo ist bitter, scharf und kühlend und wird in der Pancha-Karma-Therapie als Antibiotikum und mildes Abführmittel verwendet. Gut für Pitta und Kapha.

Padmaka *(Wildkirschenrinde, withania somnifera)*
Diese Rinde wird im Ayurweda ausgiebig verwendet, um Husten, Bronchialkrämpfe, Herzklopfen sowie Haut- und Augenkrankheiten zu lindern. Padmaka ist bitter, zusammenziehend und süß im Geschmack und hat eine kühlende Energie. Es ist gut für alle Typen, jedoch besonders für Pitta und Kapha.

Paradies- bzw. Pisang-Feige
Die Paradiesfeige, die in den Vereinigten Staaten als grüne Banane und in Indien als Kacha Kela bekannt ist, wird als Gemüse angesehen. Sie wird in der südindischen sowie in der südamerikanischen Küche verwendet und ist in den meisten indischen und orientalischen Gemüseläden erhältlich.

Pippali

Eine äußerst scharfe, rote Pfefferschote von etwa 5 cm Länge sowie einer der drei Bestandteile der ayurwedischen Trikatu-Rezeptur. Es ist hervorragend für Kapha-Typen (und gelegentlich für Vata-Typen), um dem Körper Hitze zu geben und die Verdauung zu fördern.

Pudina

Pudina, die Sanskrit-Bezeichnung für Minze, wird in alten ayurwedischen Texten als wichtiges Kraut für alle drei Doshas erwähnt. Minze ist besonders angenehm für Pitta-Typen und ist frisch oder getrocknet in Reformhäusern und Bioläden sowie auf Wochenmärkten erhältlich.

Punarnava

Dieses Kraut, das von seinem Wesen her bitter und kühlend ist, sollte in erster Linie von Pitta und Kapha als harntreibendes Mittel, Abführ- und Verjüngungsmittel verwendet werden.

Safran

Safran ist im Sanskrit unter dem Namen Kesar bekannt. Die Safranfäden werden mit der Hand aus dem Safrankrokus gepflückt, der in Indien, China, dem Mittelmeerraum und Vorderasien angebaut wird. Er hat eine karmesinrote Farbe und einen exquisiten und delikaten Geschmack. In der ayurwedischen Medizin wird Safran benutzt, um den Dickdarm zu harmonisieren, das Blut zu reinigen und den Menstruationsfluß zu regulieren sowie als Verjüngungsmittel. In Indien stellt man damit süße Getränke und Desserts her. Es kann von allen drei Doshas verwendet werden. Safran ist in indischen und orientalischen Gemüseläden sowie in Reformhäusern und Bioläden erhältlich.

Scharfer Chili

Chili ist in tropischen und subtropischen Klimaten heimisch, und die verschiedenen Arten unterscheiden sich stark in ihrem Schärfegrad.

Der in diesem Buch empfohlene Chili ist mittelscharf, so wie die 2,5 cm langen roten oder grünen Chilischoten, die man in indischen und orientalischen Gemüseläden findet. Sie können die Schärfe einer Chilischote verringern, indem Sie die Samen herausnehmen; entfernen Sie den Stengel, und schneiden Sie die Schote der Länge nach auf. Kratzen Sie die Samen mit einem Tafelmesser heraus. Sie können den Stengel ebenfalls entfernen, indem Sie ihn großzügig abschneiden, ihn umdrehen und aus der Schote herausziehen. Die meisten Samen sollten dabei mit entfernt werden, und der Stengel sollte unbeschädigt bleiben.

Shatavari

Dieses Kraut, das seinem Wesen nach süß, bitter und kühlend ist, wird als ernährende und beruhigende Substanz verwendet, um den Menstruationsfluß zu regulieren und das Hormonsystem anzuregen. Gut für Pitta und Vata.

Sojabohne
Die Sojabohne, die in Indien, China und Japan heimisch ist, ist eine mittelgroße Bohne von schwarzer oder weißer Farbe. Diese Bohne hat einen äußerst hohen Nährwert, sie ist kühlend und darum hervorragend für Pitta-Typen. Wenn sie richtig gewürzt wird, können auch Kapha- und Vata-Typen sie gelegentlich verwenden. Aus der Sojabohne hergestellte Produkte wie Tofu und Sojamilch können entsprechend verwendet werden.

Steinsalz
Dieses Salz, das hauptsächlich in kristalliner Form aus dem Meeresboden im Gebiet des Sindgebirges in Pakistan abgebaut wird, ist in ayurwedischen Lebensmitteln und Arzneien (wo es als Sendha Namak bekannt ist) seit altersher verwendet worden. Ein verwendetes Salz, das als Kala Namak bekannt ist, ist ein tiefroter, äußerst scharfer Steinkristall, der einen flüchtigen Geschmack hat und einen Geruch, der an hartgekochte Eier erinnert. Steinsalz kann durch ayurwedische Quellen und Lieferanten bestellt werden (vergleichen Sie Anhang G). Ein klares Steinsalz, das mit Sendha Namak vergleichbar ist, ist leicht auf jüdischen Koschermärkten erhältlich.

Sukanat
Amerikanische Markenbezeichnung: steht für einen natürlichen Zucker, der aus Zuckerrohrsaft hergestellt wird. Unter anderem Namen in Bioläden und Reformhäusern erhältlich.

Tamal Patra *(Indische Zimtpflanze)*
Diese Pflanze gehört zur Familie der Zimtgewächse. Die getrockneten Blätter und die Rinde werden im Ayurweda ausgiebig als anregendes und blutreinigendes Mittel genutzt sowie als Mittel, um das Schwitzen durch die Haut anzuregen. Tamal Patra hat einen scharfen, zusammenziehenden und süßen Geschmack und eine erhitzende Energie; es ist gut für Vata- und Kapha-Typen, obwohl auch Pitta-Typen es gelegentlich verwenden können.

Tamarinde
Das Fruchtmark der Tamarinden-Schote wird seit altersher in Indien verwendet. Der Tamarinden-Baum wird in der indischen Mythologie als glückbringend angesehen, und seine Frucht ist als Imli bekannt. In den Tropen ist frische Tamarinde erhältlich. Getrocknete Tamarinden werden in Form kleiner Ziegel oder Platten abgepackt, die als Fruchtmark zubereitet werden können. Getrocknete Tamarinden, Tamarinden-Fruchtmark (oder -Paste) und ein gelartiges Tamarinden-Konzentrat sind in indischen Gemüseläden erhältlich.

Trikatu
Trikatu, eine Mischung aus drei scharfen Gewürzen, Ingwer, Pippali und schwarzem Pfeffer, sollte hauptsächlich von Vata und Pitta verwendet werden, um die Verdauung zu fördern und das System anzuregen.

Triphala
Triphala, eine Mischung aus rei alten ayurwedischen Früchten (Amalaki, Haritaki und Bibhitaki), ist ein hervorragendes Tonikum für alle drei Doshas. Es wird verwendet, um das System zu entgiften und findet darüber hinaus Anwendung als mildes Abführmittel und Schlafmittel.

Urad Dhal
Diese kleine, schwarze Hülsenfrucht, die auch als Masha bekannt ist, ist seit altersher verwendet worden. Wenn die Bohne geschält und gespalten wird, dann ist sie weiß. Traditionell wird sie in vielen südindischen Gemüsegerichten verwendet und wird als Bohne für alle drei Doshas angesehen.

Uva Ursi
Dieses Kraut, das seinem Wesen nach zusammenziehend, bitter, scharf und kühlend ist, kann aufgrund seiner antiseptischen und harntreibenden Eigenschaften von Pitta und von Kapha genutzt werden.

Vacha *(Kalmus-Wurzel)*
Vacha ist seinem Wesen nach scharf, bitter und erhitzend, und sollte daher hauptsächlich von Vata und Kapha als Anregungsmittel, Verjüngungsmittel und Mittel gegen Kongestionen verwendet werden.

Vamsha Rochana *(Bambus)*
Dieses Kraut, das seinem Wesen nach scharf, zusammenziehend und erhitzend ist, ist hervorragend für Pitta und Vata. Es vermindert Schleimbildung und wirkt harmonisierend und beruhigend auf die Gewebe.

Vidanga *(Embelia)*
Die Beeren, die ihrem Wesen nach scharf, zusammenziehend und erhitzend sind, werden im Ayurweda verwendet, um den Appetit zu zügeln, Fett zu reduzieren und Parasiten, Bakterien und Pilze zu zerstören. Gut für Kapha.

Yastimadhu *(Madhuka)*
Die Süßholzwurzel und der Wurzelextrakt, die ihrem Wesen nach süß, bitter und kühlend sind, werden in der Brech- und Purgiertherapie allgemein verwendet. Gut für Pitta und Vata.

Zitronellgras
Zitronellgras ist seinem Wesen nach scharf, bitter und kühlend und ist für alle drei Doshas gut. Es wird im allgemeinen zur Kühlung des Systems oder als harn- und schweißtreibendes Mittel verwendet.

Glossar der Öle für die Heildiät

Entsprechend der Sanskrit-Bezeichnung Sneha, die „fett“ und auch „überschwengliche Liebe“ bedeutet, gibt Öl den Dhatus die notwendige schmierende Liebe. Einige Menschen, zum Beispiel Kapha-Typen, werden mit reichlicher Liebe in Form von natürlichen Körperölen geboren und brauchen daher weniger Schmierung aus der Nahrung. Andere, wie die Vata-Typen, haben eine sehr geringe Menge an körperlicher Liebe/Fett und brauchen sehr viel Wärme und Schmierung aus der Natur und auch aus der Nahrung. Pitta-Typen sind von Geburt an mit intensiven, heißen Körperölen gesegnet und brauchen weniger Schmierung und mehr Kühlung, um ihre Natur auszugleichen.

Alle Nahrungsmittel enthalten in unterschiedlichem Maße natürliche Öle. Über ihre wärmenden und schmierenden Eigenschaften hinaus stärken Öle die Gewebe und bauen sie auf, sie beruhigen die Körperschleimhäute und aktivieren bis zu einem gewissen Grad das Verdauungsfeuer.

Öle sollten von keinem Körpertyp im Übermaß gebraucht werden, obwohl Vata-Typen es reichlich in der Küche, für Bäder und zum Massieren verwenden können. Je nach Dichte, Geschmack und Energie der verschiedenen Ölarten steht jedem Körpertyp eine gute und reichliche Auswahl an Ölen zur Verfügung. Hauptsächlich aus Gründen der Einfachheit wird in den Rezepten für die heilende Diät Sesamöl, Sonnenblumenöl oder Ghee verwendet. Um Abwechslung in Ihre tägliche Ernährung zu bringen, können Sie die Öle auswählen, die für Ihren Körpertyp aus den Ölen der unten angeführten Liste unten am harmonischsten sind.

Verwenden Sie keine Öle, die kommerziell verarbeitet, gehärtet, raffiniert, mit Farbstoffen behandelt oder mit anderen Ölsorten vermischt worden sind. Qualitätsöle können Sie in Reformhäusern, Bioläden oder Feinkostläden kaufen.

Lagern Sie Ihre Öle an einem kühlen, dunklen Ort. Verbrauchen Sie sie nach dem Öffnen innerhalb eines Monats, da sie leicht ranzig werden.

Mandelöl
Ein delikates, süßes Öl, das aus süßen Mandeln gepreßt wird. Es ist von seinem Charakter her fett/nährend und wärmend, und wird in vielen ayurwedischen Gesundheitsrezepturen und Massagetherapien für Vata-Typen verwendet. Es sollte eher als Akzent anstatt als tägliches Kochöl verwendet werden. Am besten für Vata-Typen; Kapha-Typen dürfen es manchmal benutzen.

Avokadoöl
Ein dickes, nährendes Öl, das aus Avokadofruchtfleisch gepreßt wird. Es ist vom Charakter her wärmend und ist genau wie Ölivenöl als Basis für Salatdressings und Nudelsaucen aus Kräutern geeignet. Am besten für Vata-Typen; Pitta-Typen dürfen es sparsam benutzen.

Canola-Öl

Ein seit kurzem beliebtes Öl, das aus Rapssamen gepreßt wird. Es ist leicht und beruhigend, und ähnelt stark dem Sonnenblumenöl. Es ist für den täglichen Gebrauch für alle drei Körpertypen empfehlenswert.

Kokosnußöl

Ein Öl, das aus dem Kokosnußfleisch gewonnen wird, und in der südindischen Küche ausgiebig verwendet wird. Es ist das kühlendste aller Ölsorten, hat aber gleichzeitig einen sehr hohen Fettgehalt. Pitta- und Vata-Typen dürfen es gelegentlich verwenden.

Maisöl

Ein goldfarbenes Öl, das aus dem Keim des Maiskorns gepreßt wird. Maisöl hat neben Sesamöl die längste Anwendungsgeschichte. Es ist von seinem Wesen her leicht und austrocknend und hat einen hohen Siedepunkt. Am besten für Kapha-Typen als Routineöl; Vata- und Pitta-Typen dürfen es sparsam verwenden.

Senföl

Ein Öl, das entweder aus bernsteinfarbenen oder aus purpurbraunen Senfkörnern gepreßt wird. Es wird in der nordindischen und der südindischen Küche ausgiebig verwendet und ist seit frühester Zeit als Öl für die ayurwedischen Ölmassagetherapien geschätzt worden. Es hat einen äußerst scharfen Geschmack, ist von seinem Wesen her erhitzend und ist ein traditioneller Bestandteil von Chutneys und Pickles. Am besten für Kapha-Typen, eher als Akzent als als tägliches Öl zum Kochen zu verwenden; Vata-Typen dürfen es als gelegentliches Kochöl verwenden, indem Sie es zunächst fast bis zum Siedepunkt erhitzen, um ihm die Schärfe zu nehmen.

Olivenöl

Ein fettes, dickes und leicht scharfes Öl, das aus reifen Oliven gepreßt wird. Es wurde zuerst in der mediterranen, spanischen und italienischen Küche verwendet und erfreut sich jetzt auf der ganzen Welt großer Beliebtheit. Olivenöl ist in einer ganzen Reihe von Farben, Dichtegraden und Qualitäten erhältlich. Die grünlichen „nativ“ und „nativ-extra“ Sorten können unerhitzt von Vata- und sparsam von Kapha-Typen in Salatdressings, Kräutersaucen für Nudeln und Chutneys verwendet werden. Die gelblichen Sorten dürfen gelegentlich zum Kochen von Vata-Typen und sparsam (wegen des hohen Fettgehalts) von Kapha-Typen gebraucht werden.

Saffloröl

Ein leichtes Öl mit mildem Aroma, das aus den Samen der Safflorpflanze bzw. der blühenden Färberdistel gepreßt wird. Aufgrund seines hohen Siedepunktes eignet es sich gut zum Fritieren. Darf gelegentlich von allen Körpertypen verwendet werden.

Sesamöl

Ein fettes, dickes und warmes Öl, das aus Sesamsamen gepreßt wird. Es ist seit ältester Zeit in China und Indien (wo es als Tila bekannt ist) verwendet worden. Es ist in heller Bernsteinfarbe erhältlich, wenn es aus den gelblichbraunen Samen gepreßt wird oder in einem tiefen Braun, wenn es aus den schwarzen Samen gepreßt wird. Wenn es aus gerösteten Samen gepreßt wird, hat es eine dunkelbraune Farbe. Sesamöl wird in der ayurwedischen Medizin ausgiebig verwendet und wird als wichtigstes Kochöl für Vata-Typen angesehen. Es darf außerdem sparsam von Kapha- und von Pitta-Typen verwendet werden.

Sonnenblumenöl

Ein goldenes Öl, das aus den Samen der Sonnenblume gepreßt wird. Es wird als bestes Allzwecköl für alle Körpertypen angesehen und aufgrund seines sanften, kühlen Wesens und seines mildlich-süßen Geschmacks als besonders gutes Öl für Pitta-Typen.

Walnußöl

Ein tief bernsteinfarbenes Öl, das aus Walnüssen gepreßt wird. Es ist delikat, nussig und aromatisch und darf sparsam von allen Typen verwendet werden, um einen Akzent bei Salaten, Dressings, Gemüsen und Desserts zu setzen. Wie Mandelöl ist Walnußöl am besten für Vata-Typen.

Glossar der heiligen Getreide für die Heildiät

In den Veden wird gesagt, daß das gesamte Universum in jedem Getreidekorn enthalten ist. Die Bestandteile eines Getreidekorns – die Schale, die Kleie/der Keim und das Endosperm – symbolisieren die kosmischen Gunas Sattwa, Rajas und Tamas, die jeweils die Harmonie oder den Schutz, die Dynamik und die Trägheit des lebenden Universums widerspiegeln. Das Korn erlebt die sieben Lebensstufen, vom Samen zur Sprosse, vom Setzling zur jungen Pflanze, zur reifen Pflanze, zur blühenden Pflanze, zur fruchttragenden Pflanze.

Amaranth

Amaranth wurde in den Spalten eingestürzter Höhlen in Mexiko entdeckt. Man nimmt an, daß dieses Getreide von den Ureinwohnern Mexikos vor mehr als sechstausend Jahren geerntet wurde. Amaranth ist mit dem Steppenläufer verwendet und hat ähnliche Eigenschaften wie Quinoa, ist aber kleiner. Amaranth ist süß und zusammenziehend mit einer erhitzenden Energie; es ist hervorragend für Vata- und Kapha-Typen und darf gelegentlich von Pitta-Typen verwendet werden.

Gerste

Gerste, die auch als Jawar bekannt ist, ist in Indien seit vedischer Zeit angebaut worden. Sobald die Schale entfernt ist, ist das verbleibende Korn, das im Westen als geschälte Gerste bzw. Gerstengraupen bekannt ist, von seinen Nährstoffen her intakt. Es besteht aus einer Keimschicht und einem Protein, das als Aleuron bekannt ist. Wenn die Aleuronschicht entfernt wird, bleiben die elfenbeinfarbene Gerstengraupen übrig. In Indien wird das seidene, frisch gemahlene Gerstenmehl, das einen niedrigen Glutengehalt hat, oft mit Vollkornweizenmehl vermischt, um Chapatis herzustellen. Gerstenmehl läßt sich wie Weißmehl verwenden, außer, daß es einen höheren Nährstoffgehalt hat und gesünder ist.

Gerste ist am besten für Pitta-Typen und unterstützt auch Kapha-Typen. Obwohl es von seiner Energie her kühlend ist, fahren auch Kapha-Typen aufgrund seiner Trockenheit gut mit ihm.

Buchweizen

Dieser eßbare Fruchtsamen ist seit Jahrhunderten in Asien und Europa als Getreide verzehrt worden. Es ist mit Rhabarber, Sauerklee und der Ampferfamilie verwendet und heißt in Indien Kutu oder Phaphra. Ähnlich wie Bulgur hat Buchweizen eine harte äußere Schale, die, wenn sie entfernt wird, einen Samen freigibt. Traditionell wird dieser Same in Indien fein gemahlen und für Pakora- oder Tempura-ähnlichen Ausbackteig für Pooris (dünne, gebratene Chapatis) und zur Herstellung von Süßigkeiten wie Halwa verwendet.

Buchweizengrütze ist aufgrund ihres etwas scharfen Wesens am besten für Kapha-Typen geeignet. Wenn sie jedoch mit Weizen und einem natürlichen Süßmittel vermischt wird, können auch Pitta- und Vata-Typen sie gelegentlich verwenden.

Mais

Mais, der in Indien und auf dem amerikanischen Kontinent heimisch ist, ist ein besonderes Getreide. In Indien ist das frisch gemahlene Mehl als *Makkai Atta* bekannt. Mais hat einen niedrigen Glutengehalt und wird mit Weizenvollkornmehl vermischt, um Flachbroten eine andere Konsistenz zu geben. Wie Hirse und Gerste, so wird auch Mais hauptsächlich von den Bauern im ländlichen Indien verwendet.

Mais ist hervorragend für Kapha-Typen, und wenn er als Porridge zubereitet oder frisch als Maiskolben mit organischer Butter oder Ghee verzehrt wird, dann ist er als gelegentliche Mahlzeit auch für Vata-Typen geeignet.

Hirse

Hirse, die in Nordindien unter der Bezeichnung Bajra und in Südindien unter der Bezeichnung Raji bekannt ist, ist ein köstliches, gelblichbraunes Getreide, das aus mehreren Getreidegräsern in großem Umfang geerntet wird. Die beiden beliebtesten Sorten sind Fingerhirse und Perlhirse; diese beiden Sorten findet man auch am leichtesten in Reformhäusern und Bioläden. Hirse ist das drittwichtigste Getreide in Indien nach Reis und Weizen. Sie wächst gut auf sandigen und auf schlechten Böden und in heißen, rauhen Klimaten, in denen Weizen nicht gedeihen könnte. Frisch gemahlene Hirse wird oft mit anderen Mehlsorten gemischt, um flache Brote herzustellen, oder sie wird mit verschiedenen Gemüsen vermischt.

Hafer

Von allen häufig verwendeten Getreiden hat Hafer den höchsten Nährwert. Dieses wundervolle, kräftigende Nahrungsmittel ist heutzutage in vielen Formen erhältlich. Das ganze Korn wird gedroschen, um die nicht eßbaren Schalen zu entfernen. Das übrige Korn, mit intakter Kleie und intaktem Keim, wird als Schrot bezeichnet. Dieser Schrot bzw. diese ganzen Körner können weiter mit einer scharfen Klinge gespalten werden, um grobes Hafermehl herzustellen.

Um die traditionellen Haferflocken herzustellen, wird der Schrot durch Dämpfen und anschließendes Flachdrücken mit Stahlrollern weichgemacht; so wird aus dem Hafer ein Getreide, das sich schnell kochen läßt. Entwässerter Instanthafer, der ein Ergebnis intensiver Verarbeitung ist, hat einen geringen Nährwert.

Obwohl Hafer von seiner Energie her erhitzend ist, ist er am besten für Vata-Typen; der reichhaltige, süße Geschmack des Hafers unterstützt sowohl Pitta als auch Vata.

Quinoa

Quinoa, das von den Inkas als Mutterkorn bezeichnet wurde, wurde zum ersten Mal vor mehr als 3000 Jahren in Südamerika geerntet, ist aber von den Inkas seit der spanischen Eroberung vor 400 Jahren wenig verwendet worden. Quinoa ist entfernt mit der Rüben-, Spinat- und Mangoldfamilie verwendet. Die Blätter der Quinoapflanze können wie Spinat verwendet und gekocht werden.

Quinoa ist süß, zusammenziehend und scharf und hat eine erhitzende Energie. Es ist ein hervorragendes Getreide für Vata- und Kapha-Typen, kann aber im Herbst und im Winter auch gelegentlich von Pitta-Typen verwendet werden.

Reissorten

Reis ist das wichtigste Nahrungsmittel der meisten Kulturen; es ist das Getreide, das auf der Welt am meisten verzehrt wird. Gegenwärtig werden mehr als dreißigtausend verschiedene Reissorten angebaut. Neunzig Prozent des Weltreisangebots stammt aus Indien, China und Japan.

Basmatireis: Basmatireis hat einen aromatischen, nussigen Geschmack und wird seit Jahrhunderten in Nordindien und in Pakistan angebaut. Einige Dörfer in Nordindien führen einmal im Jahr ein Ernteritual durch, ein Sadhana, an dem alle Dorfbewohner teilnehmen und bei dem der Reis von Hand geschält und von der Spreu gereinigt wird. Basmati wird wegen seiner langen, dünnen Körner geschätzt, die beim Kochen lang werden, anstatt aufzuquellen. Das Wort Basmati bedeutet wörtlich „Königin des Duftes". Dieses sattwische Getreide bleibt aufgrund seines exquisiten Duftes, der mit der Jasminblüte und der exotischen Walnuß verglichen worden ist, unter den aromatischen Reissorten einzigartig.

Es gibt weißen und braunen Basmatireis. Weißer Basmati ist leicht zu verdauen, er kühlt das Verdauungsfeuer und wird im Ayurweda als reinigendes und heilendes Nahrungsmittel für alle Körpertypen sehr geschätzt, obwohl ihn Kapha-Typen nur gelegentlich verwenden sollten. Brauner Basmatireis wird ebenfalls als nahrhaft und heilend angesehen, besonders für Vata-Typen.

Schwarzer Japonicareis: Dieser Reis mit mittellangen Körnern, der schwarze Kleie hat, wird in kleinen Mengen auf den Lundbergfarmen in Kalifornien angebaut. Er wird aufgrund seines Geschmacks in vielen Gourmet-Reismischungen verwendet. Schwarzer Japonicareis ist süß und leicht scharf im Geschmack. Er ist gut für Vata-Typen, kann aber gelegentlich von Kapha- und Pitta-Typen verwendet werden.

Brauner Reis: Braunen Reis gibt es mit langen, mittellangen und kurzen Körnern. Von diesem Reis sind nur die Schalen entfernt worden, die Kleieschicht und die Keimschicht ist intakt und schützen den Kern. Brauner Reis ist cremefarben und muß aufgrund seines hohen Glutengehaltes gut gekaut werden. Er ist sehr reich an Mineralien und Vitaminen und hat dreimal soviel Ballaststoffe wie weißer Reis. Im allgemeinen haben die mittellangen und die kurzen Körner mehr Amylopektin (eine wachsähnliche Stärke), was diesen Reis klebriger und schwerer zu kauen macht als Langkornreis; er muß auch länger gekocht werden. Der braune Langkornreis ist nach dem Kochen lockerer und leichter. Alle braunen Reissorten müssen gut gekocht und richtig gekaut werden, um richtig verdaut zu werden. Brauner Reis ist am besten für Vata-Typen. Pitta- und Kapha-Typen können ihn bei seltenen Gelegenheiten ebenfalls verzehren.

Calmatireis: Basmatireis ist vor einiger Zeit mit einem amerikanischen Langkornreis in Nordkalifornien gekreuzt worden, um diesen populären braunen Basmati herzustellen.

Italienische Reissorten: Arborio, Vialone Nano, Carnaroli und Padano, die beliebtesten Reissorten in Italien, werden in Piemont und in der Lombardei angebaut. Die meisten italienischen und spanischen Reissorten haben mittellange Körner und einen hohen Stärkegehalt, was die Körner zusammenkleben läßt. Wenn diese Arten gekocht werden, dann werden sie weich und durchscheinend. Der innere Kern bleibt jedoch fest, und oben bildet sich eine Reiscremeschicht. Arborio wird oft dazu verwendet, um ein italienisches Reisgericht namens Risotto zuzubereiten. Gelegentlich kann man in Gerichten, in denen Rundkornreis oder Reis mit mittellangen Körnern gebraucht wird, diesen durch italienischen Reis ersetzen. Diese Reissorten sind gut für Vata-Typen, sie können gelegentlich von Pitta-Typen und selten von Kapha-Typen verwendet werden.

Duftreis: Dieser Reis ist in Thailand heimisch und ähnelt dem Basmatireis. Er hat einen starken Duft und fühlt sich bei der Berührung seidig an. Im Gegensatz zu Basmatireis wird dieser Reis nicht lange gelagert und quillt zu einem mittelgroßen, feuchten Korn heran, wenn er gekocht wird. Duftreis wird jetzt auch erfolgreich in den Vereinigten Staaten angebaut. Aufgrund seiner kühlenden Energie bei der Verdauung kann er zur Reinigung von allen Typen verwendet werden, die gerade eine Heildiät durchführen. Als Bestandteil der normalen Ernährung ist Duftreis wie die meisten Reissorten für Vata-Typen geeignet.

Sushi-Reis: Dieser weiße Rundkornreis, der in Japan für die Zubereitung von Sushis verwendet wird, ist in den meisten orientalischen Lebensmittelläden und einigen Reformhäusern und Bioläden erhältlich. Wenn er gekocht wird, ist er aufgrund seines hohen Stärkegehalts weicher und klebriger als die meisten anderen Reissorten. Sushi-Reis ist am besten für Vata-Typen, kann gelegentlich aber auch von Pitta- und Kapha-Typen verwendet werden.

Süßer brauner Reis: Dieser klebrige, cremefarbene Rundkornreis wird in der ostasiatischen Küche zur Herstellung von Desserts verwendet. Er hat von Natur aus einen süßeren Geschmack als brauner Rundkornreis. Er ist in Indien und Japan beheimatet und ist in einigen orientalischen Läden und Reformhäusern bzw. Bioläden erhältlich. Süßer brauner Reis ist am besten für Vata-Typen, kann gelegentlich aber auch von Pitta- und Kapha-Typen verwendet werden.

Texmatireis: Texmatireis, oder amerikanischer Basmati, ist eine Hybridbildung aus indischem Basmatireis und weißem amerikanischen Langkornreis. Sein Aroma und sein Popcorn-ähnlicher Geschmack ähneln dem Basmati, aber nach dem Kochen ist er weicher und klebriger. Der Reis ist nach dem Staat benannt, in dem er wächst, nämlich Texas und nach seiner Ähnlichkeit mit dem Basmatireis. Er ist als weißer und brauner Reis erhältlich und kann Basmatireis ersetzen. Weißer Texmati kann auch für Reinigungsdiäten und Heildiäten für alle drei Doshas verwendet werden. Als Bestandteil der normalen Diät ist Texmati am besten für Vata-Typen, kann aber auch gelegentlich von Pitta- und von Kapha-Typen verwendet werden.

Valenciareis: Valenciareis ist ein weicher, spanischer Reis mit mittellangen Körnern und vollem Geschmack. Er ähnelt italienischen Reissorten insofern, als er nach dem Kochen einen festen inneren Kern behält. Valenciareis wird für das traditionelle spanische Reisgericht Paella verwendet. Dieser Reis ist gut für Vata-Typen und kann gelegentlich von Pitta- und Kapha-Typen verwendet werden.

Roggen

Von den Getreidearten, die aus Gräsern oder Zerealien gewonnen werden, ist Roggen diejenige, die stark unterschätzt wird. In kalten, nassen Klimaten, wo der Weizen kaum Chancen hat, wächst Roggen besser. Roggen ist auch in aufgebrochener Form erhältlich und ähnelt dann dem aufgebrochenem Weizen und der Haferkleie. Durch Trocknen, Dämpfen und Plätten werden Roggenkörner zu Roggenflocken gewalzt, die als sanftes und nährstoffreiches Frühstücksgetreide verwendet werden können. Roggen ist ein schmackhaftes, scharfes Nahrungsmittel, das für Kapha-Typen geeignet ist.

Bulgur und industriell verarbeiteter Weizen

Wie Reis, so ist auch Weizen ein altes Getreide, das seit über 5000 Jahren ein Grundnahrungsmittel der indischen Küche darstellt. In Indien wird Weizen auf soviele Arten verwendet, wie es Dialekte gibt. Das seit frühester Zeit bekannte Flachbrot, das unter dem Namen Chapati bekannt ist, ist immer noch das wichtigste Brot in nordindischen Mahlzeiten. Chapatis werden aus cremefarbenen Weizenmehl mit weicher Konsistenz und einem niedrigen Glutengehalt hergestellt, das als Atta bekannt ist. Für dieses Mehl wird das ganze Korn – Kleie, Keim und Endosperm – zu einem feinen Pulver vermahlen, das sich sehr leicht zu einem Teig rollen läßt.

Manchmal wird ein sogar noch feineres Mehl, das als *Pisi Lahore* bekannt ist, zur Herstellung weicher, seidiger Chapatis verwendet. Grieß, der in Indien *Sooji* heißt, ist eine körnige Mahlzeit aus dem Endosperm des Hartweizens. Seine klebrigen Eigenschaften machen ihn zu einem perfekten Bestandteil für ein südindisches Gericht namens Uppama. Sooji ist in drei Konsistenzen erhältlich – fein, mittel und grob; es wird für Süßigkeiten wie Halwa und als Frühstücksporridge verwendet.

Obwohl Weizen von seiner Energie her kühlend ist (am besten für Pitta-Typen), ist er ein reichhaltiges, vitales und süßes Getreide, das Vata und Pitta unterstützt.

Aufgebrochener Weizen

Diese gespaltenen Körner aus Vollweizen unterscheiden sich leicht von Bulgur. Aufgebrochener Weizen wird nicht vorgekocht, sondern in der Sonne gedörrt, bevor er aufgebrochen wird. Bulgur und aufgebrochener Weizen können jedoch unterschiedslos verwendet werden. Außerdem wird aufgebrochener Weizen feingemahlen als Frühstücksporridge verwendet.

Couscous

Dieses Korn wird aus Grieß, dem Endosperm des Hartweizens, gemacht. Um Couscous herzustellen, wird Grießmehl mit Salzwasser vermischt, dann geschüttelt und zu winzigen Kügelchen verrieben. Dann werden die Kügelchen über köchelndem Wasser auf einem Baumwolltuch gedämpft, bis sie aufquellen. Dieser Schritt kann auch so durchgeführt werden, daß man die Kügelchen zweimal über einem heißen, sprudelnden Suppentopf dämpft.

Couscous ist ein Hauptnahrungsmittel der Marokkaner, Algerier, Tunesier und Ägypter. In Nordafrika bezeichnet der Ausdruck Couscous eine ganze Reihe verschiedener Gerichte.

Anhang C

Küchengeräte

Idealerweise sollten einige Töpfe und Pfannen aus rostfreiem Stahl, Hilfsmittel wie Löffel, Spateln Schopflöffel, große und kleine Siebe und ein Teesieb ausschließlich zur Zubereitung Ihrer Rezepturen und Rezepte für die verschiedenen Behandlungen verwendet werden. Tauchen Sie Ihre Behandlungsgeräte vor dem Gebrauch immer in kochendes Wasser. Töpfe und Schüsseln aus Keramik werden ebenfalls für Behandlungsrezepturen empfohlen, da sie den Rezepturen die wärmende Energie der Erde verleihen.

Für gesundes Kochen ist es ratsam, die Küchengeräte zu wechseln. Verwenden Sie Emaille, Kupfer, Glas, Gußeisen, Ton und rostfreien Stahl, um vielfältigen Gewinn aus diesen verschiedenen Materialien zu ziehen.

Küchengeräte und Hilfsmittel

Dampfkochtopf

Ein großer Dampfkochtopf aus rostfreiem Stahl ist zum Kochen der Getreide und Hülsenfrüchte, die in den Rezepten für Umschläge und die Heildiät gebraucht werden, von unschätzbarem Wert. Wenn Sie mit Dampf kochen, dann wird daraus eine Mahlzeit mit höherem Nährwert oder ein wirksamerer Umschlag. Wenn Sie keinen Dampfkochtopf besitzen, dann können Sie einen gußeisernen Topf mit Emailleglasur oder einen schweren Topf aus rostfreiem Stahl verwenden.

Keramikschüsseln

Keramikschüsseln sind in den meisten Bioläden, japanischen Gemüseläden und Töpfereien erhältlich. Ich rate Ihnen dringend, solche Schüsseln zur Aufbewahrung Ihrer Massageöle und aromatisierten Öle vor dem Gebrauch zu verwenden. Keramik erhält die natürlichen Energien der Öle und die gewünschte Temperatur.

Keramikraspel

Dieses ideale Hilfsmittel zum Reiben von Ingwer, Knoblauch oder Muskatnuß erhalten Sie in Bioläden oder japanischen Gemüseläden. (Vergleichen Sie Anhang G für ayurwedische Bezugsquellen und Lieferanten.)

Käseleinen

Um die Harmonie und die Entwicklung Ihres natürlichen Gefühls für Sadhanas zu fördern, werden in diesem Buch Tücher aus Käseleinen und Baumwolle als Alternative zu Papiertüchern vorgeschlagen.

Handreiben
Diese althergebrachten Handreiben für Lebensmittel, die in verschiedenen Größen erhältlich sind, werden zum Mahlen feuchter Hülsenfrüchte (Dhals), Getreidekörner, Nüsse und Samen sowie zum Pürieren von Gemüsesuppen und Früchten empfohlen. Die größeren Reiben (mit 15 cm und 20 cm Durchmesser) eignen sich am besten zum Mahlen von Hülsenfrüchten und Getreidekörnern, zum Pürieren von Gemüsen usw. Die kleinere Größe (10 cm) wird zum Mahlen von Nüssen und Samen empfohlen. (Vergleichen Sie Anhang G für ayurwedische Bezugsquellen und Lieferanten.)

Handstein, Steinmörser und -stößel
Das Mahlen von Getreiden, Hülsenfrüchten, Gewürzsamen und Nüssen mit einem Handstein und einem Steinmörser und -stößel, das in den frühen Kulturen erfunden wurde, ist ein unumgängliches Sadhana, um das Erkennen der Natur und die Harmonie mit ihr zu wecken und aufrechtzuerhalten. Diese Hilfsmittel aus Stein werden noch heute in Indien und Mexiko sowie in vielen südamerikanischen Ländern sehr häufig benutzt. In Indien heißt der Handstein *Batta* und das Steinbett *Sil*. Der große, schüsselförmige Steinmörser und -stößel heißt *Himan Dasta*. (Vergleichen Sie Anhang G für ayurwedische Bezugsquellen und Lieferanten.)

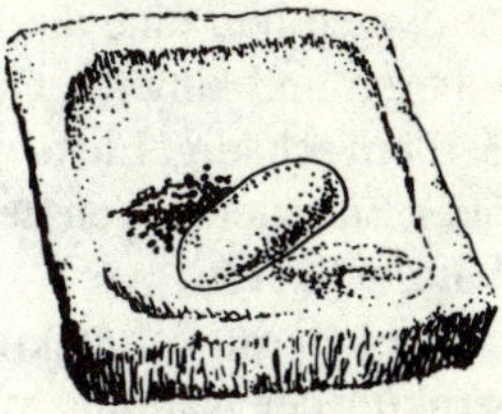
Abb. 50: Handstein

Indisches Sieb
Dieses 20 cm große, runde, trommelförmige Sieb mit Namen *Chalni* ist hervorragend zum Abseihen und Durchsieben geeignet. Es hat entweder einen Rand aus rostfreiem Stahl oder aus Zinn und wird mit fünf verschieden großen Maschensiebeinsätzen, von sehr fein bis sehr grob, verkauft. Es eignet sich hervorragend zum Durchseihen von Kräuterpulvern, Wurzeln usw.

Suribachi
Japanischer, schüsselförmiger Mörser aus Keramik mit Holzstößel. Diese Schüsseln sind groß und innen gerillt, was beim Mahlen natürlicherweise zu einer meditativen Mahlbewegung im oder gegen den Uhrzeigersinn führt. Sie sind in drei oder vier Größen erhältlich. (Vergleichen Sie Anhang G für ayurwedische Bezugsquellen und Lieferanten.)

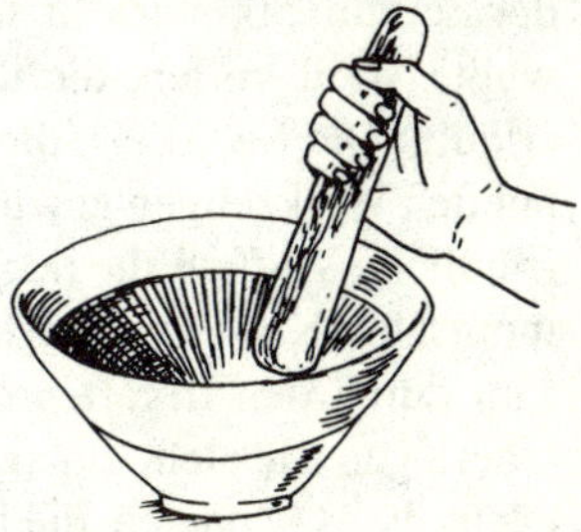
Abb. 51: Suribachi

Ein Wort der Warnung: Moderne Küchengeräte und Hilfsmittel
Wir haben uns sehr weit von dem ursprünglichen Kochtopf, der Magenschleimhaut eines Tieres, entfernt. Dampfkochtöpfe und Emailletöpfe sind in jedem Fall Verbesserungen; jedoch ist es an den modernen Arbeitstischen und Herden, an denen wir normalerweise stehen, nicht mehr nötig, verschie-

dene Hockpositionen einzunehmen. Solche Hockpositionen sind jedoch ein essentielles Sadhana, das für unsere Gesamtgesundheit und unser Wohlergehen außerordentlich wichtig ist. Hocken belebt hervorragend die lebenswichtigen Organe und Gewebe, und es stellt ein Mittel dar, um durch die Gebärmutter und den Solarplexus die Energien der Erde aufzunehmen.

Gas- und Elektroöfen berauben uns des direkten Austauschs zwischen unserer Nahrung und dem Feuer der Transformation, das brennt, wenn wir auf einem Holzofen kochen.

Von den beiden ersten Alternativen ist jedoch der Gasofen die weitaus bessere, weil hier eine direkte Flamme brennt. Elektrische Geräte trocknen den inneren und äußeren Organismus aus und führen zu Lärmbelästigung. Außerdem schädigt Elektrizität, die durch Nahrung hindurchgeht, die Tanmatra- oder Energiemengen der Nahrung, was alle drei Doshas, insbesondere aber Vata, schädigt.

Kochen mit der Mikrowelle ist gesundheitsgefährdend, da es die Energiestruktur der Nahrung verändert und verzerrt. Es beraubt die Nahrung ihres Ojas-erzeugenden Potentials, ihrer Energie und ihres Gedächtnisses.

Küchenmaschinen, elektrische Mixer, Maschinen zum Teigkneten usw. haben den wichtigsten Aspekt der Nahrungsmittelsadhanas aus unserem Leben entfernt: die Transformation der frischen Körner, Bohnen, Gemüse und Gewürze, die geschieht, wenn wir sie mit unseren eigenen Händen und Füßen verarbeiten. Disharmonische Maschinen können den Energieaustausch zwischen dem menschlichen Körper und der Natur nicht wieder aufladen und verfeinern.

Weil unsere Hände dabei immer noch bis zu einem gewissen Grade tätig sind, sind Handreiben wertvolle Küchenwerkzeuge. In jedem Fall führen Sie schneller zu Ergebnissen als schwer zu beschaffende Riesenmörser und -stößel. Natürlich ist die gelegentliche Verwendung eines Mixers oder einer elektrischen Kaffeemühle akzeptabel. Es geht hier nicht darum, daß wir zu der Zeit um 500 vor Christus zurückgehen, sondern darum, daß wir eine bewußte Wahl treffen, die uns den größtmöglichen Austausch mit der Natur erlaubt. Die Sadhanas, die sich aus der Nahrungsmittelzubereitung mit manuellen Werkzeugen gewinnen lassen, sind durch nichts zu ersetzen. Sie sind friedliche Waffen, die den Menschen mitgegeben wurden, damit sie in harmonischer Kraft mit der Natur leben können. Bewegen Sie sich daher behutsam durch den Irrgarten der Erfindungen im Bereich von Küchengeräten. Überlegen Sie sich, einen wie großen Teil Ihres vitalen und kognitiven Gedächtnisses (Themen, die in den Kapiteln eins und zwei besprochen werden) Sie den Bequemlichkeiten des modernen Lebens opfern möchten.

Die Sadhanas sind von ihrem Prinzip her so einfach und so subtil, daß wir uns bewußt und absichtsvoll dafür einsetzen müssen, unsere Unschuld wiederzugewinnen. Wir müssen lernen, unsere unaussprechliche Natur zu umarmen, indem wir uns erinnern. Wir müssen inmitten des Lärms und Getoses des täglichen Lebens unsere Stille finden. Und was vielleicht am wichtigsten ist, wir müssen über all diese Dinge nachdenken.

ACCESSOIRES, HILFSMITTEL UND GERÄTE FÜR PANCHA KARMA

ACCESSOIRES

Brechumhang
Falten Sie ein Stück Baumwollmusselin auf 38 cm Breite und 90 cm Länge, und lassen Sie an der unteren Seite 60 cm und an der oberen Seite 30 cm frei.

Schneiden Sie in die Mitte der gefalteten Seite einen Halbkreis von 20 cm Durchmesser. Schlagen Sie 1,25 cm an der äußeren Kante des Umhang ein, und säumen Sie ihn. Tun Sie dasselbe um den ausgeschnittenen Hals herum, oder verwenden Sie ein Schrägpaspelband von 1,25 cm Länge. Wenn Sie den Umhang tragen, dann sollte die Halsöffnung so über den Kopf gelegt werden, so daß die lange Seite vorne ist.

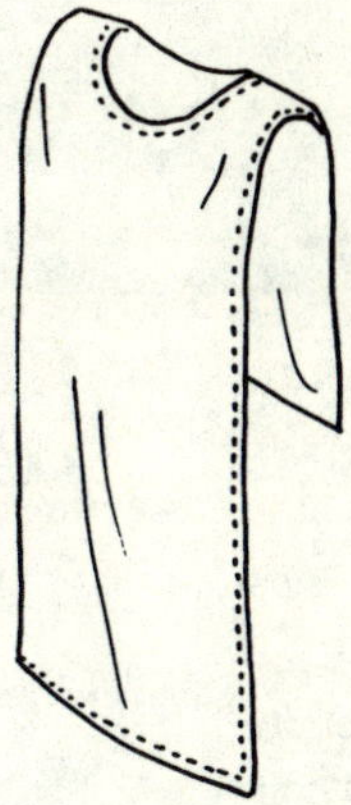

Abb. 52: Brechumhang

Behandlungskittel
Stellen Sie aus einem leichten Baumwollstoff von etwa 1,20 m Länge und 90 cm Breite (je nach Größe der Person) einen lose sitzenden Behandlungskittel her, der unter den Knien endet und der Ärmel bis zu den Ellenbogen hat (vergleichen Sie die Zeichnung unten). Der Kittel sollte im Rücken offen sein und vier Bänder zum Zubinden haben.

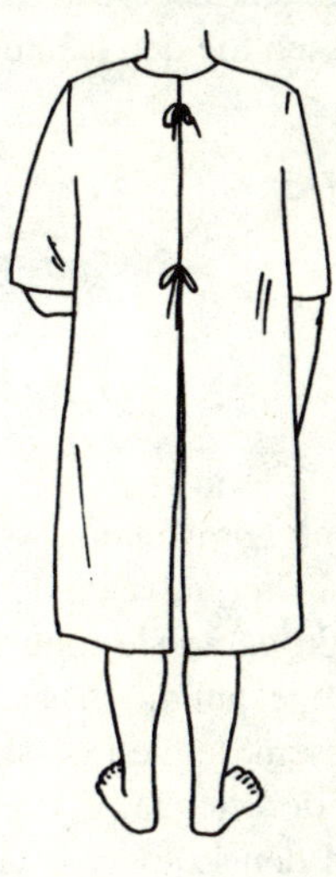

Abb. 53: Behandlungskittel

Bekleidung für die Therapeuten

Wählen Sie mittelschwere Baumwollbekleidung in weiß oder in hellen, angenehmen Farben aus. Die Hosen, das Hemd und das Oberteil sollten locker sitzen, bequem sein und leicht an- und auszuziehen sein. Das Oberteil sollte vorne eine Tasche und Ärmel bis gerade zu den Ellenbogen haben (vergleichen Sie die Zeichnungen unten).

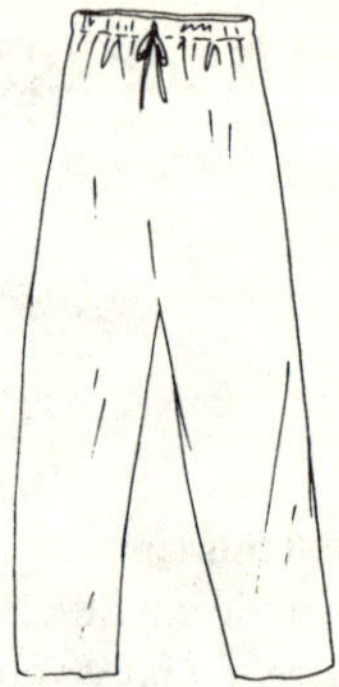

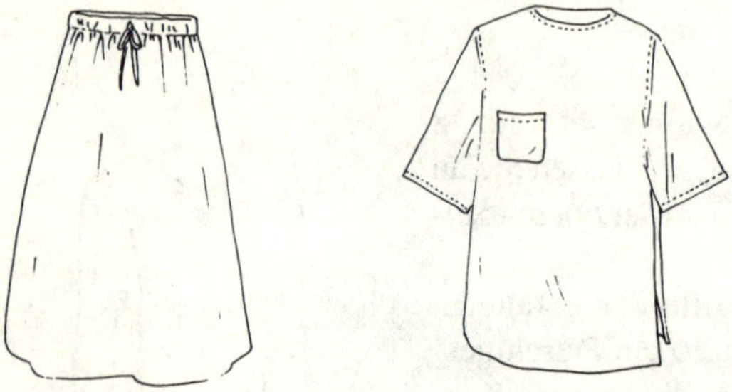

Abb. 54: Bekleidung für die Therapeuten

Hilfsmittel für Swedana

Herzschutz

Perlen

- Legen Sie ein Perlenhalsband aus echten Perlen in einen weichen, dünnen, nassen Baumwollbeutel.
- Legen Sie den Beutel direkt über den Herzbereich auf der linken Seite der Brust.
- Lassen Sie den Beutel während der Therapie dort liegen.

Abb. 55: Herzschutz

Frische Lotosblume

- Als Alternative zu dem Perlenhalsband im Beutel können Sie eine frische Lotosblume ohne Stengel auf die Brust direkt über das Herz legen.
- Lassen Sie die Lotosblume während der Therapie dort liegen.
- Um den Lotos vor Gebrauch frisch zu halten, legen Sie ihn in eine Schale mit Wasser. Jede Blume sollte nur einmal verwendet werden.

Abb. 56: Lotosblume

Sandelholzpaste

- Alternativ zu den Perlen und der Lotosblume können Sie fünf Eßlöffel Sandelholzpaste mit drei Eßlöffeln kaltem Wasser zu einer weichen Paste vermischen.
- Geben Sie die Paste in einen dünnen, nassen Baumwollbeutel von ca. 10 qcm Größe.
- Legen Sie den Beutel direkt über das Herz, und lassen Sie ihn während der Therapie dort liegen.

Streifenbandage für das Herzpad

- Nehmen Sie einen dünnen Streifen Baumwolle, 5 cm breit und 1,20 m lang, um, falls nötig, das Herzpad zu befestigen.
- Legen Sie die Streifenbandage über das Pad, und befestigen Sie es mit einem Knoten um die Brust.

Augenschutz

Weicher Teig aus Vollweizen

- Mischen Sie fünf Eßlöffel frisch gemahlenes Weizenvollkornmehl mit drei Eßlöffeln kaltem Wasser zu einem weichen Teig. (Das Weizenvollkornmehl kann durch dieselbe Menge Sandelholzpulver ersetzt werden.)
- Teilen Sie den Teig in zwei gleiche Hälften. Rollen Sie jede Hälfte in Ihren Handflächen zu einem Ball.
- Legen Sie jeden Teigball in einen dünnen, nassen Baumwollbeutel von etwa 5 qcm Größe.
- Lassen Sie die nassen Beutel sanft auf den geschlossenen Augen landen.
- Lassen Sie diese Beutel für die Dauer der Behandlung auf den Augen des Patienten ruhen.

Streifenbandage für die Augenpads

- Nehmen Sie einen dünnen Streifen Baumwolle, 5 cm breit und 90 cm lang, um, falls nötig, die Augenpads zu befestigen.
- Legen Sie die Streifenbandage über die Augenpads, und befestigen Sie sie mit einem Knoten um den Kopf herum.

Abb. 57: Augenschutz

Lenden- und Vaginalschutz

Lendentuch

- Schneiden Sie ein dünnes Baumwolltuch in zwei Teile von 20 cm Breite und 30 cm Länge. Nähen Sie die beiden langen Enden und ein kurzes Ende von jedem Stück zusammen, und lassen Sie das verbleibende kurze Ende unvernäht.
- Falten Sie das nicht festgenähte Ende von jedem Stück 3,75 cm nach innen, und nähen Sie dann die Kante fest, so daß sich ein 2,5 cm langer Saum ergibt, durch den man eine Kordel ziehen kann.
- Ziehen Sie einen flachen Baumwollstreifen (1,25 cm breit und ca. 120 cm lang) durch diesen Saum.
- Weichen Sie das Leintuch vor Gebrauch zehn Minuten lang in kaltem Wasser ein. Drücken Sie es aus, bis es halbtrocken ist, dann verteilen Sie etwa zwei Eßlöffel Sandelholzpulver in jedes Säckchen.
- Bitten Sie den Patienten, sich das Leintuch um die Hüften zu binden, und den vorderen Schurz einzuschlagen, um den Lenden- bzw. Vaginalbereich zu bedecken.

Abb. 58: Leintuch

Wickeln der Säckchen

- Legen Sie vier 45 qcm große Baumwollservietten aus, und geben Sie einen Suppenlöffel Porridge in die Mitte jeder Serviette.
- Nehmen Sie die beiden gegenüberliegenden Enden jeder Serviette, und binden Sie sie mit einem einzigen Knoten zusammen. Achten Sie darauf, daß Sie sich nicht die Hände an dem heißen Porridge verbrennen.
- Nehmen Sie die beiden verbleibenden Enden jeder Serviette, und binden Sie sie mit einem weiteren Knoten, der über dem anderen liegt, zusammen.
- Nehmen Sie die Enden des unteren Knotens, und verknoten Sie sie noch einmal über dem oberen Knoten.
- Nehmen Sie dann die oberen Enden, und binden Sie einen Doppelknoten.

Der Doppelknoten erlaubt es, die Säckchen anzufassen, ohne daß man sich bei der Anwendung die Hände an ihrem heißen Inhalt verbrennt.

Abb. 59: Wickeln der Säckchen

Hilfsmittel für Snehana

Das Wickeltuch für den Kopf

Es wird empfohlen, im Anschluß an die Kopfbehandlungsverfahren ein Kopftuch aus ungebleichter Baumwolle zu tragen, um den geschorenen Kopf vor Kälte, Wind und übermäßiger Hitze zu schützen.

Herstellung des Wickeltuches für den Kopf

- Nehmen Sie ein 60 qcm großes Stück mittelschwere, ungebleichte Baumwolle, und säumen Sie, wenn sie möchten, die Kanten. Falten Sie das Tuch zu einem Dreieck.
- Nehmen Sie die gefaltete Seite des Dreiecks, und schlagen Sie sie ein, um einen 5 cm langen Streifen zu bilden.
- Bedecken Sie den Kopf mit dem dreieckigen Tuch, indem Sie die Mitte des 5 cm langen Streifens vorne auf die Stirn legen und die spitzen Enden des Tuches, die sich im rechten Winkel zu dem Streifen befinden, um den Kopf herum nach hinten führen.
- Bedecken Sie die Ohren mit den beiden anderen Enden des Dreieckstuches, und binden Sie sie hinter dem Kopf zu einem Doppelknoten zusammen, wobei das mittlere hintere Ende zwischen den verknoteten Enden befestigt werden sollte.

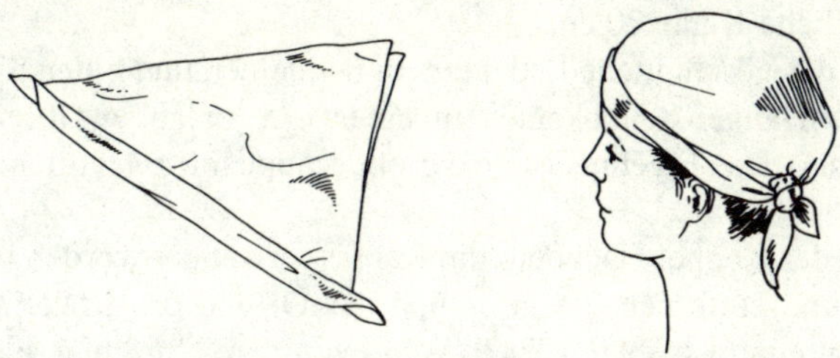

Abb. 60: Wickeltuch für den Kopf

Pichu-Tuch: Falt- und Eintauchtechniken

- Falten Sie ein 30 qcm großes Stück Baumwolle in drei gleichmäßigen Lagen zusammen.

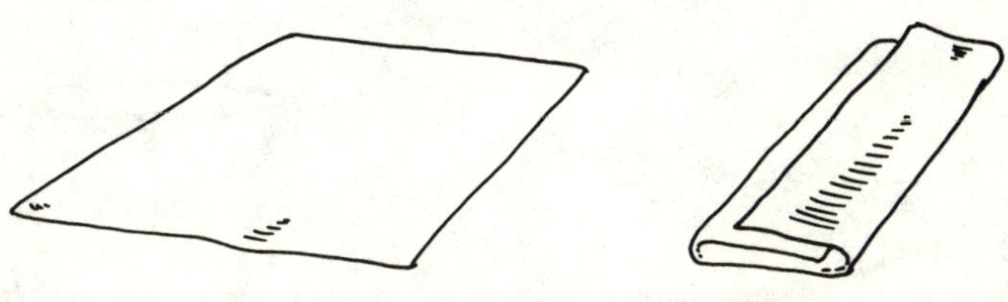

Abb. 61: Pichu-Tuch

- Halten Sie beide Enden des gefalteten Tuches fest, und tauchen Sie den „Bauch“ des Tuches in die Schüssel mit Öl.
- Lassen Sie das Tuch los, und lassen Sie die Enden über den Schüsselrand hängen.

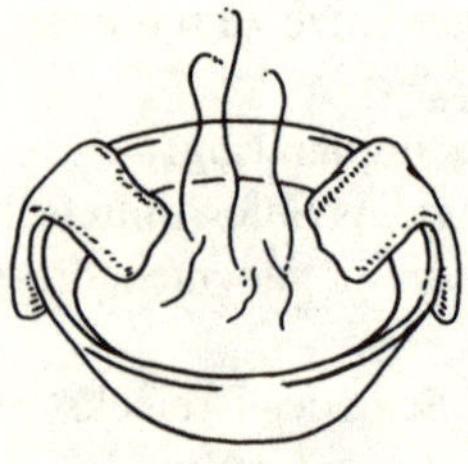

Abb. 62: Pichu-Tuch

Shirovasti: Die Behandlungskappe aus Leder

Für die Shirovasti-Kappe wird Leder verwendet, weil es Öl nicht durchsikkern läßt, ziemlich biegsam ist und so gedehnt werden kann, das es für die meisten Kopfgrößen paßt.

- Schneiden Sie ein Stück Leder wie folgt: Obere Kante 28 cm, untere Kante 24 cm, seitliche Kante 20 cm.
- Geben Sie das geschnittene Leder einem Schneider, und bitten Sie ihn, die beiden 20 cm langen Seitenkanten mit einer 0,75 cm langen Überwendlichnaht zu nähen. Das Ergebnis ist eine große Kappe mit zwei offenen Enden.

Reinigung der Kappe: Nachdem die Kappe verwendet worden ist, drehen Sie sie um, und entfernen Sie gründlich das Öl und das Material für den Umschlag mit einem sauberen Tuch. Wenn von dem Umschlag Flecken zurückgeblieben sind, dann reiben Sie sie solange mit einem nassen Tuch, bis sie verschwunden sind. Trocknen Sie die Kappe, indem Sie sie eine Stunde lang in direktes Sonnenlicht legen. Reiben Sie, um die Geschmeidigkeit der Kappe zu erhalten, diese nach dem Trocknen mit einer kleinen Menge Sonnenblumenöl ein, und lagern Sie sie bis zum nächsten Gebrauch an einem trokkenen Ort.

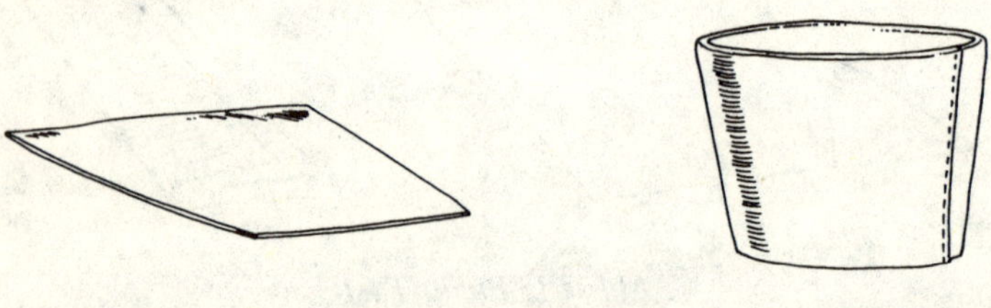

Abb. 63: Shirovastikappe

Geräte und Hilfsmittel

Die traditionelle Pancha-Karma-Ausstattung ist in den Vereinigten Staaten oder dem deutschsprachigen Raum nicht leicht erhältlich. Daher werden im folgenden einfache Designs und Hinweise für den Bau dieser Gegenstände gegeben; außerdem werden Informationen für alternative Pancha-Karma-Geräte aufgelistet, die Sie in Ihrer Nähe kaufen können. Suchen Sie einen Schreiner, einen Schmied, einen Schneider, einen Handwerker usw. an Ihrem Wohnort auf und bitten Sie ihn, Ihnen dabei zu helfen, diese außergewöhnlichen Geräte zu bauen. Denken Sie auch daran, daß diese Maßnahmen Ihnen dabei helfen werden, die gesunden Aktivitäten oder Sadhanas zurückzugewinnen, die Sie wieder mit der Natur verbinden.

Herstellung Ihres eigenen Dhara Patra für die Shirodhara-Behandlung

Um Ihr eigenes *Dhara Patra* zu bauen, brauchen Sie folgende Gegenstände: ein langes Stück Seil, eine Metallurne, eine kleine Metallschüssel, ein kleines Stück eines Holzdübels und ein Stück dünne Baumwollkordel.

Aufhängen des Seils

Es wird ausreichend Seil benötigt, um die Metallurne so an der Decke aufzuhängen, daß sie etwa 7 cm über der Stirn des auf dem Rücken liegenden Patienten hängt, das heißt die Urne hängt etwa 30 cm über dem Behandlungstisch. Sie brauchen außerdem genügend Seil, um den Topf zu umwickeln.

Die Metallurne: Das Hauptgefäß

- Bei Kapha- und Vata-Störungen sollte eine Urne aus Messing verwendet werden, bei Pitta-Störungen sollte sie aus Silber sein. Der untere Durchmesser sollte 20 cm betragen, der obere 15 cm, die Höhe 15 cm. Der Urnenrand sollte etwa 2,5 cm hoch sein, so daß das Seil um den Topf herum befestigt werden kann, und der Topf wie eine Topfpflanze von der Decke herunterhängen kann.
- Bringen Sie den Topf zu einem Schweißer oder einem Schmied und lassen Sie sich ein 1,9 cm großes rundes Loch in die Mitte des Bodens bohren.

Die kleine Metallschüssel (die umgekehrt in das Hauptgefäß hineingestellt wird)

- Die Schüssel sollte bei Kapha- und Vata-Störungen aus Messing bestehen, bei Pitta-Störungen aus Silber. Sie sollte 7,5 cm hoch sein und einen Durchmesser von 10 cm haben.
- Bringen Sie den Topf zu einem Schweißer oder einem Schmied und lassen Sie sich ein 1,9 cm großes rundes Loch in die Mitte des Bodens bohren.

Die Baumwollschnur und der Holzdübel

- Kaufen Sie ein Knäuel mit 0,3 cm dicker Baumwollschnur und schneiden Sie ein 25 cm langes Stück ab.

- Kaufen Sie in einem Eisenwarengeschäft einen 5 cm langen Holzdübel mit einem Durchmesser von 0,75 cm. Vielleicht müssen Sie den Besitzer bitten, den Dübel für Sie zurechtzuschneiden.

Montage
- Binden Sie die 25 cm lange Schnur an das 5 cm lange Stück Holzdübel, wobei der Dübel mit etwa 5 cm Schnur umwickelt werden sollte.
- Drehen Sie die kleine Metallschüssel um, und stecken Sie den Dübel in die Mitte der umgedrehten Schüssel; ziehen Sie dabei die Schnur durch das Loch am Boden in die Innenseite der Schüssel.
- Halten Sie die Schüssel zusammen mit dem Dübel und der Schnur umgedreht, und stellen Sie sie in das Hauptgefäß, die Metallurne, hinein; ziehen Sie die Schnur, die sich in der kleinen Schüssel befindet, durch das Loch des großen Gefäßes. Wenn Sie Schwierigkeiten damit haben, die Schnur durch das Loch zu ziehen, dann binden Sie ein kleines Stück Draht am Ende der Schnur fest. Das macht es leichter, die Schnur durch das Loch zu ziehen.

Festbinden des Hängeseils am Dhara Patra
- Schneiden Sie ein 25 cm langes Stück Seil und drei 60 cm lange Stücke Seil ab.
- Binden Sie das 25 cm lange Stück fest um den Hals des Hauptgefäßes, und sichern Sie es mit einem Doppelknoten.
- Binden Sie die drei 60 cm langen Stücke in gleichen Abständen an das Seil, das sich um den Hals des Gefäßes herum befindet. (Wenn der Halsumfang also 30 cm beträgt, dann sollten die Seile 10 cm voneinander entfernt sein.)
- Binden Sie die drei losen Enden des Seils zu einem großen Knoten zusammen.

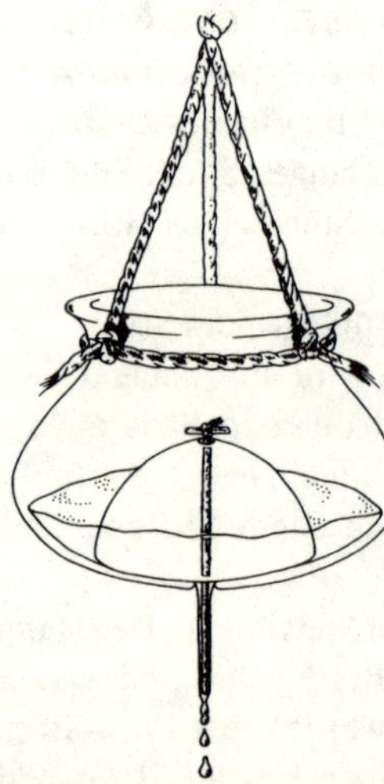

Abb. 64: Dhara Patra

Anmerkung: Die Abbildung zeigt die umgekehrte Schüssel mit ihrem Dübel und die Kordel, die durch die Unterseite des Hauptgefäßes führt.

Aufhängung des Dhara Patra
- Hängen Sie das Dhara Patra nach der Montage an einen Haken an der Decke auf, so daß es über dem Kopfende des Behandlungstisches hängt, entweder 30 cm vom Behandlungstisch entfernt oder gut 7 cm über der Stirn des Patienten. Zu diesem Zwecke befestigt man einen stabilen Haken an der Decke dort, wo das Dhara Patra aufgehängt werden soll. (Verwenden Sie dieselbe Art von Haken wie für eine schwere Hängepflanze). Nehmen Sie dann ein langes Stück Seil (die Länge hängt von der Höhe Ihrer Zim-

merdecke ab), und ziehen Sie ein Ende unter dem großen mittleren Knoten des Dhara Patra durch. Verknoten Sie die beiden Enden zu einer Schleife.
- Hängen Sie das Seil mit der Schleife an den Haken an der Zimmerdecke und ziehen Sie daran, um zu überprüfen, ob es hält.

Verwendung des Dhara Patra

- Nachdem Sie das Dhara Patra montiert und aufgehängt haben, bewegen Sie den kleinen Holzdübel so, daß er sich leicht exzentrisch in der kleinen Schüssel im Inneren des Dhara Patra befindet. Nehmen Sie den Deckel des Eimers ab, in dem sich das Öl befindet, und bitten Sie Ihren Begleiter, mit einer kleinen Tasse Öl aus dem Eimer zu schöpfen und es in das Dhara Patra zu gießen. Lassen Sie den Eimer während der Behandlung offen.
- Vergewissern Sie sich, daß Sie und Ihr Begleiter während der Behandlung bequem sitzen.
- Nachdem Sie die Sitzposition eingenommen haben, nehmen Sie das Dhara Patra fest in beide Hände, und halten Sie mit einer Hand den Rand fest. Halten Sie das Gefäß ruhig, bis Öl hineingegossen worden ist, dann wiegen Sie das Gefäß sanft vor und zurück, jedoch nicht mehr als 5 cm in jede Richtung. Stellen Sie sich geistig auf einen „Tick-Tack"-Rhythmus ein, und bewegen Sie das Gefäß bei jedem „Tick" nach vorne und bei jedem „Tack" nach hinten.
- Behalten Sie den Rhythmus während der gesamten Behandlungsdauer bei.
- Das Öl fließt durch das Loch in der kleinen Schüssel an der Kordel entlang und sickert nach unten, so daß es systematisch auf die Mitte der Stirn des Patienten tropft.
- Der Begleiter sollte einen gleichmäßigen Fluß beibehalten, wenn er das Öl direkt über dem Loch in der kleinen Schüssel eingießt. (Versuchen Sie, den Fluß nicht zu unterbrechen, wenn Sie die Tasse neu füllen. Das Öl, das sich noch an der Kordel befindet, fließt etwa zehn Sekunden weiter, nachdem die Tasse leer ist, was bedeutet, daß der Begleiter zehn Sekunden Zeit hat, um die Tasse neu zu füllen).
- Nachdem die vorgeschriebene Behandlungszeit abgelaufen ist, bringen Sie das Dhara Patra mit beiden Händen zum Stillstand, während Ihr Begleiter gleichzeitig aufhört, Öl nachzugießen und die Seilschlaufe vom Deckenhaken entfernt.
- Sobald der Fluß des Öls, das sich noch an der Kordel befindet, nachläßt, wird das Dhara Patra schnell entfernt. Decken Sie die Unterseite der Urne mit Ihren Hände zu, um zu verhindern, daß weiteres Öl ausfließt, und übergeben Sie sie Ihrem Begleiter, sobald er die Schleife aus dem Haken genommen hat.
- Der Begleiter bringt das Dhara Patra zum Waschbecken und reinigt es, während Sie mit den bei Shirodhara vorgesehenen Verfahren fortfahren.

Anmerkung 1: Sie können diese Behandlung ohne einen Begleiter durchführen, indem Sie das aufgehängte Dhara Patra unmittelbar vor der Behandlung mit Öl füllen.

Anmerkung 2: Anstelle des Dhara Patra kann ein Scheidetrichter mit Ring und Fuß verwendet werden. Dieses Gerät, das nur einen Begleiter erfordert, ist über Geschäfte für Laborbedarf erhältlich.

Reinigung des Dhara Patra

- Halten Sie eine Hand unter das Dhara Patra, um das Loch zu verschließen, wenn Sie es zum Waschbecken bringen.
- Nehmen Sie das Dhara Patra vorsichtig auseinander, und nehmen Sie die kleine Schüssel innen zusammen mit der Kordel und dem Dübel heraus.
- Wischen Sie mit einem sauberen Tuch das Öl von jedem Teil ab. (Wenn arzneiliche Buttermilch oder Creme verwendet wird, dann waschen Sie die Teile mit warmem Wasser.)
- Wischen Sie die Teile noch einmal mit einem weiteren, trockenen und sauberen Tuch ab, und drücken Sie die Kordel fest mit dem Tuch aus, um überschüssiges Öl zu entfernen.
- Stellen Sie die Schüssel, den Faden und den Dübel in das Hauptgefäß, nachdem alle Teile getrocknet sind. Decken Sie sie mit einem sauberen Baumwolltuch zu und lagern Sie sie, bis sie wieder gebraucht werden.

Anmerkung: Gießen Sie das Öl, das Sie nicht gebraucht haben, aus dem Eimer in ein sauberes Glasgefäß. Dieses Öl kann am nächsten Tag noch einmal verwendet werden. Danach muß frisches Öl zubereitet werden. Wenn Sie als Behandlungssubstanz arzneiliche Buttermilch oder Creme verwenden, dann werfen Sie die Reste weg. Es ist am besten, genau die Menge an Öl, Buttermilch oder Creme zuzubereiten, die Sie für jede Behandlung benötigen.

Herstellung eines Nadi-Sweda-Gefässes

Benötigte Gegenstände:

- Ein Kessel aus rostfreiem Stahl oder Emaille mit einem Fassungsvermögen von 10 l, der einen Durchmesser von etwa 30 cm und eine Höhe von 45 cm hat.
- Ein Gummischlauch mit einem Durchmesser von 2,5 cm und einer Breite von 1,25 cm.

Montage

- Dehnen Sie die Öffnung des einen Gummischlauchendes soweit, daß Sie es über die Tülle des Kessels streifen können.
- Ziehen Sie den Gummischlauch soweit über die Tülle, daß mindestens 5 cm der Tülle bedeckt sind.
- Sichern Sie den Schlauch, falls notwendig, mit einem Gummiband. Das geht am leichtesten, wenn Sie das Gummiband über das unbefestigte Ende des Schlauches gleiten lassen und es bis zu dem befestigten Ende hochschieben. Vergewissern Sie sich, daß der Schlauch fest auf der Tülle sitzt, bevor Sie die heiße Abkochung in das Nadi-Gefäß gießen.

- Verschließen Sie das offene Ende des Schlauches mit einem 7 cm langen Korken. Lassen Sie mindestens 5 cm des Korkens draußen, damit Sie ihn herausziehen können, ohne sich die Hand zu verbrennen.

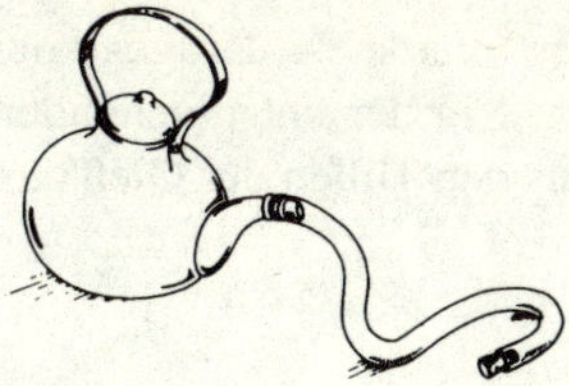

Abb. 65: Nadi Sweda-Gefäß

Anmerkung: Sie können anstelle eines Kessels für Nadi Sweda auch ein Destilliergerät, das in Geschäften für Laborbedarf erhältlich ist, verwenden.

Herstellung eines Parisheka-Kruges

1. Kaufen Sie zwei Krüge aus rostfreiem Stahl. Der eine sollte 25 cm hoch sein und einen Durchmesser von 15 cm haben, der andere sollte 15 cm hoch sein und einen Durchmesser von 10 cm haben. Der große Krug wird verwendet, um Abkochung auf den Körper zu gießen, und der kleine Krug wird bei der Kopfbehandlung verwendet. Traditionellerweise wurden Gold-, Bronze- oder Kupferkrüge für Vata-Typen verwendet; Silber oder Zinn für Pitta-Typen und Kupfer, Bronze oder Gold für Kapha-Typen. Bringen Sie die Krüge zu einem Schmied oder einem Schreiner, der feine Tischlerarbeiten ausführt, und bitten Sie ihn, 25 Löcher in den Boden des großen Kruges und 16 Löcher in den Boden des kleinen Kruges zu bohren. Die Löcher sollten in gleichen Abständen zueinander gebohrt werden und bei beiden Gefäßen sollten die Löcher einen Durchmesser von 1,5 cm haben.

2. Kaufen Sie ein gut 2,10 m langes Stück Bambus, das einen Durchmesser von 1,9 cm hat oder zwei kleinere Stücke, die zusammen 2,10 m lang sind. Bringen Sie den Bambus zu einem Schreiner, der feine Tischlerarbeiten ausführt, und bitten Sie ihn, ihn in 41 Stücke von je 5 cm zu schneiden. Raten Sie dem Schreiner, die Stücke mit einem kleinen Tranchiermesser in der Nähe der Verdickungen, aber nicht direkt darauf durchzuschneiden und die Membran zu entfernen, die die Innenseite der Verdickungen umgibt. In den großen Krug werden fünfundzwanzig Stücke gesteckt und in den kleinen sechzehn, wobei die schmaleren Enden in die Löcher gesteckt werden sollten, damit die Bambusstücke als Tüllen dienen können. Die Bambusstücke müssen gut befestigt werden, so daß sich ungefähr die halbe Länge jedes Stücks im Gefäß befindet und die andere Hälfte nach außen ragt. Überprüfen Sie, ob Sie sie gleichmäßig hineingesteckt haben, indem Sie den Krug auf einen Tisch stellen. Wenn der Krug wackelt, dann passen Sie die Länge der Bambusstücke solange an, bis sie gleichmäßig lang sind.

Wenn Sie keinen Bambus bekommen können, dann können Sie stattdessen Metallrohre aus demselben Material verwenden, aus dem ihr Krug besteht. Folgen Sie dem gleichen Ablauf wie vorher.

Anmerkung: Anstelle Ihres Parisheka-Kruges können Sie auch eine Gießkanne aus rostfreiem Stahl in der entsprechenden Größe verwenden. Die Abkochung wird dann aus den Tüllen der Gießkanne ausgegossen.

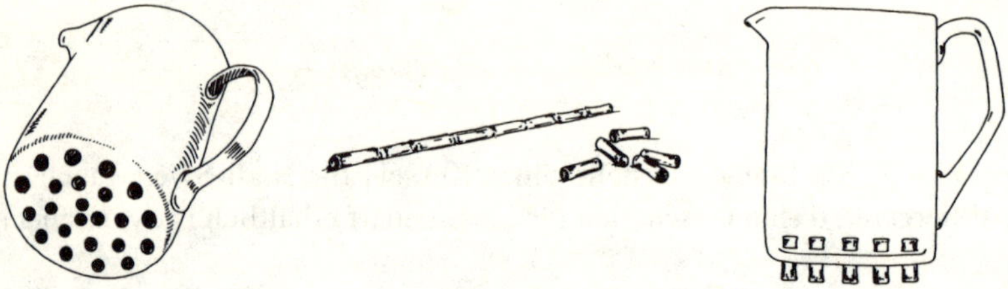

Abb. 66: Parisheka-Krug

Die Holzliege mit Seilen

Traditionellerweise wurde eine Holzliege mit Seilen für die Swedana-Behandlung verwendet, bei der Patient von unten her mit Hitze oder Dampf behandelt wird. Die Holzliege sollte 1,80 m lang, 1,20 m breit und 90 cm hoch sein. Sie läßt sich leicht zusammenbauen, indem man Seile über einen robusten Holzrahmen spannt. (Vergleichen Sie die Zeichnung unten.)

Alternativ können Sie auch eine Liege mit einem Bezug aus Segeltuch verwenden.

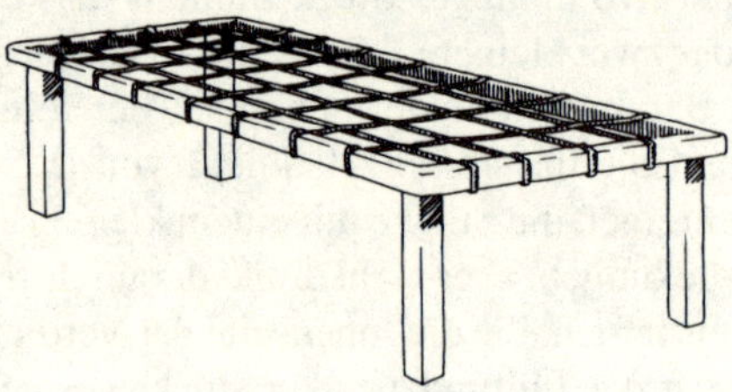

Abb. 67: Holzliege mit Seilen

Droni: Hölzerner Massagetisch mit Rillen

Traditionellerweise wird der Massagetisch bzw. das Droni, das in der Pancha-Karma-Behandlung verwendet wird, aus Khadira- oder Sandelholz geschnitzt. Am äußeren Rand des Tisches wird eine 2,5 cm tiefe und 5 cm breite Rinne eingeschnitzt, die am Fußende des Tisches eine 7,5 cm große Öffnung hat. So können die Öle, die in Therapien wie Shirodhara und Parisheka auf den Patienten gegossen werden, abfließen. Um das gebrauchte Öl bzw. die Flüssigkeit aufzunehmen, wird ein Behälter unter die Öffnung am Fußende gestellt.

Im allgemeinen ist das Droni ungefähr 15 cm dick und hat eine leichte Neigung, so daß das Kopfende des Dronis etwa 2,5 cm höher ist als das Fußende, was es den Flüssigkeiten erlaubt, abzufließen. Das Droni hat keine Beine und wird im allgemeinen direkt auf den Boden gelegt. Die Begleiter führen die Öltherapien in der Hockposition oder im Sitzen durch. Ein modernes Droni hat manchmal 90 cm hohe Beine.

Im allgemeinen wird ein Holzpflock von etwa 10 cm Durchmesser als Kopfstütze für den Patienten verwendet, um zu verhindern, daß der Kopf in Öl getaucht wird, wenn der Patient auf dem Bauch liegt.

Abb. 68: Droni-Tisch und Kopfstütze

Anhang E

Techniken und Verfahrensweisen zur Zubereitung von Rezepturen und Rezepten

Reinigen und Waschen von Körnern und Hülsenfrüchten

Reinigen

1. Breiten Sie ein sauberes Stück Stoff oder Sackleinen auf einem sauberen Küchenboden oder Eßzimmerboden aus. Wenn diese Materialien nicht erhältlich sind, dann können Sie einen flachen Korb verwenden.
2. Legen Sie nicht mehr als die Menge an ungewaschenen Körnern und Hülsenfrüchten in die Mitte des Tuches, als Sie in vierzehn Tagen verbrauchen, und hocken oder setzen Sie sich bequem hin.
3. Breiten Sie ein paar Händevoll Getreidekörner oder Hülsenfrüchte aus, und suchen Sie sie nach Abfällen wie Steinen, Schalen und Halmen durch. Legen Sie den Abfall in ein Gefäß, bis Sie ihn der Erde zurückgeben können. Vielleicht möchten Sie Ihre Familie oder Ihre Freunde dazu einladen, Sie bei dieser Aktivität zu begleiten und aufmerksam und ruhig zu bleiben. Erlauben Sie Kindern nicht, mit den Körnern oder Hülsenfrüchten zu spielen, oder zu kämpfen und aufgeregt zu werden. Vielleicht möchten Sie dieses Sadhana auch als stille Zeit nutzen und es alleine durchführen.
4. Wenn Sie fertig sind, dann bürsten und falten Sie das Tuch zum Reinigen, und bewahren Sie es bis zum nächsten Gebrauch an einem sauberen Platz auf. Legen Sie die aussortierten Körner oder Hülsenfrüchte in einen Glaskrug mit festsitzendem Deckel, und bewahren Sie ihn an einem kühlen Ort auf, der nicht feucht ist.

Waschen

1. Körner oder Hülsenfrüchte sollten nicht gewaschen werden, bevor Sie eine Mahlzeit zubereiten. Füllen Sie eine große Schüssel mit kaltem Wasser und mit der Menge an Körnern oder Hülsenfrüchten, die Sie benötigen. Waschen Sie die Körner oder Hülsenfrüchte gut mit der Hand, und entfernen Sie die noch vorhandene Kleie oder Schalen, die nun an der Oberfläche schwimmen.
2. Spülen Sie sie mehrere Male, und gießen Sie das Wasser ab, bis es klar ist.

Mahlen von Körnern und Hülsenfrüchten

Verwenden Sie eine große Handmühle, die sich an der Küchentheke bzw. am Küchentisch befestigen läßt. Geben Sie jeweils etwa eine Tasse Körner oder Hülsenfrüchte in die Öffnung der Mühle. Stellen Sie eine Schüssel unter die große Öffnung, und beginnen Sie zu mahlen, indem Sie den Griff herumdrehen. Wenn eine feine, glatte Konsistenz benötigt wird, dann mahlen Sie das Ganze noch einmal.

Hülsenfrüchte und Körner können auch in einem sehr großen Mörser mit Stößel gemahlen werden. Bei dieser Methode braucht man etwa 30 Minuten, um zwei bis drei Pfund Hülsenfrüchte oder Körner zu mahlen. Sie können Körner oder Hülsenfrüchte trocken oder naß mahlen, um Ihre Ubtans zuzubereiten.

Frischen Ingwer entsaften

Um dies mit der Hand zu machen, brauchen Sie lediglich eine Handreibe aus Keramik und ein Stück frischen, saftigen Ingwer. Schälen Sie eine halbe Fingerlänge frischen Ingwer, und zerreiben Sie ihn zu einem feinen Brei. Waschen Sie sich die Hände, legen Sie den geriebenen Ingwer in Ihre stärkere Hand, und drücken Sie den Brei fest über einer kleinen Schüssel aus. Bewahren Sie den Brei auf, um ihn später zum Kochen zu verwenden. Eine halbe Fingerlänge Ingwer ergibt etwa zwei Eßlöffel Saft.

Frische Kokosnussmilch herstellen

Um festzustellen, ob eine Kokosnuß frisch ist, können Sie sie schütteln und sich so vergewissern, daß sie mit Wasser gefüllt ist; frische Kokosnuß ist im allgemeinen schwerer, als sie aussieht. Heizen Sie den Ofen auf 200°C vor. Stechen Sie die beiden „Augen“ mit einem scharfen Messer oder einem Eispickel an, und lassen Sie das Wasser aus der Kokosnuß herauslaufen. Legen Sie die Kokosnuß zehn Minuten lang in den vorgeheizten Ofen, bzw. so lange, bis die Schale anfängt aufzuplatzen. Brechen Sie die Kokosnuß mit einem Hammer auf, und lassen Sie sie zehn Minuten lang abkühlen. Brechen Sie die Nußstücke mit einem kleinen Messer von der Schale weg, und kratzen Sie den dünnen braunen Film ab. Reiben Sie die Kokosnußstücke mit einer Handreibe, und legen Sie dann eine Tasse geriebene Kokosnuß in eine Schüssel aus rostfreiem Stahl, in die Sie vorher zwei Tassen warmes Wasser hineingegossen haben, und lassen Sie die Mischung dreißig Minuten lang ziehen. Sammeln Sie die geriebene Kokosnuß mit Hilfe eines Löffels mit Schlitz, und legen Sie sie in die Mitte eines sauberen Tuches über dieselbe Schüssel. Wickeln Sie das Tuch fest um die Kokosnuß und drehen Sie beide Enden in entgegengesetzte Richtungen; drücken Sie so lange, bis die gesamte Milch in das Einweichwasser geflossen ist.

Gießen Sie die Kokosnußmilch in einen Krug und verwenden Sie sie frisch. Verwenden Sie weniger Wasser, wenn Sie eine dickere Milch haben möchten. Die geriebene Kokosnuß kann für Salate oder für Suppen verwendet werden.

Frische Mandelmilch herstellen

Geben Sie vier Tassen heißes Wasser und eine Tasse ganze Mandeln in eine große Schüssel, und lassen Sie die Mandeln dreißig Minuten lang in dem heißen Wasser ziehen, bis die Haut anfängt, sich zu lösen. Entfernen Sie die

Haut mit Ihren Fingern, und werfen Sie sie zusammen mit dem Einweichwasser weg. Geben Sie die geschälten Mandeln und zwei Tassen Wasser in eine Handmühle, und pürieren Sie sie drei bis fünf Minuten lang, bis die Nüsse sich vollständig aufgelöst haben und die milchige Flüssigkeit glatt ist. Gießen Sie die Milch in einen Krug, und verwenden Sie sie sofort. Verwenden Sie weniger Wasser, wenn Sie eine dickere Milch haben möchten.

Tamarinden-Paste aus getrockneten Tamarinden herstellen

Schneiden Sie ein 5 cm langes Stück von einem Block getrockneter Tamarinden-Paste ab, und legen Sie es in zwei Tassen kochendes Wasser. Nehmen Sie den Topf vom Herd, und lassen Sie die Paste weitere vier Stunden lang einweichen. Nehmen Sie die weichgewordene Tamarinde aus dem Wasser, und drükken Sie sie mit sauberen Händen in eine Schüssel, wobei Sie das Fruchtmark von den harten Bestandteilen trennen. Drücken Sie die harten Bestandteile durch ein feines Sieb, kratzen Sie das so gewonnene Fruchtmark vom Sieb ab, und geben Sie es in die Schüssel. Es ist am besten, Tamarinden unmittelbar vor dem Gebrauch zuzubereiten und sich genügend Zeit für die Vorbereitung zu nehmen. Die harten Bestandteile sind ein guter Zusatz zu Dhals und Suppen, sie sollten jedoch vor dem Servieren herausgenommen und weggeworfen werden.

Zubereiten von Gemüsen für die Heildiät

Die alten vedischen Kulturen haben gegenüber Nahrungsmitteln und ihrer Zubereitung große Achtung gezeigt. Ob Nahrungsmittel ihre vitalen Kräfte und ihren Geschmack behalten, hängt vollkommen davon ab, wie wir mit ihnen umgehen. Wildes Herumrühren, heftiges Hin- und Herbewegen, Zerkleinern oder Werfen ergibt keine hervorragende Mahlzeit. Jedes Gemüse sollte man mit dem großtmöglichen Respekt für seine universelle Natur behandeln.

Der natürliche Faserverlauf jeden Gemüses wird Ihnen sagen, wie Sie es reinigen und schneiden sollten. Gemüse, die an einem Strunk wachsen, wie zum Beispiel Brokkoli und Sellerie, sollten zuerst der Länge nach geschnitten werden, und dann, wenn kleinere Stücke benötigt werden, auch quer. Blattgemüse sollten dem Blattverlauf entsprechend geschnitten werden; ihr Strunk kann horizontal gewürfelt werden. Verwenden Sie die groben oder rötlichen Teile des Strunkes nicht. Längliche Wurzelgemüse wie Karotten, Daikon-Rettich und Pastinaken können auf vielerlei Art geschnitten werden. Der erste Schnitt sollte horizontal sein und schräg angesetzt werden. Jeder Schnitt des Wurzelgemüses sollte die Luft/Äther- (obere) Energie, die Erd/Wasser- (untere) Energie und die Feuer- (mittlere) Energie berücksichtigen. Bei runden Wurzelgemüsen wie Steckrüben, Kartoffeln und Zwiebeln verläuft die Faserrichtung parallel zu ihrem Kernstück. Insbesondere Zwiebeln und Kartoffeln werden oft nicht sorgfältig und ihrer Natur entsprechend behandelt – sie werden im allgemeinen entgegen ihrer Faserrichtung geschnitten. Die Menschen scheinen von den kreisförmigen Ringen fasziniert zu sein und längliche Scheiben dieser Gemüse nicht so sehr zu schätzen.

SCHNITTECHNIKEN

Kohl

Hobeln: Schneiden Sie den Kohl der Länge nach entlang der mittleren Faserrichtung in zwei Hälften und diese wiederum in Viertel. Entfernen Sie den Kern aus allen vier Vierteln. Legen Sie jedes Viertel der Länge nach auf ein Küchenbrett, und schneiden Sie sie entlang der Faserrichtung in dünne Streifen.

Stifte: Um den Kohl in Stifte zu schneiden, schneiden Sie das Innere des Kohls in Stücke von 0,75 cm Dicke. Legen Sie die Stücke zu kleinen Häufchen von 2,5 cm Höhe zusammen, und schneiden Sie sie quer zu 20 mm großen Stiften.

Große grüne Blattgemüse

Diagonale Streifen: Falten Sie jedes Blatt der Länge nach an der Blattrippe, und schneiden Sie den Strunk ab. Öffnen Sie die Blätter wieder, und legen Sie zehn bis zwölf Blätter aufeinander. Falten Sie den Stapel entlang der Blattrippen, und schneiden Sie sie diagonal in Faserrichtung zu dünnen Streifen. Sammeln Sie die Strünke, und schneiden Sie sie ebenfalls diagonal in kleine Stücke.

Halbmondstrünke: Benutzen Sie, wo immer möglich, die Strünke. Schneiden Sie sie der Länge nach in der Mitte durch. Legen Sie sie mit der Vorderseite nach unten auf ein Küchenbrett. Schneiden Sie sie entweder diagonal oder gerade in 0,75 cm große Stücke, um einen Halbmondeffekt zu erzielen.

Brokkoli/Blumenkohl

Röschen: Schneiden Sie die Gemüse unterhalb der Blüte ab, und legen Sie die Blüte mit dem Strunk nach oben auf ein Küchenbrett. Schneiden Sie den Strunk leicht ein (schneiden Sie nicht die Blüte durch). Zerteilen Sie die Blüten sanft mit Ihren Händen.

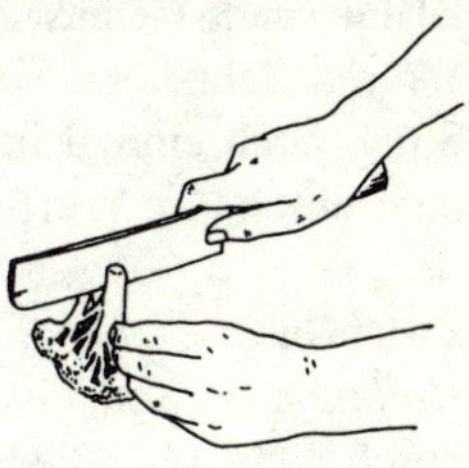

Abb. 69: Brokkoli schneiden

Lange Wurzelgemüse

Späne: Halten Sie das Wurzelgemüse in der Hand, vom Körper weg. Hobeln Sie das Gemüse, indem Sie dünne oder dicke Späne abschneiden.

Stifte: Schneiden Sie das Gemüse in diagonale, 0,4 cm lange Stücke. Legen Sie die Stücke zu 2,5 cm hohen Häufchen zusammen, und schneiden Sie sie quer durch, so daß Sie 5 mm große Stifte erhalten.

Halbkreise: Halbieren Sie das Wurzelgemüse der Länge nach. Legen Sie es mit der Oberseite nach unten auf ein Küchenbrett. Schneiden Sie es quer durch, um Halbkreise in der gewünschten Dicke zu erhalten.

Viertelkreise: Halbieren Sie das Wurzelgemüse der Länge nach, schneiden Sie es in Viertel, und legen Sie es mit der Oberseite nach unten auf ein Küchenbrett. Schneiden Sie es quer durch, um Halbkreise der gewünschten Dicke zu erhalten.

Blockschnitt: Schneiden Sie das Wurzelgemüse in 5 cm lange Stücke. Schneiden Sie jedes Stück quer zu einer dicken Scheibe. Schneiden Sie die Scheiben noch einmal der Länge nach durch, bis sie eine Dicke von 0,75 bis 1,25 cm haben.

Drehschnitt: Schneiden Sie vom Wurzelgemüse ein Stück von 2,5 cm Dicke schräg von oben nach unten. Drehen Sie das Gemüse 90 Grad von sich weg, und schneiden Sie es noch einmal auf die gleiche Weise. Drehen Sie das Gemüse weiter vor und zurück, und wiederholen Sie diesen Vorgang solange, bis das gesamte Gemüse geschnitten ist.

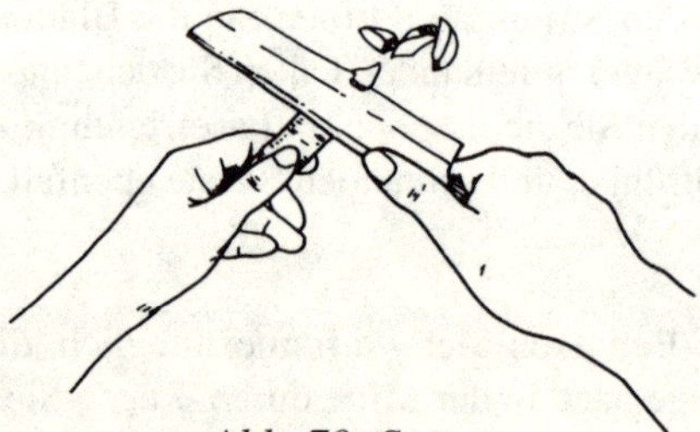

Abb. 70: Späne

Kleine runde Gemüse

Würfel: Schneiden Sie das Gemüse in drei vertikale Stücke. Teilen Sie jedes Stück noch einmal in kleinere Stücke. Schneiden Sie diese Stücke danach quer durch, um Würfel in der gewünschten Größe zu erhalten.

Zwiebeln

Halbmonde: Schneiden Sie die Zwiebel in Faserrichtung der Länge nach durch. Legen Sie die beiden Hälften mit der Schnittfläche nach unten auf ein Küchenbrett. Schneiden Sie diese Hälften der Länge nach in Faserrichtung durch, um Halbmonde in der gewünschten Dicke zu erhalten.

Gehackt: Schneiden Sie die Zwiebel in Faserrichtung der Länge nach durch. Legen Sie die beiden Hälften mit der Schnittfläche nach unten auf ein Küchenbrett. Drehen Sie das Küchenbrett, und schneiden Sie die Zwiebelhälften entgegen der Faserrichtung quer durch, um Stücke in der gewünschten Größe zu erhalten.

Kürbis

Hälften: Entfernen Sie den Stiel mit einem Schälmesser, und schneiden Sie den Kürbis in Faserrichtung der Länge nach durch. Entfernen Sie die Fasern und die Samen im Innern des Kürbis mit einem Löffel.

Große Stücke: Bereiten Sie den Kürbis vor wie vorher, dann legen Sie die Hälften mit der Schnittfläche nach unten auf ein Küchenbrett. Drehen Sie das Küchenbrett, und schneiden Sie die Kürbishälften entgegen der Faserrichtung quer durch, um Stücke in der gewünschten Größe zu erhalten.

Sterilisierungsverfahren für die Behandlungsgegenstände

Diese Maßnahmen sind in allen Snehana- und Swedana-Therapien anzuwenden, bei denen Pasten, Breiumschläge oder feuchte Umschläge direkt auf entzündete, geschwürige, offene Wunden aufgetragen werden, ebenso wie bei anderen physischen Beschwerden, bei denen es leicht zu Verunreinigungen kommen könnte.

Sterilisieren Sie alle Gegenstände, die Sie für die Zubereitung und Anwendung von Breis und Pasten benötigen, bevor Sie diese herstellen, und sterilisieren Sie auch alle Behälter, in denen Sie die Zutaten aufbewahren.

Legen Sie die Behälter und Hilfsmittel – einschließlich Scheren, Löffeln usw. – in einen großen Topf mit kochendem Wasser. Decken Sie ihn zu, und lassen Sie den Inhalt zwei Stunden lang bei mittlerer Hitze kochen. Nehmen Sie den Topf vom Herd, und lassen Sie die Geräte abkühlen. Nehmen Sie sie mit einer Zange heraus, und legen Sie sie in große Plastiktüten mit Reißverschluß, bis sie benötigt werden.

Wenn Sie Bandagen und Handtücher verwenden möchten, dann müssen Sie diese Materialien zwei Stunden lang in heißem Wasser einweichen und sie vor Gebrauch auf einer staubfreien Fläche mit Hilfe von direkter Sonneneinstrahlung trocknen. Unmittelbar nach dem Trocknen müssen Sie in eine Plastiktüte mit Reißverschluß gelegt werden, bis sie gebraucht werden. Als Alternative können Sie auch sterilisierte Bandagen benutzen, die Sie in Geschäften für Laborbedarf kaufen können.

Waschen Sie vor Beginn der Behandlung Ihre Hände in warmer Hamamelislösung, und trocknen Sie sie mit einem sauberen Baumwollhandtuch ab.

Verwenden Sie Operationshandschuhe aus Gummi, und sterilisieren Sie sie, damit Ihre Hände weder in Kontakt mit der betroffenen Stelle noch mit der Kräuterpaste und anderen Rezepturen kommen.

Verwenden Sie ausschließlich Gefäße und Hilfsmittel aus rostfreiem Stahl, zum Beispiel neue Spatel oder Spatel, die ausschließlich zur Herstellung von Rezepturen unter sterilen Bedingungen verwendet worden sind.

Wenn ein Suribachi und Stößel, eine Handmühle für Lebensmittel oder ein Mörser und Stößel und ein Gummispatel verwendet werden, dann sterilisieren Sie sie auf dieselbe Art wie die Behälter aus rostfreiem Stahl.

REZEPTE FÜR MILCHPRODUKTE

GHEE (GHRITA ODER SARPI)

Ghee ist eines der ältesten sattwischen Nahrungsmittel, die bekannt sind. Es ist gut für alle Doshas, jedoch ein spezifisches Heilmittel für Vata und Pitta; Kapha-Typen sollten es nur in geringem Maße verwenden.

Ghee hält sich auch ohne Kühlung sehr lange, da ihm die leicht verderblichen Bestandteile der Butter entzogen worden sind. Es sollte in jedem Fall zugedeckt gelagert werden und vor Feuchtigkeit und Verunreinigung geschützt werden. Achten Sie darauf, daß der Löffel, den Sie in ihr Ghee-Gefäß eintauchen, immer sauber ist.

Bereiten Sie Ihr Ghee immer in Ruhe und in sauberer Kleidung zu. Die Herstellung von Ghee ist eines der heilendsten Nahrungsmittel-Sadhanas, das Ihrem Leben Anmut verleiht, wenn Sie es regelmäßig praktizieren.

Herstellung von Ghee

1 Pfund ungesalzene, organische Butter
1 schwerer Kochtopf aus rostfreiem Stahl
1 Löffel aus rostfreiem Stahl

Sterilisieren Sie vor Beginn das Gefäß, in dem Sie das Ghee lagern sowie den Kochtopf und den Löffel, in dem Sie sie mit kochendem Wasser füllen bzw. darin eintauchen. Kochen Sie die Butter vorsichtig etwa fünfzehn Minuten lang bei mäßiger Hitze. Der Schaum, der sich während des Erhitzungsprozesses an der Oberfläche bildet, wird sich als Sediment am Topfboden absetzen. Überwachen Sie den Kochvorgang sorgfältig, um zu verhindern, daß das Ghee anbrennt, und rühren Sie gelegentlich um. Wenn das Ghee anfängt, leicht zu kochen und sich die ersten Luftblasen an der Oberfläche bilden, ist es fertig. Lassen Sie es abkühlen, und gießen Sie es dann in ein sauberes Gefäß, wobei Sie darauf achten sollten, daß das Sediment am Boden des Kochtopfes bleibt.

Anmerkung: Das Sediment kann als Snack verwendet werden: Vata- und Pitta-Typen können es mit einem halben Teelöffel braunem Zucker vermischt zu sich nehmen; Kapha-Typen können es ebenfalls gelegentlich verwenden, allerdings ohne Zucker.

Frische Butter (Makhan)

gut 2 l naturbelassene Milch
1 schwerer Kochtopf aus rostfreiem Stahl
1 Löffel aus rostfreiem Stahl
1 kühler Tontopf oder emaille-beschichter Topf aus rostfreiem Stahl

Sterilisieren Sie Ihre Geräte zur Butterherstellung, indem Sie sie mit kochendem Wasser füllen bzw. darin eintauchen. Bringen Sie die Milch zum Kochen, und lassen Sie sie abkühlen; lassen Sie sie ein zweites Mal kochen. Schöpfen Sie die Sahne ab, und lagern Sie sie eine Woche lang in einem zugedeckten Topf bei 16°C. (In Indien wird sie in einem Tontopf aufbewahrt, den man *Ghara* nennt.) Lagern Sie die übrige Milch an einem kühlen Ort.

Geben Sie die Sahne in eine große Schüssel aus Holz oder rostfreiem Stahl, und schlagen Sie sie schnell mit einem Schneebesen, bis sie fest wird. (In Indien wird Butter mit mehreren Eßstäbchen geschlagen, die mit Bindfäden zusammengebunden sind.) Wenn die Sahne anfängt, zu Butter zu werden und sich in Flocken aufzuteilen beginnt, dann fügen Sie zwei Hände voll zerstoßenes Eis hinzu, damit sie klumpiger wird. Kneten Sie die Butter fest mit Ihren Händen, bis die Buttermilch austritt. Wenn sich keine Buttermilch mehr bildet, dann spülen Sie die Butter mit eiskaltem Wasser. Wenn Sie kein Ghee aus der Butter machen wollen, dann fügen Sie, wenn Sie möchten, einige Prisen feines Steinsalz hinzu. Garnieren Sie die Butter unmittelbar vor dem Servieren mit frischen Kräutern, die dem jeweiligen Körpertyp entsprechen. Stellen Sie soviel Butter her, wie Sie sie für zwei Wochen benötigen.

Joghurt (Dadhi)

gut 2 l naturbelassene Milch
6 Eßlöffel naturbelassener Joghurt (als Ansatz)
2 schwere Kochtöpfe aus rostfreiem Stahl
1 langer Löffel aus rostfreiem Stahl
1 Thermometer

Sterilisieren Sie einen der schweren Kochtöpfe, indem Sie ihn mit kochendem Wasser füllen. Erhitzen Sie darin die Milch bei mittlerer bis geringer Hitze bis zum Kochen. Rühren Sie ständig um, um ein Anhaften bzw. Anbrennen zu vermeiden. Lassen Sie die Milch fünfzehn Minuten lang kochen, bis Sie sich auf ein Achtel ihrer ursprünglichen Menge reduziert hat und ziemlich dick ist. Stellen Sie sie beiseite, bis die Temperatur etwa 48°C beträgt.

Sterilisieren Sie den zweiten Topf und den Löffel. Wenn sich die Milch auf 47°C abgekühlt hat, gießen Sie eine Tasse Milch in den frisch sterilisierten Topf. Fügen Sie den Ansatz hinzu (vergewissern Sie sich, daß es sich um eine Acidophilus-Kultur handelt), und schlagen Sie die Mischung solange, bis sie glatt ist. Wenn die übrige Milch eine Temperatur von 44°C erreicht hat, fügen Sie sie zu dem Ansatz hinzu, und mischen Sie das Ganze sorgfältig mit dem langen Löffel.

Decken Sie den Topf mit einem sauberen schweren Baumwolltuch zu, und bringen Sie den Joghurt schnell an einen warmen Ort, an dem die Temperatur etwa 36 bis 38°C beträgt. Wenn die Temperatur zu hoch oder zu niedrig ist, wird sich kein Joghurt bilden. Ein Gasofen mit einer Kontrollampe ist ein idealer Ort; die beste Temperatur ist 38°C.

Lassen Sie den Joghurt sechs bis sieben Stunden lang stehen. Wenn er noch nicht fest genug ist, dann lassen Sie ihn noch einige Stunden länger ziehen. Stellen Sie den Joghurt weg, und lagern Sie ihn an einem kühlen Ort. Verzehren Sie ihn innerhalb von drei Tagen.

Vata-Typen: Servieren Sie den Joghurt mit wärmenden Gewürzen wie zum Beispiel Kardamom, Zimt und schwarzem Pfeffer, und verdünnen Sie ihn, falls gewünscht, mit Wasser.

Pitta-Typen: Servieren Sie den Joghurt mit Kurkuma oder Neem-Blättern, und süßen Sie ihn mit getrockneten Früchten, Marmeladen, Jagre-Zucker, Ahornsirup oder Sukanat; verdünnen Sie ihn, falls gewünscht, mit Wasser.

Kapha-Typen: Verwenden Sie ihn nur gelegentlich, und fügen Sie einige Prisen Kurkuma, schwarzen Pfeffer, Kardamom und andere kapha-reduzierende Gewürze hinzu.

Frische Buttermilch (Chaach)

Wenn Sahne gebuttert wird, dann ist die milchige Molke, die in dem Gefäß übrigbleibt, Buttermilch (vergleichen Sie oben). Sammeln Sie, nachdem Sie die Butter geformt haben, die Buttermilch in einem Tonkrug oder einem Krug aus rostfreiem Stahl bzw. Glas. Lagern Sie sie an einem kühlen Ort, und verbrauchen Sie sie innerhalb von 48 Stunden.

Diese natürliche Buttermilch kann als Ansatz zur Herstellung von Weißkäse verwendet werden. Reine Buttermilch ist am günstigsten für Vata-Typen.

Milchteig (Khoa)

Wenn die Milch solange gekocht worden ist, bis das meiste Wasser verdunstet ist, dann ist die weiche Teigmasse, die übrigbleibt, eine Substanz, die in Indien *Khoa* heißt. Aufgrund des natürlichen Milchzuckers ist sie im allgemeinen süß. Oft wird der Milch Jagre-Zucker zugesetzt, wenn der Teig zur Herstellung von Süßigkeiten wie *Peera, Ladu* oder *Halva* verwendet werden soll.

Anhang G

Ayurwedische Bezugsquellen und Lieferanten

Durch das weltweit große und ständig wachsende Interesse an Ayurweda sind viele Organisationen entstanden, die sich um die Vermittlung, Weiterentwicklung und praktische Anwendung des ayurwedischen Wissens bemühen.
Der Verlag hält deshalb eine Liste mit Adressen, die ständig aktualisiert und ergänzt werden, bereit:

Ayurwedische Studienzentren/Kurse
Ayurwedische Behandlungszentren
Küchenausstattung für Pancha Karma
Versandhändler von ayurwedischen Produkten
Ayurwedische Kliniken und Sanatorien
– im In- und Ausland –

Diese umfangreiche Adressliste schickt der Verlag Ihnen gerne zu. **Schreiben** Sie dazu einfach mit einem adressierten und ausreichend frankierten A5-Rückumschlag (Anfragen außerhalb von Deutschland: bitte einen internationalen Antwortschein beilegen) unter dem angegebenen Stichwort an den Verlag. Der Leserservice ist telefonisch nicht zu erreichen.

Windpferd Verlag
Stichwort „Ayurweda-Handbuch"
Postfach
D - 87648 Aitrang

Glossar der Sanskrit-Bezeichnungen

Obwohl alle Sanskrit-Begriffe erklärt worden sind, als sie zum ersten Mal in den Text eingeführt wurden, wird im folgenden ein umfangreiches Glossar gegeben, um Ihnen das Erlernen der vielen wichtigen Sanskrit-Begriffe, die im Ayurweda verwendet werden, zu erleichtern.

Abhyanga: den Körper mit Öl oder Ghee einsalben
Accha peya: reines Kuh-Ghee
Agni: Körperfeuer, insbesondere das Verdauungsfeuer
Ahamkara: Ego; der „Ich"-Begriff, der Hüter des kosmischen Gedächtnisses an alle Leben
Ahara Rasa: Nährstoffe, die man zu sich genommen hat, bevor sie verdaut worden sind
Aja: Ziege; jemand, der den Zyklus der Wiedergeburten transzendiert
Ajna: grenzenlose Macht; Name für das sechste Chakra
Akasha: Raum; das Prinzip der Leere
Akshitarpana: Pflanzenabkochung, die verwendet wird, um die Augen zu beleben
Alambusha: eine der vierzehn Nadis; beginnt am Anus und endet im Mund
Alepanam: Anwendung eines zusammenziehenden Umschlags
Alochaka: Feuer der Augen; eines der fünf Feuer von Pitta
Ama: unverdaute, übelriechende Nahrungsreste in den Körperkanälen
Anahata: furchtlos, unbelastet; das Wesen der schwarzen Antilope; Symbol und Name des vierten Chakras
Anna Lepa Sweda: Therapie mit feuchten Umschlägen, bei der der gesamte Körper mit einem Umschlag umwickelt wird
Annam: wörtlich: „Das, was auf der Erde wächst."; die Nahrung
Annavaha Srotas: das Verdauungssystem bzw. die Verdauungskanäle
Antahkarana: inneres oder psychisches Instrument; bezieht sich auf den Geist (Manas), den Intellekt (Buddhi) und das Ich–Gedächtnis (Ahamkara)
Anuvasana: Abkochung, die allgemein in der Einlauftherapie verwendet wird
Apana: eine der fünf Lüfte des Körpers; die Luft, die das Ausstoßen von Körperabfällen kontrolliert
Artava: Menstruationsflüssigkeit
Artava Dhatu: Eizelle
Artavavaha Srotas: Menstruationssystem bzw. die weiblichen Fortpflanzungskanäle
Ashmaghna Sweda: Schwitzen auf einer heißen Steinplatte
Ashtapana: ein anderer Ausdruck für die Einlauftherapie mit Abkochungen
Astanga Hridaya: ayurwedischer Text, der von Vagbhatta geschrieben wurde
Asthi Dhatu: Knochen- und Knorpelgewebe
Atharva Veda: einer der vier Hauptveden
Atman: innewohnender Geist; Seele im Körper; bewußtes Selbst
Avagahana Sweda: Schwitzen in einem heißen Bottich
Avalambaka: das Wasser-Dosha des Herzens; eines der fünf Wasser von Kapha
Avapeda Nasya: Einführen einer weichen Paste in die Nasengänge

Ayurweda: Wissen um das Leben; vedische Gesundheitswissenschaft
Bala: Stärke
Bandhana Sweda: Umschlagtherapie, bei der ein Umschlag an einem bestimmten Körperbereich angewendet wird
Baspa Sweda: Schwitzen in einer traditionell hergestellten Holzkiste, bei dem der Kopf des Patienten außerhalb der Kiste bleibt
Bharata Thumi: alter Name für Indien; Land des Bharata; Land des Dharma
Bhasma: wörtlich: „Asche"; zu Asche verbranntes Metall oder Mineral, das in Pulverform als kraftvolles Heilmittel verwendet wird
Bhrajaka: Hitze der Haut; eines der fünf Feuer von Pitta
Bhu Sweda: Schwitzen auf der erhitzten Erdoberfläche
Bija: Keim-Mantra
Bodhaka: Wasser der Zunge; eines der fünf Wasser von Kapha
Brachmacarini: Student/in der Veden; führt ein Leben als Mönch/Nonne
Brahma Randhra: die heiligste Körperöffnung in der Mitte des Schädels
Brahmane: spirituelle Kaste; eine der vier Kasten, die in den hinduistischen Schriften erwähnt werden
Brhmana: Harmonisierung oder stärkende Therapie
Buddhi: Fähigkeit zur persönlichen Weisheit; Entschlossenheit des Geistes; der Intellkt; (Buddhi) Merkur, der Sohn Shivas; die Gottheit, die den Mittwoch regiert
Chai: indischer Tee mit Milch
Chakra: Rad; die sieben Energiezentren der Bewußtheit im Körper
Charaka: früher Ayurweda-Gelehrter
Charaka Samhita: Charakas Abhandlung über den Ayurweda
Churna: Pulver
Collyrium: ayurwedische Augensalbe
Darbha: Grassorte, die in der ayurwedischen Medizin Anwendung findet
Deva (Devata): Gattungsname für die Götter in den hinduistischen Schriften
Devadatta: eine der fünf Nebenlüfte
Devanagari: Kommunikationmittel unter den Göttern; später als Samskritam (Sanskrit) übersetzt; eine der verschiedenen Schriftarten, in denen Sanskrit abgefaßt werden kann
Dhanamjaya: eine der fünf Nebenlüfte
Dhani: hörbarer oder unvollkommener Klang
Dhara Chatti: vergleiche Dhara Patra
Dhara Patra: Behandlungstopf aus Metall oder Ton, der verwendet wird, um Öl auf den Kopf zu tropfen
Dharane: aufrechterhalten
Dharma: die richtige Handlung entsprechend den Gesetzen der Natur
Dhatu: Gewebeelement des Körpers
Dhmapana: das Einführen von arzneilichen Substanzen in die Nasengänge mit Hilfe eines Strohhalms oder eines Rohrs
Dhoma Nasya: das Inhalieren von arzneilichen Dämpfen
Dhoti: Tuch, um den Unterleib einzuwickeln
Dosha: wörtlich: „Das, was aus dem Gleichgewicht geraten kann."; Körperaspekt
Droni: traditioneller Massagetisch aus Hölzern wie Sandelholz, Bilva, Khadira und Arjuna
Gaja: der Gott der pflanzenfressenden Tiere und Hüter des Erdgedächtnisses der Pflanzen und Kräuter; der Elefant, der das fünfte Chakra repräsentiert

Gandhari: eine der vierzehn Nadis; beginnt unter dem linken Auge und endet an der großen Zehe des linken Fußes
Gandusa: das Verwahren von Flüssigkeiten im Mund
Ganesha: Ganapati; elefantenköpfiger Gott, Sohn Shivas; einer, der alle Anfänge segnet und sie günstig verlaufen läßt; der Beseitiger von Hindernissen
Gargha Pinda: flüssiger Zustand des Embryos; kosmische Gebärmutter
Ghara: Tontopf
Go: Kuh; heilige Schrift
Gopala: Beschützer der heiligen Schriften und der Kühe; ein anderer Name für Gott Krishna
Grisma: Sanskrit für den Sommer, eine der sechs Jahreszeiten im Ayurweda
Guna: Eigenschaft oder Respekt, wie in den drei Gunas von Maya
Guru: Qualität der Schwere; spiritueller Lehrer; Guru*:* Jupiter; Gott, der den Donnerstag regiert
Gurukula: traditionelle Schule zur Verbreitung des Wissens der Vedanta
Hastajihva: eine der vierzehn Nadis; beginnt unter dem rechten Auge und endet an der großen Zehe des linken Fußes
Hemanta: Sanskrit-Bezeichnung für den frühen Winter, eine der sechs Jahreszeiten im Ayurweda
Holaka Sweda: Schwitzen auf einer mit Lehm verschmierten Erdoberfläche
Ifda: eine der beiden Hauptnadis; beginnt im linken Genital und endet am linken Nasenloch; Atem, der durch das linke Nasenloch strömt; lunares Nadi
Indriyas: die fünf Sinne
Isvara: vedische Bezeichnung für den allwissenden Gott, wenn der Name in Verbindung mit der Schöpfung gebraucht wird
Japa: Wiederholung von Mantras
Jentaka Sweda: Schwitzen in einer speziell konstruierten Schwitzhütte
Jiva: individuelle Seele
Jivana: Kräftigung; Leben
Kala: nährende Membran für die Gewebe; „Körperkristall"
Kalari: alte Form der Kampfkünste, die in Südindien entstanden ist
Kala Vasti: Serie von sechzehn Einläufen
Kambhalika: Suppe aus Joghurt, Urad-Bohnen und Sesamöl
Kapha: biologischer Wasseraspekt
Karma: Bindung an das Handeln; Ursache für die Wiedergeburt
Karma Vasti: Serie von dreißig Einläufen
Karna Purana: Tropfen von Flüssigkeiten in die Ohren
Karshu Sweda: Schwitzen in einer Erdgrube
Kavalagraha: das Verwahren von Flüssigkeiten im Mund, solange es angenehm ist
Khada: aromatische Gemüse- oder Kräutersuppe, die im allgemeinen mit Buttermilch gemacht wird
Kichadi: Mischung aus Reis und Mungo-Bohnen
Kitta: Abfall
Kledaka: Wasser der Verdauung; eine der fünf Wasser von Kapha
Krekara*:* eine der fünf Nebenlüfte
Krishna: Gopala, der Beschützer der heiligen Schriften und der Lehrer der Selbst-Erkenntnis in der Bhagavad Gita
Krushara: dicke Getreidegrütze
Kuhu: eine der vierzehn Nadis; beginnt im Hals und endet in den Genitalien

Kumbhika Sweda: Schwitzen mit Hilfe eines Kruges mit warmer Abkochung
Kundalini: wichtigste Energie der Manifestation, die durch eine zusammengerollte Schlange am Steißbein symbolisiert wird
Kupa Sweda: Schwitzen auf einer mit Lehm verschmierten Erdoberfläche
Kurma: eine der fünf Nebenlüfte
Kuti Sweda: Schwitzen in einer speziell konstruierten Schwitzhütte
Langhana: Entleerungs- bzw. Reduktionstherapie
Lassi: traditionelles, indisches Getränk aus Joghurt, Milch und duftenden Kräutern, das zumeist nach den Mahlzeiten zur Verdauungsörderung getrunken wird.
Lepa: den Körper mit einer Packung aus arzneilichen Substanzen einschmieren
Majja Dhatu: Knochenmark und Nervengewebe
Makara: Krokodil; Symbol für sinnliche Bewegungen und Betrügerei
Mala: Girlande; Rosenkranz mit Perlen
Malas: Körperabfälle
Mamsa Dhatu: Muskelgewebe
Manas: Verstand
Manda: gekochter Rand am Topfboden
Mangala: Mars; Gott, der den Dienstag regiert
Manovaha: Kanäle, die mentale Energie befördern
Mantha: dünne Grütze, die aus Reis und Ghee hergestellt wird
Mantra: heilige Laute; Gruppe von kosmischen Lauten, die dazu dienen, bestimmte körperliche und psychische Zentren im Körper anzuregen
Mardana: sanfte Druckmassage
Marma: anatomische Reflexpunkte des Körpers; vitale Orte der Pranaenergie
Marsha Nasya: das Einführen von arzneilichen Ölen in die Nasengänge
Masala: Kombination von Gewürzen, die zusammen vermahlen werden; aromatische Mischung
Masthiskya: arzneiliche Paste, die am Kopf angewendet wird
Maya: kosmische, kreative Kraft; Manifestation; relative Realität
Medas: Fett
Medas Dhatu: Fettgewebe
Moksha: ein „Zustand", in dem das potentielle Material und die Schwingungen für zukünftige Wiedergeburten auf allen Ebenen der Existenz vollkommen aufgelöst werden; Befreiung aus dem Zyklus von Geburt und Tod
Mutravaha Srotas: Harnsystem
Nadi: subtiler Kanal im Nervensystem, der aus feinen Feuchtigkeitsfäden besteht; bezieht sich auf die grobe Form der Nerven, Venen usw.; Atemwege; ayurwedischer Name für den Puls
Nadi Sweda: Dampfanwendung mittels eines Schlauches
Naga: eine der fünf Nebenlüfte
Nasya: das Einführen von Arzneien in die Nase
Navana Nasya: das Einführen von fettigen Substanzen oder Pulvern, um die Nasengänge zu reinigen
Niruha: Öle, die im allgemeinen in der ayurwedischen Einlauftherapie Anwendung finden
Odana: dicker Porridge
Ojas: vollendete Essenz der Dhatus, wenn das Körpersystem sich in vollkommener Ordnung befindet; das Leuchten der Gesundheit
Paca Kizhi Sweda: Schwitzen mit einem Umschlag aus grünen Blättern

Pachaka: eines der fünf Feuer von Pitta; das Feuer der Verdauung im Magen
Padabhyanga: ayurwedische Fußmassage
Padaghata: das Einschmieren der Füße mit Öl
Pancha Karma: die fünf Reinigungstherapien des Ayurweda: Brechtherapie, Einläufe (zwei Arten), Purgieren und das Einführen von Arzneien in die Nase
Parisheka: Schwitzen mit einem Aufguß aus ayurwedischen Kräutern
Patanjali: Begründer und Erneuerer des klassischen Yoga-Systems
Payasam: süßer, flüssiger Porridge
Payasvini: eine der vierzehn Nadis; beginnt im rechten Ohrläppchen und ist mit den Schädelnerven verbunden
Peya: Abkochung aus Reis und Ghee
Phala: Frucht
Phanita: klebrige Süßigkeit aus Zuckerrohrsaft
Pichu: das Anbringen eines in Öl getränkten Tuches auf der Stirn
Pinda Sweda: Schwitztherapie mit einem Umschlag, der in ein Säckchen eingewickelt ist
Pingala: eine der beiden Hauptnadis; beginnt im rechten Auge und endet am rechten Genital; solare Kraft; Atem, der durch das rechte Nasenloch strömt
Pitta: biologischer Feueraspekt
Prabhava: Spezifische Aktion ohne Berücksichtigung der allgemeinen Regel der drei Stufen des Geschmacks; spezielle Aktion von Kräutern
Pradeha: nicht-absorbierender Umschlag
Prakruti: erste Handlung; individuelle Konstitution
Pralepa: dünne, kalte Umschlagsschicht
Prana: Lebensatem; die erste der fünf Lüfte des Körpers; vitale Kraft; Luft des Herzens
Pranavaha: Kanäle, die Prana befördern; Kraft von Prana bzw. dem Atem
Pranayama: yogische Atemübungen
Prasthara: Schwitzen auf einem Breibett
Prinana: Freude, die durch die Natur ausgelöst wird
Puja: religiöse Zeremonie
Purana: Fülle
Purishavaha Srotas: Ausscheidungssystem
Pusha: eine der vierzehn Nadis; beginnt am rechten Ohr und endet an der großen Zehe des linken Fußes
Rajas (rajasisch): Aktivität oder aggressive Schöpfungskraft; eines der drei Gunas
Rakta Dhatu: Blutgewebe
Rakta Moksha (Mokshana): therapeutischer Aderlaß
Raktavaha Srotas: Zirkulationssystem (Hämoglobinanteil)
Ranjaka: Hitze des Blutes, wirkt in der Leber; eines der fünf Feuer von Pitta
Rasa: anfänglicher Geschmack in den drei Geschmacksstufen; wörtlich „äußere Schönheit" oder „Reife"
Rasa Dhatu: Plasmagewebe
Rasayana: Verjüngungstherapie
Rawal: religiöses Oberhaupt der Hindus
Rtusandhi: Übergang zwischen zwei Jahreszeiten oder zwei Phasen innerhalb einer Jahreszeit
Rukshana: Entwässerungstherapie
Rupa: Form

Sadhaka: das dritte Feuer, das sich im Herz befindet, zentral für die Aktivität von Pitta; auch: „Derjenige, der Sadhana (die gesunden Aktivitäten, die uns in Harmonie mit der Natur bringen) ausübt."
Sadhana: die gesunden Aktivitäten, die in Harmonie mit der Natur ausgeübt werden und uns helfen, das kognitive Gedächtnis wiederzubeleben und zu erwecken
Sadhu: einfacher Mensch
Sahasrara: wörtlich: „Tausend Blütenblätter"; das siebte Chakra; räumlich grenzenloses Verweilen
Saindhava (Sendha Namak)*:* ayurwedisches Steinsalz
Sama: drei Doshas im Zustand der Gleichheit
Samadhi: Atemstille
Samana: Luft des Magens; eine der fünf Lüfte von Vata
Samhita: Text
Samskaras: karmische Abdrücke aus vergangenen Leben, die im feinstofflichen Körper vorhanden sind
Samvahana: den Körper mit einer warmen Abkochung shampoonieren
Sankara Sweda: Gattungsname für die Schwitztherapien, bei denen ein Umschlag verwendet wird
Sarada: Sanskrit für den Herbst, eine der sechs Jahreszeiten im Ayurweda
Saraswati: Göttin des Wissens; eine der vierzehn Nadis; beginnt an der Zungenwurzel und endet in den Stimmbändern; Wohlklang stimmlicher Stärke
Sattwa (sattwisch): zentraler Aspekt der drei Gunas; kosmische Kraft des Ausgleichs und der Zufriedenheit
Shakti: die weibliche kosmische Kraft; Macht, Energie; die Kraft der Bewußtheit
Shamana: Therapie, die den Körper nährt und ihm Stärke verleiht; lindernde Maßnahme
Shani: Saturn; der Gott, der den Samstag regiert
Shankhini: eine der vierzehn Nadis; beginnt im Hals und endet an der linken Seite des Anus
Shikha: Krone des Kopfes
Shiro Abhyanga (Shirobhyanga): das Einschmieren des Kopfes mit Öl; Kopfmassage
Shirodhara: das Tropfen von arzneilicher Abkochung auf die Stirn
Shiro Tarpana: die Anwendung von Öl am Kopf
Shirovasti: die Anwendung von Öl am rasierten Kopf
Shiva: das reine Sein oder reine Bewußtsein
Shodhana: Therapie, die aus Ausscheidungsverfahren besteht; Reinigungsmaßnahme
Shukra: kollektive, verfeinerte Essenz, die zu Shukra Dhatu gehört; verfeinerte Emotion der Liebe; Samen, Fortpflanzungsflüssigkeit; die Eizelle der Frau; Shukra*:* Sanskritname für Venus; Göttin, die den Freitag regiert; Verleiher von Glück oder Ruhm
Shukra Dhatu: Sperma
Shukravaha Srotas: männliches Fortpflanzungssystem oder -kanäle
Sisira: Sanskrit-Bezeichnung für den späten Winter, eine der sechs Jahreszeiten im Ayurweda
Sirovirechana: Inhalationstherapie mit Schnupftabak
Slesaka: Wasser der Gelenke; eines der fünf Wasser von Kapha
Sleshma: ein anderer Name für Kapha oder Schleim

Sneha: verschwenderische Liebe; Schmieren; Name der Einlaufbehandlung, bei der nur eine halbe Tasse Öl verwendet wird
Snehana: äußeres Einölen des Körpers; Schmiertherapie
Snehapana: inneres Schmieren des Körpers
Snehika Dhoomapana: Kräuter, die zum Zwecke des therapeutischen Rauchens mit Öl oder Fett vermischt worden sind
Soma: kraftvoller Nektar, der von den Devas verzehrt wurde, um ewige Stärke zu verleihen; das Lustprinzip, das hinter Geist und Sinnen steht
Srotas: Kanäle wie in den dreizehn Zirkulationkanälen
Sthambana: Verhaltungstherapie
Suksma: Subtil
Surya: Sonne; Gottheit, die den Sonntag regiert
Sushruta: Ayurweda-Gelehrter des frühen Indiens
Sushumna: Zentrale und Haupt-Nadi innerhalb des Wirbelsäulenkanals, die alle Nadis versorgt
Swedana: Schwitzen oder Behandeln des Körpers mit heißen Umschlägen; schweißtreibende Therapie
Swami: jemand, der entsagt; der weiß, daß Brahman und das Selbst eins sind
Taila: Öl
Taittiriya: wörtlich: „Drei Vögel"; eine der Upanischaden, die von der Selbsterkenntnis handelt
Takra Dhara: arzneiliche Buttermilch
Tamas (tamasisch): träger Aspekt der Schöpfung; eines der drei Gunas
Tanmatra (tanmatrisch): Quantum-Energieaspekt der subtilen Elemente, die sowohl die fein- als auch die grobstofflichen Körper durchdringen
Tarpaka: das Wasser der Sinnesorgane; eines der fünf Wasser von Kapha
Tarpana: dicke Grütze aus Reis, Bohnen, schwarzem Pfeffer und Ghee
Tejas: kühles, verfeinertes, universales Feuer; subtiles verfeinertes Feuer des Geistes
Tikta Ghrita: reines Ghee, das mit bitteren Kräutern vermischt ist
Tridosha: drei Doshas, die sich in einem Zustand des Gleichgewichts befinden
Ubtan: frisch gemahlenes Mehl aus Hülsenfrüchten oder Getreide, das traditionell dazu verwendet wird, um die Haut zu reinigen
Udana: die Luft der Kehle; eine der fünf Lüfte von Vata
Udvartana: Ölmassage oder trockene Massage bei Kapha-Störungen
Upadhatu: sekundäres Körpergewebe
Upanaha Sweda: Gattungsname für die Schwitztherapien, bei denen Umschläge oder Kompressen verwendet werden
Upanischaden: altindische Schriften, die zur Vedanta gehörten
Utkarita: Pudding aus Milch, Joghurt oder Sahne
Uttara Vasti: Duscheinlauf
Vagbhatta: Ayurweda-Gelehrter des frühen Indiens
Virechanika Dhoomapana: das therapeutische Rauchen von getrockneten Kräutern
Vajikarana: Aphrodisiakum; Therapie zur Steigerung der Potenz
Vamana: therapeutisches Brechen; Brechtherapie
Varna: reine Schwingung; nicht-manifester Klang
Varsa: Sanskrit: für die Regenzeit, eine der sechs Jahreszeiten im Ayurweda
Varuni: eine der vierzehn Nadis, die zwischen dem Hals und dem rechten Ohr beginnt und am Anus endet
Vasanta: Sanskrit: für den Frühling, eine der sechs Jahreszeiten im Ayurweda

Vasti: ayurwedische Einlauftherapie
Vasti Netra: Schlauch, der bei der Einlauftherapie verwendet wird
Vasti Putaka: Einlauftasche
Vata: biologischer Luftaspekt
Vayu: Luft oder Wind; ein anderer Name für Vata
Veda: Wissen
Vedanta: Höhepunkt der Veden in der Philosphie des Wissens um das Selbst
Veden: alte Bücher des Wissens, die die spirituelle Wissenschaft der Bewußtheit darstellen; das erste Wissen auf der Erde
Vedisch: zu den Veden gehörig
Vicarana Sneha: arzneiliches Ghee
Vilepika: Mischung von vier Teilen Wasser und einem Teil Reis
Vipaka: die Wirkung von Kräutern, nachdem sie verdaut worden sind
Virechana: Purgiertherapie; eine der fünf Reinigungsaktionen, die im Pancha Karma verwendet werden
Virya: energetische Wirkung von Kräutern; kann erhitzend oder kühlend sein
Vishvabhesaja: heilendes Geheimnis des Universums; universelle Medizin
Vishvodara: eine der vierzehn Nadis; existiert im Bauchnabel und energetisiert Prana im Körper
Vyana: Luft der Zirkulation; eine der fünf Lüfte von Vata
Vyayama: natürliche Übungsformen
Yama: der Gott des Todes
Yama Damstra: der Zeitraum zwischen dem 22. November und dem 9. Dezember, wenn die Erde mit ihrer nördlichen Umkreisung der Sonne beginnt
Yashasvini: eine der vierzehn Nadis; Begleit-Nadi von Pingala, die vom linken Ohr zur großen Zehe des rechten Fußes verläuft
Yavagu: Mischung aus sechs Teilen Wasser und einem Teil Gerste
Yoga: pychophysische Praktiken, die auf die Selbsterkenntnis ausgerichtet sind
Yogavaha: das, was die Wirkung dessen verstärkt, was es untersagt
Yoga Vasti: Serie von acht Einläufen
Yogini (Yogi): eine(r), die/der ihr/sein Leben der Ausübung von Sadhanas gewidmet hat, um Vereinigung mit Gott zu erreichen
Yusha: Bohnensuppe

Anmerkung 1: Eine deutsche Übersetzung der Sanskrit-Bezeichnungen für die dreiundvierzig Haupt-Marma-Punkte des Körpers finden Sie in Kapitel vier, wo sie zum ersten Mal erwähnt werden.

Anmerkung 2: Die Sanskrit-Namen für die vedischen Götter, die in den Gebeten und Mantras verwendet werden, sind in Kapitel neun „Die Heilenden Aktivitäten" erklärt, wo sie zum ersten Mal erwähnt werden.

Anmerkung 3: Die Sanskrit-Namen und die deutschen Namen (sofern vorhanden) der ayurwedischen Kräuter, die in diesem Buch erwähnt werden, sind in Anhang B, dem „Glossar der ungebräuchlichen Zutaten" erwähnt. In Anhang A finden Sie ebenfalls eine umfangreiche Auflistung der ayurwedischen Kräuter, die traditionell im Pancha Karma verwendet werden, mit ihren Sanskrit-Namen sowie den entsprechenden lateinischen und deutschen Bezeichnungen.

Bibliographie

Berliner, Ann, *Advaita Makaranda* (Übersetzung und Kommentar), New Delhi, Asia Publishing House, 1990.

Bishagratna, K. L., *Sushruta Samhita*, Varanasi, Chowkhamba, 1968

Dash, Bhagwan, *Ayurwedic Treatment for Common Diseases*, Delhi Diary, 1974

Dash, Bhagwan und Junius, Manfred M., *A Handbook of Ayurveda*, Delhi, Concept Publishing Co., 1983

Devaraj, T. L., *The Panchakarma Treatment of Ayurveda*, Bangalore, Dhanvantari Oriental Publications, 1983

Feuerstein, Georg, *The Yoga-Sutra of Patanjali* (Übersetzung und Kommentar), Vermont, Inner Traditions International, 1989

Gandhi, Maneka, *Brahma's Hair*, Delhi, Rupa & Co., 1989

Govindan, S. W., *Techniques of Massage*, Varanasi, Sarva-Seva-Sangh-Prakashan, 1989

Lad, Vasant, Das Ayurweda Heilbuch, Aitrang, Windpferd Verlagsgesellschaft mbH, ^{8}1994

Mooss, N. S. (Herausgeber und Übersetzer), *Vagbhata's Astanga Hrdaya Samhita*, Kalpasthana, Kottayam, Kerala, Vaidyasarathy Press, 1984

Mooss, Vayaskara N. S., *Ayurvedic Flora Medica*, Kottayam, Kerala, Vaidyasarathy Press, 1978

Murthy, Prof. K. R. Sritanta (Übers.), *Madhava Nidanam*, Varanasi, Chaukhambha, 1987

Rajan, Chandra, Kalidasa, *The Loom of Time*, Delhi, Penguin Books, 1990

Sharma, P. V., *Caraka Samhita*, (Sanskrit- /Englische Ausgabe), Delhi, Chaukhambha Orientalia, 1981

Sharma, P. V., *Fruits and Vegetables of Ancient India*, Varanasi, Chaukhambha Orientalia, 1981

Singh, Prof. R. H., *Pancha Karma Therapy*, Varanasi, Chaukhambha Sanskrit Series, 1992

Sri Sankaracarya, *Srimad Bhagavad Gita Bhasya*, Sanskrit Edition, Madras, Sri Ramakrishna Math, 1983

Sri Sankaracarya, *Upadesha Sahasri* (Sanskrit- /Englische Ausgabe), Madras, Sri Ramakrishna Math, 1984

Svoboda, Robert E. *Ayurveda: Life, Health and Longevity*, Arkana, Penguin Books, 1992

Tiwari, Maya, *Ayurveda. A Life of Balance,* Vermont, Healing Arts Press, 1994

Tiwari, Maya; Kushi, Aveline und Esko, Wendy, *Diet for Natural Beauty*, New York und Tokyo, Japan Publishing, 1991

INDEX

Sehnen, 396

Über die Autorin

Vor über zwanzig Jahren heilte Maya Tiwari sich mit Hilfe ihres Mutes und ihrer spirituellen Stärke selbst von Krebs. Im Zuge ihrer Heilung richtete sie ihr Leben neu aus und begann mit ihren holistischen Studien der orientalischen Medizin. Später kehrte sie zu ihren Wurzeln nach Indien zurück, wo sie sorgsam von Swami Dayananda, einem der wenigen noch lebenden Meister der traditionellen Lehren des Vedanta und des Sanskrit, unterrichtet wurde. Sie wurde dazu ermächtigt, die kostbaren mündlichen Lehren der Veden, des ältesten spirituellen Erbes Indiens, zu bewahren und hat seitdem ihr Leben dem Studium und der Lehre des Ayurweda und Vedanta gewidmet. Im Jahre 1993 wurde Maya Tiwari von Swami Dayananda als *Brahmacharini* (eine Frau, die ihr Leben dem Studium der Veden widmet) initiiert. Als traditionelle vedische Nonne führt Bri Maya ein einfaches Leben in Asheville, Nordkarolina, und lehrt mit Liebe und Selbstlosigkeit die uralte Weisheit der *Sadhanas* (gesunde, heilende Aktivitäten). Im Laufe der Jahre hat sie Hunderten von Krebspatienten und in jüngerer Zeit auch AIDS-Kranken beigestanden, durch die "dunkle Nacht der Seele" hindurchzugehen und gesund zu werden.

Bri Maya Tiwari hat zusammen mit Aveline Kushi *Diet for Natural Beauty* geschrieben und ist außerdem Autorin des aktuellen Bestsellers *Ayurweda: A Life of Balance*, des maßgeblichen Werks über ayurwedische Ernährung.

Harish Johari

Das Ayurweda Kochbuch

Köstliche vegetarische Rezepte für Körper, Seele und Geist

Die ayurwedische Küche kennt eine Vielzahl von ausgefallenen vegetarischen Gerichten, die einen einzigartigen, elementaren Reiz besitzen, der sich wohltuend auf den gesamten Menschen auswirkt. Die Zutaten sind auch hierzulande leicht erhältlich und ebenso einfach in der Zubereitung. Lassen Sie sich von diesem Kochbuch verführen – naschen Sie aus dem Kochtopf der Götter. Die Wirkungsqualitäten der einzelnen Lebensmittel sind in den »Grundlagen der ayurwedischen Kochkunst« beschrieben.

192 Seiten,
DM/SFr 19,80 ÖS 147,00
ISBN 3-89385-027-9

Harish Johari

Grundlagen der ayurwedischen Kochkunst

Die Philosophie und Praxis der vegetarischen Küche Indiens

Die ayurwedische Kochkunst ist eine Kochkunst ganz besonderer Art. Der Geschmackssinn und sein Einfluß auf das Temperament spielen eine bedeutende Rolle. Über den Gaumengenuß hinaus bietet sie hervorragende Möglichkeiten, das innere Gleichgewicht, die Ausgewogenheit von Körper, Seele und Geist zu erreichen oder zu erhalten. Die Ursprünge der ayurwedischen Küche liegen in der ayurwedischen Heilkunst. Die nach überlieferten Rezepten zubereiteten Gerichte schmecken und heilen.

176 Seiten,
DM/SFr 19,80, ÖS 147,00
ISBN 3-89385-026-0

Vasant Lad • David Frawley

Die Ayurweda Pflanzen-Heilkunde

Das Yoga der Kräuter Anwendung und Rezepte ayurwedischer Pflanzenheilmittel

Dieses Buch stellt die ayurwedische Pflanzenheilkunde als eine auch hierzulande praktizierbare Naturheilmethode vor. Beim Ayurweda werden die pflanzeneigenen Energien individuell den menschlichen „Konstitutionen" zugeordnet und entsprechend angewendet. Das Buch gibt Diagnoseanleitungen und Rezepturen mit bei uns heimischen oder gebräuchlichen Pflanzen. Die Ayurweda-Pflanzenheilkunde ist eines der umfassendsten ayurwedischen Kräuterhandbücher.

320 Seiten,
DM/SFr 29,80, ÖS 221,00
ISBN 3-89385-002-3

Vasant Lad

Das Ayurweda-Heilbuch

Eine praktische Anleitung zur Selbst-Diagnose, Therapie und Heilung mit dem ayurwedischen System

Diese praktischen Anleitungen zur Selbst-Diagnose, Therapie und Heilung beruhen auf einem jahrtausendealten System, auf der „Wissenschaft vom Leben“. Neben den philosophischen Grundlagen dieses östlichen Medizinsystems enthält dieses Heilbuch die wichtigsten Diagnose- und Behandlungsmöglichkeiten, Ernährungshinweise und Ratschläge zur Lebensführung sowie das Wissen um die Wiedererlangung und Erhaltung der Gesundheit.

192 Seiten,
DM/SFr 19,80ÖS 147,00
ISBN 3-89385-003-1

Amadea Morningstar

Gesund mit der Ayurweda-Heilküche

Typgerechtes Kochen nach dem traditionellen ayurwedischen Drei-Dosha-System. Ein umfassendes Koch- und Gesundheitsbuch – mit Rotationsdiäten für Allergiker

Die Hauptbotschaft des Ayurweda lautet: esse das, was deinem individuellen Typ gut tut, und es erklärt somit, weshalb so viele moderne Diäten meist nicht wirken. Die körperlichen Bedürfnisse sind nicht bei allen Menschen gleich. Und dem trägt Ayurweda Rechnung – mit einem Speisezettel, der sich nach den wirklichen, nämlich ganz persönlichen Bedürfnissen des einzelnen richtet.

400 Seiten,
DM/sFr ca.29,80/öS 221,00,
ISBN 3-89385-150-X

Dr. Frank Ros

Geheimnisse ayurwedischer Akupunktur

Mit den drei Doshas, den fünf Elementen und den zwölf Energiekanälen ganzheitlich diagnostizieren und heilen

Ayurweda und chinesische Medizin sind die beiden ältesten und am höchsten entwickelten Methoden traditioneller, natürlicher Behandlungsweisen. Die Darstellung der drei Doshas, der fünf Elemente und der zwölf Bio-Energiekanäle sowie die Einführung in den ayurwedischen Biorhythmus bilden den Kern des Buches. Ein leicht verständliches und praktisches Buch mit vielen Illustrationen.

224 Seiten,
DM/sFr 29,80/öS 221,00,
ISBN 3-89385-140-2